Los tiempos
del tiempo

Terapia Familiar

Luigi Boscolo
Paolo Bertrando

Los tiempos
del tiempo

Una nueva perspectiva para la consulta
y la terapia sistémicas

PAIDÓS

Barcelona
Buenos Aires
México

Título original: *I tempi del tempo. Una nuova prospettiva per la consulenza e la terapia sistemica*
Publicado en italiano por Bollati Boringhieri, Turín

Traducción de Ramón Alfonso Díez Aragón y Mª del Carmen Blanco

Cubierta de Mario Eskenazi

1ª edición, 1996

© 1993 by Bollati Boringhieri Editore, s.r.l., Turín
© de todas las ediciones en castellano,
  Ediciones Paidós Ibérica, S.A.,
  Mariano Cubí, 92 - 08021 Barcelona
  y Editorial Paidós, SAICF,
  Defensa, 599 - Buenos Aires

ISBN: 84-493-0212-9
Depósito legal: B-17/1996

Impreso en Hurope, S.L.,
Recaredo, 2 - 08005 Barcelona

Impreso en España - Printed in Spain

A Jacqueline
A Paola

SUMARIO

PRÓLOGO

Tuvimos la idea de escribir este libro en 1988, cuando comenzamos a darnos cuenta de la importancia de la relación entre tiempo y modificación de las expectativas en clientes y terapeutas. Al comprobar que la idea del tiempo es importante a propósito de los cambios, tanto en la terapia como en la vida cotidiana, sentíamos una curiosidad incontenible acerca del tiempo. La lectura de la bibliografía disponible del campo de la terapia y de la consulta no había respondido a nuestras cuestiones. Entonces nos pusimos a leer una serie de textos: nos dirigimos primero a la filosofía, después a la física y recorrimos otras muchas disciplinas. Poco a poco nos vimos inmersos en un viaje fantástico, buscando aquel objeto misterioso que es el tiempo, que continuamente se nos escabullía. Un pensamiento de san Agustín –uno de los autores que leíamos con mayor interés– puede explicar perfectamente el sentido de este viaje: «¿Qué es, pues, el tiempo? Si nadie me lo pregunta, lo sé. Pero si quiero explicárselo al que me lo pregunta, no lo sé». Esto excitó nuestra *hybris*, haciendo nacer en nosotros el deseo de comprender y de explicar –primero a nosotros mismos, y después a los demás– qué es el tiempo. Nos hemos adentrado progresivamente en un viaje cada vez más interesante, lleno de agradables sorpresas, pero también de desilusiones. Como cuando, en una estancia en Venecia, se pierde uno en el laberinto de las calles, se encuentra desorientado, pero siempre con la firme sensación de que, antes o después, se pasará de la oscuridad de las calles tortuosas a la meta: la majestuosa Plaza de San Marcos.

Consideramos –*a posteriori*– que nuestro viaje ha tenido éxito. Porque, en este último periodo, nos ha llevado a ver las relaciones humanas, y en particular las relaciones de terapia y consulta, a través de una nueva perspectiva: la perspectiva del tiempo. Nos parece que el modo en que ahora «vemos» a nuestros clientes, y a nosotros mismos en el hecho de ver y actuar, se ha enriquecido notablemente, e incluso nos ha llevado a proponer una perspectiva nueva para la consulta y la terapia sistémica.

La perspectiva del tiempo –la preferida en este libro– se apoya en otras perspectivas que han aparecido recientemente en el campo de la consulta y de la terapia de la familia: la perspectiva de las premisas, la del lenguaje,[1] la de la narración, la de la postmodernidad. Muchos de estos modelos han surgido como alternativa al paradigma sistémico, que se basa en la metáfora cibernética (ténganse en cuenta, por ejemplo, las críticas que Lynn Hoffman o Harry Goolishian han hecho a la cibernética). Nosotros, por el contrario, nos encontramos todavía a gusto dentro del paradigma sistémico, basado en la cibernética de primer y segundo orden. En la segunda parte del libro, dedicada a la praxis clínica, el lector podrá comprobar cómo nuestro modo de proceder en el curso de las terapias se ha enriquecido y se ha vuelto más complejo, aunque se mantenga, en sus líneas generales, dentro del método de Milán.

El lector encontrará en el libro referencias a diversas fases del método de Milán, y podrá observar también cómo hemos modificado el método, adoptando la perspectiva del tiempo de un modo cada vez más constante y consciente. Encontrará también, por otra parte, técnicas e intervenciones que no pertenecen al citado método, sino a otras concepciones terapéuticas. Pues bien, estas manifestaciones no ortodoxas son voluntarias y conscientes: pensamos que el terapeuta puede salir de la ortodoxia usando elementos de otras teorías, con tal de que sea consciente de ello, y puede volver, cuando lo juzgue oportuno, a su propia ortodoxia. De esta manera su trabajo se vuelve más dúctil y diversificado.

Pero volvamos a nuestra investigación. Hemos seguido, en primer lugar, el itinerario tortuoso descrito ya en parte; nos hemos preguntado qué es el tiempo para los filósofos, los físicos, los historiadores, los antropólogos, los sociólogos. Y las respuestas que hemos hallado han sido muy variadas. Nos hemos encontrado frente a una pluralidad de tiempos: tiempo objetivo y tiempos subjetivos, tiempo familiar, tiempo institucional, tiempo cultural. Ante esta multitemporalidad caímos en la cuenta de la importancia de la coordinación entre los diferentes tiempos, entre los tiempos individuales, colectivos, sociales, culturales. Y observamos que la falta de tal coordinación puede ser causa de problemas, sufrimientos, patologías.

Además, nuestros clientes nos presentan problemas que podemos considerar como problemas de coordinación entre tiempos, cuyo resultado puede ser: el tiempo que se para, que no evoluciona, del deprimido; el fragmentario del esquizofrénico, o el caótico de la organización en medio de dificultades. El análisis se hace más complejo por los distintos horizontes y perspectivas temporales que se dan cita en las diferentes personas, culturas, organizaciones, entidades sociales.

También las terapias tienen sus propias perspectivas temporales. Ciertos modelos terapéuticos se ocupan preferentemente del presente, otros del pasado, otros preferente o exclusivamente del futuro. Nuestra visión trata de establecer relaciones entre presente, pasado y futuro. Nos interesamos por la interacción entre las tres «dimensiones» del tiempo, teniendo en cuenta la variabilidad del horizonte temporal del cliente y las posibilidades de evolución. Estamos muy atentos a la coordinación de nuestros tiempos con los tiempos de los clientes. Con frecuencia ellos experimentan el tiempo de un modo lineal-causal: el pasado determina al presente, y el presente al futuro. La acción del terapeuta consiste en introducir entre las tres dimensiones del tiempo una relación de tipo reflexivo (lo que hemos definido como anillo autorreflexivo de presente, pasado y futuro) creando pasados y futuros hipotéticos en el presente.

Éstos no son más que algunos de los muchos aspectos del tiempo que tienen una importancia notable en las relaciones humanas. Como terapeutas, en nuestro viaje hemos explorado territorios distintos del nuestro, como la filosofía, la física, la geología o la sociología. Y, de antemano, pedimos disculpas al lector si nuestra versión resulta a veces bastante *naïve*. Con todo, queremos subrayar que, de este viaje a un terreno extraño, nos hemos traído algunas metáforas (tomadas, sobre todo, de la física y de la filosofía), que resultan muy útiles para ver con ojos nuevos el proceso de la terapia y de la consulta. Por supuesto, se trata de metáforas que no se han de entender de un modo literal, sino que se han de interpretar como lo que son.

El libro está dividido en diez capítulos, que se ocupan primero de la teoría, y luego de la praxis clínica. El capítulo 1 está dedicado a las metáforas del tiempo ofrecidas por la filosofía, la historia, la geología y la física. El capítulo 2 a los tres ámbitos principales del tiempo (individual, cultural y social), y a su interacción. En el capítulo 3 la investigación se traslada a los diversos modelos de la interacción familiar, vistos a través de la perspectiva del tiempo. El capítulo 4 se ocupa específicamente de nuestro modelo de terapia sistémica, y de su evolución como consecuencia de las ideas surgidas del estudio sobre el tiempo. El capítulo 5 se dedica a la técnica de dirección de las sesiones de terapia y de consulta, de acuerdo con estas ideas nuevas. Es precisamente el quinto capítulo el que sirve como introducción directa en el ámbito clínico, con el relato y el análisis de una sesión completa. Los capítulos 6 y 7 hablan, respectivamente, de la creación de un pasado y de un futuro en la terapia, por medio de narraciones y relatos de varios casos clínicos. El capítulo 8 trata del aspecto temporal de los rituales terapéuticos, por medio de breves relatos de numerosos casos, mientras que el capítulo 9 se centra en tres casos contados en todo su desarrollo temporal. En el capítulo 10 los dos autores analizan toda una sesión sirviéndose de un diálogo entre ellos. Somos conscientes de que los primeros capítulos de este libro pueden resultar demasiado teóricos, abstractos y, a veces, un poco tediosos. Por eso proponemos dos posibles itinerarios para la lectura: o bien una lectura continua, del principio al final (en nuestro lenguaje: del pasado al presente y al futuro); o bien comenzar por el quinto capítulo, que está centrado en una sesión terapéutica, continuando con los cinco últimos, dedicados a la práctica clínica, para volver a los cuatro primeros capítulos teóricos, pudiendo después dirigirse de nuevo, enriquecidos con la teoría, a la experiencia clínica. De este modo, el lector puede llevar a término un proceso circular: del presente al futuro, para volver después al pasado y, desde él, una vez más, llegar a un nuevo presente.

Nos hemos preguntado qué puede aprender de este libro un lector que haga nuestro mismo trabajo. Pensamos que –como nos ha sucedido a nosotros– el interés por la dimensión temporal puede abrirles nuevas perspectivas, llegando a ampliar su visión teórica y clínica, y favoreciendo una mayor versatilidad en su trabajo. Somos conscientes, por supuesto, de que nuestro modelo, basado en la perspectiva temporal, se encuentra todavía en un estado incipiente y más adelante necesitará una actualización. Pero esperamos que pueda suscitar en los lectores la misma curiosidad que, en su momento, suscitó en nosotros, y pueda llevarles a proponer, por su parte, nuevas aportaciones para perfeccionar esta perspectiva que nos ha resultado tan útil.

L.B. – P.B.

1. METÁFORAS DEL TIEMPO

Convendrá, como *ouverture*, entender por realidad el campo de aplicación del verbo conocer. De improviso, uno se encuentra empleando metáforas, y cada una de ellas se desenmascara rápidamente como agente provocador de concepciones estáticas o dinámicas, de proyección o de introyección, realistas o relativistas, objetivistas o convencionalistas [...] El conocimiento se representa a veces como reflejo, otras como asimilación, o como viaje, o como exploración. Cada imagen supone un conjunto de creencias y un sistema de valores. Cada época prefiere inevitablemente ciertas metáforas.

PIATTELLI PALMARINI, 1984b, pág. 15

ALGUNAS PARADOJAS

El tema del tiempo ha dado origen a una rica literatura, sembrada de paradojas. Consideraremos sólo alguna de ellas. En el siglo VI a.c. Zenón de Elea propone las suyas, célebres, sobre tiempo y movimiento. Aquiles no puede alcanzar jamás a la tortuga porque, mientras Aquiles llega al lugar donde la tortuga se encontraba en el momento de salir, ella se ha adelantado un poco; cuando Aquiles ha recorrido esa pequeña distancia, la tortuga se ha adelantado otro poco y así sucesivamente, *ad infinitum*. La flecha no puede alcanzar el blanco porque antes debe realizar la mitad del recorrido, y previamente la mitad de la mitad, y así sucesivamente, *ad infinitum*.

Un milenio después el obispo de Hipona, san Agustín, reflexiona así a propósito del tiempo:

¿Qué es, pues, el tiempo? Si nadie me lo pregunta, lo sé. Pero si quiero explicárselo al que me lo pregunta, no lo sé. Pero me atrevo a decir que sé con certeza que, si nada pasara, no habría tiempo pasado; si nada sobreviniese, no habría tiempo futuro; y si nada existiese, no habría tiempo presente.

Pero aquellos dos tiempos, pasado y futuro, ¿cómo pueden existir, si el pasado ya no es, y el futuro no existe todavía? Y en cuanto al presente, si fuese siempre presente y no se convirtiera en pasado, ya no sería tiempo, sino eternidad. Luego si el tiempo presente, para que sea tiempo es preciso que se convierta en pasado, ¿cómo decimos que el presente existe, si su razón de ser estriba en que dejará de ser, de tal modo que podemos decir con verdad que el presente es tiempo en cuanto que tiende a no ser? (*Las Confesiones*, libro XI, capítulo 14).

16 LOS TIEMPOS DEL TIEMPO

Bastantes siglos después McTaggart (1927) postula la existencia de dos series temporales. En la serie A los acontecimientos se encuentran situados primero en el futuro, después en movimiento a través del presente, hasta llegar al pasado. En la serie B los acontecimientos están situados uno después de otro, en una sucesión estática. El sentido de los acontecimientos en las dos series es muy diverso. En la serie A los eventos están en constante movimiento. Antes de que César naciera, el suceso de su nacimiento estaba en el futuro; en el momento del nacimiento pasó por el presente, para colocarse después establemente en el pasado. Pero en la serie B el suceso del nacimiento de César ha estado siempre situado en la misma «sede» temporal, por ejemplo antes del nacimiento de Newton, y este hecho es inmutable (lo cual lleva a McTaggart a descartar las dos series y a negar el tiempo).

Pasan unos pocos años y Jorge Luis Borges (1947), en el ensayo «Nueva refutación del tiempo», lleva al extremo las argumentaciones del antiguo idealismo inglés: el mundo sensible existe sólo cuando es percibido, como afirmó Berkeley; es más: no se puede concebir un sujeto que sea más que una simple suma de percepciones, como sostuvo Hume. Si aceptamos estas premisas, entonces también el tiempo, entendido como secuencia de momentos siempre distintos, es refutable. Pues, si dos momentos tienen idénticas características, es pura ilusión afirmar que uno se ha verificado antes o después que el otro. Si falta un referente externo, el tiempo no existe del modo que creemos vivirlo.

Las tesis del sabio griego, del obispo africano, del lógico escocés y del escritor argentino llegan todas ellas, por diversos caminos, a negar la noción común de tiempo. Hemos partido intencionadamente de enunciados paradójicos, porque son los que mejor ponen de manifiesto el carácter que asume el tiempo en cuanto se trata de fijar la atención en él: se vuelve materia huidiza, fugitiva, se desliza fuera de la tranquila seguridad del sentido común. El tiempo es, sin duda, un tema difícil de por sí. Pero uno de los motivos de esta gran dificultad nos interesa por encima de todos los demás: el tiempo *no es solamente uno*. El tiempo que «nunca nos resulta suficiente» en la vida cotidiana no puede coincidir con el medido por los relojes de precisión nuclear. La duración irrefrenable de nuestra existencia no participa del mismo tiempo que el horario de trabajo. El tiempo de san Agustín no es el de Newton.

Afirmar que no hay un único tiempo no significa sostener que haya una sola realidad en la que se contienen muchos tiempos. Significa que cada grupo humano abstrae y ordena los datos del mundo exterior mediante esquemas cognitivos, aceptados por consenso, construyendo una multiplicidad de realidades, cada una con su propio tiempo, o con sus propios tiempos. El tiempo de la realidad exterior (tiempo objetivo) es distinto del tiempo (o mejor, de los tiempos) de las múltiples realidades interior.

Las paradojas del tiempo nacen y viven en el lenguaje. La paradoja de Zenón se crea comparando la duración, en la que no es posible discernir un instante de otro, con la división siempre arbitraria del tiempo en instantes.

La de san Agustín nace en cuanto se pasa de la experiencia del tiempo (que es clara, pero no transferible) a la descripción del tiempo (que se vuelve oscura, porque resulta problemático salir del tiempo para describirlo). La de McTaggart deriva de la consideración de las dos series temporales, no como dos tipos de descripción, alternativas y compatibles, sino como realidades entre las que se puede escoger.[1] Expresándolo con términos de Bateson (1972b) son las palabras, no las cosas en sí, las que acaban en el desorden *(in a muddle)*. Es en el lenguaje donde falseamos el tiempo; y, por lo demás, sólo lo que se dice se puede falsear.

A continuación trataremos brevemente, ya que esto son sólo los prolegómenos de nuestra investigación, de describir el desarrollo del concepto de tiempo en la historia del pensamiento occidental; así se podrá esclarecer, al menos en parte, la causa de una complejidad terminológica tan grande.

El tiempo de los filósofos

Tomaremos como punto de partida el pensamiento griego, ya que fueron los griegos quienes pusieron los cimientos del pensamiento occidental. Somos deudores suyos, además de por otros muchos conceptos básicos, también por un rico vocabulario temporal, en el que «tiempo» (esta palabra tan confusa para nosotros) se puede decir al menos de tres maneras distintas: *aion, chronos* y *kairos*.

Para los griegos *aion* es el «siempre», la duración sin límites, sin pasado ni futuro (Curi, 1987b). *Chronos* es, por el contrario, el tiempo entendido como realidad mensurable y numerable, que pasa constantemente del futuro al pasado. Aquí se puede percibir una primera dicotomía del pensamiento occidental, la existente entre el ser y el devenir. También la distinción entre *chronos* y *kairos* tiene consecuencias importantes: *chronos* es devenir mensurable, *kairos* es el tiempo dotado de un significado, el tiempo constituido por episodios que tienen principio y final, el tiempo de la acción humana (Kermode, 1967). Aquí la dicotomía se establece entre tiempo objetivo y tiempo vivido.[2]

Las tres categorías de la antigüedad griega corresponden a tres ámbitos temporales muy distintos. Si el *aion*, la eternidad, ha mantenido durante siglos su importancia sobre todo en el pensamiento religioso, la dicotomía entre *chronos* y *kairos* sigue todavía muy presente. Al primero corresponde un tiempo objetivado, distinguible, fragmentable y manipulable: el tiempo de la ciencia y de la técnica, que hará posible el reloj y la sincronización colectiva; el tiempo de Aristóteles, Newton, Kant, Whitehead y Popper. Al segundo corresponde un tiempo de la experiencia interior, único e irreducible: el tiempo de la filosofía existencialista, el tiempo de san Agustín, Kierkegaard, Bergson, Husserl, Heidegger y Sartre. Los dos términos de la dicotomía son básicos en nuestras ideas sobre el tiempo. Cada uno de nosotros los utiliza en la vida cotidiana, aunque no tenga noción alguna de las polémicas filosóficas nacidas hace veinticinco siglos sobre estos conceptos.

Aion y chronos

Desde sus orígenes la filosofía griega se interroga acerca del ser y del devenir. Anaximandro pone toda su cosmología en el «orden del tiempo *(chronos)*» (Heinemann, 1987). Pero son dos filósofos del siglo VI a.c. los que trazan, de una vez por todas, las coordenadas de la gran polémica sobre el tiempo. Para Parménides de Elea el ser es una sustancia eterna e inmutable, situada, por eso mismo, fuera de la sucesión del tiempo y de la dislocación del espacio, que no son otra cosa que formas de un engaño *(doxa)*. Zenón, partiendo precisamente de la metafísica de Parménides, concibe sus paradojas, que reducen al absurdo el tiempo y el espacio.[3] Heráclito, por el contrario, fundamenta su propia filosofía en el devenir, en el cambio: uno no puede bañarse dos veces en el mismo río.[4] En el curso del tiempo las cosas cambian constantemente, cada realidad se transforma en su opuesto, en un movimiento incesante.

Platón, que parte de la metafísica del ser de Parménides, concilia en cierto modo el ser con el devenir, situando el *aion* en la eternidad y, por tanto, en la realidad última, mientras que el *chronos* no es más que imitación del ser, tiempo de las cosas destinadas a la destrucción y a la muerte:

> [La naturaleza del alma] era eterna y esta propiedad no se podía conferir totalmente a quien hubiese sido engendrado. Pero [el padre] piensa en crear una imagen móvil de la eternidad y, ordenando el cielo, crea de la eternidad, que permanece en la unidad, una imagen eterna que procede según el número, a la que hemos llamado tiempo [...] [y] el «era» y el «será» son formas engendradas del tiempo *(chronos)*, que nosotros, de un modo inconsciente y equivocado referimos a la esencia eterna *(aionos)*. O bien decimos que era, que es, que será, cuando sólo el «es» le conviene verdaderamente y el «era» y el «será» se deben decir de la generación que procede en el tiempo *(chronos):* porque son movimientos, mientras que aquél, que permanece siempre idéntico, inmóvil, no conviene que con el tiempo se haga más viejo ni más joven *(Timeo,* 37d-38a).[5]

Aristóteles, filósofo de la inmanencia, es quizá el primero que vincula estrechamente tiempo y movimiento, relacionando el tiempo con el espacio del modo siguiente: «El tiempo es el número del movimiento según el antes y el después» *(Física,* 229 b I). El tiempo no se identifica con el movimiento, pero es una cualidad del mismo. A pesar de ello, para Aristóteles tiempo y espacio geométrico tienen más de una característica común. El tiempo es continuo, pero es un continuo hecho de instantes; así el instante es comparable al punto, que constituye la continuidad de la línea, aunque sea una entidad discreta. Y, sobre todo, con Aristóteles el tiempo se hace numerable y cuantificable.

También Plotino, en las *Enéadas,* acepta la dicotomía entre *aion* y *chronos.* Influido por el pensamiento gnóstico, Plotino se adhiere también a la concepción del tiempo cíclico y a la tesis del eterno retorno. Como observa Borges (1936), no sin perplejidad, en el quinto libro de las *Enéadas* Plotino sostiene que, para poder estudiar el tiempo, hay que tener primero una noción de eternidad, que es el arquetipo del tiempo:

Los objetos del alma son sucesivos, primero Sócrates y después un caballo, siempre se concibe una cosa aislada y otras mil se pierden; pero la inteligencia divina abarca todas las cosas. El pasado está en su presente, y también el futuro (citado en Borges, *Obra completa*).

En las épocas sucesivas se pierde la noción de *aion*, al menos en una forma tan directa.

Chronos y kairos

La cultura cristiana, ampliando y acentuando las concepciones del judaísmo, sumerge definitivamente al hombre en el curso de la historia: el tiempo pasa a ser (de una vez para siempre) lineal e irreversible. Precisamente uno de los Padres de la Iglesia, san Agustín, da origen a la primera teoría realmente introspectiva del tiempo. San Agustín estudia el tiempo de la interioridad antes que el del movimiento y el de los objetos.

Quispel (1957) advierte: no hay que leer a san Agustín como a un «precursor» de ideas sobre el tiempo que aparecerán bastantes siglos después de él. El obispo de Hipona participaba en una polémica exclusivamente teológica sobre la creación y sobre la historia (como veremos más adelante), y de ella nació su interés por el tiempo. A pesar de ello, algunas intuiciones de san Agustín continúan siendo básicas para todos los pensadores que, después de él, han estudiado el problema. San Agustín, para resolver la famosa paradoja que hemos recogido en las páginas anteriores, dibuja una teoría psicológica del tiempo.[6]

> Ni el futuro ni el pasado existen. Es una cosa que ahora está muy clara [...], quizá sería mejor decir que los tiempos son: el presente del pasado; el presente del presente; el presente del futuro. Y están en el alma; no los veo en otra parte. El presente del pasado es la memoria; el presente del presente es la intuición; el presente del futuro es la espera.
> Si se me permite expresarme de este modo, veo tres tiempos, y admito que son tres. [...] Pero, ¿de qué manera disminuye y se consume el futuro que todavía no existe? O, ¿cómo crece el pasado que ya no existe sino porque en el alma, que es la causa, existen tres estados? Pues ella espera, presta atención, recuerda; de modo que lo que espera viene a ser primero objeto de la atención y después de la memoria *(Las Confesiones*, libro XI, 20, 28).

Se sitúa así al tiempo en el alma (en la psique), y viene a ser lo más parecido al *kairos* de los griegos que hayan concebido los filósofos cristianos. También cuando trata de la medida del tiempo, san Agustín alude como ejemplo a la distinta longitud de palabras y sílabas, excluyendo la referencia al movimiento de los cuerpos y a la bóveda celeste. Así, se sustrae al tiempo de la relación con los objetos en movimiento, y pasa a ser una *distentio animi*, real en tanto que experimentado por un sujeto.

A pesar del ejemplo de san Agustín, en el pensamiento occidental prevalecerá finalmente el *chronos*, primero en la misma escolástica, que acepta plenamente la física de Aristóteles, después con el nacimiento de la físi-

ca moderna.[7] Como afirma Elias (1984), Galileo confiere al tiempo una
función absolutamente inédita en la física. Y la nueva doctrina se verá san-
cionada definitivamente en los *Principios matemáticos de la filosofía natural* (1687) de Newton, cuyo concepto de tiempo permanecerá, sin encontrar
oposición alguna, en la ciencia durante más de dos siglos (y, por más tiempo todavía, en el sentido común):

> El tiempo absoluto, verdadero y matemático, en sí y por su propia naturale-
> za y sin relación a nada externo, fluye ininterrumpidamente y se llama, con otro
> nombre, duración.

De esta manera el tiempo viene a ser un *continuum* uniforme y universal, independiente del movimiento y de la existencia misma de los objetos.
Sirviéndose de la navaja de Ockham, Newton condena durante decenios
cualquier idea subjetivista del tiempo. Sólo gracias a la polémica del idealismo inglés de Berkeley y Hume, fue posible que Kant hiciera surgir un
concepto diferente de tiempo.

Borges (1947), como refutador del tiempo, recuerda con cierta desilusión que ni Berkeley (que afirmaba la imposibilidad de que una realidad
exista si no hay un sujeto que la perciba) ni Hume (que, además, había reducido la noción de sujeto a una simple suma de percepciones y sensaciones) llegan a negar el tiempo. Para Berkeley el tiempo es «la sucesión de
ideas que fluye uniformemente y de la que todos los seres participan» (*Tratado sobre los principios del conocimiento humano*, 98), mientras que para
Hume es «una sucesión de momentos indivisibles» (*Tratado sobre la naturaleza humana*, I, 2, 2).

De la concepción del tiempo de Newton, Kant acepta la naturaleza absoluta e independiente de contenidos, pero lo sustrae, junto al espacio, del
universo de la *Ding an sich*, para situarlo en la base de la conciencia. Para
Kant espacio y tiempo son las dos condiciones *a priori* de la experiencia,
condiciones que no derivan de la experiencia, pero que necesitan de la experiencia para que puedan actuar. El tiempo, aunque sea condición del in-
telecto humano y no del universo en sí, no es por ello menos absoluto y universal, de tal manera que precisamente sobre el tiempo y sobre la sucesión
se construyen las verdades, válidas por excelencia, de la aritmética.

Queda fuera de nuestro objetivo un tratamiento analítico del tiempo en
los diversos sistemas filosóficos del siglo XIX. Aludiremos sencillamente, de
paso, a la ambigüedad de la noción de tiempo en Hegel, a la negación del
devenir por parte de Schopenhauer y a la afirmación del mismo (como historia) por parte de Marx, al eterno retorno recuperado por Nietzsche. Mas
hubo un filósofo a principios del siglo XX que puso el tiempo en el centro de
su propia especulación: Henri Bergson.

Mientras que el positivismo había aceptado totalmente el punto de vista
de la física newtoniana, Bergson parte de una crítica al tiempo «espaciali-
zado» de la física, visto como mera sucesión analítica de instantes idénticos, en un orden rectilíneo: pasado-presente-futuro. Para Bergson el tiempo es «duración» *(durée)*, flujo ininterrumpido en el que los momentos su-

cesivos se compenetran uno con otro, inseparablemente. Si se habla de duración no se habla de momentos o de instantes que, para Bergson, son sólo «los extremos de un intervalo»:

> Nos formamos de un modo natural la idea de instantes y también la de instantes simultáneos, porque tenemos la costumbre de convertir el tiempo en espacio [...] el instante es lo que pondría término a una duración si ésta se detuviese: pero la duración no se detiene (Bergson, 1922).

El tiempo objetivo de la ciencia es artificial y mensurable. La duración es *cualitativamente* múltiple (todo el pasado penetra en el presente y el presente «colorea» el pasado) y a la vez unitaria, no analizable. Los hechos de la conciencia no son «replicables», porque el correr del tiempo pone a la conciencia en constante movimiento, y la hace siempre distinta de como era en el pasado. La memoria de *Matière et mémorie* (1896) conserva todo el pasado y hace posible que la conciencia se vea enriquecida por ello:

> Lo que hemos sentido, pensado, querido desde la más tierna infancia está encerrado en el presente, al que el pasado, que llama insistentemente a la puerta de la conciencia, está a punto de absorber en sí.

En la contraposición entre los positivistas y Bergson retorna la antigua polémica entre *chronos* y *kairos*, que pasa a ser oposición entre tiempo de los objetos y tiempo de la intuición. A principios del siglo XX, Whitehead (1920) expresa de una forma más madura y concisa la idea de un tiempo objetivo:

> Al decir que espacio y tiempo son abstracciones no pretendo decir que no expresan para nosotros hechos reales de la naturaleza. Lo que quiero decir es que para nosotros no existen realidades espaciales o temporales independientemente de la naturaleza física, es decir, que espacio y tiempo son simplemente modos de expresar ciertas verdades en las relaciones entre los acontecimientos.

¿Existe un único tiempo?

El pensamiento contemporáneo, también el que trata del tiempo, produce más dudas que certezas. La solidez del tiempo newtoniano (y también la del tiempo kantiano) se vio afectada, y finalmente rota, tanto en el ámbito físico como en el psicológico. Más adelante trataremos brevemente de la relatividad de Einstein, que pone en crisis definitivamente la univocidad del tiempo de la física.

Los pensadores que se ocupan más intensamente de la temporalidad humana son fenomenólogos, sociólogos y antropólogos. Los existencialistas, precisamente porque les interesa el hombre en su existencia concreta y real, su destino en cuanto persona, se ocupan antes que nada de la existencia *en el tiempo*. Husserl dedica largos análisis a la fenomenología del tiempo, a la conciencia interna del tiempo, al sentido del tiempo que el estudio introspectivo pone de manifiesto, después de haber suspendido el juicio sobre cualquier constructo «científico». Si el tiempo existe sólo en el presente, también es cierto que pasado y futuro son esenciales para la conciencia del tiempo, aunque se les asuma sólo en el presente. Husserl recrea, en cierto sentido, las categorías del tiempo de san Agustín y las denomina *retentio, praesentatio* y *protentio*.

Por su parte Heidegger identifica cuatro dimensiones del tiempo: pasado, presente, futuro, más una cuarta, que consiste en pasar de una dimensión a otra y que, precisamente por tener esta naturaleza móvil es, en cierto modo, «la primera» dimensión, aquella en la que realmente experimentamos el tiempo. En su obra fundamental *Ser y tiempo* (1927) Heidegger va más allá de un simple análisis de la experiencia del tiempo para estudiar el sentido de la temporalidad para el hombre.

Como recuerda Steiner (1978),

> el título es un manifiesto. Tradicionalmente el *Sein* (= ser) no tenía tiempo. En la metafísica, después de Platón, la investigación del ser, de la esencia dentro o más allá de la apariencia, es exactamente una búsqueda de lo que es constante, de lo que es eterno en el curso del tiempo y del cambio. Por el contrario, el título de Heidegger proclama: *Sein und Zeit* (= Ser y tiempo). El ser es temporal *(zeitlich)* de por sí. [...] No vivimos «en el tiempo», como si éste fuese un cierto fluir independiente, abstracto, exterior a nuestro ser. «Vivimos el tiempo»; los dos términos son inseparables.

El error que Heidegger ve en todo el pensamiento metafísico es el de concebir el ser como una especie de eterno presente, como algo que «se ve» (la *concupiscentia oculorum*, ya reprobada por san Agustín). De esa manera el ser termina siendo algo que se imagina, que se puede expresar en metáforas, se vuelve abstracto. La ontología de los fundamentos de Heidegger, por el contrario, quiere restituir el ser a la experiencia, como parte de la «facticidad» y de la historia de la existencia humana.

En esta perspectiva la temporalidad del ser-ahí *(Dasein)* se puede vivir de un modo anónimo e impersonal, como un continuo referirse de una cosa a otra. O bien como salir de sí mismo, como proyectarse en las propias posibilidades (hacerse futuro), aceptando el encuentro con la nada. Con el existencialismo de Heidegger el tiempo se carga de valores éticos y viene a ser, no la manifestación de un mundo objetivo, ni una función psicológica, sino una dimensión de la existencia de cada uno.

El pensamiento sociológico, por otra parte, estudia el tiempo desde un punto de vista interactivo: el tiempo es una abstracción que da forma a las instituciones sociales. Se cuestiona así la naturaleza universal de las nociones temporales, a partir del *a priori* kantiano, visto por Norbert Elias (1984) como un *a posteriori*, un derivado de las experiencias socioculturales del sujeto. Kant veía el tiempo como una función innata, que «precedía» a la experiencia; Elias lo concibe, por el contrario, como resultado de un proceso de aprendizaje: se aprende a ser en el tiempo, como se aprende a moverse en el espacio. El tiempo deriva del aprendizaje individual dentro de una serie de condicionamientos colectivos, determinados por la historia de una sociedad, que sólo después de haber sido interiorizado adquiere la apariencia de algo no humano, de un hecho natural. En esta perspectiva, el tiempo es un símbolo con tanta fuerza que asume la función de un «hecho de naturaleza», como sucede con las tres dimensiones del espacio. Para escrutar el misterio del tiempo Elias concibe una visión «pentadimensional» de la experiencia humana, donde la cuarta dimensión es obviamente la del tiempo, y la quinta la cultura humana:

> Hay sucesos que se pueden percibir como sucesos que acontecen en la corriente del devenir, es decir, en el tiempo y en el espacio, sin que quienes los perciben tengan en cuenta el carácter simbólico del tiempo y del espacio [...] Pero es posible subir más arriba en la escalera de la conciencia. Entonces, en el campo visual del observador, junto al devenir tetradimensional aparece, en el mismo instante, también la quinta dimensión, esto es, los hombres que perciben y elaboran el devenir en el espacio y en el tiempo. Cuando esto sucede, tales observadores se ven a sí mismos, por así decirlo, como observadores del devenir tetradimensional puestos en el peldaño inmediatamente inferior de la escalera. Así se les hace visible no sólo el devenir tetradimensional en cuanto tal, sino también, al mismo tiempo, el carácter simbólico de las cuatro dimensiones en cuanto medios de orientación para los hombres (Elias, 1984).

De unas posiciones análogas parte el constructivismo de Foerster (1981), Glasersfeld (1987), Watzlawick (1984), Ceruti (1985). Si un observador (o mejor, una comunidad de observadores) «inventa» la realidad, y ésta no es un dato de hecho objetivo e incontrovertible, también se puede considerar el tiempo como un constructo, fruto de un consenso.

Ha sido precisamente Heinz von Foerster (1981) quien ha formulado un tema básico de extrema importancia para el pensamiento constructivista: la experiencia del tiempo es un constructo, no la adquisición de una realidad externa. Es decir, el tiempo se genera en la construcción de la realidad. Al construir las propias representaciones, cada observador se encuentra al mismo tiempo frente a lo invariable y a lo cambiante. Los objetos (o mejor, sus representaciones) son percibidos como duraderos, invariables, pero los sucesos (sus representaciones) cambian, son mudables. El observador construye entonces una «parrilla» de cálculo, con un eje de simultaneidad que contiene todos los acontecimientos contemporáneos, y un eje de duración que contiene un mismo objeto en distintos momentos. De este modo, de la misma construcción de la realidad deriva el tiempo, que se puede concebir como una representación de relaciones, y no como una entidad que existe en el ambiente y que nosotros «aprendemos»: «El ambiente no contiene informaciones. El ambiente es lo que es» (Foerster, 1981).

También otras disciplinas refuerzan la tesis según la cual algunas categorías lógicas como el tiempo nacen de la interacción con el ambiente. La epistemología genética de Piaget (1937, 1946) construye una teoría más compleja de la adquisición de la noción del tiempo en el niño, poniendo siempre en primer plano la actividad de exploración, a través de la cual el niño se relaciona con el ambiente. Piaget concentra su atención en el tiempo objetivo y mensurable, desdeñando el concepto confuso de tiempo subjetivo, que en su pensamiento es una mera ilusión. Paul Fraisse (1957), otro especialista en psicología evolutiva que se ha dedicado al estudio del tiempo, sostiene, en una polémica parcial con Piaget, que la noción abstracta de tiempo no se desarrolla antes de los quince años; dirige su atención precisamente al tiempo subjetivo; lo que Piaget consideraba un error lo pone Fraisse como base para la comprensión del tiempo mensurable.

Finalmente, la antropología pone en crisis la dimensión cultural del tiempo: la observación de los esquemas temporales de interacción y de las concepciones del tiempo de los «primitivos» demuestra que la validez universal de la temporalidad del sujeto urbano euroamericano se ve sometida a una fuerte discusión. Las investigaciones históricas sobre la concepción del tiempo revelan además cuán diferente es el «sentido del tiempo» de las civilizaciones pasadas respecto del predominante en el siglo XX.

No queremos dibujar ahora un panorama de todo el pensamiento contemporáneo relativo al tiempo, lo que excedería en mucho los límites de nuestro trabajo, ni adentrarnos demasiado en la psicología del tiempo, tema que trataremos en parte más adelante.[8]

LA HISTORIA ENTRE EL TIEMPO LINEAL Y EL TIEMPO CÍCLICO

La historia es una característica esencial de nuestra cultura: nuestra relación con el pasado, y con la influencia del pasado sobre el presente, está configurada de acuerdo con una metáfora histórica. Parte integrante de esta última es la idea de que es posible ordenar cualquier suceso, sea de la vida de una persona o de la historia universal, según un esquema lineal, que parte de un antes hasta llegar a un después, o según una narración.

> Los griegos que comenzaron a escribir la historia realizaron un descubrimiento extraordinario. ¿Por qué lo hicieron? Lo que pasó ya no existe; ¿de qué manera puede interesarnos? Se trata de una pregunta que ha permanecido planteada durante siglos [...] Quizá la historia es una rebelión frente a la labilidad de todo lo que existe, de lo que somos, de lo que hacemos. Es la voluntad de agarrar el instante fugitivo y convertirlo, como dice Tucídides, en un *ktema eis aiei*, una adquisición válida para siempre. Una sucesión de acontecimientos es un nada que huye y se disipa como las olas del mar. Al convertirla en una cadena verbal la fijamos y le damos una realidad: una realidad *para nosotros*. Y, cuando la palabra se escribe, se alcanza la condición ideal para quien experimenta este ansia de realidad (Toraldo di Francia, 1990, pág. 32).

Pero la metáfora de la historia es mucho más rica. Admite, al menos, dos interpretaciones contrapuestas. Según la primera (victoriosa en Occidente) la historia sigue un movimiento lineal e irreversible. Según la otra (derrotada, pero no eliminada, en Occidente, y victoriosa en otros lugares) el proceso de la historia es cíclico, es un continuo retorno, no tiene la forma de una línea, sino de una espiral, como supuso Yeats. El conflicto entre las dos interpretaciones ha sido más largo e incierto de lo que hoy se puede pensar, y todavía permanecen sus vestigios en algún rincón de nuestra conciencia.

Tiempo sagrado, tiempo profano

Los pueblos definidos por nosotros como «arcaicos» o «primitivos» tienen una tendencia común a rechazar la historia, entendida como una secuencia irreversible de cambios.

> De hecho estas sociedades existen en la temporalidad como todas las demás, pero, a diferencia de cuanto acontece entre nosotros, rechazan la historia y se esfuerzan por esterilizar en su seno cuanto pudiera constituir el esbozo de un devenir histórico. [...] Nuestras sociedades occidentales están hechas para cambiar: es el principio de su estructura y de su organización (Lévi-Strauss, 1973).

Para el hombre primitivo el devenir, el cambio continuo, se identifica con la inestabilidad y, en última instancia, con la irrealidad. Según Mircea Eliade (1949) el tiempo profano es algo ilusorio para el hombre primitivo. Lo que es real no puede existir en el devenir, debe existir en un tiempo inmutable, un tiempo que es, que nunca evoluciona. De modo que hay que establecer la realidad de las cosas o de las acciones humanas a través de una especie de suspensión del tiempo profano. Y esta suspensión tiene lugar en el *rito*, que crea un tiempo diverso, el tiempo de lo sagrado:

> Por eso lo real por excelencia es lo *sagrado*, porque sólo lo sagrado *es* de una manera absoluta, actúa eficazmente, crea y hace durar las cosas. Los innumerables gestos de consagración –de los espacios, de los objetos, de los hombres, etcétera– revelan la obsesión por lo real, la sed que el hombre primitivo tiene del *ser* (Eliade, 1949).

Es probable que uno de los motivos (si no el único) de este sistema de pensamiento sea la necesidad de dar un *sentido* a los acontecimientos de la vida, incluido el sufrimiento. También el sufrimiento será «sensato» si es la repetición de cuanto le ha sucedido ya al dios, y está provocado por motivos divinos y transcendentes.

La abolición del devenir encuentra su complemento lógico en la observación de que en la naturaleza parece que el tiempo no corre linealmente, sino que más bien gira sobre sí mismo, en la alternancia entre día y noche, en el ciclo de las estaciones o de las fases lunares. Parece que precisamente la observación de estas últimas (la luna que cada mes se consume y muere, pero al mes siguiente resucita) llevó a crear los primeros calendarios y, al mismo tiempo, ofreció el fundamento a las doctrinas cíclicas del «eterno retorno» (Eliade, 1949).

Esta idea de un tiempo no estático sino continuamente repetido pervive, con notables variantes, pero también con paralelismos consistentes, en diversas culturas. El mito del eterno retorno forma parte del pitagorismo griego primitivo, y el mismo Platón lo retoma, al menos en parte, en el *Timeo* (véase Eliade, 1949), asociado al mito helénico de la edad de oro, de la cual las siguientes eras son réplicas cíclicas, pero degradadas. La tesis, todavía esotérica y propia de una elite en el siglo v a.c., tendrá una gran difusión cuatrocientos años después, con el neoestoicismo romano.

El pensamiento hindú define con riqueza de particulares el mito del eterno retorno, haciéndolo cada vez más complejo (Eliade, 1957). Un ciclo del universo recibe el nombre de *yuga* («edad»). Cuatro *yuga*, de duración decreciente (según un esquema que recuerda las «edades» de los griegos), forman un *mahayuga*, que dura 12.000 años. Pero según algunos comentadores estos años son «años divinos», que duran 360 de nuestros años. En tal caso cada *mahayuga* dura 4.320.000 años. Mil *mahayuga* constituyen un *halpa* o un día de la vida de Brahma. Cien años de Brahma (311.000 miles de millones de años) son la vida del dios: pero, como advertía Visnú, ¡ni siquiera Brahma es eterno, y hasta su vida se repite!

Una visión análoga a la «rueda» de reencarnaciones (el *samsara)* es la de las dos grandes herejías hindúes, el budismo y el jainismo. Y es también el tema fundamental de la gnosis occidental, que se desarrolla paralelamente al cristianismo (y no simplemente como derivada de él) en los primeros siglos después de Cristo. Para los gnósticos, como para los pitagóricos, el tiempo es una sucesión de metempsicosis. Pero la novedad es que la sucesión de las continuas reencarnaciones se vive con auténtico horror, como una caída de la intemporalidad del Ser (Puech, 1957). Un horror compartido por los fieles de todas las grandes religiones de la India y también por los seguidores de las grandes religiones iranias, el mazdeísmo y el ismaelismo (Corbin, 1957).[9]

En estas visiones del mundo, el tiempo, y el universo que vive en el tiempo, deben ser transcendidos. Los gnósticos tratan de transcenderlos con el conocimiento y la fe, los yoguis de la India con prácticas corporales, pero la salvación estará siempre en la eliminación del tiempo que es, después de todo, la sede de cualquier sufrimiento.

Tiempo lineal y tiempo histórico

La idea de un tiempo histórico, esto es, de un devenir lineal e irreversible, pero no por esto menos real, se abre camino con la religión hebrea. Según Eliade (1949) es precisamente la religión monoteísta la que hace posible la idea de que todo acontecimiento histórico es una manifestación divina. Pero no es la actualización de un arquetipo; es una manifestación siempre distinta, siempre nueva. Entonces la salvación de la historia ya no estará en el retorno a un pasado inmutable, sino en la llegada del Mesías, es decir, en el futuro: *in illo tempore* (= en aquel tiempo) ya no es un pasado fuera del tiempo, sino un *futuro* más allá del tiempo.

El cambio está lleno de consecuencias. La sucesión temporal adquiere un sentido y un valor, la historia (en cuanto teofanía) es historia sagrada y, por tanto, real. El futuro asume un papel central y, con el futuro, la catástrofe futura, de la que surgirá un mundo nuevo. El tema del «tiempo último», apocalíptico, es bastante antiguo. Van der Leeuw (1957) cataloga ejemplos egipcios, babilonios, mayas. Pero con el judaísmo, y con el cristianismo que deriva de él, la creación y el apocalipsis vienen a ser únicos, como única es la aparición de Cristo, hasta el punto de que la fecha concreta del nacimiento de Cristo será el «centro» del tiempo occidental, que se divide en años antes y después de Cristo. Todas las religiones que entran en contacto con el cristianismo tienen que aceptar la idea de que los hechos suceden sólo una vez. También el islamismo ve el tiempo en función del futuro (Massignon, 1957), mientras que la gnosis y el mazdeísmo se empeñan en el difícil intento de situar la salvación tanto en el tiempo como fuera de él.

Por último, el tiempo del cristianismo viene a ser el tiempo de todo el Occidente. La concepción occidental del tiempo está ligada estrechamente a la idea de progreso, de avance en un tiempo irreversible. Y esta tesis deriva, en gran medida, del desarrollo cristiano de la tesis hebrea según la cual el tiempo progresa hacia la salvación, hacia la nueva Jerusalén. Afirma Quispel (1957, pág. 88):

> Ciertamente que un estudio de los Padres de la Iglesia confirma que el *pathos* del progreso es una secularización de las antiguas concepciones cristianas. Esta visión histórica del cristianismo antiguo se dedujo del *ephapax*, del «una vez para siempre».[10]

En un mundo penetrado por lo sagrado, en el que el tiempo profano es «insensato», ni siquiera tiene sentido escribir una «historia». A medida que el tiempo profano de la cotidianeidad pasa a ser el verdadero tiempo vivido, el estudio del pasado, la organización del presente, adquieren una importancia creciente. En cuanto una civilización se hace más compleja, comienza a producir cronologías. Es paradigmático el caso de Egipto, con sus elencos de faraones. Subyace la idea de que la dimensión mítica de tales cronologías es tan importante como el elenco realista de los hechos y de las fechas. Mas con los griegos la historia evoluciona hacia su autonomía. El primer historiador griego es Herodoto, en el siglo v a.C. Y cuatro siglos después los romanos pueden afirmar ya: *historia magistra vitae*. Con el cristianismo el estudio de la historia gozará de nuevo prestigio: la historia se identifica con la historia sagrada, porque lo sagrado encuentra su realización en el devenir lineal que parte de la creación, pasa a través del diluvio universal y el éxodo, para llegar al nacimiento de Cristo, el *ephapax* de Quispel (1957).

Resulta interesante que algunas culturas en las que la concepción cíclica del tiempo es predominante, no den importancia ni a la historia, ni a la precisión de las cronologías. Es el caso de la cultura hindú, cuyas referencias históricas son aproximativas e imprecisas hasta una época relativamente reciente.

«Tiempo profundo»: entre la geología y la historia

También para los occidentales, a pesar de su obsesión cronológica, el descubrimiento de las «profundidades del tiempo» es un hecho reciente. A principios del siglo XVII, las cronologías estaban de acuerdo en situar el origen del mundo en el tiempo de la creación bíblica, fijado –dependiendo de las versiones de la Biblia– en torno al 4000 o al 5400 a.C.[11] En los dos siglos siguientes cambian tanto las concepciones de la historia natural como las de la historia humana, hasta el punto de lanzar a la humanidad a un «abismo» de millones y miles de millones de años y sustituir la lectura «aseguradora» de la Sagrada Escritura por centenares de miles de años de oscura prehistoria. Resulta extraño pensar que tal cambio de pensamiento haya partido de observaciones aparentemente marginales: las de los fósiles, las conchas y los peces fósiles encontrados en las montañas; a partir de ellos se puso por primera vez en crisis la idea de una tierra estática e inmutable. De las discusiones sobre la naturaleza de los fósiles nacieron las nuevas teorías sobre la Tierra.

Cuando Robert Hooke publica en 1668 su *Discurso sobre los terremotos*, la historia natural no es más que la descripción de la naturaleza tal como es, sin la idea de un devenir interno de la misma naturaleza. Las investigaciones geológicas (y cronológicas) de Hooke, de Agostino Silla, de Thomas Burnet, de Newton, hasta Georges Louis Buffon y Thomas Hutton, a finales del siglo XVIII, borran progresivamente la idea de la estaticidad de la naturaleza y del mundo. La Tierra, que se había tenido como ejemplo principal de armonía y perfección, pasa a ser para Burnet una especie de montón de ruinas, supervivencia degradada del diluvio universal, destinada, a su vez, a la desaparición. Mares y montañas desaparecerán; lo que hoy constituye el escenario de nuestra vida será un día, según Moro, una reliquia del pasado, uno de tantos estratos geológicos: de este modo la estabilidad de las cosas viene a ser un *flujo*.

La dificultad fundamental con la que se chocan los primeros cronogeólogos, y que da origen a una serie interminable de polémicas, es siempre la misma: ¿cómo conciliar el cómputo de los años que se han de atribuir al planeta (y al universo) con la cronología limitadísima del Génesis? Los primeros autores consideran al mismo diluvio como catástrofe primaria, responsable de la mayor parte de los cambios geológicos y orográficos. Pero Buffon observa que se puede encontrar perfectamente la explicación de los fenómenos geológicos en los acontecimientos cotidianos: las mareas alta y baja, la erosión debida a la lluvia, etcétera. Sólo hace falta que estas causas actúen por periodos de tiempo suficientemente largos, de ningún modo equivalentes a los 5.617 años admitidos por la historia tradicional.

En este aspecto las dificultades de los geólogos para compaginarse con el sentido común se encuentran, y en algunas cuestiones se añaden, a las de los historiadores. Este hecho no sorprende si recordamos que se trataba de una época de poca especialización, en la que Newton puede ocuparse de física y de matemáticas y además de historia (escribió una *Cronología corregida de los reinos antiguos*, publicada en 1757). Durante dos siglos permanecerán muy encendidas las disputas sobre las relaciones entre la historia sagrada del Génesis, que resulta cada vez menos compaginable con los nuevos descubrimientos, y la historia profana de griegos y romanos y, sobre todo, de egipcios y chinos. Aceptar las cronologías de estos dos últimos pueblos significaba remontarse mucho más allá de cuatro mil años antes de Cristo. A este respecto es ejemplar la polémica entre Isaac Voss y Georg Horn en el siglo XVII.[12] Todo esto no sería más que una curiosidad para eruditos, si no fuera porque semejantes disputas se repitieron varias veces en el curso de los siglos XVII y XVIII, con una proliferación extraordinaria de tratados y de exégesis bíblicas. También Giambattista Vico participa en la polémica y, para compaginar sus propias teorías históricas con el relato bíblico, tiene que reducir a unos pocos centenares de años el periodo «animal» de la humanidad y a unos doscientos años la época heroica de los historiadores griegos. Pues según el cómputo bíblico resultaba inadmisible la idea de una *prehistoria* de la que hubiese surgido una humanidad «primitiva». Era necesario postular una regresión de la humanidad al estado primitivo después del diluvio y, además, restringir mucho los tiempos de la evolución social.

Paolo Rossi, que ha investigado hasta el mínimo detalle el descubrimiento del tiempo profundo, escribe:

> La conquista o el descubrimiento del tiempo fue una operación muy lenta. En 1659 el hombre y la naturaleza (que han salido *juntos* de las manos de Dios) tienen un pasado de poco más de siete mil años para Vossius, de casi 5.700 para Horn. La diferencia entre la edad del mundo según Vossius y según Horn es exactamente de 1.353 años. Para justificar esta diferencia o para mostrar su ilegitimidad se revisan *ab imis fundamentis* todos los grandes problemas de la cronología; se discuten las características de las grandes civilizaciones antiguas; se examinan y se valoran las fuentes; se afrontan los problemas de la filología bíblica (1979, pág. 180).

Las resistencias frente a las nuevas cronologías proceden en parte de los defensores de las tradiciones religiosas (aunque con frecuencia son los tradicionalistas los que defienden tesis científicamente correctas y viceversa). Tal vez se estaban planteando problemas más profundos. Buffon, cuando publica *Les époques de la nature* (1778), adopta una cronología según la cual la Tierra tiene unos setenta mil años. Como demuestra Jacques Roger (1962), en sus manuscritos Buffon había ido mucho más allá, postulando que la Tierra tenía tres millones de años; pero no se había decidido a publicar los resultados, aunque la época de las grandes polémicas teológicas ya había concluido. Probablemente temía que sus contemporáneos no habrían podido concebir semejantes periodos:

> He presentado una tabla resumida de la duración de los tiempos. Necesitaba esta escala menor para conservar el orden y la claridad de las ideas, que se habrían perdido en los espacios oscuros si, de repente, hubiese presentado el plano de la duración de los tiempos en base a la escala que empleo actualmente, y que es cuarenta veces mayor que la de mi primera tabla.[13]

La revolución de Galileo, Kepler o Copérnico había relegado a la humanidad a un lugar periférico de un espacio infinito. La revolución de los tiempos geológicos la reduce a un fragmento de eternidad. Los pocos miles de años de la historia pasan a ser un lapso de tiempo ínfimo, frente a los cuatro mil millones de años de la Tierra, o a los millones de años transcurridos desde la aparición de los primeros homínidos. Lo que asusta a los contemporáneos de Buffon es encontrarse en una eternidad que ya no es la divina (fuera del tiempo), sino que se identifica con una *duración infinita*.

Flecha y ciclo del tiempo

Stephen Jay Gould (1988) muestra magníficamente cómo, hasta en el pensamiento científico occidental, continúan coexistiendo dos visiones contrapuestas y complementarias del tiempo, aunque permanezcan ocultas detrás de una cortina de univocidad. El tiempo lineal, la «flecha del tiempo», y el tiempo recurrente, el «ciclo del tiempo», los dos viven en la ciencia. La «línea» es sólo la metáfora más evidente y la más aceptada.

Con elegancia rastrea Gould la contraposición y la complejidad de las dos concepciones, precisamente en el momento del descubrimiento del «tiempo profundo». Examinando la obra de los tres padres de la geología británica, Thomas Burnet, James Hutton y Charles Lyell, Gould pone de manifiesto rigurosamente que el descubrimiento del tiempo profundo sitúa a los geólogos frente a un dilema. Si se adhieren a una visión fisicista de su ciencia (como Hutton), para la cual la geología está fundada exclusivamente en las repeticiones regulares de la naturaleza, es decir, en un tiempo cíclico, niegan el devenir irreversible y, con ello, la base misma de la geología, que estudia la constitución del ambiente en la historia: «Si los momentos no se distinguen, entonces no tienen interés» (Gould, 1988). La geología tiene un sentido sólo si estudia la sucesión de contingencias históricas que han conducido al ambiente a ser como es: tiene sentido sólo en la «línea» del tiempo (la flecha del tiempo); pero, por otra parte, no puede descuidar la repetición cíclica regular de los fenómenos según las leyes naturales.

Una tal dicotomía irresoluble indica también a Gould la necesidad de la existencia de diversas concepciones del tiempo. Aunque está claro que tanto la flecha como el ciclo del tiempo son metáforas de un constructo humano y no de una realidad objetiva.

> En nuestra tradición hay algo profundo que requiere, para que la inteligibilidad sea posible, o bien la flecha de la unicidad histórica o bien el ciclo de la inmanencia intemporal; y la naturaleza dice sí a las dos cosas. Vemos esta tensión [...] expresada artísticamente en la iconografía de cualquier catedral medieval en Europa, donde la flecha de la historia progresiva pasa de la narración del Antiguo Testamento, en el oscuro lado norte, a la resurrección y al esplendor futuro en el sur, iluminado por el sol. Pero vemos también el ciclo dentro de la flecha. Una serie de correspondencias [...] nos muestra que cualquier acontecimiento de la vida de Cristo repite un suceso que aparecía ya en el ciclo precedente de la historia del Antiguo Testamento (ibíd.).

DETERMINISMO E IRREVERSIBILIDAD: EL TIEMPO DE LA FÍSICA

Desde la época de Aristóteles, para Occidente la física es la ciencia por excelencia. Quizá por ello ha ofrecido siempre metáforas esenciales a nuestro modo de concebir el mundo. Las metáforas físicas del tiempo no constituyen una excepción. Parece que las metáforas tomadas de la física, sobre todo, iluminan nuestra relación con el futuro. El sentido común oscila entre la idea de un futuro previsible y programable y la idea de un futuro completamente aleatorio. En su evolución la física ha tocado los dos extremos, desde el futuro previsible en todas sus articulaciones, según la hipótesis de la mecánica clásica, al impredecible de la teoría cuántica. Y además de ésta, la física ofrece otras dos dicotomías temporales: tiempo absoluto de Newton contra tiempo relativo de Einstein; tiempo reversible (el de la mecánica de Laplace) contra tiempo irreversible (el de la termodinámica, desde Boltzmann hasta Prigogine).

La mirada que dirigimos al tiempo quedaría incompleta si no se tuviera en cuenta el tiempo de los físicos. Pero, en este momento, es preciso recordar dos cuestiones: en primer lugar, que la concepción del tiempo de la física tiene para nuestro objetivo la utilidad de una analogía, en mayor medida que otras concepciones que hemos examinado. Sería un engaño tomar ideas que tienen sentido en el contexto de la física y tratar de transferirlas directamente al de la psicología y después al de la psicoterapia. En segundo lugar, que el modo en que tratamos el tema es bastante aproximativo; pedimos excusas a quien tenga una formación matemática o física más profunda que la nuestra.[14]

Cosmologías y cosmogonías científicas

Como la estática es por definición una ciencia intemporal, el tiempo entra en la física cuando la mecánica pasa a ser dinámica, es decir, cuando se introduce el movimiento. Volvemos así a la famosa definición aristotélica: el tiempo es el número del movimiento según el antes y el después. Ya desde los primeros pasos de la física el tiempo está intrincadamente ligado al espacio, el antes y el después tienen sentido en relación al aquí y al allí. En la exposición aristotélica la posición de un suceso en el tiempo y en el espacio es una posición absoluta y determinable independientemente del observador.

La publicación de los *Principia Mathematica* de Newton (1678) coincide con la renuncia al concepto de espacio absoluto. La posición de un evento en el espacio depende del observador; por ejemplo, una persona sentada en el vagón de un tren, aparece quieta para el observador que se encuentra en el mismo tren; pero para un observador que se encuentra fuera del tren, se mueve a ochenta kilómetros por hora. Pero Newton sigue considerando el tiempo como algo absoluto. Cualquiera que sea la posición del observador, el lapso de tiempo que transcurre entre dos sucesos puede medirlo siempre con precisión cualquier observador que tenga un reloj. El reloj pasa a ser el símbolo mismo del tiempo absoluto de la ciencia. La metáfora del reloj es la que se usa generalmente para expresar la concepción newtoniana del universo.

La publicación, en 1905, de la teoría restringida de la relatividad de Einstein somete a una dura prueba el carácter absoluto del reloj. Según la teoría de la relatividad la velocidad de la luz es una constante universal. Diversos observadores que ven pasar un rayo de luz de un punto a otro se encontrarán en distinta posición respecto de los hipotéticos observadores newtonianos. Éstos habrían asegurado que, puesto que el espacio no es absoluto, pero el tiempo sí, el rayo ha recorrido distintos espacios en el mismo tiempo; y, por consiguiente, le habrían atribuido distintas velocidades. Pero si la velocidad de la luz es constante, entonces lo que cambia ha de ser el tiempo: la luz puede recorrer distintos espacios en distintos tiempos y los relojes usados por los diferentes observadores indicarán tiempos diferentes. De este modo el tiempo de Einstein resulta, como notan Prigogine y Stengers (1979), un tiempo local, asociado al observador. El reloj cósmico de Newton se divide en miríadas de relojes, cada uno con un tiempo propio, real de por sí y dentro de las propias coordenadas.

El orden de los sucesos ya no es ni fijo ni absoluto. Si examinamos tres acontecimientos sucesivos A, B, C, no ligados causalmente, podremos afirmar perfectamente que B ha sucedido antes que A, o bien después que C, según las coordenadas de espacio y tiempo que adoptemos. Un punto esencial del ensayo sobre la teoría restringida de la relatividad es que no existe ningún sistema absoluto de referencia (la única constante absoluta es la velocidad de la luz), sino sólo diversos puntos de vista. Imaginémonos dos viajeros que se mueven en sentido opuesto uno respecto de otro, aunque cada uno de ellos se considere quieto (y esto es legítimo, según Einstein). En el momento en que se cruzan, las palabras «pasado» y «futuro» tienen para ellos significados diversos: «Porque están seccionando el *continuum* espacio-temporal siguiendo ángulos distintos. Lo que es pasado para un observador puede ser futuro para el otro, y viceversa» (Flood y Lockwood, 1986, pág. 4).[15]

De esta forma el espacio y el tiempo, privados los dos de su propio carácter absoluto, quedan intrincadamente unidos en un *continuum* espacio-temporal:

> Así en lugar del espacio absoluto tridimensional y del tiempo absoluto unidimensional descritos por Newton, Einstein formuló, en medio del asombro de sus colegas que defendían la física clásica, la hipótesis de un *continuum* espacio-temporal de cuatro dimensiones de tipo relativo, en el que hay que someter las coordenadas del espacio y del tiempo a constantes correcciones para dar cuenta de cualquier punto de vista individual (Zohar, 1982).

La teoría general de la relatividad, enunciada en 1914, se ocupa de los efectos de la fuerza de gravitación universal: los cuerpos están sometidos a aceleraciones y siguen trayectorias curvilíneas (la relatividad restringida se limitaba a los cuerpos que se desplazan con un movimiento rectilíneo uniforme). El descubrimiento más importante de la relatividad general se refiere a la curvatura del espacio: cualquier masa puede «curvar» el espacio que se encuentra en torno a ella en una medida proporcional a su propio campo gravitatorio. Por ejemplo, los rayos de luz curvan su trayectoria en presencia de un cuerpo de gran masa, como el sol, mientras que se ven menos influidos por la masa menor de la Tierra. Una consecuencia de ambas teorías es que «el paso del tiempo, medido por un reloj de precisión absoluta, depende en modo decisivo de la velocidad del reloj y de la fuerza del campo gravitatorio local» (Flood y Lockwood, 1986, pág. 3).

Según la relatividad general incluso el tiempo se «curva», transcurriendo más despacio cerca de los cuerpos de masa considerable. Este estado de la cuestión se expresa en la conocida «paradoja de los gemelos». Si uno de los dos gemelos emprende un viaje en una nave espacial que se desplaza a una velocidad cercana a la de la luz, mientras que el segundo se queda en tierra, cuando los dos gemelos se encuentren el primero será más viejo que el segundo.[16] La relatividad, en efecto, es el último ejemplo de «espacialización» del tiempo: el tiempo ha pasado a ser la cuarta coordenada del espacio.

En relación con esto es interesante el modelo cosmológico formulado por el matemático Kurt Gödel en 1949 a partir de las ecuaciones de la relatividad: la masa del universo es tan grande que produce una curvatura completa del espacio circundante. De manera que se puede representar el universo como una esfera cerrada que gira sobre sí misma, en la que espacio y tiempo tienen una configuración circular. En esta versión de la relatividad general ya no se puede hablar de «antes» y «después»; aunque sea difícil que el sentido común lo acepte, las nociones de antes y después, pasado y futuro, pierden su sentido:

> Si se consideran todos los sucesos en el contexto de la relatividad general, se presentan como fenómenos que se manifiestan fuera del tiempo, en el espacio-tiempo de cuatro dimensiones, extendido sobre el contorno curvo de nuestra existencia esférica como un todo estable e inmóvil. De ello se deduce que todo suceso futuro es, al mismo tiempo, presente, es decir, que el futuro está ya escrito y es inmutable como el pasado (Zohar, 1982).

Mientras que Einstein, con su relatividad, no había ido más allá de la «paradoja de los gemelos», Gödel llega a afirmar que es plausible un «desplazamiento hacia adelante y hacia atrás en el pasado, presente y futuro cosmológicos», a condición de que se alcance una velocidad cercana al menos al 70 por ciento de la velocidad de la luz. El mismo Einstein, inicialmente perplejo frente a hipótesis de «viajes» en el tiempo, llegó al final a admitir la posibilidad de una reversibilidad del tiempo.

El espacio-tiempo de la relatividad, un espacio-tiempo curvado sobre sí mismo, tiene también la aplicación (puesta de manifiesto unos años después) de que el universo tiene que ser finito, tanto en el espacio como en el tiempo. El universo ha de tener un principio y un final. De esta manera la física del siglo xx llega a formular su propia cosmogonía. El universo de Newton era estático y ahistórico, implacable en su movimiento: un reloj puesto en marcha de una vez para siempre por el Relojero divino. El universo posteinsteiniano ha tenido origen en una explosión, una «singularidad» según la terminología de Hawking (1988), conocida con el nombre de Big Bang; actualmente se está extendiendo y es previsible que en un determinado momento se contraerá en un «Big Crunch».[17]

Si para Newton el tiempo, hecho de reglas iterativas y repeticiones, ocupa una posición central y es absoluto, para los físicos como Einstein el tiempo no es más que una dimensión como las otras, cuya aparente irreversibilidad se debe a una imperfección de los seres humanos. En palabras suyas:

> Para nosotros, físicos convencidos, la distinción entre pasado, presente y futuro no es más que una ilusión, aunque sea tenaz (citado en Prigogine y Stengers, 1979).

Termodinámica: la flecha del tiempo

Examinando la evolución de las concepciones del tiempo en la física, otro paso importante es el de la estática/dinámica a la termodinámica. Pues si en la dinámica cualquier acontecimiento del mundo físico es reversible, en la termodinámica la sucesión de los acontecimientos es irreversible. El segundo principio de la termodinámica implica un devenir irreversible: la energía del mundo es una constante y, con el paso del tiempo, se transforma por degradación en calor que tiende hacia el cero absoluto. Esta degradación de la energía se expresa con el término «entropía», directamente proporcional al desorden, al caos. Con la termodinámica se introduce en la física la flecha del tiempo.

La termodinámica clásica ha estudiado extensamente los sistemas próximos al equilibrio, descuidando los estados lejanos al equilibrio. En los sistemas aislados próximos al equilibrio, las fluctuaciones, espontáneas o provocadas, se atenúan progresivamente, hasta llegar a pararse, de modo que el sistema vuelve a su estado inicial. Ilya Prigogine se ha ocupado, de un modo muy creativo, de los sistemas disgregadores lejanos al equilibrio que, como sistemas abiertos, reciben del exterior energía que se traduce en un aumento de organización (negentropía). En ellos el tiempo lineal, la flecha del tiempo, asume una posición central. A diferencia de los sistemas cercanos al equilibrio, en los sistemas disgregadores incluso una pequeña fluctuación se puede ampliar y superar los parámetros del sistema, hasta hacerle asumir una condición macroscópica nueva, que es tan imprevisible como imprevisible es la fluctuación inicial. Por eso se puede decir que el orden nace del caos.

Según Prigogine los sistemas macroscópicos –incluidos nosotros mismos– existen en una sucesión de estados que pueden ser más o menos estables. En su terminología, cada sistema ha de cumplir en su existencia un camino «histórico», que

> se caracteriza por una sucesión de regiones estables, en las que dominan las leyes del determinismo, y de regiones inestables, cercanas al punto de bifurcación, en las que el sistema puede «elegir» entre varios futuros posibles. El carácter determinista de las ecuaciones cinéticas, con el cual se puede calcular el

conjunto de los estados posibles y su respectiva estabilidad; está intrincadamente ligado a las fluctuaciones causales que «eligen» entre los diversos estados
en torno a los puntos de bifurcación. Esta mezcla de azar y necesidad constituye la historia del sistema (en Prigogine y Stengers, 1979).

Prigogine reinterpreta la segunda ley de la termodinámica demostrando
que el aumento de la entropía no lleva sólo a una degradación de la energía
y con ello a una evolución hacia la indiferenciación y la muerte del universo –una visión pesimista del mundo– sino en ciertas situaciones, esto es, en
los sistemas disgregadores, la misma entropía viene a ser la fuente de la organización y del orden. De ello nace la paradoja del tiempo: del mismo
modo que el universo camina irreversiblemente hacia la degradación y la
muerte, al mismo tiempo parte de él camina hacia grados más avanzados
de complejidad y autoorganización.

Esta posición a propósito del tiempo se contrapone claramente a la de
Einstein y a la de aquellos que se inspiran en sus teorías (incluido Hawking,
del que trataremos enseguida). Prigogine y sus colaboradores afirman que
el tiempo, lejos de ser un simple producto de la mente humana, es una realidad, más aún, es la realidad que hace posible la existencia de la vida y del
hombre: el hombre surge del tiempo y no a la inversa (Prigogine, 1988).

Con esta versión de la termodinámica, la física adquiere una dimensión
histórica, pero no en el sentido de una concatenación determinista, en la
que el estado de cada instante determina el del instante sucesivo. El futuro
es concebible sólo como probabilidad, y el azar adquiere un papel decisivo.[18] De este modo, el futuro se encuentra desvinculado de cualquier predicción determinista.

En la evolución del pensamiento de Prigogine se ha dado una ampliación constante de las perspectivas, hasta llegar a considerar la misma superficie terrestre como un sistema disgregador que recibe energía
del sol. Giuliano Toraldo di Francia, en el prólogo a la traducción italiana de *La nouvelle alliance [La nueva alianza]* de Prigogine y Stengers,
escribe:

> ¿Cómo no se va a dar el gran paso y no se va a suponer que el fenómeno de
> la vida se debe precisamente a un orden que surge por fluctuación en un siste-
> ma abierto, como es el de la superficie terrestre, que recibe continuamente ener-
> gía del sol? [...] Prigogine da este paso [...] La vida sobre la tierra viene a ser un
> fenómeno imprevisible, pero necesario [...] Aunque la vida fuese una circuns-
> tancia necesaria sobre la tierra, ¡no se podría deducir de ello que fuesen necesa-
> rios los gatos, los hombres, tal como nosotros los conocemos! Precisamente por-
> que las fluctuaciones son imprevisibles, tampoco es previsible cuál de los mu-
> chos caminos disponibles hacia el orden seguirá una estructura disgregada, una
> vez que haya alcanzado un punto de inestabilidad y de ramificación (Toraldo di
> Francia, 1981, págs. x y sigs.).

Este pensamiento acerca de la superficie terrestre nos recuerda, por
asociación, una cita del mismo Prigogine sobre la bóveda celeste que, de un
modo romántico, introduce el tiempo con su irreversibilidad:

Allí donde la ciencia clásica subrayaba la estaticidad y la permanencia, ahora se imponen los conceptos de cambio y evolución. Ya no vemos en los cielos las trayectorias que llenan el corazón de Kant de la misma admiración por la ley moral que residía en él. Ahora vemos objetos extraños, quasar, pulsar, galaxias que explotan, estrellas que, según dicen, van a parar a «agujeros negros» que devoran irreversiblemente todo lo que consiguen capturar [...] El tiempo no ha penetrado sólo en la biología, en la geología y en las ciencias sociales, sino también en los dos niveles de los que tradicionalmente estaba excluido, el microscópico y el cósmico (en Prigogine y Stengers, 1984, págs. 214 y sigs.).

Cuantos y probabilidad

En el mismo periodo en que la relatividad comenzaba a discutir la unicidad del tiempo otra certeza del mecanicismo se comienza a tambalear: la previsibilidad. El mundo de la mecánica clásica estaba concebido siguiendo el más rígido determinismo. Si cada acontecimiento tenía una causa determinable y un efecto igualmente determinable se deducía que quien dispusiese de toda la información sobre el sistema-universo en un determinado momento podría predecir con absoluta certeza el futuro del mismo.[19]

Werner Heisenberg ha demostrado que es imposible determinar con precisión la posición y la velocidad de las partículas subatómicas: para observar las partículas es necesario iluminarlas, es decir, bombardearlas con fotones (cuantos de luz) que, a su vez, cambiarían el estado energético y modificarían la trayectoria y la velocidad de aquéllas.[20] La medición puede ser sólo aproximativa y, partiendo del cálculo de probabilidades, podremos llegar a establecer una tendencia estadística más que una exacta descripción del movimiento de una partícula.

El principio de indeterminación de Heisenberg (1962) sustituye la concepción determinista por una concepción *probabilista*. No es posible predecir con exactitud el resultado de una cierta medición (en dimensiones subatómicas), sólo se puede predecir una distribución de probabilidades, pero sin saber nunca con certeza si una partícula concreta seguirá un recorrido u otro (Jauch, 1973). Así resulta que, mientras que Einstein hace relativos los presentes, Heisenberg hace aleatorios tanto los presentes como los futuros, que anteriormente parecían sujetos a predicciones infalibles. La esencia del principio de indeterminación es que, en el mundo microscópico, más allá de un cierto nivel de realidad, no es posible conseguir mediciones exactas y, por tanto, no se puede conocer el comportamiento de las partículas elementales. Esto no significa, naturalmente, que las leyes de la física macroscópica resulten inutilizables: siguen siendo más o menos válidas para el ámbito macroscópico, que no se beneficiaría del uso de ecuaciones cuánticas.

Otro descubrimiento fundamental de la teoría cuántica es que las partículas elementales pueden asumir la configuración de partículas o de ondas. Por ejemplo, no es posible establecer en qué circunstancias un electrón se comportará como una onda o como una partícula, de modo que los físicos prefieren hablar simplemente de «ondas de materia» o de «ondas de probabilidad».

Uno de los resultados más notables de la teoría cuántica, que somete a dura prueba la lógica del sentido común, es la crítica del principio de cau-

salidad y del concepto de dirección única del tiempo. Cada vez que un átomo es sometido a perturbación, el cambio de posición de los electrones
acontece por saltos de una órbita a otra, de un modo totalmente casual. Por
eso es imposible hablar de sucesión de eventos concatenados, coherente
con el principio de causalidad; se puede afirmar sólo que los eventos son
correlativos entre sí. ¿Cómo? Un electrón golpeado por un fotón se coloca-
rá *simultánea y temporalmente* en todas las órbitas que puede ocupar, hasta el momento en que se situará en una órbita definitiva. En otras palabras,
un electrón excitado se comporta como si ocupase un espacio muy extenso. En la teoría cuántica los lugares «temporales» son definidos como
«transiciones virtuales» mientras que la órbita definitiva es llamada «transición real».
   Con todo, las transiciones virtuales tienen una relación con la «realidad».

   Llevando a sus consecuencias extremas el principio de indeterminación de
Heisenberg, es lícito afirmar que, según la teoría de los cuantos, la realidad en
su nivel último no consiste en datos de hecho (que *podemos* conocer), sino que
consiste más bien en todas las probabilidades de las distintas realidades fijas
que *podremos* conocer[21] (Zohar, 1982).

   Hawking, en su libro *A Brief History of Time. From the Big Bang to Black
Holes [Historia del tiempo: del Big Bang a los agujeros negros]* (1988) ha tratado de resolver las contradicciones existentes entre la teoría de la relatividad y la mecánica cuántica –intento al que Einstein se había entregado in-
fructuosamente en los últimos años de su vida–, construyendo un modelo
del espacio-tiempo que hiciera posible liberarse de la enojosa «singularidad» (véase Elkaïm, 1985) del Big Bang (y del eventual Big Crunch), que están por definición fuera de nuestro tiempo. En esta teoría la «historia» de
cada partícula del espacio-tiempo resulta de la suma de todas sus historias
posibles. El espacio-tiempo obtenido así es un espacio-tiempo «recorrible»
(conceptualmente) en cualquier dirección. El tiempo imaginario[22] de Hawking carece de límites y de direcciones, niega las propiedades que el sentido
común atribuye al tiempo mismo: dirección, irreversibilidad, duración. Pero
el mismo Hawking (1988) advierte:

   Tal vez lo que llamamos tiempo imaginario, en realidad, es más fundamental, y lo que llamamos real es sólo una idea que nos inventamos para ayudarnos
a describir el universo como creemos que es.[23]

MULTITEMPORALIDAD

   Las diversas concepciones del tiempo adoptadas por los físicos pueden
encontrar una cierta analogía con los tiempos vividos por cada uno de nosotros en la vida cotidiana. El del determinismo clásico es el tiempo del
sentido común: los acontecimientos están ordenados causalmente en un
único tiempo, común a todos, el pasado determina el presente que determina el futuro; la vida está gobernada por la necesidad. El de la relatividad

RESUMEN

es el tiempo subjetivo: yo, observador, tengo mi tiempo, verdadero para mí; y debo considerar que cada uno tiene su tiempo, que puede ser que no coincida con el mío. El tiempo de la mecánica cuántica es el tiempo de la indeterminación y de la casualidad: lo «real» mantiene una relación no determinista con lo «virtual». El tiempo de la termodinámica de los sistemas disgregadores, finalmente, está dirigido irreversiblemente hacia el futuro.

Pero se ha de recordar una vez más que para los terapeutas la física es una buena metáfora, pero nada más que una metáfora. Poincaré (1913) ha distinguido rigurosamente la «relatividad» de los tiempos subjetivos de la teoría de la relatividad en la física: entre las dos relatividades hay sólo homogeneidad lingüística, no identidad conceptual. Y lo mismo vale para el principio de indeterminación de Heisenberg o las estructuras disgregadoras de Prigogine. Ciertamente resulta estimulante encontrar en la física conceptos como la irreversibilidad o la centralidad del observador, que son ya parte de las teorías sistémicas. Pero no se debe pretender que la indeterminación del terapeuta que dialoga con un paciente sea *la misma* que la del físico que trata de determinar la posición y la velocidad de una partícula.

Lo que es útil en nuestro trabajo cotidiano es saber adoptar puntos de vista diferentes, en ciertos casos opuestos. Conviene notar cómo la relatividad general, que se ocupa de los cuerpos de grandes dimensiones y la mecánica cuántica, que estudia las partículas microscópicas, nos ofrecen descripciones del mundo contradictorias. «Pero los físicos, ciertamente, no están dispuestos a renunciar a ninguna de las dos y las aplican con confianza, cada una en su ámbito» (Toraldo di Francia, 1990, pág. 31). A este respecto Elkana (1984) ha afirmado que conviene que cada uno adopte una actitud realista dentro de una teoría, pero «relativista» en la comparación entre diversas teorías.

Consideramos que el conocimiento de las diversas metáforas del tiempo es útil para enriquecer no sólo la cultura, sino también la capacidad de actuar moviéndose con destreza en las diferentes concepciones. Por lo demás nuestra reflexión es coherente con la que ha sido definida como «epistemología compleja» (véase Bocchi y Ceruti, 1985): se puede considerar el conocimiento como el conjunto de las relaciones entre concepciones distintas, dotadas de lógicas diferentes, irreducibles unas a otras, sin que pueda emerger una concepción superior a las otras o más básica que las otras. Es imposible un «conocimiento perfecto» (Morin, 1985). El conocimiento del tiempo es, por tanto, múltiple. Cada concepción tiene su tiempo.

Las palabras con que el psicólogo experimental Robert Ornstein resume su propio estudio sobre la experiencia del tiempo son un testimonio de lo complejo que resulta tratar este tema fascinante:

Volviendo a la pregunta inicial, «¿qué es el tiempo?», hemos recorrido todo este camino para descubrir que no podemos responder. El tiempo es un concepto muy diversificado, que no se puede abarcar con una única respuesta. El tiempo es muchas cosas, muchos procesos, muchos tipos de experiencia [...]. Los diversos tiempos de la experiencia requerirán diversos tipos de explicación (Ornstein, 1969, pág. 109).

2. TIEMPO Y RELACIONES

En nuestros intentos de observar las relaciones con la perspectiva del tiempo nos hemos encontrado a menudo enredados en una maraña de contradicciones, de incongruencias y, a veces, de paradojas. Esto se debe, probablemente, o al carácter autorreflexivo del tiempo (cuando hablamos del tiempo, seguimos viviendo en el tiempo) o a la presencia de una pluralidad de «tiempos», relacionados con diferentes niveles de realidad. Parecía imposible compaginar tiempo subjetivo y tiempo objetivo, medición y duración, etcétera. Pero la dificultad se puede superar si se tiene en cuenta la advertencia de Elias (1984): el tiempo no es un objeto, sino una abstracción derivada de nuestra experiencia de sucesión y cambio, por un lado, de constancia de los objetos que cambian, por otro.

Diversas personas, o diversos grupos de personas, o incluso la misma persona en distintos momentos de su vida, pueden concebir el tiempo de diferente manera. Es un error hablar de un tiempo «más verdadero» que otro. La distancia entre los fenomenólogos, que consideran «verdadero» el tiempo subjetivo porque es el «realmente vivido», y los físicos, que consideran «verdadero» el tiempo del reloj porque es «objetivamente mensurable», se puede salvar fácilmente si se tiene en cuenta que los diferentes «tiempos» no son más que descripciones efectuadas por distintos observadores. Cada concepción del tiempo es «verdadera» en un determinado ámbito descriptivo y sólo en él. Cuando una comunidad entera se pone de acuerdo en ciertas descripciones, éstas llegan a asumir el estatuto de «realidad». De esta manera, han surgido diversas descripciones del tiempo, que se distinguen por el grado de consenso recibido. En Occidente, la concepción que goza de mayor grado de consenso es la del tiempo físico, mientras que la que tiene el menor grado de consenso es la del tiempo individual interior. Para corregir las teorías de Newton fueron necesarias las rigurosas demostraciones de la teoría de la relatividad; por el contrario, es casi imposible «corregir» la vivencia del tiempo de una persona deprimida, que siente que el tiempo no pasa.

Nos ocuparemos a continuación de tres ámbitos temporales que afectan más de cerca a nuestro trabajo. Podemos tomar como punto de partida, aunque esté claro que es un punto de partida arbitrario, la situación individual. Consideramos el tiempo que cada individuo distingue cuando se sitúa como observador de sí mismo. Lo definimos como tiempo individual o *tiempo fenomenológico,* porque han sido los fenomenólogos los que han estudiado de un modo más sistemático este modo de percibir y de concebir el tiempo.

En el otro extremo encontramos el tiempo que emerge consensualmente, como resultado de las interacciones entre los individuos que constituyen una cultura. Lo definimos como tiempo cultural o *tiempo antropológico,* porque han sido los antropólogos los que han definido sus perfiles.

En el lugar intermedio colocamos, en fin, las diversas concepciones, subdivisiones y mediciones del tiempo que caracterizan los sistemas interactivos (instituciones estatales, laborales, escolares, etcétera), en los cuales los individuos actúan concretamente. Definimos el tiempo creado dentro de estos sistemas como tiempo social o *tiempo sociológico;* su estudio corresponde a la sociología.

De todos modos, hay que tener presente que sólo es posible concebir cada uno de estos tres ámbitos en su propio contexto, y que cada uno constituye el contexto del otro. A continuación esclarecemos mejor el sentido de esta recursividad.

TIEMPO INDIVIDUAL

Comenzamos nuestro estudio por el individuo; no por un individuo abstracto, sino por una persona situada en nuestra cultura occidental. Precisado el campo de investigación, tomaremos como punto de partida la experiencia más inmediata y, a la vez, más problemática: la vivencia del tiempo.

La experiencia del tiempo

Nuestro sentido del tiempo se funda, sobre todo, en la experiencia del presente inmediato; varios autores han tratado de determinar su duración.[1] Pero, como observó Bergson (1889), no se puede aislar el presente inmediato porque, en cuanto se aísla, aquel presente ya no es presente, es pasado. Muchos motivos hacen que la experiencia del presente inmediato pertenezca al ámbito de lo inexpresable, de lo inefable, hasta el punto de que Jaques (1982) la atribuye, sin dudarlo, a la actividad del inconsciente.

La percepción del tiempo presente está estrechamente unida a la percepción de la duración, o a lo que se suele definir como «sentido del tiempo». Los estudios de cronobiología humana (Luce, 1971; Fraisse, 1974) han puesto de manifiesto la presencia de una multitud de ritmos interiores, con ciclos más o menos largos,[2] que nos ofrecen a cada uno de nosotros diversas posibilidades de experimentar el tiempo, y que modifican el sentido del tiempo individual.

FACTORES
Q
CAMBIAN
EL t

Dossey (1982) cataloga una serie de factores capaces de alterar el sentido del tiempo: factores personales, sociales, motivacionales, influencia de drogas, trastornos psíquicos, incluso cambios de luz o de temperatura. Está claro que los alucinógenos, por ejemplo, provocan grandes modificaciones del sentido del tiempo. Algunos sujetos, bajo los efectos de la mescalina, han experimentado la sensación de recorrer siglos y milenios, conservando aparentemente íntegra la percepción de sí mismos. Estas personas no tenían la sensación de que el tiempo corriese «más deprisa», sino que pensaban que vivían en el tiempo natural. Sólo al final de la experiencia se daban cuenta de que el reloj indicaba que apenas habían pasado tres minutos (Sonnemann, 1987).

Edlund (1987) cita un experimento sugerente, que muestra hasta qué punto el sentido del tiempo se puede ver influido por el sentido del espacio: podría parecer que la experiencia subjetiva del tiempo es directamente proporcional a la escala de las dimensiones del local. En el experimento se colocó a unas personas en habitaciones construidas y dispuestas siguiendo una escala perfecta, de forma que eran 1/6, 1/12 y 1/24 de las dimensiones normales. Se les pidió que hicieran una señal cuando tuviesen la sensación de que había pasado media hora. En los locales de escala 1/24 hicieron la señal después de un minuto y medio; en los de 1/12 después de tres minutos; en los de 1/6 después de cinco minutos y medio. Se confirmó el resultado porque los mismos sujetos, colocados en un local de proporciones normales, sentían que la media hora había pasado después de unos treinta minutos.

Pero el sentido del tiempo se puede alterar también sin necesidad de llegar a experiencias extremas. Cuando un sujeto está sometido a un peligro o a una situación de alarma, adopta una actitud de máxima vigilancia: percibe más detalles particulares y lleva a cabo más acciones en la unidad de tiempo «objetivo» medida por el reloj. Esta reacción tiene una correspondencia en el estado fisiológico y neuroquímico del organismo, significa una adaptación a la situación de peligro: secreción de adrenalina en las glándulas suprarrenales, aumento de la presión sanguínea y aceleración del ritmo cardíaco, vaciamiento de las vísceras con mayor flujo de sangre al encéfalo, activación del sistema reticular ascendente. Como resultado de esta activación emotiva y humoral el sujeto tiene la sensación de que el tiempo corre más lento. Quien ha experimentado el terror de los pocos segundos que dura un terremoto, sabe que parece que esos instantes no van a terminar nunca. Por otra parte las técnicas orientales de meditación (son paradigmáticas las del budismo zen) permiten meditar durante horas y horas –mediante un vaciamiento completo de la psique– y tener la sensación de que han pasado sólo unos segundos, o incluso de que el tiempo no ha pasado.

También la edad modifica bastante el sentido del tiempo. El niño menor de un año no tiene sentido del tiempo. A los dos años aparece el uso de la palabra «hoy», a los dos y medio «mañana», a los tres «ayer», a los cinco comienza a decir «días». A los dieciséis, según Dossey (1982), la concepción del tiempo es ya igual que la del adulto. Pero con el aumento de la edad se tiene la sensación de que el tiempo pasa cada vez más deprisa. Esto sucede porque cada uno vive los ciclos temporales como porcentuales de la existencia que ha vivido ya: un mes es un tiempo larguísimo para un chaval de quince años, pero irrisorio para un anciano de setenta.[3]

Jean Piaget (1946) estudió cómo se desarrollaba en el niño la noción de tiempo «objetivo», considerándola relacionada con la velocidad: «El tiempo es una coordinación de velocidades o, mejor, una coordinación de movimientos con sus velocidades». Hasta los seis años, aproximadamente, los niños tienen lo que Piaget define como «intuición de la velocidad», pero no pueden concebir la sucesión. En este estadio de desarrollo (estadio 1) no consiguen relacionar el «hacia atrás» con el «hacia adelante», conceptos que para Piaget son origen del «antes» y del «después»; después son capaces de diseñar las fases de un proceso, pero no de establecer la sucesión, en un segundo momento, de sus propios diseños.

Entre los seis y los ocho años (estadio 2) los niños desarrollan los conceptos de sucesión y simultaneidad: los objetos pueden recorrer contemporáneamente espacios distintos. A esta edad adquieren las ideas de antes y después, de simultaneidad, sucesión y duración. Después de los ocho años los niños alcanzan lo que Piaget define como «estadio 3», el periodo crítico para la comprensión del tiempo y su medición. Relacionando entre sí duración y sucesión, el niño adquiere la capacidad conceptual de recorrer el tiempo hacia atrás. Esto sucede, por ejemplo, cuando dos niños de diferente edad comprenden cuál de los dos ha nacido antes: «Han aprendido la reversibilidad».

> La reversibilidad del tiempo es tan significativa para Piaget porque con la capacidad humana de recorrer el tiempo, sea hacia adelante o hacia atrás, aparecen la memoria y su derivado, la identidad. La capacidad de ver los acontecimientos en el tiempo, de recorrerlos hacia atrás o hacia adelante, es un constructo necesario del estilo de pensamiento lógico-racional, que es la realización suprema de la especie humana (Edlund, 1987, pág. 48).

Robert Ornstein (1969) es el autor que mejor ha estudiado, desde el punto de vista de la psicología experimental, el problema de la experiencia del tiempo, especialmente de la duración. Según Ornstein al hablar del «sentido del tiempo», se supone que en la realidad objetiva existe un objeto llamado «tiempo» y que un cierto «órgano» sensitivo puede percibirlo de modo más o menos preciso; la experiencia del tiempo está determinada no por un sentido del tiempo, sino por la cantidad de información almacenada en un determinado intervalo: cuando se consigue aumentar el nivel de informaciones elaboradas en un determinado intervalo, aumenta la experiencia de dicho intervalo (Ornstein, 1969, pág. 103).

La serie de experimentos de Ornstein no muestra sólo que la duración (entendida como «*magnitudo*» del tiempo experimentado) aumenta al aumentar los estímulos: la duración aumenta también al aumentar la complejidad de los estímulos y, sobre todo, depende de cómo el sujeto organiza los estímulos. Si el sujeto aprende a organizar una serie de estímulos en una unidad mayor (por ejemplo, si aprende a ver una secuencia de movimientos aparentemente inconexos como un solo paso de danza), la duración se reduce. Y la reducción tiene lugar también retrospectivamente: si el sujeto aprende a reunir los estímulos *después* de haber percibido la secuencia, la duración se hace más breve en el recuerdo.

La variable importante es, entonces, el *input* grabado y almacenado, no simplemente el estímulo facilitado. Un incremento del *input* grabado y almacenado, aumenta la cantidad de almacenamiento de aquel intervalo[4] y aumenta la experiencia de duración de aquel intervalo (ibíd., pág. 82).

La teoría explica bastante bien por qué cuando uno se aburre el tiempo pasa lentamente y su duración parece interminable. En estos casos el sujeto está obligado a prestar atención a una serie de sucesos sin importancia, lo que alarga la experiencia de la duración. Y los experimentos de Ornstein explican también por qué los acontecimientos agradables se consideran «breves» cuando acaban y «largos» en la memoria: los hechos agradables se recuerdan con más detalles y la mayor cantidad de recuerdos aumenta retrospectivamente la experiencia de la duración.

Por el contrario, en un estado de emergencia se ve uno obligado a elaborar una mayor cantidad de información y los intervalos se alargan, con lo cual el tiempo parece más lento. Es importante notar la distinción: cuando la duración se ve *aumentada* parece que el tiempo *pasa más lento* y viceversa.

No queremos, finalmente, descuidar el siguiente hecho: el «tiempo interior» varía entre un individuo y otro, en relación con múltiples factores: genéticos, educativos, culturales, sociales. Nos parece oportuno, desde este punto de vista, adoptar el concepto de Orme (1969, pág. 166) de «unidad interna» de tiempo. Las unidades internas de tiempo son las modalidades individuales de organización de los datos temporales. Cada individuo puede disponer de unidades de tiempo más o menos diferentes de las de los otros; las unidades internas pueden verse después modificadas por factores externos, como hemos notado más arriba. Por eso en la interacción resulta esencial la capacidad de reconocer la diversidad de las unidades internas de tiempo. Si en la relación entre dos personas, cada una de ellas reconoce la unidad de tiempo de la otra, pueden establecer un diálogo. Esto es imposible si cada uno piensa que hay una sola manera (la propia) de experimentar el tiempo. Las consecuencias, también en el plano clínico, pueden resultar bastante serias. A partir del capítulo 5 analizaremos en detalle algunos casos cuyas patologías son atribuibles a la dificultad de «negociar» los tiempos.

Presente, pasado, futuro

En el tiempo de la física, incluida la teoría de la relatividad, la sucesión temporal es analizable y cuantificable. En el tiempo fenomenológico, la distinción de las sucesiones resulta más compleja, inasequible. Y, sin embargo, nadie podría prescindir de los conceptos que ordenan la sucesión, esto es, el presente, el pasado y el futuro. Teniendo en cuenta que el pasado y el futuro, según la intuición fundamental de san Agustín, no existen sino en el presente.[5] Esta paradoja del tiempo ha ocupado, durante siglos, a muchos estudiosos, principalmente a los fenomenólogos.

Merleau-Ponty (1945) retoma la concepción de Husserl, según la cual la conciencia vive el tiempo como una duración dentro de un «horizonte» específico, constantemente variable. Todos los «ahora» están abiertos tanto al pasado como al futuro.

Según esta perspectiva, cada instante crea en el presente sus futuros y sus pasados. Pero el instante mismo es una abstracción esquemática, y todo el proceso es fluido y continuo:

> En realidad no hay un pasado, un presente, un futuro, no hay instantes discretos A, B, C, no hay *Abschattungen* (retenciones) A', A'', B' realmente distintas [...] La aparición de un nuevo presente no *provoca* un «espesamiento» del pasado y una «sacudida» del futuro, sino que el nuevo presente es el paso de un futuro al presente y del viejo presente al pasado; el tiempo va desplegándose como un movimiento único (Merleau-Ponty, 1945).

Los instantes se subsiguen continuamente unos a otros, en el fluir de la experiencia. Pueden ser puestos de manifiesto y examinados con una operación de distinción. El tiempo es experimentable precisamente porque el presente se vive como continuo y, al mismo tiempo, como contrapuesto a un pasado y a un futuro, sin los cuales sólo hay una contemporaneidad indistinta.

Para poder realizar una distinción entre dos dimensiones temporales es útil –quizá necesario– salir de la temporalidad para entrar en una metáfora espacial, como por ejemplo la representación guestáltica de figura y fondo: se ve, de vez en cuando, que la duración y sucesión de «unidades» temporales son como la figura contrapuesta al fondo. Como ya hemos observado, mientras se describe el presente, el presente descrito es ya un pasado que llega a ser tal precisamente porque el observador trata de fijarse en el presente.

Jaques (1982) habla a este propósito del «eje de la intención», que completa así el «eje de la sucesión» del tiempo del reloj. En el campo de atención del observador, en cada instante, están presentes un pasado (memoria) y un futuro (intencionalidad), que orientan al individuo en su actividad presente.

Heidegger expresaba, aunque de manera mucho más profunda, el mismo concepto cuando sostenía que «la temporalización consiste en llevar el tiempo a su madurez». Mediante una conciencia superior es posible llegar a una revalorización de la «tríada común» pasado-presente-futuro, el tiempo en el que, sin pensar en ello, transcurre nuestra vida cotidiana:

> La autoproyección del *Dasein* hacia la propia consumación [la muerte] postula el futuro. El significado primario de la existencia es el futuro [...] El *Dasein* es anticipador, se precede siempre a sí mismo. El futuro es la más inmediata, la más presente, de las dimensiones de la temporalidad [...] Presente significa estar a la espera, aguardar la muerte que está llegando. El pasado, en fin, no permanece inactivo, como vulgarmente se supone, sino que es el agente esencial del futuro, de la proyección hacia el ser auténtico que es el fin esencial del *Dasein* [...] La anticipación de las propias posibilidades es un retorno al propio ser más profundo: «Sólo en cuanto futuro el *Dasein* puede verdaderamente ser un haber-sido». El carácter del «haber-sido» surge en cierto modo del futuro: «¡Llega a ser lo que eres!», urgía Nietzsche.

Sencillamente, Heidegger aplica la evidencia psicológica según la cual los acontecimientos del pasado se ven modificados y reciben significado de cuanto sucede ahora y de cuanto sucederá mañana. El pasado resulta significativo o vacío por lo que sucederá mañana; sólo el llegar a la madurez da a lo que ha sucedido antes una lógica y un movimiento. Heidegger nos recuerda las circularidades recíprocamente generadoras y reinterpretadoras del presente-pasado-futuro. La paradoja, latente en la imagen de la serpiente que se muerde la cola o en la cinta de Möbius, era ya familiar a los presocráticos y es básica para la meditación entre los místicos. El poeta nos dice que «en nuestro final está nuestro principio» (Steiner, 1978, págs. 106 y sigs.).

Sin buscar a la fuerza una autenticidad de la experiencia del tiempo, y sin aquel misticismo laico que Heidegger, según parece, persigue, para nosotros la «tríada común» no es en modo alguno común; nosotros vemos en esta sucesión de pasado, presente, futuro un anillo autorreflexivo en sentido cibernético, como podremos explicar a continuación.

Adoptando esta perspectiva, es también posible concebir cómo el campo de atención se puede concentrar en el pasado, en el recordar, o en el futuro, en el proyectar, según las circunstancias. De este modo, pasado y futuro vienen a ser especificaciones del ámbito del presente, y permiten construir el «presente activo», aportándole las coordenadas indispensables. El presente activo, en la definición de Jaques (1982), es el horizonte de la actividad del individuo y oscila, por tanto, entre los programas de acción limitados a unos segundos y aquellos que pueden requerir días, meses o años. El presente activo es móvil y variable. Según el análisis que se realice, colocaremos en el presente sólo acciones de ejecución instantánea, como encender una cerilla, o acciones mucho mayores, como concluir un largo proyecto de trabajo.

Individuo y horizonte temporal

Nos hemos desplazado, partiendo de la pura y simple percepción del tiempo, a la más compleja *noción* individual del tiempo. La noción del tiempo es diferente en cada persona. Cada uno de nosotros, dentro de las limitaciones de la naturaleza humana, desarrolla una parte de todas sus capacidades; por ejemplo, desarrolla su propio repertorio individual de movimientos que viene a ser un vínculo esencial en sus interacciones con el ambiente.[6] Lo mismo sucede con los estilos cognitivos y expresivos: es posible utilizar preferentemente un estilo visual, un estilo auditivo y un estilo cinestésico (Bandler y Grinder, 1975). Así, cada individuo elabora su temporalidad, que resulta de la compleja interacción entre sus capacidades biológicas y las relaciones, que maduran con el tiempo, con su ambiente. Cada individuo adquiere un estilo individual en su temporalidad, un estilo que tiende a expresar incluso en el lenguaje. Para definir la peculiar modalidad cognitivo-emotiva con la que cada uno de nosotros se ve y se siente a sí mismo en el tiempo, tomamos prestada de Fraisse (1957) la expresión «horizonte temporal». Como veremos más adelante, el horizonte temporal no sólo es característico de cada individuo, sino que es también dinámico: la temporalidad del individuo varía con los cambios del contexto. Más adelante pondremos algunos ejemplos, cuando hablemos del horizonte temporal de cliente, terapeuta y equipo de supervisión.

La variabilidad del horizonte temporal es enorme. El niño tiene un horizonte existencial volcado hacia el futuro; el anciano, volcado hacia el pasado, en el recuerdo. Factores culturales y hasta psicopatológicos pueden alterar el equilibrio pasado/futuro en el ámbito existencial: la sociedad estadounidense recalca la dimensión del futuro, el deprimido está dominado por el pasado.

Basta con haber viajado para comprender la importancia del fenómeno cultural en la determinación del horizonte temporal. Una ciudad como Viena vive del recuerdo del pasado, como perdida en la contemplación de los esplendores imperiales, dedicada toda ella físicamente a custodiar su memoria. Es evidente que el eje del horizonte temporal de los naturales de Viena se ha desplazado hacia el pasado y que esto condiciona incluso a los vieneses que no comparten totalmente las opciones de su cultura. Los Ángeles, en el extremo opuesto, es una ciudad que se renueva continuamente, inestable, «en ebullición urbanística». Es una ciudad en movimiento hacia el futuro, en el que realmente, de acuerdo con el lema americano preferido, *tomorrow is the first day of the rest of your life.* A la escrupulosa conservación urbanística de Viena, Los Ángeles contrapone una actividad irrefrenable de demolición y reconstrucción, que hace difícil reconocer los lugares de memoria. Y los pocos que quedan parecen condenados a ser destruidos enseguida. Es obvio que las dos actitudes tienen sus ventajas y sus desventajas. El horizonte cerrado sobre el pasado impide proyectos y cambios; el abierto totalmente al futuro hace difícil el que se pueda aprender de la experiencia y favorece la repetición de los errores. Algo semejante, manteniendo la analogía arquitectónica, les pasa a los nómadas, que no conservan vestigios del pasado ni construyen edificios que puedan entregar a la posteridad. No es extraño que los nómadas que conviven con nosotros tengan una noción mucho menos desarrollada que nosotros de los castigos o las recompensas futuras.

En la terapia prestamos una atención particular a la propensión que un individuo o una familia muestran hacia una de las tres «dimensiones» del tiempo: pasado, presente o futuro. Con frecuencia los clientes están volcados hacia el futuro («¡haced algo!») o hacia el pasado («¡todo es inútil!»). Es importante recordar que en cada persona tal propensión temporal está influida por diversos factores (edad, cultura, estatus social, factores contingentes), al igual que todas las variables temporales que hemos observado hasta ahora. Estos factores pueden tener efectos relevantes en el horizonte temporal hasta el punto de provocar síndromes clínicos, como la depresión, en la que el horizonte se restringe sobre el pasado, o síndromes maníacos, en los que la restricción acontece en el presente, o la esquizofrenia, en la que el horizonte temporal llega a fragmentarse.

El tiempo en la interacción entre dos personas

Hemos aludido ya al proceso de desarrollo de la concepción del tiempo en el niño. Este desarrollo está relacionado tanto con la maduración del aparato sensomotor, como con la interacción con el «otro». Varios autores han afirmado que el individuo llega a la noción madura de tiempo en una edad comprendida entre los ocho (Piaget) y los dieciséis años (Fraisse).

Hemos indicado también la diferencia entre el sentido del tiempo objetivo y el sentido del tiempo subjetivo individual. Dos características del tiempo subjetivo que nos interesan particularmente son el horizonte temporal y el «sector» del horizonte temporal (presente, pasado o futuro) hacia el que se orienta preferentemente el individuo. Un observador externo puede percibir y describir estos fenómenos. Atribuimos a esta operación una utilidad práctica, que puede enriquecer nuestra experiencia y eficacia en la terapia y en la consulta.

El observador puede hacerse una idea del tiempo subjetivo individual valorando las «unidades internas» de tiempo (Orme) en la comunicación, en particular la analógica,[7] a través del ritmo y de sus modulaciones. Podrá también valorar la amplitud predominante del horizonte temporal, sobre todo a partir de la capacidad del sujeto de «moverse en el espacio», en sus discursos, del pasado al futuro y viceversa (una vez más, nótese, nos vemos obligados a usar metáforas espaciales para hablar del tiempo). La propensión hacia el presente, pasado o futuro puede identificarse concentrando la atención, además de en los contenidos, en las formas del discurso: el uso frecuente de los tiempos verbales pasados o futuros, el mayor uso del indicativo que del condicional, etcétera. Naturalmente, el tiempo subjetivo observable depende del contexto y de la relación observador-observado. Resulta imposible conocer de un modo objetivo los ritmos y el horizonte temporal, en cuanto que su expresión está determinada por la interacción observador-observado y, por tanto, también por la temporalidad del observador. Para comprender mejor el fenómeno de los tiempos subjetivos queremos ahora dirigir nuestra atención al tiempo de la interacción entre dos individuos.

Cuando dos personas se encuentran, sus tiempos individuales se compenetran y emerge un área de «tiempo compartido». Para simplificar la descripción no tendremos en cuenta los contextos sociales y culturales en que se encuentran.

El individuo A se encuentra con el individuo B. Las interacciones entre A y B pueden asumir dos formas principales.[8] A y B pueden mostrarse indiferentes entre sí, como sucede en general en los contactos laborales ocasionales en la vida cotidiana. Por ejemplo, a la persona que nos vende un vestido la calificamos con el estereotipo de «el empleado», y para nuestro objetivo conocer ese estereotipo es más que suficiente: de él (para lo que nos interesa) lo sabemos «todo». Asimismo, si conducimos por la ciudad, el conductor del coche que está a la derecha queda totalmente identificado con la expresión «conductor del coche que está a la derecha», y no tenemos

necesidad de saber nada más acerca de él. Nuestra temporalidad, naturalmente, no se verá afectada por este tipo de interacción: no se ha creado un
tiempo compartido.

La cosa cambia en las que pueden ser definidas como interacciones
«cara a cara». Así describe Reiss (1981, pág. 61) este tipo de interacción:

> Con la expresión «cara a cara» nos referimos a los encuentros entre dos o
> más individuos, en los que existe una relativa libertad en la experiencia recípro-
> ca de las personas: libertad frente a las convenciones, libertad frente a los este-
> reotipos, libertad frente a las concepciones demasiado simplistas. En un en-
> cuentro cara a cara, cada individuo tiene un sentido inmediato, cargado emoti-
> vamente, de la unicidad del otro. El ingrediente más importante de un genuino
> encuentro cara a cara es que cada individuo concede al otro la capacidad de for-
> mular un juicio independiente.

En este tipo de interacción los sujetos A y B tienen dos posibilidades:
concordancia o *discordancia* de los propios tiempos. Si los tiempos concuerdan, las premisas temporales de ambos se refuerzan recíprocamente.
Si los tiempos no concuerdan, cada uno de ellos percibe un desafío a las
propias premisas. En ese momento A y B tratarán de llegar a una concordancia. No hay que olvidar que los encuentros cara a cara son experiencias
que suscitan emociones difícilmente eludibles: el único modo de evitarlas
es salir del contexto interactivo. En el encuentro cara a cara se pueden dar
las situaciones siguientes:

1. Tanto A como B tratan de hacer prevalecer el propio tiempo individual; la reafirmación de cada uno de los dos refuerza el tiempo del otro.

2. A y B, por medio de una especie de mediación (más o menos consciente) entre sus tiempos individuales, crean un tiempo consensuado.

3. A y B pasan cíclicamente de periodos de no aceptación a periodos de
aceptación recíproca de sus propios tiempos.

Analizando más detalladamente la relación, podemos ante todo encontrar una discordancia de ritmo: A, por ejemplo, es más veloz que B. Sus
unidades de tiempo son más breves, sus ritmos más rápidos. Es una discordancia que un observador externo puede fácilmente notar al analizar
la comunicación, sobre todo la analógica. En algunos casos extremos la
discordancia hace que sea imposible mantener la relación.

En la relación de un sujeto A con una persona B profundamente deprimida o maníaca, el tiempo extremadamente lento o acelerado de B provoca un evidente malestar en A, que deberá, si quiere mantener la relación,
someterse a un difícil proceso de adaptación. Si el tiempo de B es el fragmentado y discontinuo de la esquizofrenia, la distancia entre los dos es
todavía más profunda y el proceso de adaptación aún más problemático.

Estas consideraciones han sido hechas abstrayendo artificialmente las
relaciones entre dos personas del contexto social y del cultural, que obviamente tienen una influencia notable sobre los tiempos individuales. Cada
individuo puede vivir en muchos contextos temporales separados. En su
vida diaria está obligado a adaptarse a situaciones y relaciones diversas,
que requieren la adopción de tiempos diferentes. A pesar de todo, un ob-

servador puede distinguir en cada individuo, en la base de esta multiplicidad, un tiempo característico: se distingue entre sujetos hipoactivos, flemáticos, hiperactivos. El psicoanálisis y la psicología del desarrollo han descrito cómo se constituye este ritmo básico en las experiencias de los primeros años de vida. También un grupo social, como una familia, tiene su tiempo característico, que emerge y se establece en el curso de su historia, a partir de la interacción entre los tiempos individuales de sus miembros.

Tiempo cultural

Cuando nos ocupamos del tiempo desde el punto de vista cultural, nos interesa conocer las premisas relativas al tiempo. «Premisa», como propuso Gregory Bateson (1958), es «una proposición o implicación reconocible en un cierto número de detalles de comportamiento cultural».[9] Estudiar las premisas relativas al tiempo significa comprender cómo diversas culturas conciben el tiempo. La noción de tiempo, pues, puede variar mucho de una cultura a otra. Whorf (1956), estudiando la lengua de los indios hopi, ha notado que no contiene referencias al curso del tiempo, en nuestra acepción del término. Los verbos hopi no distinguen los tiempos, no establecen distinción entre presente, pasado y futuro. Pero los hopi son sujetos perfectamente eficientes dentro de su propio contexto.

Estandarización del tiempo

> Quien visita un país extranjero tiene la impresión de que los nativos son más rápidos o más lentos, o más brillantes o más tardos en sus reacciones, respecto a los miembros de la comunidad del observador. Esta impresión se debe, sin duda, a una cierta forma de estandarización cultural de las personalidades consideradas.
>
> Bateson, 1958

Los individuos nacen con una gama de capacidades diversas; la cultura selecciona positivamente algunas de ellas, mientras que otras quedan relegadas o se suprimen. Todos disponen de la capacidad de vivir el tiempo como irreversible o cíclico, pero el europeo tenderá a vivirlo como lineal, y el indio (tradicional) como circular. Esto está de acuerdo con la idea de Bateson (1958) de que la cultura opera una estandarización del modo de concebir el tiempo, estandarización que es diferente en cada cultura.[10] De ello se deducen consecuencias significativas para la vida diaria de cada uno, dentro de la propia cultura.

La cultura constituye, a través de un proceso de aprendizaje, las premisas de los individuos que forman parte de ella. Esta afirmación es perfectamente reversible: las premisas de todos los individuos que forman parte de una determinada sociedad constituyen la cultura de dicha sociedad. Entre la cultura de una sociedad y las premisas individuales se da una relación de naturaleza recursiva.

Por lo que respecta al tiempo característico de una cultura, podemos notar que encuentros entre culturas diversas –y, por tanto, tiempos diversos– pueden llevar a dificultades de relación. Un norteamericano o un europeo, propensos a proyectarse hacia el futuro, tendrán dificultad para entenderse con un asiático, más vinculado a la herencia del pasado. En los contactos transculturales es muy oportuno que quien marcha a un país extranjero se adapte a los tiempos de la cultura que lo acoge y no espere que sea ésta la que se adapte a su tiempo. A menudo los emigrantes, precisamente para superar esta dificultad, tienden inicialmente a reunirse y a formar en los países a los que acuden pequeñas comunidades (Little Italy, Chinatown), que les permiten asimilar poco a poco los ritmos del nuevo ambiente. Ya se sabe que los matrimonios entre personas procedentes de culturas diferentes tienden a ser de los más frágiles: una de las causas de tal situación es también la diferencia de tiempos.

Es evidente, por lo demás, que cuando hablamos de estandarización del tiempo dentro de una cultura pretendemos referirnos a un aspecto que tiene valor genérico. Está claro que dentro de una cultura podemos identificar una gama de tiempos. Por ejemplo Lévi-Strauss (1958), al estudiar las concepciones del tiempo en sociedades menos complejas que la nuestra, entre los indios de América, llegó a delinear cuatro categorías temporales diferentes dentro de una sola cultura:

1. Tiempo progresivo, irreversible, compuesto de secuencias ordenadas, análogo a nuestro tiempo lineal.
2. Tiempo estático, reversible, en el que términos idénticos se repiten en la sucesión de las generaciones; esta repetitividad neutraliza el tiempo, que se vuelve «vacío».
3. Tiempo ondulatorio, cíclico, reversible, caracterizado por la alternancia continua de dos términos (por ejemplo, día y noche).
4. Tiempo circular, anular, cerrado, en el que los términos que se subsiguen son más de dos (por ejemplo, las estaciones).

Ya hemos dicho, en el capítulo 1, que en las culturas «primitivas» la medida fundamental del tiempo la ofrecen los rituales. En la vida moderna, dominada por el reloj, es decir, por una concepción lineal del tiempo, los rituales, aunque menos destacados que en el pasado, sobreviven para marcar nuestra entrada en una nueva fase de la vida; por ejemplo, la ceremonia nupcial, el funeral, las «novatadas» a los militares reclutas o a los recién inscritos en la universidad son ritos de paso. Los aniversarios, los cumpleaños, algunas fiestas como la Navidad, son ritos de continuidad que se atienen a un tiempo circular.[11] El Groupe Mu (1977), un grupo de semiólogos franceses, ha puesto de relieve la existencia de estructuras temporales cíclicas hasta en las formas poéticas, de igual modo que en la física contemporánea el concepto de espacio-tiempo se ha alejado de la visión newtoniana del tiempo como línea.

Kluckholn (1949-1950, pág. 383) ha mostrado que en la sociedad americana, aunque sea posible describir la cultura dominante con una cierta precisión, «no por esto se puede decir que todos los americanos, en diversas situaciones, la van a seguir. Ha sido un error buscar una representación de la integración cultural en términos unidimensionales».

Es una opinión común que la cultura americana en su conjunto está «orientada hacia el futuro». Pero en los Estados Unidos existen grupos sociales, como algunas familias del Sur, cuya actitud hacia el pasado anula el interés por el futuro e incluso por el presente (Davis y otros, 1941). Precisamente en referencia a la sociedad estadounidense Coser y Coser (1963) han elaborado una tabla de las perspectivas temporales diferentes de la orientación común hacia el futuro.

Además, las premisas históricas de cada uno de nosotros están estratificadas, con frecuencia contienen residuos silenciosos de concepciones precedentes, aparentemente extinguidas desde un tiempo inmemorial. Una persona que pase de una cultura agrícola, aunque esté «modernizada», a un ambiente urbano, tendrá numerosas posibilidades de conservar «islas» de concepción cíclica del tiempo.

Lo que importa es que las premisas de nuestro hipotético individuo pueden ser dobles (cíclicas y lineales). La manifestación de concepciones temporales de signo contrario a las presentes en la cultura en la que uno vive llevará fácilmente a malentendidos y confusiones. En este periodo histórico los malentendidos son frecuentes: por ejemplo, actualmente es muy difícil establecer a qué edad un muchacho pasa a ser adulto.[12] Las «islas» de premisas no conformes con la cultura dominante entran en juego en las interacciones entre individuos o grupos, y tienden a crear incongruencias en la lectura del tiempo.[13]

El tiempo estático de Bali

Fue Gregory Bateson (1949) quien acuñó el término «estado estacionario» *(steady state)* refiriéndose a la cultura de Bali. Clifford Geertz ha profundizado en las ideas de Bateson, en el ensayo «Person, Time and Conduct in Bali» (1973b). Su análisis sobre la sociedad tradicional de Bali es un hermoso ejemplo de cómo la concepción del tiempo es un hilo fundamental en la trama de un sistema cultural y de cómo su significado está estrechamente relacionado con el de otras estandarizaciones culturales, en concreto, el concepto de persona y las modalidades de conducta interpersonal.

Las posibilidades que tenemos de considerar a nuestros semejantes son variadas. En la terminología adoptada por Geertz podemos considerarlos como «asociados», personas con las que tenemos una relación «cara a cara» significativa; «contemporáneos» con quienes mantenemos relaciones superficiales y convencionales; «predecesores» y «sucesores», personas con quienes las relaciones son indirectas, pues pertenecen al pasado o al futuro. El balinés considera a todos los demás como contemporáneos, o como sujetos con quienes mantiene relaciones de contigüidad presente, pero nunca íntima. No tiene los conceptos de antepasados y descendientes, porque su percepción de los otros no va más allá de la tercera generación precedente o subsiguiente a la propia, es decir, de aquellos con quienes puede tener un contacto personal directo, nuestros «abuelos» y «nietos». Esto lo confirman también las formas lingüísticas relativas a las relaciones de parentesco: no hay términos para indicar figuras como nuestros «tatarabuelos» o «biznietos». La vida social del hombre balinés está intensamente ritualizada. Los otros se caracterizan por atributos sociales, no personales: están como despersonalizados.

A esta concepción social corresponde un tiempo en cierta medida destemporalizado. El hombre de Bali no lo experimenta como una duración continua. El complicadísimo calendario balinés es una sucesión de acontecimientos puntuales (normalmente ritos) que se repiten constantemente sin evolución, sin que se perciba un devenir irreversible, ni un auténtico ciclo. El calendario delimita una serie de episodios sin relación entre sí.

> Los ciclos y superciclos no tienen fin, no están unidos, no se pueden contar y, como su organización interna no muestra ningún significado, no tienen un punto culminante. No se suman, no construyen, no se destruyen. No dicen qué día es; dicen qué tipo de día es (pág. 393).

En definitiva, cada suceso social, desde las interacciones diarias a los rituales más solemnes, no sólo es anónimo y episódico, sino que además carece de desarrollo y de momento culminante. Nada en Bali alcanza un cenit o una resolución. Obras de arte como la danza y la música pueden continuar sin variación durante horas y horas, suscitando un interés variable, para terminar después sin una conclusión –en nuestra acepción del término–. Y lo mismo vale para el conjunto de la vida de los individuos o de la sociedad.

El efecto alcanzado por tal estructura es semejante al del rito, según Eliade. Anula el sentido de la destrucción y de la muerte, sumergiendo a los hombres en un mundo de eternidad, en el que nada cambia, porque no hay duración:

> Como el tiempo es puntual, así también la vida. No desordenada, sino ordenada cualitativamente, como los días, en un número limitado de tipos determinados. La vida social de Bali no tiene cenit porque se desarrolla en un presente inmóvil, en un «ahora» sin vectores. O bien, y es igualmente verdadero, el tiempo balinés no se mueve porque la vida social de Bali no tiene cenit. Las dos concepciones se implican mutuamente, y ambas implican y son implicadas por la «contemporaneización» en Bali de las personas. La percepción de los otros, la experiencia de la historia y el clima de la vida colectiva –todo lo que se ha dado en llamar *ethos*– están estrechamente unidos por una lógica bien definida. Pero esa lógica no es silogística: es social (pág. 404).

Geertz demuestra, con otras palabras, que la cultura estandariza la noción de tiempo, pero que, a su vez, la noción de tiempo contribuye de un modo determinante a los estándares culturales. Pero ni siquiera en Bali la cultura se agota por completo en la cultura dominante. En todas las culturas está presente un aspecto dominante, junto al sentido, aunque sea embrionario y esté escondido, del aspecto contrario. Son islas de diferencia, esenciales para la adaptación de todos los sistemas complejos,[14] se trate de individuos o de sociedades. Es posible que estas islas de diferencia lleven a una desviación incompatible con el contexto, a lo que nosotros llamamos patología: baste pensar hasta qué punto la noción de tiempo de los balineses tradicionales de Geertz es semejante a la de los esquizofrénicos, o a la de los maníacos de Minkowski (1933), aunque los balineses estén, a diferencia de estos últimos, perfectamente integrados en su propio ambiente. Pero también es posible que algunas islas de diferencia se puedan utilizar en un contexto terapéutico para provocar una confusión creadora que ofrezca nuevas salidas y nuevas soluciones. Son temas que trataremos más adelante.

TIEMPO SOCIAL

> Estaban preocupados de que no tenían tiempo para nada y no sabían que tener tiempo significa precisamente no tener tiempo para nada.
>
> ROBERT MUSIL

Hablamos de tiempo social o «tiempo sociológico» cuando queremos referirnos al tiempo como expresión de coordinación social. En esta perspectiva atribuimos al tiempo un valor principalmente instrumental y político. Vivimos en una sociedad compleja, estructurada según un sistema jerárquico que necesita un cierto grado de regularidad. Zerubavel (1981) ha observado esta misma regularidad en el orden temporal que damos al mundo: nuestro tiempo social es suficientemente regular y, por tanto, previsible; sin esa «previsibilidad» de los tiempos la vida social se transformaría rápidamente en desorden.[15]

Según Merleau-Ponty (1945) el hombre percibe los objetos sólo como figuras que se distinguen de su fondo. Es posible colocar entre los «fondos» los hábitos y las expectativas de la vida social. El tiempo y la regularidad del tiempo son uno de los fondos más importantes para la normalidad cotidiana del ambiente social. Pero la coordinación, la regularidad, la flexibilidad de los tiempos sociales varían notablemente entre los diversos países, incluso entre los pertenecientes a un mismo grupo, como puede ser los países occidentales. Por ejemplo, la puntualidad, la organización, la coordinación, destacan mucho más en Suiza (patria de los relojes) o en los países escandinavos, que en Italia o en España. En Alemania se puede saber la hora exacta por la llegada de un tren, mientras que en Italia uno se sorprende de que el tren sea puntual. En algunos países la perfecta coordinación de los tiempos es característica de sectores específicos, como el ejército (baste recordar la realización cronométrica de la guerra del Golfo Pérsico por parte de Estados Unidos) o las empresas, especialmente privadas, que deben coordinar de un modo preciso, pero flexible, sus tiempos internos y externos para afrontar una dura competencia. Parece que en algunos países, como Japón, la organización de los tiempos sociales es uno de los factores más importantes de su espectacular desarrollo económico, aunque no se pueda decir que se haya conseguido una mejoría paralela a la calidad de vida.

Dentro de una misma cultura podemos distinguir también los diversos tiempos sociales. Uno de los más importantes es el tiempo de trabajo; las actividades laborales se caracterizan por ritmos típicos. Con frecuencia, al pasar de un trabajo a otro, la persona tiene que adaptar su propio tiempo a la nueva actividad. El tiempo del campesino, por ejemplo, se caracteriza por un ritmo mucho más lento que el del obrero industrial; lo cual ha provocado muchas veces graves problemas de adaptación en el paso del campo a la ciudad.

Regularidad y horarium

A propósito de los tiempos sociales, Eviatar Zerubavel (1981) señala cuatro «parámetros» relativos a la regularidad y previsibilidad:

> Un parámetro fundamental de situaciones y acontecimientos es su *estructura de sucesión*, que nos informa del orden en que acontecen. Un segundo parámetro importante, su *duración*, nos dice cuánto tiempo duran; un tercer parámetro, la *colocación temporal*, señala cuándo acontecen; finalmente, un cuarto parámetro, la *frecuencia con que acontecen*, indica con qué frecuencia tienen lugar.

Para que esta regularidad sea posible, es necesario que el tiempo social sea no sólo lineal e irreversible, sino también mensurable y subdividible en unidades fijas; que las actividades y los seres humanos estén sincronizados y coordinados y que los tiempos dedicados a las diversas actividades estén distribuidos. En las páginas que siguen trataremos de analizar cómo el tiempo social ha ido adquiriendo tales características y qué consecuencias se derivan de todo ello.

Las sociedades primitivas no conocen una medición sistemática del tiempo (Sorokin, 1934). En ellas el tiempo no se considera como un *continuum* que transcurre uniformemente, sino como una dimensión discontinua en la que los acontecimientos significativos, como los rituales, están separados mediante auténticos «vacíos temporales»: si el intervalo no es significativo, no «existe» (Nilsson, 1920).

Las indicaciones de tiempo se crean usando términos tomados de la vida diaria. Como recuerda Nilsson, en Madagascar «cocer el arroz» significa un periodo de una media hora. En estas sociedades son suficientes los acontecimientos naturales como el paso del día o de las estaciones para subdividir el tiempo y para sincronizar las actividades de la población. En este sentido las referencias temporales son esencialmente operativas: en las poblaciones agrícolas el año está dividido en función de la cosecha; los pueblos cazadores y los pastores nómadas desconocen los días de descanso, etcétera (Sorokin y Merton, 1937).

Esta manera de indicar el tiempo y de actuar en él es suficiente en las sociedades relativamente simples. Cuando la sociedad comienza a desarrollar una organización más compleja, con la consiguiente diferenciación en subgrupos y nuevas actividades,

el sistema local y concreto de tiempo sociocultural deja de realizar satisfacto-
riamente su función de coordinación y sincronización de las actividades. De ahí
la necesidad urgente de establecer un sistema estandarizado para medir el tiempo, que sea igualmente comprensible para todos los grupos interesados, y que
sea igualmente útil a todos los grupos como punto de referencia temporal uniforme para coordinar y sincronizar sus actividades (Sorokin, 1934).

Históricamente, las primeras formas de dividir el tiempo se fijaron de
acuerdo con el movimiento regular de los astros. Este interés por la as-
tronomía condujo, finalmente, a establecer el primer sistema temporal
completamente artificial: el calendario. Éste, aunque se apoya en elementos «objetivos» como el curso de las estaciones, se subdivide en meses de un modo arbitrario, hasta el punto de que todas las revoluciones,
religiosas o laicas, han intentado introducir alguna modificación en él.
Los cristianos, para distinguirse de los judíos, desplazaron el día santo
del sábado al domingo; los musulmanes, por su parte, lo trasladaron al
viernes. Intentos políticos de reorganizar el calendario los llevaron a
cabo tanto la revolución francesa como el fascismo italiano, que situaba
el comienzo de la «era fascista» en el año de la marcha sobre Roma, el
1922.

Así como el día, el mes y el año encuentran una correspondencia directa en fenómenos naturales, como la alternancia del día y de la noche, las fases lunares, y las estaciones, por el contrario la semana es una creación totalmente humana. Los chibchas peruanos tenían una semana de tres días,
mientras que la semana de algunas tribus de África occidental es de cuatro
días y la de los antiguos asirios era de cinco; la semana de los romanos era
de ocho días; la de los mayas, en fin, tenía dieciocho (Sorokin y Merton,
1937). La semana de siete días tuvo su origen en la cultura judía y, después
de adoptarla el cristianismo, la aceptaron muchos pueblos y, tras la revolución industrial, gran parte del mundo.[16]

Zerubavel, que ha llevado a cabo un amplio análisis del tiempo social en
su obra *Ritmi nascosti* (1981), ve el auténtico fundamento de la regularidad
del tiempo en el horario y no en el calendario. Es precisamente el horario,
la tabla de las horas que regula e integra las diversas actividades, el que
hace posible la compleja sincronización de nuestras jornadas.

El respeto a los horarios es una de las formas básicas de la disciplina,
como muestra la regla benedictina: *omnia horis competentibus complean-
tur*, cada cosa se hará a su debido tiempo (Landes, 1983). Foucault, en *Sor-
vegliare e punire* (1975), define la disciplina como «el arte de ordenar los
cuerpos» y ofrece ejemplos espléndidos de cómo el cuartel, la clínica, el
manicomio, la cárcel, el colegio, ordenan los cuerpos en el espacio. Pero es
indispensable que la disciplina ordene también los cuerpos en el tiempo.
No es extraño que sean las «instituciones totales» (Goffman, 1961) –la cárcel, el cuartel, el hospital–, las que desarrollan al máximo las cualidades rigurosas, coercitivas y constrictivas del horario, como bien sabe quien haya
sido soldado, o simplemente quien haya estado ingresado por poco tiempo
en una clínica.

Pero el *horarium* nació en otra institución total, una institución que, por muchos motivos, se podía considerar «de vanguardia» en su época: el monasterio medieval. La vida inspirada en la *Regla de san Benito*[17] estaba caracterizada por un ritmo rígido e implacable. Según Landes (1983), la transición de la medida natural del tiempo (día-noche, biorritmos) a la interiorización de la puntualidad y de los horarios, engranados unos con otros, tuvo lugar pasando por la puntualidad colectiva. El *horarium* imponía un ritmo a la vida del monje benedictino sujetándolo a una serie interminable, obsesiva, de hábitos: la puntualidad, concepto inexistente hasta entonces, pasó a ser una obligación para el monje. Había que levantarse siempre a la misma hora, orar, comer, trabajar, en los tiempos fijados de antemano.

Se establecían de un modo completamente convencional las horas dedicadas a cada actividad, ya no estaban sujetas a la variabilidad de las estaciones: los monjes *tenían que* despertarse cada mañana a una hora que correspondía a la 1,30 de la madrugada (de nuestro horario actual), un tiempo «antinatural» porque siempre era de noche y *tenían que* seguir siempre la misma sucesión de tareas con la misma duración (Zerubavel, 1981). Hay que notar que es precisamente en el monasterio donde se han fijado de esta manera los parámetros de duración fija, sucesión rígida, colocación y frecuencia que fundamentan la regularidad temporal. Pero para que tal regularidad pasase del monasterio al conjunto de la sociedad era necesario que el horario saliese de la vida monástica y tuviese como referencia un tiempo más preciso que el marcado por la salida del sol. Era necesario un instrumento para medir el tiempo, un *horologium*.

El tiempo del reloj

Norbert Elias (1984) afirma que el pacto entre el reloj y el hombre es de naturaleza «simplemente decepcionante»; ambos cambian constantemente con el paso del tiempo: el reloj con el movimiento de las agujas, el hombre con el inexorable proceso de envejecimiento. Pero nuestra relación con el reloj es menos superficial de lo que podría parecer. El reloj mecánico es en realidad la primera máquina digital de la historia: divide la secuencia del tiempo en instantes, en cifras *(digit)*, mientras que los antiguos relojes de sol, de agua o de arena trabajaban siguiendo un recorrido continuo, es decir, eran máquinas analógicas. Es evidente que el uso del reloj nos ha llevado a concebir el tiempo de un modo cada vez más digital y mensurable, obligándonos así a inventar relojes cada vez más perfectos.

David Landes (1983) ha mostrado claramente que la delimitación de los tiempos sociales en que vivimos no habría resultado posible sin aquel invento técnico fundamental, que fue la creación del reloj mecánico. La historia misma de aquel invento tiene para nosotros un gran interés. Pues resulta aparentemente ilógico que el reloj haya nacido, hacia el año 1200, precisamente en Europa, ya que había otras civilizaciones, como la china o la musulmana, mucho más avanzadas técnicamente y que, probablemente, estaban en condiciones de llegar antes que la europea a los perfeccionamientos técnicos necesarios.

La paradoja ilustra muy bien la relación entre invento y necesidad: los europeos fabricaban los relojes, porque sólo ellos necesitaban medir y dividir el tiempo de un modo independiente de los ciclos naturales. El hombre chino, perteneciente a una civilización fundamentalmente rural, tenía suficiente con los signos naturales y biológicos del curso del tiempo; no necesitaba relojes. Si alguien podía obtener alguna utilidad de ellos era el mismo emperador. Pero en el sistema autocrático chino el emperador promulgaba horarios y calendarios, sin necesidad ninguna de acuerdo con otras personas o sistemas. El tiempo lo medía la autoridad, sin necesidad de la precisión imparcial de un verdadero «cronómetro».[18]

La necesidad de un *horologium* podía sentirla sólo un cierto grupo social que hubiese experimentado la necesidad de liberarse de las formas naturales de medir el tiempo. Esto sucedió precisamente en los monasterios, donde estaba vigente el *horarium* benedictino, que hacía necesario un instrumento que indicase con precisión la duración de las diversas actividades comunes. Los primeros ejemplos de tales instrumentos fueron las campanas de los monasterios medievales y las trompetas de los campamentos militares. Ambos sistemas dan señales para que sus miembros, de modo unánime, realicen las actividades previstas (levantarse, reunión, diversos trabajos, comida, descanso, etcétera). Por supuesto, la puntualidad colectiva se basa en dos premisas. En primer lugar, el tiempo no es una propiedad privada, sino que pertenece a la comunidad y a la autoridad. En segundo, las actividades son simultáneas y públicas, sin espacios ni tiempos «privados» y discrecionales.

También los nacientes talleres artesanos siguieron el ejemplo de las abadías, los primeros lugares en que se había estudiado con precisión la organización del trabajo, utilizando precisamente las campanas como instrumento para indicar el tiempo a los obreros. Fue precisamente en la vida de las ciudades –organizaciones, como los monasterios, cada vez más independientes de los ciclos de la naturaleza– donde el reloj mecánico se desarrolló como instrumento, primero municipal, colectivo, y después individual. En las ciudades se hizo necesaria una «distribución» de la vida del individuo en tiempos separados: si el campesino medieval lo era en cualquier momento de su vida, el ciudadano podía ser artesano a tal hora, después miembro de una asamblea, etcétera. Así lo notó, ya en 1433, Leon Battista Alberti: «Por la mañana cuando me levanto, me digo a mí mismo: ¿qué tengo que hacer hoy? Muchas cosas: las enumero, pienso en ellas y a cada una le asigno su tiempo».[19]

La distribución y medición del tiempo, unida a la exhortación a «no perder tiempo», pasó pronto a ser una característica de la Europa protestante y calvinista, y Ginebra, en tiempos de Calvino, llegó a ser la patria del reloj. Los logros científicos y técnicos de la Europa protestante, por otra parte, hicieron que resultara inevitable la búsqueda de relojes cada vez más precisos que, a su vez, aumentaban la subdivisión y fragmentación de los tiempos sociales. Nos encontramos así frente a un clásico proceso de retroacción positiva, con una amplificación progresiva, que explica el aumento de la organización del tiempo, hasta los instrumentos extraordinariamente precisos de cuarzo de nuestros días.

Landes (1983) concluye, hablando a propósito del reloj de péndola, que a finales del siglo XVII redujo el margen de error de los relojes a uno o dos minutos al día: «El reloj de péndola, en suma, puso los cimientos de lo que hoy llamamos puntualidad». Pero la puntualidad, a su vez, está hoy incluida en una red de relaciones extraordinariamente compleja: los tiempos sociales están tan diferenciados que se puede distinguir un número enorme de ámbitos temporales, que han de ocupar individuos idénticos, desde el punto de vista biológico, a los que vivían en los tiempos tribales más simples y unívocos.

Tiempo individual, tiempos colectivos y calidad de vida

En nuestra vida social el tiempo es un bien precioso, pero lamentablemente escaso. Una de las experiencias más comunes son las prisas por la falta de tiempo. Charlie Chaplin, en *Tiempos modernos*, ha resumido la relación entre hombre y tiempo en la era del taylorismo: su personaje muestra perfectamente la ansiedad del hombre obligado a adaptarse a ritmos rígidos y alienantes. La falta de tiempo es fruto de los ritmos veloces y de la multiplicidad de tiempos de la sociedad contemporánea.[20]

Completamente distinta era la situación del hombre primitivo, inmerso en ritmos más lentos y naturales, dentro de una división clara entre tiempo sagrado y tiempo profano, prescrita y transmitida por la tradición.[21] El hombre contemporáneo se encuentra sin tradiciones, sin rituales y sin maestros, en un mundo en que le han arrancado sus raíces naturales, inmerso en una red de relaciones cada vez más complejas y articuladas. Vive en una realidad en la que tiempos y ritmos son variables y complejos. Hay un tiempo para el trabajo, que puede ser aburrido y repetitivo, o bien frenético y sin descanso; hay un tiempo para los contactos sociales con diversas instituciones, con amigos y conocidos; hay un tiempo de la familia; hay un tiempo para la soledad, un tiempo para sí mismo, para el ocio y la reflexión.

Se lee con frecuencia que la vida contemporánea, por sus excesivas prisas, es fuente de ansiedad, estrés, neurosis. A propósito de esta contraposición entre sociedad moderna y sociedad primitiva, parece que Laura Balbo, en su libro *Tempi di vita. Studi e proposte per cambiarli*, se manifiesta a favor de la organización de los tiempos sociales de la sociedad contemporánea, que permite al ciudadano distribuir, al menos en parte, su propio tiempo y le concede un mayor grado de autonomía, de organización de su propia vida y de elección:

> No sucedía así en la sociedad industrial en su pleno desarrollo, caracterizada por procesos que han propuesto e impuesto cada vez más tiempos de una modalidad predominante, los tiempos del producir según «el modelo industrial» [...] Y no es correcto idealizar la sociedad preindustrial, como si fuera casi una edad de oro, como si estuviera caracterizada por los ritmos naturales y los ritos colectivos, como si fuera más rica en valores comunes, y donde no se coaccionaba al individuo. La inmensa mayoría de la gente vivía en circunstancias en las que no tenían posibilidades de autonomía, de libertad, o de elaborar sus propios proyectos (Balbo, 1991, pág. 13).

Esto contradice aparentemente lo que hemos afirmado antes. Estas manifestaciones son parecidas a los dichos comunes «el mundo estaba antes mucho mejor»; «no, el mundo está hoy mucho mejor...». Hay suficientes razones para pensar que la calidad de vida sería hoy mejor si hubiese una mejor coordinación de los tiempos sociales, esto es, de los tiempos de los individuos, de las familias y de las instituciones.

A este respecto, citaremos algunos ejemplos tomados de Balbo (1991), referidos a los efectos de la no coordinación de los tiempos sociales. Una encuesta hecha a personas que acudían al especialista en Milán, Roma y Nápoles, reveló que un tercio esperaba hasta diez días, otro tercio entre once y treinta días, y el tercio restante más de un mes (encuesta Censis, 1987).

Se calcula que en Milán circulan cada día unos 800.000 vehículos, de los que 600.000 provienen de las localidades cercanas. Quien vive en la ciudad y se desplaza de un lugar a otro, pasa en el coche, por término medio, entre media hora y tres cuartos de hora; digamos que en ello se va una hora. En diez años se emplean cinco meses de vida en desplazamientos; cinco meses que se han de multiplicar por casi un millón de personas. Y se podría proseguir con otros muchos ejemplos. Balbo concluye:

> Quiero llamar la atención sobre estos tiempos muertos de nuestra vida, tiempos no previsibles, tiempos que no controlamos, gobernados por la casualidad, con frecuencia por la indiferencia, e incluso por la arrogancia de otros (págs. 28 y sigs.).

Vivir hoy en la ciudad significa «estrés, fatiga, desesperación, aburrimiento [...] perder tiempo, no tener nunca tiempo; o bien, para algunos, lo contrario: el tiempo vacío, un tiempo que no pasa nunca» (ibíd.).

Éstos son los aspectos negativos de la vida contemporánea. Pero nuestra sociedad es también rica en aspectos positivos relativos al tiempo. En la sociedad industrial los tiempos de vida estaban rígidamente institucionalizados y provocaban la pasividad del ciudadano, pues estaban organizados fundamentalmente en torno a un único tiempo de trabajo. Después de la guerra, con la evolución progresiva de la sociedad postindustrial y el formidable desarrollo del sector terciario, los tiempos individuales y colectivos se han vuelto más complejos, creando con frecuencia posibilidades de elección y de autogestión de los tiempos por parte del individuo.

Se está perfilando un cambio importante en relación a los tiempos masculinos y femeninos. Mientras que en el pasado los tiempos de la mayor parte de la población estaban diferenciados y programados rígidamente de acuerdo con el sexo (los varones, al trabajo; las mujeres, dedicadas a la procreación y a la casa; los adolescentes, a la formación), hoy asistimos a una revolución de los tiempos: la flexibilidad sustituye a la rigidez, y cada uno, independientemente del sexo y de la edad, puede dedicar parte de su tiempo al trabajo, a la formación, a preocuparse por las necesidades de los demás, al descanso. Los movimientos feministas (que tratan de liberar a la mujer de su relegación en la función de procrear y satisfacer las necesidades primarias de los otros, sin poder disponer de un tiempo para ella) tienen un papel importante en esta redistribución de los tiempos sociales, debida a la manifestación de nuevos métodos de producción y distribución y a la aparición de nuevas tecnologías.

En Italia, recientemente, los legisladores –que han acogido las sugerencias de una propuesta de ley sobre los tiempos de la ciudad– han reconocido la importancia de la coordinación de los tiempos sociales:

> El artículo 36 de la ley 142 de 1990 («Ordenamiento de las autonomías locales») dice que el alcalde tiene el poder de coordinar los horarios de la ciudad [...] Se trata de un logro importante, que se ha de transformar inmediatamente en un instrumento de gobierno, actuando de tal manera que en cualquier localidad haya un/a consejero/a o un/a asesor/a, en quien el alcalde delegue para la realización de este proyecto (Balbo, 1991, pág. 87).

En algunas localidades se han instituido ya *asesores para las políticas de horarios y tiempos*. Su labor consiste en estudiar los tiempos y horarios individuales, empresariales e institucionales, captar las complejas interdependencias y los efectos negativos que pueden comportar grandes costes económicos y sociales. De la fase de estudio y formulación de hipótesis se pasa después a la elaboración de planes estratégicos, que tienen el objetivo de hacer más flexibles los tiempos y los horarios, y de coordinarlos de forma más funcional. La calidad de vida en su conjunto se puede ver beneficiada por ésta que podríamos llamar una «terapia social».

Una organización en la que es particularmente importante prestar atención al factor tiempo es la empresa que, para sobrevivir y desarrollarse en un contexto competitivo, debe alcanzar un alto grado de coordinación de los tiempos entre los diferentes niveles de organización. Hubert Lander, en su libro *L'entreprise polycellulaire* (1987), escribe (pág. 208):

> Hay un ritmo propio en cada uno de los niveles de organización del sistema: el engranaje de los diferentes niveles, en su relación mutua, corresponde a la jerarquización de sus diferentes ritmos (por ejemplo: el breve, el breve-medio, el medio-largo, el largo); el respeto a cada uno de estos ritmos es esencial para conseguir la armonía del conjunto, como sistema que se desarrolla en el tiempo. La armonización entre un ritmo y otro (entre el breve y el medio, por ejemplo) está asegurada por los «cuadros directivos», y forma parte de su misión de intermediarios entre dos o más grupos de trabajo. Los directivos deben situarse simultáneamente en dos escalas temporales, y su intervención se interpreta como la consecución de la coherencia funcional, pero también temporal, de los diferentes niveles del complejísimo sistema que constituye la empresa.

Hasta ahora hemos recorrido un trayecto que ha pasado de los tiempos individuales a los sociales, para llegar a los tiempos de la empresa. Volvemos ahora al tiempo individual para observarlo con mayor profundidad. El individuo es un ser social y su «realidad» interior es la resultante de relaciones establecidas en el tiempo con el mundo externo, el mundo del otro. La armonización, la consecución de la coherencia (como diría Lander) o, en sentido diacrónico, la coevolución de los tiempos internos con los tiempos externos, son necesarias para el desarrollo de las capacidades individuales, y para el logro de un equilibrio compatible con una vida «normal».[22] En nuestra experiencia cotidiana como terapeutas constatamos en nuestros clientes que el proceso recién descrito sufre alteraciones, con consecuencias a veces trágicas (véase el capítulo 5).

El individuo, dentro de su propio contexto social y cultural, se encuentra en una situación, en la que debe continuamente coordinar el propio tiempo interior con el de los otros individuos y con los diferentes tiempos institucionales. Debe adaptarse a la inevitable diversidad de los tiempos del sistema de transportes, del puesto de trabajo, de la escuela, de la familia, etcétera. Es evidente que dificultades en este campo pueden llevar a problemas no sólo para aquel individuo, sino también para la gente con la que se relaciona. Un ejemplo clínico elocuente es el de la relación entre un obsesivo-compulsivo y las personas que lo rodean: el tiempo individual rígido del obsesivo hace difícil la armonización con los otros, y viceversa. Nos urge en este momento subrayar la relación dialéctica entre «tiempo individual» y «tiempos individuales». El tiempo individual representa la gama (*range*) de los tiempos con los que el individuo puede vincularse a los tiempos externos. Cuanto más amplia es esta gama, más capacidad de adaptación muestra el individuo.[23]

Los miembros de una familia o de una institución tienen más posibilidades de coordinarse entre ellos y con personas o cosas externas cuanto mayor es la gama de los tiempos internos de que disponen. La amplitud de la gama de posibles conexiones temporales llega a asumir una posición central en la interacción recíproca individuo-ambiente. Por ejemplo, una persona puede tener dificultades, incluso insuperables, para adaptarse a los tiempos externos rígidos, como los de la vida militar o, por el contrario, a los tiempos indefinidos en un puesto de trabajo en el que se le deja libre para distribuir su propio tiempo.

Un análisis interesante de los tiempos individuales internos es el de Jaques (1982). Habla de «episodio dirigido a un objetivo» para definir una actividad humana intencional, localizable tanto en las coordenadas de un tiempo «objetivo» como en las de un tiempo «subjetivo» o intencional. Cada episodio tiene su propia perspectiva temporal (el tiempo en que se piensa concluir el episodio), con un desarrollo, un principio y un final. Pero el hombre es evidentemente una criatura «multiepisódica»; por eso, en cada instante, el individuo vivirá en diferentes episodios.

Cada episodio tiene su tiempo separado, en cuanto a percepción, horizonte e importancia temporal. Por ejemplo, a un determinado individuo le puede parecer más lento que a otro el tiempo del trabajo; y le puede parecer más rápido el tiempo libre. Y no sólo eso. Como cada episodio puede estar compuesto de momentos lejanos en el tiempo, el individuo tiende a vivir los momentos que componen un determinado episodio como instantes continuos, ligados unos a otros. Naturalmente esto se verifica sólo cuando el individuo se encuentra en el tiempo reservado a aquel episodio concreto.

Vamos a esclarecerlo con una situación familiar, tomada de la psicoterapia. Los clientes suelen tener la impresión de que las sesiones terapéuticas están menos distanciadas en el tiempo de cuanto lo están realmente. A veces, se puede creer que la sesión de terapia precedente a la actual tuvo lugar «ayer» (y con frecuencia se habla así, aunque tuviera lugar hace un mes).

Así como para cada episodio hay tiempos separados, el tiempo de la terapia no es un momento dentro de un único *continuum* temporal, sino un tiempo separado de todos los demás. Un ejemplo clínico puede ilustrar este concepto. Un paciente dice: «Cuando estoy aquí creo en la terapia. Pero hay momentos en que no creo». En su caso, hay un tiempo en que cree en la terapia y un tiempo (completamente separado) en que su modo de ser no acepta la terapia. Y probablemente habrá un tiempo de trabajo, en el que no hay lugar ni para la terapia, ni para el rechazo de la terapia y, tal vez, ni siquiera para los síntomas. Este fenómeno trae a la memoria la organización social del tiempo, como hemos visto. Como analogía se puede utilizar la idea de Minsky (1985) de que la mente es una «sociedad de la mente» en la que diversos sectores actúan sobre operaciones diferentes. Análogamente se podría decir que el tiempo individual es una «sociedad de tiempos», que requiere un tiempo distinto para cada esfera de actividad.

La complejidad extrema de esta serie de interacciones temporales hace legítimo pensar que el individuo vive en diversos horizontes temporales en un mismo momento, aunque sólo uno cada vez puede reclamar la atención de su conciencia. Cada individuo vive en celdas temporales diferentes, en las cuales la duración subjetiva y la percepción misma de continuidad son diversas. El sujeto tiende a unir entre sí los segmentos de duración pertinentes a una cierta actividad, o a un cierto estado de ánimo. Esto sucede porque las celdas temporales sociales tienden a ser independientes. Así, los tiempos de trabajo forman en el horizonte temporal un *continuum*, los tiempos de su familia un segundo *continuum* diferente, etcétera. Se puede decir que existe una celda temporal por cada contexto en que vive un individuo. Además una misma persona puede mostrar diversos rasgos de carácter según el contexto. Para citar un solo ejemplo recordemos que Schafer (1983) observa que muchos psicoanalistas muestran en privado una personalidad aparentemente incompatible con la actividad psicoterapéutica (desempeñada, por lo demás, por ellos de un modo óptimo). Esto depende, según su interpretación, de un «Yo de servicio», que el analista reserva a la actividad clínica.

COEVOLUCIÓN Y TIEMPO

Creemos que hemos clarificado ya nuestro punto de vista general. Las distinciones entre tiempo «individual», «social» y «cultural» son operaciones metodológicas, resultantes de la actividad de innumerables observadores en diversos puntos del sistema global: individuo, instituciones, cultura. No existe un tiempo cultural «en sí» que determine el del individuo, así como tampoco existe la determinación contraria. Hay solamente un proceso continuo de coevolución. Que, por lo demás, es el mismo proceso observado por Elias (1984) en su descripción de las interacciones temporales: de la coordinación inicial (que necesitan hasta las sociedades más simples) se deriva un conjunto de reglas cada vez más complejas y coercitivas, que hicieron necesario el recurso a los calendarios, horarios y relojes. El proceso del aumento de la complejidad ha llevado, por un lado, a una creciente generalización del concepto abstracto de «tiempo» (en filosofía, por ejemplo, o en física) y, por otro, a un operatividad y constricción cada vez mayores del tiempo de las organizaciones (del tiempo social). En el contexto ha brotado un «tiempo vivido» interior, distinto del tiempo del reloj.

Para nuestra descripción hemos partido de las formas individuales de experimentar el tiempo, observando después cómo las analogías más variadas de todos los individuos dentro de una cultura, se unen en las formas antropológicas de afrontar el tiempo, y cómo los sistemas sociales determinan diferentes organizaciones del tiempo. También es posible el recorrido inverso: el tiempo individual se ve estandarizado por la cultura y la identidad social. Estamos, por tanto, en presencia de un anillo recursivo:

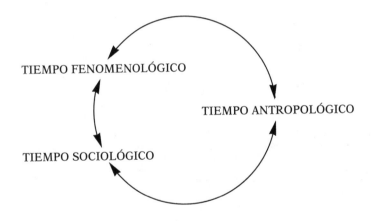

TIEMPO FENOMENOLÓGICO

TIEMPO ANTROPOLÓGICO

TIEMPO SOCIOLÓGICO

En este anillo cada término existe sólo en el contexto constituido por los otros dos y, a su vez, contribuye a formar el contexto de los otros dos. Es un proceso autorreferencial que no se pone de manifiesto sólo en este campo. Pearce (1989) lo ha mostrado en el ámbito del lenguaje, Bateson (1958) en la constitución del *ethos* cultural, y se puede proponer la hipótesis de que este movimiento circular está presente en cualquier interacción humana. Hemos identificado un anillo recursivo, análogo a éste, que une pasado, presente y futuro. Podemos, por tanto, presentar la hipótesis de dos anillos del tiempo: uno diacrónico (pasado-presente-futuro), y otro sincrónico (individual-social-cultural).

Se puede pensar que todas las distinciones del concepto de tiempo son resultado de la coevolución, que ha modificado el tiempo totalmente. Todas las oposiciones que hemos encontrado en nuestra investigación son visibles y considerables como un proceso de co-creación colectiva del tiempo. El concepto se expresa con la eficacia característica de Gregory Bateson (1972b): es completamente arbitrario reconstruir la evolución del caballo como adaptación del género *eohippus* a la estructura de las praderas en las que pacía. Lo que ha evolucionado realmente ha sido el ecosistema compuesto por caballos y praderas, naturalmente bajo la influencia de los demás elementos del ecosistema general.

3. MODELOS DEL TIEMPO INTERACTIVO: EL TIEMPO DE LA FAMILIA

Ferdinand de Saussure es uno de los autores más sugerentes que hemos encontrado en el curso de nuestra investigación. Su nombre, famoso entre los lingüistas, es casi desconocido entre los psicoterapeutas. Y, sin embargo, debemos precisamente a Saussure ideas esenciales referentes tanto al tiempo como al lenguaje. En su *Cours de linguistique générale* (1922) escribía (págs. 99 y sigs.):

> Es cierto que todas las ciencias tendrían interés en deducir con más rigor los ejes en los que están situadas las cosas de que se ocupan; sería necesario distinguir [...]: 1. *El eje de la simultaneidad,* referido a las relaciones entre cosas existentes, donde se excluye cualquier intervención del tiempo. 2. *El eje de la sucesión,* en el que es posible considerar sólo una cosa cada vez, pero donde están situadas todas las cosas del primer eje con sus cambios [...] Para dar mayor relieve a esta oposición y a este cruce de dos órdenes de fenómenos relativos al mismo objeto, preferimos hablar de lingüística *sincrónica* y de lingüística *diacrónica.* Es sincrónico todo lo que se refiere al aspecto estático de nuestra ciencia, es diacrónico todo lo que tiene que ver con las evoluciones.

Hoy podemos comprender mejor la intuición de Saussure si tenemos en cuenta que la dicotomía no se da tanto entre diversos fenómenos relativos al mismo sujeto cuanto entre diversas descripciones realizadas por observadores. Para todas las posibles descripciones hay un eje de la sincronía y un eje de la diacronía. Tal dicotomía contribuyó a un cambio importante en la evolución de nuestro modelo.

De hecho nuestro grupo, a comienzos de los setenta, trabajaba con un modelo esencialmente sincrónico, en el que la labor del terapeuta era la de observar las relaciones en el presente. Pero cuando aparecieron los límites de este modelo, prevaleció un modelo diacrónico. Si leemos las publicaciones sobre terapia familiar de los veinte últimos años, podemos observar que las mayores innovaciones han venido, por una parte, de la apertura de la «caja negra», es decir, de la introducción de la semántica junto a la pragmática de la comunicación y, por otra, de la introducción de la visión diacrónica junto a la sincrónica. Desde el punto de vista del vocabulario, el uso del término *feedforward* junto a *feedback;* la insistencia en el concepto de «causalidad espiral» junto a «causalidad circular»; finalmente, la preferencia concedida al concepto de «historia» y no al de *pattern*... todos ellos son ejemplos de la importancia creciente que el tiempo asume en nuestro campo de trabajo.

Vamos a concentrar ahora nuestra atención en el estudio de la familia, que es el sistema con el que más frecuentemente nos encontramos en nuestra actividad clínica. Si observamos a la familia a través del eje de la sincronía describimos el sistema de elementos y de relaciones entre los miembros que caracteriza lo que definimos como «familia»: una observación sincrónica define la pertenencia a la clase de las familias o, si dirigimos la atención a una familia real, una familia tal como es en el momento de la observación.

Si, por el contrario, observamos a la misma familia a través del eje de la diacronía, la describiremos según dos marcos temporales distintos: como expresión de la *estabilidad* del sistema familiar (el ciclo del tiempo), mantenida por acontecimientos recursivos generacionales y transgeneracionales; o bien como expresión del *cambio* (la flecha del tiempo), hecho de modificaciones irreversibles que hacen a la familia continuamente distinta de como era antes. Los dos puntos de vista, estático y dinámico, no son irreconciliables. Estabilidad y cambio, ciclo y flecha del tiempo, son aspectos complementarios del tiempo de la familia.[1]

Cada vez que, de la observación de un individuo, nos desplazamos al análisis de sistemas compuestos por varios individuos, pasamos a un nuevo nivel lógico, al de la entidad más compleja constituida por los individuos y sus interacciones. El sistema es más que la suma de sus partes.[2] Una descripción del tiempo de la familia no se puede limitar a considerar los tiempos de cada miembro de la familia y el modo en que se compenetran, sino que se ha de referir también al tiempo propio de la familia como sistema. Entre el tiempo familiar y el tiempo cultural se puede encontrar una relación semejante.

Las descripciones varían según el aspecto que se quiera examinar. Cada individuo muestra un conjunto de rasgos constantes, pero al mismo tiempo se muestra distinto según las personas con las que entra en contacto y los contextos en que se encuentra. Cuanto más importante y prolongado, desde el punto de vista emotivo, es el contacto, más importantes resultan los rasgos «superindividuales»; la familia es, probablemente, el sistema social en el que el rasgo del que nos ocupamos (la temporalidad) actúa de modo más sutil y complejo. Usando la terminología de Elias: en una familia la coordinación de series de acontecimientos está sometida a la calibración más delicada; con frecuencia la familia actúa como un conjunto armónico. En este contexto, escoger el nivel de descripción holístico o analítico tiene consecuencias notables.

Jerome Bruner, en su libro *Actual Minds, Possible Worlds [Realidad mental y mundos posibles]* (1986), describe dos tipos de pensamiento, que denomina «pensamiento paradigmático» y «pensamiento narrativo». El pensamiento paradigmático es el característico de la argumentación lógica, que recurre a la formulación de categorías y conceptos para llegar al máximo grado de coherencia. Es el pensamiento sobre el que se funda el discurso científico. El pensamiento narrativo, por el contrario, no persigue el máximo grado de coherencia, sino que «se ocupa de las vicisitudes de las intenciones humanas» (pág. 21). El discurso narrativo, pues, actúa especialmente manteniendo abiertos los significados, ofreciendo a quien lo sigue no un esquema de una realidad reproducible siguiendo parámetros rigurosos, sino un relato desplegado en el tiempo, una imagen diacrónica de una realidad experimentable.

Aunque durante mucho tiempo se haya considerado el modo paradigmático como el único que permitía la fundamentación «científica» de una disciplina, gran parte de las ciencias humanas (piénsese en la historia) han seguido siempre, al menos en parte, el modo narrativo. Y cualquier científico, precisamente a partir de los irreprensibles físicos teóricos, reconoce que el modo narrativo es irrenunciable en la formulación inicial –aunque no lo sea en la formulación matemática– de una teoría.

El uso del pensamiento paradigmático o del narrativo, el examen del tiempo del individuo o de los tiempos colectivos, la perspectiva sincrónica y diacrónica nos servirán de guía en una recapitulación sumaria de algunas teorías de la familia que hemos encontrado en nuestro recorrido.

TIEMPO Y FAMILIA

Describir el tiempo en la familia, o la familia en el tiempo, puede parecer una tarea simple. Tomemos por un momento el ejemplo de los dos individuos A y B. Admitamos que A y B son sujetos de sexo opuesto, que deciden vivir juntos, de un modo estable; en este caso, las premisas para una coordinación entre los tiempos respectivos ya están acordadas. Pero es posible –es más, inevitable– que permanezcan diferencias de una cierta importancia entre los tiempos de A y los de B.

Por ejemplo A puede ser una mujer que tiende a hacer proyectos referidos a un futuro lejano, mientras que B puede ser un hombre habituado a «vivir al día», que tiende a hacer proyectos limitados a unos pocos meses. O bien A puede ser una mujer caracterizada por ritmos rápidos, y B un varón de ritmos lentos. Como hemos podido comprobar en el capítulo 2, diferencias de este calibre pueden crear dificultades entre los dos, con frecuencia ocultas en el periodo prematrimonial, periodo del amor naciente. También pueden surgir dificultades cuando dos individuos de un modo rígido, y utópico, intentan tener tiempos idénticos. Esto se puede comprobar perfectamente, por ejemplo, en las parejas simbióticas, que reaccionan dramáticamente a las fluctuaciones temporales inevitables a las que no están adaptadas.

Para una coevolución armónica de los tiempos de una pareja es importante que haya un amplio espectro, una vasta gama *(range)* de tiempos posibles. Lo mismo vale para los movimientos del cuerpo: cuanto menor es la gama de movimientos de que se dispone, menor es la capacidad de adaptación. El joven, por ejemplo, tiene una gama de movimientos mayor que la del anciano. Podemos ampliar el ejemplo de la pareja a los miembros de una familia, de una institución o de cualquier otra organización social.

En una perspectiva diacrónica, A y B comenzarán un proceso de influjo mutuo,[3] desarrollando un conjunto propio de premisas compartidas, un *ethos* y, naturalmente, un tiempo propio. Al igual que el tiempo de A y B en cuanto individuos, también el tiempo de la familia AB se caracteriza por un ritmo, horizonte, y perspectiva propios. En las crisis de adaptación, que se verifican cuando se constituye una nueva familia, surge la necesidad de armonizar los tiempos aprendidos en la propia familia de origen con los del cónyuge, y buscar una perspectiva común, y un horizonte temporal común. Con ocasión de momentos críticos de la vida familiar (nacimiento, adolescencia, separación, muerte) tienen lugar posteriores crisis de adaptación.

En el momento del nacimiento de un hijo la familia se encuentra ante una compleja serie de cambios. No se puede considerar al recién nacido como una *tabula rasa*, sino que es un personaje dotado de un sentido del tiempo todavía potencial. El bebé –llamémosle C, por comodidad– obliga a los otros miembros de la familia a una nueva regulación recíproca, llamada «recalibración» por Bateson. Los ritmos se ven inicialmente sacudidos por las exigencias del recién llegado, que, asimilando las coordenadas de tiempo de la familia, aporta su novedad e individualidad propias. Con el tiempo, se consolida un nuevo marco temporal.

Un tema muy discutido por la psicología es el del desarrollo y el del influjo de los factores biológicos, genéticos y ambientales en los comportamientos de los primeros periodos de la vida del niño. Junto a teorías que dan más importancia a los factores ambientales, hay otras que destacan la importancia de los factores biológicos. En bebés sometidos, en cuanto se les cortó el cordón umbilical, a un estímulo estándar, táctil o eléctrico, se observaron reacciones variadísimas, distribuibles según una curva de Gauss, relativas a resistencia eléctrica cutánea, ritmo cardíaco, presión arterial, respuesta psicomotriz, observable a través de la visión de los fotogramas de una grabación cinematográfica. Esto ha puesto de manifiesto que, mucho antes de que pudieran actuar factores ambientales externos, ya se da una enorme variabilidad de respuesta. Semejantes resultados llevan a formular la hipótesis de que el niño, desde el nacimiento, es un sujeto activo en las relaciones con sus padres. Es muy distinto, para los mismos padres, tener que criar a un niño hipoactivo y dócil que a un niño hiperactivo desde su nacimiento. Por ejemplo, un niño que llora todas las noches puede someter a una dura prueba la vida familiar, y provocar en sus padres reacciones emotivas distintas de las suscitadas por otro hermano o hermana, con consecuencias que podrán llegar a ser sintomáticas en un futuro lejano.

La familia, modificada de esta manera, se comportará de un modo distinto. En este sentido C, con su presencia, influye en los tiempos de personas y organizaciones, incluso bastante lejanas, que no entran en contacto directo con él.

Tiempo y modelos familiares

Se puede subdividir las teorías comunes de la familia según los tres ejes que hemos presentado. De este modo cada modelo se situará más o menos cerca de un extremo de cada eje: sincrónico o diacrónico, centrado en los individuos o en el sistema, fundado en el modo paradigmático o en el narrativo. Aquí nos vamos a limitar a introducir en el eje sincronía-diacronía algunos de los modelos de consulta o de terapia de la familia más relevantes. Es obvio que, en una relación –terapéutica o no– que se extiende en el tiempo no se pueden ignorar ni las instancias relativas al «aquí y ahora», ni las relacionadas con un horizonte temporal más vasto. Existen teorías que conceden más importancia a la dimensión sincrónica, junto a otras que ponen en primer plano la diacrónica. La visión sincrónica se basa en la distinción, la diacrónica en la continuidad, en el proceso.

Dentro del eje sincronía-diacronía, el modelo estructural propuesto por Minuchin (1974) se sitúa cerca del polo sincrónico: el observador busca en el sistema observado la estructura, es decir, la posición recíproca de los diversos miembros de la familia y de sus relaciones en un momento dado; tal estructura se relaciona con una norma. Minuchin, aunque no es insensible al aspecto evolutivo de las familias (como demuestran algunas de sus penetrantes investigaciones sobre el hacerse y desarrollarse de la familia «sin problemas»), describe las familias mediante metáforas espaciales: límites, subsistemas, etcétera; en este espacio metafórico se mueven individuos que se alían, forman «triángulos», se comparan, pasan de una parte a otra de los límites. El conjunto asume la forma de una teoría microsociológica.

Un modelo prevalentemente sincrónico es el estratégico del Mental Research Institute, en su primera formulación, que Jackson (1957) sintetizó en la definición de «homeostasis familiar». En este caso, un observador describe el síntoma y la función del síntoma dentro de las relaciones familiares en el «aquí y ahora». El intento es cambiar los modelos de relación, con la idea de que surjan otros modelos más funcionales. También otros terapeutas, como Haley (1963), actúan dentro del modelo estratégico con una perspectiva sincrónica. La versión narrativa de esta misma teoría tuvo su origen con Ferreira (1963), con la introducción del concepto de «mito familiar», puesto en relación con la misma homeostasis.

Entre los modelos preferentemente diacrónicos recordamos el multigeneracional de Murray Bowen (1978), que pone el acento en las complejas relaciones entre generaciones e individuos y en su maduración en el tiempo; la teoría del paradigma familiar de David Reiss (1981), en la que el elemento diacrónico tiene una posición central; finalmente, las teorías narrativas más recientes, basadas en los sistemas lingüísticos de significado y en las historias que despiertan actualmente mucho interés (Anderson y Goolishian, 1988; White y Epston, 1989).

TIEMPO Y CIBERNÉTICA

Gran parte de las terapias sistémicas, y la nuestra no constituye una excepción, se basan en el paradigma cibernético. Los primeros terapeutas familiares fueron los que adoptaron aquel modelo, basado en el concepto de autorregulación. Norbert Wiener (1948), fundador de la cibernética, la definió como «la teoría del control y de la comunicación tanto en la máquina como en los animales» (pág. 35). La atención estaba centrada en los procesos a través de los cuales los sistemas autorregulados reducían al mínimo las perturbaciones ejercidas por el ambiente sobre ellos. Un ejemplo clásico usado por los primeros especialistas en cibernética era el termostato, instrumento que actúa de modo que «reconduce» siempre las condiciones térmicas del ambiente a la temperatura deseada, reduciendo al mínimo las variaciones de ésta. Tal regulación se conseguía mediante la retroacción negativa, idea principal de la que años más tarde se iba a definir como primera cibernética.

La teoría cibernética se había desarrollado durante la segunda guerra mundial con fines principalmente bélicos: las armas de guerra que se autorregulaban descendían directamente de los sistemas de apuntamiento de los cañones antiaéreos, que tenían que reducir al mínimo, mediante retroacciones negativas, los errores de mira. También la aportación de los teóricos provenientes de áreas diversas se centró automáticamente en los fenómenos que reducían al mínimo las diferencias. Cannon (1932), por ejemplo, ideó el concepto de homeostasis, que pasó inmediatamente a designar el conjunto de fenómenos mediante los cuales un organismo reduce al mínimo las variaciones del propio ambiente interno, manteniendo siempre dentro de un radio limitado las variables principales, como el ph, la temperatura, etcétera.

Además de la retroacción negativa, otro punto fundamental de interés para los primeros representantes de la cibernética, era la posibilidad de prever el futuro con el máximo rigor posible: el sistema de apuntamiento antiaéreo, para ser eficaz, tenía que poder predecir con cierta exactitud dónde se encontraría un blanco móvil, veloz, guiado por un ser inteligente y capaz de buscar caminos de huida (Wiener, 1948).

El tiempo, en un mundo de retroacciones negativas, es esencialmente cíclico: el termostato actúa de modo que reduce al mínimo el paso del tiempo, cada vuelta a las condiciones de partida no lleva consigo ninguna novedad. El tiempo, en las descripciones de la primera cibernética, se concibe, por tanto, como un ciclo perfecto, en el que es posible invertir cada cambio y volver al equilibrio. Los especialistas en cibernética, por otra parte, conocían muy bien la termodinámica y su postulado de irreversibilidad, y sabían que el ciclo perfecto no es más que una ilusión (ibíd.). De ello se deriva el particular carácter del tiempo en esta teoría: un tiempo real e irreversible en el que se pone el máximo cuidado en prever de qué modo un sistema dado se *opondrá* al cambio y qué probabilidades existen de que el cambio se anule. El tiempo de la primera cibernética asume el carácter de un tiempo casual, probabilístico, sustancialmente previsible.

La primera cibernética consideraba a la familia como un sistema que, sometido a perturbación, modificaba sus condiciones lo más posible para hacerlas semejantes a las de partida, mediante un conjunto de retroacciones negativas. Las nuevas condiciones de la familia se interpretaban como signos de un posible cambio ante el que la familia reaccionaba reduciéndolo al mínimo. Un síntoma en un miembro de la familia evitaba un cambio de mayor alcance en el sistema familiar.

Las teorías basadas en la «homeostasis familiar» (Jackson, 1957) se ocupaban, tal como se ha sugerido ya, del tiempo presente. Si la familia tiende a mantener las variaciones a cero, conviene que la observación y la terapia sean sincrónicas y no se ocupen de historia, de perspectivas o de desarrollo diacrónico; ésa, al menos, fue la teoría que presentaron los autores de la *Pragmatics of Human Communication* (Watzlawick, Beavin y Jackson, 1967), uno de los textos que gozó de mayor autoridad durante años en temas de teoría y terapia sistémica.

Los terapeutas que basaban sus propias teorías en la primera cibernética no podían ser insensibles al tiempo. Pero la teoría en la que se basaban no permitía destacar el cambio como un *continuum*, un devenir, sino que obligaba a verlo como paso de un fotograma a otro en una película cinematográfica. En lugar de un proceso, lo que se veía era una sucesión de modelos estáticos repetitivos. Esto se debía principalmente a dos razones. La primera era la centralidad de la retroacción negativa; la segunda, la analogía con las máquinas calculadoras de Wiener, cuyos circuitos tienen siempre la posibilidad de comenzar de cero, esto es, de reducir a cero el tiempo transcurrido, para transformarse en una *tabula rasa*.

Nótese, de paso, que una diferencia importante entre el modo en que empleamos la máquina, y aquel en que nos servimos del cerebro, es que la máquina funciona por ciclos sucesivos –privados de relaciones recíprocas o con relaciones mínimas, limitadas– y puede en cualquier ciclo comenzar nuevamente de cero, mientras que el cerebro, por su propia naturaleza, no puede nunca, si siquiera de un modo aproximativo, borrar las «grabaciones» anteriores (Wiener, 1948).

Es evidente que un sistema humano como la familia no puede corresponder totalmente al modelo de la máquina que comienza de un tiempo cero completamente vacío. Necesariamente, conserva su memoria y su capacidad de aprendizaje. A partir de consideraciones de este tipo surgió la importancia de la distinción entre sistemas mecánicos y sistemas vivos.

Lynn Hoffman, con su artículo «Deviation-Amplifying Processes in Natural Groups» (1971), dio a conocer, en el campo de la terapia familiar, la segunda cibernética de Magoroh Maruyama, introduciendo así una dimensión diacrónica. Maruyama (1968) había insistido en la diferencia, en el campo de la cibernética, entre sistemas vivos y no vivos: si en los segundos predomina la morfostasia, que se produce mediante retroacciones negativas, en los primeros prevalece la morfogénesis, que se produce por un predominio de las retroacciones positivas sobre las negativas. Describió dos tipos de procesos cibernéticos: procesos de reducción de la diferencia (predominio de las retroacciones negativas), y procesos de ampliación de la desviación (predominio de las retroacciones positivas). Los procesos de ampliación de la desviación se pueden describir sólo dentro de modelos diacrónicos y evolutivos. Si antes el observador daba importancia especialmente a las retroacciones negativas, ahora trata de captar la interacción entre retroacciones negativas y positivas, y las tendencias del sistema hacia la morfostasia o la morfogénesis. Un mismo acontecimiento, en un mismo sistema, tendrá consecuencias diversas, dependiendo de si se verifica en un periodo en que es máxima la retroacción negativa (máxima estabilidad) o en uno en que es máxima la positiva (máxima inestabilidad). Con un lenguaje distinto Prigogine, ferviente defensor de la irreversibilidad del tiempo en los sistemas biológicos, destacaba el proceso de cambio, que está en relación con la lejanía de los sistemas de equilibrio. Los terapeutas, en consecuencia, se mostraron más atentos al ritmo de las intervenciones y a la perspectiva en que debían inscribirlas.

Los procesos supuestos por Maruyama son tales que los efectos de un acontecimiento inicial de menor importancia *(kick)* se pueden ver reducidos o anulados, o bien ampliados por el predominio de las retroacciones positivas, conduciendo a una divergencia creciente de las condiciones iniciales. Una pequeña o insignificante diferencia entre dos miembros de una familia, por ejemplo dos niños, puede representar el comienzo, el *kick*, de un aumento de la diferencia en el tiempo, que puede llevar al desarrollo de dos historias, de dos destinos, completamente divergentes. En nuestro trabajo como terapeutas observamos frecuentemente los efectos de este proceso, es decir, la cocreación de una condición de paciente psiquiátrico. Los términos de este proceso sirven para interpretar la teoría del «chivo expiatorio». También en la sociología se puede ver la relación entre desviación y norma a través de esta misma perspectiva.

A comienzos de los años ochenta entraron en el campo de la terapia familiar las ideas de Heinz von Foerster. La más importante se refiere al rol del observador en el proceso de conocimiento. Él propone una «cibernética de segundo orden» («cibernética de la cibernética»), es decir, la cibernética del sistema observante, para el cual cualquier descripción hecha por un observador incluye los prejuicios, las teorías, las características del mismo observador. Ésta se diferencia de la «cibernética de primer orden», cibernética del sistema observado, que separa al observador del observado. De ella forman parte la primera y segunda cibernética, de las que nos acabamos de ocupar.

La centralidad del observador lleva a una perspectiva constructivista, es decir, a una perspectiva que pone en el centro el proceso «conocer» en relación al objeto «conocido». Tres autores dentro del paradigma constructivista, que han tenido y tienen una notable influencia en el campo de la teoría y de la praxis sistémico-relacional, y cuyo nombre nos limitamos a citar, son Ernst von Glasersfeld, Humberto Maturana y Francisco Varela. En su pensamiento son centrales los conceptos de «cocreación de la realidad» y «coevolución» en las relaciones humanas, que implican el transcurso del tiempo y llevan a una perspectiva histórica. De su pensamiento a las recientes teorías sobre la narración no hay más que un pequeño paso.

Tiempo y paradoja

Queremos ahora tratar un fragmento de nuestra historia, que nos conduce a la lucha que hemos tenido que sostener con el problema del tiempo. A principios de los años setenta las paradojas tenían una posición tan central en la teoría y en la praxis del grupo de Milán, que llegaron a inspirar el título de un libro, publicado en 1975, *Paradoja y contraparadoja*. Entonces nuestro interés por las paradojas estaba motivado por la lectura del libro *Pragmatics of Human Communication* y, sobre todo, por el artículo «Toward a Theory of Schizophrenia» de Bateson, Jackson, Haley y Weakland, centrado en el concepto de doble vínculo. El doble vínculo se definía como una paradoja pragmática en la que una propuesta se presentaba y se negaba en dos niveles lógicos diferentes, sin que se ofreciera la posibilidad de comentarla o de salir del campo. De esta forma el doble vínculo –si se repetía en el contexto de una relación significativa de dependencia afectiva– se consideraba como generador de patología.[4]

En los años posteriores se sometió a crítica la idea de doble vínculo y de paradoja, en particular, por parte de Dell (1981) y de Cronen, Johnson y Lannamann (1982). La crítica se refería especialmente al concepto de los niveles lógicos de Russell, sobre los que Bateson había basado su teoría de la paradoja. Como recuerdan Cronen y sus colaboradores, el doble vínculo se basaba en una filosofía en la que se consideraba el lenguaje como reflejo de una realidad externa, de por sí ajena a la autorreflexividad. La teoría de los tipos lógicos de Whitehead y Russell, según la cual una clase no puede ser miembro de sí misma, llevada esta filosofía hasta sus consecuencias extremas. Spencer Brown presentó contra Bertrand Russell y la teoría de los tipos lógicos una crítica decisiva: la teoría de los niveles lógicos resultaba adecuada para un sistema lógico como el de los *Principia Mathematica*, un mundo ordenado e intemporal, en el que se han de eliminar las paradojas para mantener la necesaria coherencia lógica. En el lenguaje natural, que no es tan ordenado y coherente, en el que abundan los conceptos mal definidos *(fuzzy concepts)*, la paradoja es inevitable y contribuye a la riqueza de las lenguas y a la creatividad.

Bertrand Russell, finalmente, mostró su acuerdo con las críticas de Spencer Brown. Y Bateson, por su parte, al conocerlas, aceptó en sus últimas obras que era necesario discutir sobre la función de la teoría de los niveles lógicos en los sistemas humanos de interacción. En *Mind and Nature* (1979) Bateson ejemplifica así su cambio de actitud:

> Sostengo que son el intento de afrontar la vida en términos lógicos y la naturaleza coercitiva de tal intento los que nos vuelven propensos al terror frente a la mínima alusión a la posibilidad de que se llegue a destruir este planteamiento lógico.

Se puede afirmar que la paradoja existe en la lógica, que no tiene tiempo, pero no existe en la vida real, pues la vida real se desarrolla en secuencias temporales. En el ámbito de la lógica las contradicciones entre los niveles producen paradojas; en la vida, donde hay secuencia y sucesión, las paradojas surgen cuando, en el lenguaje, se suprimen las secuencias temporales[5] (de todas formas no se debe olvidar que, ya en 1948, Norbert Wiener tuvo en cuenta la posibilidad de resolución de las paradojas mediante la consideración del tiempo).[6]

Un ejemplo clásico de paradoja, citado también por Watzlawick, Beavin y Jackson (1967), es el de Epiménides: «Yo, Epiménides de Creta, digo que todos los cretenses son mentirosos». En el mundo de la lógica tal afirmación es paradójica: el valor de la verdad de la afirmación de Epiménides es indeterminable. Hasta Bateson, que había propuesto esta paradoja clásica como ejemplo de situación ineludible, expuso su solución recurriendo al tiempo:

> La verdad de la cuestión es que la lógica no puede reproducir todas las operaciones de los sistemas causales que actúan en el tiempo. La lógica se derrumba cuando se enfrenta con las paradojas de la abstracción: el mentiroso cretense o la versión más sofisticada, de Russell, la clase de las clases que no son miembros de sí mismas, que es miembro de sí misma. Los lógicos se han volcado en estas paradojas durante 3.000 años; pero si a un *computer* se le propone una paradoja parecida, éste responderá: «Sí, no, sí, no, sí, no...», hasta que se estropee o se termine la tinta.
>
> El *computer* opera mediante causa-efecto; de ello se deduce que cuando las operaciones internas del *computer* se usan para reproducir el «si... entonces» de la lógica, el «entonces» se hace temporal. «Si pulso este interruptor, entonces (casi inmediatamente) la luz se encenderá», pero el «si... entonces» de la lógica no contiene el tiempo. «Si tres lados de este triángulo son iguales a los tres lados de aquel triángulo, entonces los triángulos son iguales.» No existe el tiempo en este «entonces».
>
> Por eso, cuando se reproducen en el mundo de la causalidad, las paradojas de Russell terminan por dar este resultado: «Si en el tiempo 1 la declaración del cretense es verdadera, entonces en el tiempo 2 no es verdadera; si no es verdadera en el tiempo 2, entonces es verdadera en el tiempo 3; y así sucesivamente...». No hay contradicción y el viejo «si... entonces» de la lógica queda obsoleto (Bateson, 1978a, pág. 55).

Las paradojas, pues, nacen cuando se suprime el tiempo mediante la introducción de la simultaneidad de dos o más acontecimientos o comportamientos separados en secuencias temporales. Si en las relaciones humanas, mediante una significación verbal y no verbal, se crea una situación en la que simultáneamente deben estar presentes comportamientos contradictorios, entonces la situación es paradójica. En otras palabras, la paradoja nace y vive *en el lenguaje*. Es en el lenguaje (verbal y no verbal) donde podemos hacernos la ilusión de que vivimos en la lógica intemporal. Es en el lenguaje donde con frecuencia, citando una vez más a Bateson (1972b), *things end up in a muddle:* las cosas van a parar a la confusión, al desorden.[7]

Naturalmente, los esfuerzos de los autores que acabamos de citar al revisar el concepto de paradoja han sido muy importantes para nosotros, como orientación en medio de las complejas relaciones entre tiempo y lenguaje. Como el concepto de paradoja sufrió la evolución que acabamos de exponer, nuestro interés por las paradojas menguó a finales de los años setenta, mientras que crecía progresivamente el interés por el tiempo y el lenguaje.

A este respecto fue decisiva la tesis de que en la vida real la paradoja no existe, porque el tiempo la suprime, y que las paradojas existen sólo en el lenguaje, porque en éste se puede suprimir el tiempo. Cuando se publicó

Paradoja y contraparadoja, se pensaba que los síntomas estaban en relación con dobles vínculos, es decir, con paradojas que se podían resolver con intervenciones *ad hoc* (contraparadojas). La misma relación terapéutica se consideraba entonces una relación paradójica, porque el terapeuta, agente de cambio, «connotaba positivamente» y ponía en relación los comportamientos de todos los miembros de la familia, aliándose simultáneamente con la homeostasis. Si, a semejanza de Bateson cuando analiza la paradoja de Epiménides, introducimos el tiempo en estas intervenciones, las privamos de su carácter paradójico. Una «connotación positiva» de todos los comportamientos, *ahora*, puede llevar a un cambio, *después*. El «ahora» y el «después» que están en la mente del terapeuta no se comunican en el «aquí y ahora» de la intervención terapéutica y, por eso, se crea una situación que se puede calificar de paradójica: «Está bien si no cambiáis; está bien si cambiáis», un ejemplo típico de «doble vínculo terapéutico». En otros capítulos del libro describiremos casos en que las preguntas circulares, en particular las hipotéticas, y algunos rituales, tienen entre sus efectos más importantes el de introducir secuencias temporales en aquellas relaciones donde la supresión del tiempo había producido descontento, malestar, locura.

De todas formas, no olvidamos otro hecho: la supresión del tiempo en otras ocasiones es (habría que decir, paradójicamente) fuente de creatividad, de arte, de poesía.

TIEMPO Y PARADIGMA

En este libro vamos a usar con frecuencia términos como «pattern», «mito», «explicación», «paradigma», a los que se han venido atribuyendo diversos significados en distintos momentos. Nos parece interesante la descripción de John Mince, que dispone estos términos como una serie de cambios lingüísticos. Su intento es poner de manifiesto la concatenación de los procesos cognitivos y lingüísticos, desde la «primera ley de la forma» de G. Spencer Brown (1972) hasta el concepto de paradigma de Kuhn (1962), construyendo una sucesión de distinciones hechas por un observador. Transcribimos a continuación las siete primeras de las diez propuestas:

Primera ley de la forma: «Trácese una distinción».
1. La *unidad* evocada recibe un *nombre* (palabra). (Exactamente en este lugar comienza la biolingüística.)
2. A la unidad se le da una *animación o acción* mediante el verbo activo/pasivo.
3. Se da una *descripción*.
4. Se da una descripción de la descripción, es decir, una *explicación*.
5. Si la explicación la aceptan el que habla y el que escucha, se da una *convicción (belief)*.
6. Una serie de convicciones confluyen en la interacción con los demás en un *mito* que permanece en el tiempo.
7. Una serie de mitos confluyen en la interacción con los demás, en el curso del tiempo, en un *paradigma* (Mince, 1991, comunicación personal).

Entre los muchos autores que se han basado en las descripciones de las interacciones familiares con relación al tiempo, hemos elegido el trabajo de David Reiss (1981), uno de los más prestigiosos investigadores en el campo de la terapia de la familia. Se trata de un ejemplo interesante que muestra cómo, partiendo de modelos estáticos, se ha llegado a concebir la familia de una manera dinámica. En sus primeros escritos Reiss se había dedicado a describir lo que ha definido como «constructos compartidos» *(shared constructs)* de la familia, que eran necesariamente construcciones estáticas, una especie de «instantáneas» de la familia en un momento determinado. El desarrollo de la teoría le ha llevado después a relacionar entre sí los «constructos compartidos» en una dimensión temporal, llegando a formular el concepto de «paradigma familiar» (concepto derivado de Kuhn). De este modo, su investigación ha pasado de una perspectiva sincrónica a una perspectiva diacrónica. El paradigma familiar está situado en un meta-nivel respecto a los conceptos que una familia se construye en relación con acontecimientos concretos, es decir, los «constructos compartidos».

Lo que Reiss define como paradigma es el conjunto de premisas y reglas, construido y mantenido a partir de hechos contingentes, y perfeccionado después a través de un proceso de abstracción, hasta que llega a perder todas las características que lo ligaban a los acontecimientos concretos. De este modo, pasa a ser un conjunto de premisas tan general, que puede orientar a los miembros de la familia en situaciones muy diversas. Es interesante tener en cuenta que el paradigma no familiar no se ha de buscar en la memoria, sino en el modo particular con que cada familia se organiza:

> Consideramos que la memoria, en su acepción convencional derivada de la psicología del individuo, no es el medio ni el «depósito» en el que se conserva el paradigma familiar. Por el contrario, es la estructura misma del comportamiento interactivo familiar la que constituye el factor primario de depósito y de conservación (Reiss, 1981, pág. 203).

Lo que constituye el sistema de significados propio de la familia o, si se prefiere, el pensamiento o las premisas de la familia, cambia constantemente con el tiempo. Se puede considerar el paradigma como la forma básica de las relaciones de los miembros de la familia entre sí y con el mundo circundante, forma que Mary Catherine Bateson (1984) ha relacionado con «aquel género de coherencia temática que mi padre llamaba *ethos*, la difusión y adecuación de estilo dentro de un sistema que hace de cualquier cultura algo más que una lista de características e instituciones».

Tiempo y rituales familiares

¿Cómo consigue un paradigma mantenerse relativamente estable en el tiempo? Mediante los rituales o acontecimientos solemnes, claramente distintos, y poco frecuentes en el tiempo, y mediante la serie de los acontecimientos mínimos y rutinarios que van marcando el ritmo del tiempo cotidiano.

David Reiss (1981) define las «ceremonias» como un género particular de rituales, como acontecimientos de gran efecto emotivo y con poderosas connotaciones simbólicas. Son ocasionales, tienen lugar en unos pocos momentos significativos, y requieren la presencia de todos los miembros de la familia. Nosotros tenemos una visión más amplia del ritual, que incluye también aquellos acontecimientos que Reiss define como «reguladores», que se dan en la vida cotidiana y caracterizan su ritmo.

Los rituales son uno de los más importantes factores de continuidad en el tiempo de la familia. Citaremos uno de los ejemplos de Reiss. Se trata de una familia cuyos valores-guía eran la agresividad y la autonomía de los miembros varones; el ritual que perpetuaba este sistema de valores tenía lugar cada vez que el padre volvía a casa después de una de sus largas ausencias por motivo de trabajo. El padre se ocupaba en un breve «cuerpo a cuerpo» con cada uno de los hijos, mientras que la madre se quedaba aparte para incitarles. En un rito tan simple se encierra un conjunto de significados sorprendentemente rico. En primer lugar, el paradigma familiar (agresividad controlada y bien dirigida) se hace realidad con una fuerte carga emocional; en segundo, la relación padre-hijos se ve robustecida con todo su vigor. Hay que notar además que durante la infancia y la adolescencia de los hijos, el padre controlaba su propia fuerza para no hacerles daño; y después los hijos adultos, por su parte, se controlaban para no hacer daño a su padre, ya septuagenario: el rito marcaba, por su continuidad, la irreversible evolución biológica de la familia.

Por medio de aquel ritual el pasado de la familia (la tradición de fuerza, independencia y autonomía masculina) entra en el presente de todos los miembros de la familia y configura su forma:

> Mediante cada repetición, la familia experimenta de nuevo un aspecto crucial de su propio pasado, como si el pasado estuviese presente: la agresividad y el éxito en la competición, propios del pasado remoto de la familia y, al mismo tiempo, el pasado más reciente, cuando los hijos adultos eran todavía niños. En efecto, la fusión de pasado y presente se cristaliza en torno a la experiencia de paternidad: los hijos, uno de los cuales es ahora padre, se ven a sí mismos como padres de su propio padre, en un ritual cuyo significado especial deriva de los recuerdos que tienen de cuando eran los niños pequeños de su padre. Se puede concebir la experiencia de fusión del tiempo, percibida en las pocas y fugaces realizaciones de este rito, como una des-diferenciación de pasado y presente, que permite al pasado vivir en el presente, configurarlo y guiarlo (Reiss, 1981, pág. 238).

Estos rituales «de celebración», que hacen presente el pasado, protegen la continuidad de la familia. Por el contrario, lo que Goffman (1961) ha bautizado como «ritual de degradación» es un ritual que oscurece o borra el pasado. El ejemplo típico es la aparición de un chivo expiatorio en una familia. Su conducta y los comportamientos de los familiares que lo rodean se repiten y se refuerzan cíclicamente, asumiendo la naturaleza regular e inexorable del rito. El efecto de este ritual en la familia es el opuesto al del rito de celebración: en lugar de proteger la continuidad entre pasado y presente, provoca una parada, un bloqueo. En el presente acontece una división entre dos polos: el de los valores negativos, atribuidos al chivo expiatorio, y el de los valores positivos, atribuidos a los demás. Esta polarización se contrapone a una situación precedente, muy distinta, cuyas huellas se pierden en el pasado: anteriormente cada miembro de la familia tenía su parte de positivo y su parte de negativo, de blanco y de negro; ahora una persona es negra y los demás son blancos; y el olvido ha separado totalmente esta realidad de la realidad del pasado.[8] En estos casos es como si la conciencia de los participantes excluyese la posibilidad de hacer presente el pasado. La familia se vuelve rígida en un *pattern* repetitivo que le impide moverse a través de la espiral del tiempo.

Los acontecimientos mínimos, los «reguladores», actúan en el tiempo y sobre el tiempo de un modo más continuo y sutil. Son los actos repetidos, que dan regularidad cotidiana a la vida familiar. Los reguladores *orientan* a la familia en el tiempo, permitiendo que cada miembro se construya un horizonte temporal y lo sincronice con los de los demás miembros de la familia. El grado de sincronización de los tiempos individuales de los componentes de la familia se puede manifestar en las características de rigidez o flexibilidad, de armonía o discordancia, de mayor o menor conflictividad, observables en la familia. Es evidente que existen familias «lentas» y «veloces», familias cuyos miembros están bien sincronizados y otras en las que cada miembro tiene sus propios horarios y costumbres. También la falta de sincronía puede ser un regulador como cualquier otro; también en este caso los miembros de la familia –como cualquier sistema humano en el tiempo– encontrarán su propia coherencia. Minuchin y su grupo, en su libro *Families of the Slums* (Minuchin y otros, 1969), han estudiado algunos casos de familias que muestran una falta de sincronía de este tipo. Incluso se podría proponer una tipología familiar basada en el parámetro de la sincronización, que iría de la familia «sincrónica» a la familia «a-sincrónica». Cosa que, por lo demás, sugiere una cierta analogía con la famosa tipología de Minuchin, que sitúa a las familias en un eje que va de las familias «prisioneras» a las «liberadas».

Dentro de este proceso de evolución familiar, la sincronización tiene una función fundamental en muchos aspectos. Si no se crea en la familia una suficiente sincronización lingüística, de conducta, afectiva y cognitiva, es decir, una experiencia significativa de intimidad, los riesgos de «disfunciones» posteriores serán grandes.

Un hermoso ejemplo de la complementariedad entre intimidad e individuación lo ofrece Mary Catherine Bateson en su libro *With a Daughter's Eye* (1984). Cuenta cómo su madre, que quería responder a obligaciones contrapuestas, trabajo y maternidad, deseo de novedad y apego a la tradición, trataba de crear en torno a su hija un ambiente que le diese al mismo tiempo un sentido de continuidad y la posibilidad de crecer en (medio de la) flexibilidad y adaptabilidad. Precisamente por este motivo, le dio, por una parte, una casa estable y una institutriz diligente –«nadie que haya tenido una institutriz inglesa puede crecer sin un sentido de continuidad»–, llevándola, al mismo tiempo, a vivir con una familia de amigos que tenían muchos hijos de distintas edades. De este modo, Catherine podía crecer en la estabilidad junto a otros, pero tenía también la posibilidad de elegir el marcharse a vivir por su cuenta.

Para construir una familia es necesaria, sobre todo, una continuidad afectiva, una recíproca «confianza básica» (Bowlby, 1982), que cada uno tenga la certeza de que los demás estarán disponibles en los momentos de necesidad. Esta continuidad afectiva es la base de la seguridad que nos permite a cada uno de nosotros separarnos de los demás y concentrarnos en nosotros mismos. Según Eliot Chapple (1970) tenemos un ritmo interno que establece las posibilidades de interacción con los demás y con nosotros mismos, es decir, la capacidad de vivir en un «tiempo público» y en un «tiempo privado». Donde la familia es la primera institución social, ésta constituye el contexto de aprendizaje de la capacidad de regular la interacción con los demás, de pasar del desconocimiento a la intimidad, y viceversa. La necesidad de intimidad es universal y está en el centro de la vida familiar,[9] donde experimentamos y vivimos distintos tipos de intimidad: con el padre, con los hermanos, con el cónyuge, con los hijos y, finalmente, con nosotros mismos. Para Lynn Hoffman (1981) esta danza de la intimidad es uno de los motivos de la existencia y de la persistencia de la institución familiar, por encima de los cambios culturales. Un desarrollo armonioso de las experiencias de intimidad dentro de la familia favorece los procesos de individuación y separación, permitiendo de este modo vivir no sólo el tiempo colectivo de la familia, sino también el propio tiempo individual.

En el libro recién citado de Mary Catherine Bateson hay un luminoso ejemplo de la transmisión de una experiencia original de intimidad madre-hija de una generación a otra. La autora narra cómo su madre, Margaret Mead, trataba de encontrar una adecuación entre los ritmos de su propio trabajo y los de las tomas de su hija lactante, a fin de crear una regularidad nueva, un sistema madre-hija cuya coherencia no estaba predeterminada.

> Cuando Margaret programó el modo de cuidarme y alimentarme trató de combinar la generosidad de las madres más «primitivas», que atienden a sus niños cada vez que lloran y permanecen constantemente con ellos, con las exigencias de la civilización –el reloj–; lo que significaba para ella ir tomando nota. Tomaba nota de las horas en que yo quería comer y después, revisando esos momentos, construía un horario de la organización propia de los ritmos de mi cuerpo. Esto le ofrecía un proceso bastante previsible, de modo que podía programar sus lecciones y reuniones y sabía en qué momento tenía que estar en casa para ocuparse de mí. Conservo todavía el cuaderno que contenía aquellos horarios y otras observaciones, así como también aquel otro en que mi abuela había anotado sus observaciones sobre Margaret cuando era niña, y aquel en que yo transcribía mis observaciones sobre mi hija Vanni, cuando yo salía entre una toma y otra para dirigir un seminario o analizar películas sobre las interacciones de otras madres con sus niños (M. C. Bateson, 1984, págs. 22 y sigs.).

Uno de los autores de este libro estuvo desayunando hace años en Tel Aviv (Israel) con Mary Catherine Bateson y su hija Vanni. Mary Catherine le contó que en aquel periodo se encontraba en Israel con su hija, que tenía dieciséis años, para que conociera el Oriente medio; igual que su madre, Margaret, había hecho con ella (= Mary Catherine) cuando contaba dieciséis años. ¡Lo menos que se puede decir es que en aquella familia no faltaron nunca la intimidad y la continuidad!

TIEMPO Y NARRACIÓN

El uso de la narración como metáfora para describir las relaciones familiares y, sobre todo, su evolución en el tiempo, es un fenómeno relativamente tardío, aunque su primer esbozo se remonta a los escritos de Ferreira (1963) sobre el «mito familiar».

Las narraciones que hacemos construyen nuestra realidad, ellas mismas pueden llegar a ser realidad. Éste es el tema básico de las teorías narrativas de la familia. En esta perspectiva, la familia es la historia contada por sus mismos autores. De esa historia forman parte todas las personas, reales o hipotéticas (por ejemplo, un niño que no ha nacido), pasadas y presentes, que en el curso del tiempo llegan a ser significativas para aquel grupo humano. Como en las antiguas tradiciones orales, cada uno cuenta, recreándola en cada ocasión, su versión personal, su historia. El modo en que se entrecruzan las diferentes historias constituye la vida de la familia; la concordancia o discordancia de las historias produce concordia o conflicto entre sus miembros.

Carlos Sluzki escribe:

> Nuestra realidad social se hace y se desarrolla mediante narraciones, que dan vida a los contextos, a los ámbitos en que llegamos a ser conscientes de nosotros mismos y de los demás [...] organizando los acontecimientos en el tiempo. [...]
> Lo que llamamos realidad consiste y se expresa en las descripciones que las personas hacen de acontecimientos, personas, ideas, sentimientos, historias y experiencias [...] Estas descripciones, a su vez, evolucionan mediante las interacciones sociales que se definen gracias a ellas (Sluzki, 1991, págs. 5 y sigs.).

Se puede explicar de muchas maneras la actualidad del modelo narrativo. Con todo una de las más plausibles es la limitación de los modelos paradigmáticos, pues todos ellos muestran, antes o después, carencias innegables.[10] Bruner (1986, págs. 54 y sigs.) observa cómo con frecuencia los economistas, cuando fallan las teorías, recurren a relatos sobre los *manager* japoneses o sobre otras circunstancias del mundo económico para explicar los fenómenos:

> Una vez que se han configurado, estas narraciones «hacen» los acontecimientos y «hacen» la historia. Pertenecen a la realidad de los sujetos de la historia. Si un economista (o un historiador de la economía) las ignora, aunque sea argumentando que las que condicionan el mundo de la economía son las «fuerzas económicas generales», es como si se tapase los ojos.

Una de las primeras metáforas narrativas de las interacciones familiares ha sido el ya citado «mito familiar» de Ferreira (1963). El término
«mito» se refiere a una serie de convicciones compartidas por todos los
miembros de una familia determinada; a través de dicha serie, los miembros de la familia comprenden su propia identidad. Y se refiere también a
una «historia» que les indica el modo de vivir y de adaptarse a la realidad
interna y externa de la familia. El mito se concibe como un constructo
«super-individual», como una construcción estática, fuera del curso del
tiempo. El mito familiar se consideraba como una historia que plasma las
interacciones de la familia y, coherentemente con el paradigma de la homeostasis familiar, predominante en aquellos años, pasaba a ser una especie de «estabilizador» de las interacciones.

Como los mitos griegos clásicos, también los mitos familiares son historias con una evolución temporal interna, no coordinada con la externa.
La familia que vive en el mito contempla su propia vida en el devenir, pero
al observador externo le puede parecer que gira sobre sí misma, sin una
verdadera evolución, le puede parecer que está parada en relación con el
tiempo de la cultura en que el observador se encuentra. Si la discrepancia
con el exterior llega a ser excesiva, pueden aparecer graves problemas. Así
la «familia Casanti», descrita en *Paradoja y contraparadoja* (Selvini Palazzoli, Boscolo y otros, 1975), se encontraba inmóvil en un marco temporal
extraño al contexto de la cultura circundante. Trataremos más extensamente el tema del mito en el capítulo 8.

En los años ochenta se ha reavivado el interés por la metáfora narrativa. Entre otros autores, citaremos a White y Epston (1989), que han propuesto una concepción narrativa claramente diacrónica, en la que las historias personales desempeñan la función principal: cuando de una persona
se puede contar sólo una historia, su posibilidad de optar en el futuro se ve
lamentablemente reducida. Michael White (1984) ofrece un ejemplo clari-
ficador de esta concepción al describir un caso de encopresis infantil. Las
familias con niños encopréticos sólo eran capaces de contar historias de
vergüenza y suciedad, que confirmaban continuamente la incapacidad de los
niños de controlar los esfínteres, y la desilusión de los padres, que no eran
capaces de ayudar a los niños a controlarse. Identificar en la historia las
pocas ocasiones en que el niño se había controlado –y, por tanto, no había
reforzado las desesperanzadoras convicciones de su familia– era un modo
de impedir la formación de historias nuevas, con lo que se hacía posible
que el niño se viese libre del síntoma. En el caso de los niños con encopresis, el hecho de tener estos síntomas determinaba tanto la percepción que
tenían de sí mismos, como la que de ellos tenían sus padres, de modo que el
proceso de los niños venía a ser una larga serie de fracasos. Para poder acabar con ella era necesario encontrar un momento de discontinuidad, un
«solo éxito», que podía servir de punto de partida para la construcción de
una nueva historia, una historia llena de éxitos. Pocos años antes, Milton
Erickson (1980) había seguido un modo de proceder semejante. Uno de los
datos fundamentales del método de Erickson era la tendencia a destacar
los elementos positivos en los relatos contados por sus pacientes.

White y Epston (1989) citan un ejemplo histórico de cómo la inserción del pasado en una historia –y no en otra– puede cambiar el sentido del presente y del futuro y tener consecuencias prácticas de gran importancia. Hasta los años cuarenta la historia de los indios de América había sido contada por todos (nativos y antropólogos) como una historia con un pasado glorioso, en la que el futuro era la asimilación en el *melting pot* de la cultura americana, y el presente se reducía a una descripción de destrucción y desesperación. En los años cincuenta se comenzó a abrir camino una lectura diferente de aquella historia. En ella el pasado era visto como una explotación por parte de los blancos y el futuro como el logro de la independencia. Y, aunque los acontecimientos cotidianos del pueblo indio no hubiesen cambiado mucho, el sentido que se les atribuía cambiaba completamente: la vida miserable y marginal no se veía ya a través de la perspectiva de la disgregación y de la inferioridad racial, sino como un ejemplo de la dignidad de un pueblo explotado, que tiene como única elección la resistencia pasiva.

Traducida en términos más generales, la teoría, que en gran parte es deudora de los estudios de Michel Foucault (1966), implica que una familia está formada por un conjunto de historias diversamente entrelazadas, historias que con frecuencia hunden sus propias raíces en tiempos remotos y que no sólo configuran el pasado y el presente, sino que imponen a todos los miembros de la familia las mismas condiciones vinculantes en la construcción o en la elaboración de un futuro.

Cuantas más historias distintas, incluso contrarias, sea capaz de aceptar un sistema familiar, tanto mayores serán las posibilidades de sus miembros de enriquecerse emocional e intelectualmente, de hacerse autónomos, de individuarse y separarse en el transcurso del tiempo. Si una familia acepta pocas historias, o está dominada o concentrada en torno a un mito, se encontrará fácilmente en situaciones críticas ante historias que sean incompatibles con las suyas propias, y será posible que aparezcan síntomas de enfermedad. Hay periodos en la vida de una familia, sobre todo el de la adolescencia, que requieren de sus miembros mucha flexibilidad y tolerancia para permitir que aparezcan nuevas historias. En caso contrario, pueden aparecer historias clínicas. El ejemplo ya citado de la familia Casanti pertenecía precisamente a esta categoría.

Naturalmente el individuo y su familia se encuentran en una cultura que hoy evoluciona rápidamente. La cultura ofrece un repertorio de posibles temas narrativos, de modelos que se pueden contraponer también a los mitos, o a las historias transmitidas por la familia a través de las generaciones. En este contexto una familia «normal» –con todas las reservas que el término exige– sería una familia en la que es posible mediar y resolver los conflictos que nacen inevitablemente dentro de ella, y en su relación con la cultura circundante. De ello se deduce que el entrecruzamiento de las historias provenientes de las generaciones precedentes con las ofrecidas por la cultura presente puede ser fuente de creatividad y de crecimiento, así como también de enfermedad y de angustia. En la bibliografía, generalmente se califica a las familias del primer tipo como flexibles, y a las del segundo como rígidas.

A veces, para algunas personas, un modo de salir del sufrimiento y de la angustia es el encontrar una armonía entre historias personales y culturales, y el comenzar un tratamiento terapéutico. En la sesión terapéutica tiene lugar

> una transformación de la historia narrada que deja lugar para nuevas experiencias, significados e (inter)acciones, que ya no están vinculados a definiciones de síntomas y a vivencias patológicas [...] La pregunta circular es probablemente el instrumento más eficaz al servicio de un diálogo transformador (Sluzki, 1991, págs. 6 y sigs.).

En la terapia sucede en ocasiones que miembros de una familia que viven en estrecho contacto, cuentan historias muy diferentes y contradictorias, que se remontan a un pasado muy lejano. Un ejemplo es el de una muchacha de dieciocho años, la segunda de tres hijas, que padecía anorexia. En la tercera sesión, la muchacha contó cómo su madre, desde la infancia, se había despreocupado y desentendido tanto de ella, dejándola sola y aislada, que ella había llegado a adoptar como madre a la madre de una amiga. La madre, pálida, contó que aquella hija le había parecido siempre tan fuerte y autosuficiente, que le había concedido siempre toda la libertad posible, sin comprender por qué su hija correspondía con tanta hostilidad. Durante años madre e hija se habían contado a sí mismas historias diferentes, inconciliables, que les habían alejado progresivamente. Cada una interpretaba los comportamientos de la otra basándose en su propia historia, reforzándola cada vez más. Otro ejemplo es el de Jim, un joven que contó una historia de su vida muy distinta de la narrada por su madre («está contando la historia de un muchacho al que nunca he conocido», llegó a decir su madre). Nos ocuparemos detalladamente de la historia de Jim en el capítulo 5.

El mayor grado de divergencia entre las historias narradas se alcanza en las familias con un enfermo psicótico, que cuenta con frecuencia historias inverosímiles o incomprensibles, que tienden a crear un clima de incompatibilidad o incomunicabilidad con los otros miembros de la familia. Al terapeuta le corresponde la tarea de entrar en contacto con el psicótico, aceptando su código privado y su lógica, con el objetivo de llegar después a crear un puente entre sus historias y las de los otros.

Es oportuno ahora analizar con profundidad la relación entre mito e historia. Una primera distinción se refiere precisamente al tiempo: el mito se desliga del curso del tiempo y se condensa en una historia «cumplida» con un principio y un final. Una historia presente siempre tiene siempre un futuro, mientras que un mito no tiene futuro. El tiempo del mito es un tiempo prisionero, congelado. La historia, por el contrario, fluye como un río en el tiempo cotidiano: la historia está abierta.[11]

Una segunda distinción nos traslada a la crítica literaria, y a la diferenciación entre «caracteres» y «figuras» en la teoría de la narración. Según la teoría del relato de Amelie Rorty (1976b) en una narración se dibujan los *caracteres* en sus rasgos esenciales; sus perfiles se esbozan sin presuponer que constituyan una entidad rigurosamente homogénea. Aparecen en las novelas de Dickens, no en las de Kafka. Las *figuras* son las que encontramos en los relatos moralizantes, en las novelas edificantes y en las hagiógrafas, es decir, en los escritos que presentan en forma de relato unas formas de vida que se han de imitar (pág. 302).

Mientras que en los mitos personales y familiares, al igual que en los culturales, los personajes son «figuras» estáticas y estilizadas, reducidas a unos rasgos esquemáticos, en las historias no míticas los personajes son «caracteres» reales, de carne y hueso y pueden ser descritos de una manera dinámica, libre, abierta al cambio.

Una distinción más, en la que vamos a fijarnos, es la que se da entre sistema y narración. «Sistema», por definición, exige necesariamente una dimensión espacial, pues se refiere a un grupo de elementos que están en relación recíproca dentro de unos límites *(boundary)*. Como diremos en el capítulo siguiente, a principios de los años setenta hemos trabajado con el planteamiento sistémico-cibernético de Palo Alto, que se basaba principalmente en la dimensión sincrónica. Después hemos introducido el tiempo. La narración, por el contrario, se refiere propiamente a la temporalidad, más que a la dimensión espacial. En ella el devenir humano es historia que acontece en el tiempo. Por esta breve descripción resulta claro que para nosotros ha sido fácil aceptar también el pensamiento narrativo. Podemos decir que hoy nos servimos de ambas perspectivas en una «visión binocular», que nos permite orientarnos en el tiempo y en el espacio.[12] Como afirmó Bateson: dos puntos de vista son mejor que uno.

4. EL OBSERVADOR Y EL TIEMPO

En los primeros capítulos de este libro hemos presentado, de un modo general, nuestra visión del tiempo. Hemos elegido el tiempo como clave de lectura, perspectiva privilegiada para observar las relaciones humanas, dejando en un segundo plano otros puntos de vista como el inconsciente, el poder, las emociones o el conocimiento. ¿Por qué el tiempo y no el espacio? El tiempo tiene necesidad del espacio y el espacio del tiempo. Kant en el ámbito de la filosofía, Piaget en el de la psicología, y Einstein en el de la física –por ejemplo–, han concebido el tiempo y el espacio como realidades estrechamente vinculadas. En este libro hablamos pocas veces del espacio de forma explícita, pero el espacio está presente en todas nuestras reflexiones. Cuando hablamos de «mundo interno», «mundo externo», «horizonte», «perspectiva», «dimensión temporal», «sistema», «estructura», etcétera, estos –y otros muchos– conceptos presuponen una representación, un marco espacial, necesarios para el conocimiento.[1]

Es normal que ya otros autores hayan considerado el tiempo como una dimensión importante también en la psicoterapia; pero nosotros lo hemos elegido como punto central de nuestra investigación, como óptica para observar las interacciones. En la perspectiva de la cibernética de segundo orden podemos decir que esa óptica representa una premisa epistemológica o un pre-juicio *(bias*, en inglés) del observador.

Para nosotros, el tiempo no es sólo un medio para estructurar las sesiones o un ritmo que se deba seguir para establecer contacto con los clientes, sino la meta de nuestras intervenciones, que pretenden favorecer la armonía y posibilidad de evolución, cuando éstas –como sucede frecuentemente en los casos con que nos encontramos– faltan: ¿cómo cambiar un horizonte temporal? ¿Cómo introducir movilidad en el tiempo detenido de un deprimido? ¿Qué hacer para recrear las conexiones diacrónicas perdidas en la historia fragmentaria de un esquizofrénico? ¿Cómo devolver la capacidad de evolución a personas que parecen haber perdido la noción de futuro? Y finalmente, ¿cómo se puede usar la perspectiva temporal para observar y comprender la sincronía y la falta de la misma entre individuos, familias, sistemas sociales?, ¿cómo podemos favorecer la armonía entre los diversos tiempos individuales y sociales?

Nosotros estudiamos las relaciones desde la perspectiva de la terapia sistémica. Observar las relaciones a través de la óptica del tiempo puede iluminar aspectos olvidados en la actividad terapéutica. Nos ocuparemos a continuación de algunas aplicaciones del planteamiento sistémico a la consulta y a la psicoterapia.

LA CONSULTA Y LA TERAPIA SISTÉMICAS

Contaremos brevemente la historia del planteamiento sistémico, tal como lo puso en práctica el grupo de Milán (Mara Selvini Palazzoli, Luigi Boscolo, Gianfranco Cecchin y Giuliana Prata) con el fin de orientar al lector para que pueda seguir el desarrollo de las ideas de los últimos veinte años. Somos conscientes de que esta descripción es la nuestra y que, por hacerla en el momento presente, vendrá a ser algo pasado para nuestros lectores, que a su vez la interpretarán desde su propio presente. Y sabemos además que, como todos los relatos, también el nuestro describe de nuevo el pasado, interpretándolo según los sistemas de significado del presente. De manera que contar nuevamente esta historia es un modo, por un lado, de renovar viejas acciones y, por otro, de construir puentes que se proyectan hacia el futuro. De este modo entramos en el «anillo autorreflexivo» de pasado, presente y futuro en el momento preciso en que escribimos nuestra historia.[2]

A principios de los años setenta, el grupo de Milán, después de un periodo de terapia de la familia de orientación psicoanalítica (1967-1971), adoptó el método llamado de Palo Alto, un modelo sistémico influido por las ideas de Gregory Bateson, Jay Haley, Don Jackson, Milton Erickson (Watzlawick, Beavin y Jackson, 1967; Haley, 1963). En este primer periodo de actividad del grupo, que duró hasta 1975, la terapia se ofrecía siempre a toda la familia en la que se había presentado un problema, aunque el problema fuese de uno solo de sus miembros (el «paciente designado»).

Un espejo unidireccional separaba la sala de terapia de la sala de observación. El equipo terapéutico se reunía normalmente antes de cada sesión, para formular una hipótesis de trabajo a partir de las informaciones recibidas previamente. Después el terapeuta –y, con más frecuencia, una pareja de terapeutas– daba inicio a la sesión mientras que el resto del equipo observaba detrás del espejo. Tanto los terapeutas como el equipo de observación podían interrumpir la sesión; en ambos casos el terapeuta y el equipo se reunían brevemente en la sala de observación, para tener un intercambio de ideas. Al final de la sesión el terapeuta y el equipo se reunían durante un tiempo más largo, a veces incluso durante una hora, tiempo en el que el trabajo de equipo consistía en la formulación de una serie de hipótesis, que desembocaban en una hipótesis sistémica que daba un sentido a los comportamientos observados, relacionados con el síntoma. Después, a partir de la hipótesis sistémica, se preparaba una «intervención final», que podía consistir en una reformulación, una prescripción con una tarea que había que realizar en casa, o un ritual. Luego el terapeuta o la pareja de terapeutas tenían que explicar a la familia la intervención final.

El método de Palo Alto estaba basado en el modelo sistémico y en la cibernética de primer orden o cibernética del sistema observado. Para ello era necesario un observador separado de la realidad observada. El equipo trataba de formular una hipótesis sistémica sobre la forma en que la familia se había organizado al manifestarse el síntoma o los síntomas; la hipótesis correspondía, por tanto, a lo que se definía como «juego familiar». Para que resultara eficaz, había que formular la hipótesis sistémica *ad hoc*, es decir, representar el juego familiar o, al menos, corresponder de alguna manera a él, como una llave encaja en su cerradura.

En la mayor parte de los casos al equipo le resultaba posible llegar fácilmente a un acuerdo sobre la hipótesis sistémica y proponer tratamientos eficaces. De hecho, muchas familias sin miembros psicóticos concluían la terapia después de unas pocas sesiones. Incluso en algunos casos de psicosis aguda resultó posible alcanzar éxitos evidentes; pero en los casos de psicosis crónica la terapia se bloqueaba fácilmente, y solía superar las diez sesiones, número máximo previsto por el contrato inicial.

El libro *Paradoja y contraparadoja* (Selvini Palazzoli, Boscolo y otros, 1975), que describe el trabajo realizado con quince familias, que tenían un miembro diagnosticado como esquizofrénico, cuenta que establecer una relación con aquellas familias era como entrar en un laberinto. Era difícil encontrar hipótesis que tuviesen un sentido para todos los miembros del equipo; el resultado era un sentimiento de confusión y frustración. Como Bowen (1978), el grupo estudiaba los síntomas dentro de un juego de tres generaciones. En este juego, el paciente designado ocupaba una posición especial, en la que se concentraba el máximo grado de disconformidad, con la consiguiente incertidumbre sobre la percepción de sí mismo y de los demás, sensación de insensatez y confusión. Para la comprensión del síntoma psicótico era fundamental la teoría del doble vínculo (Bateson, Jackson y otros,1956), de la que hemos hablado en el capítulo 3, basada en las paradojas resultantes de la confusión de los niveles lógicos.

El objetivo de la terapia era eliminar las configuraciones rígidas de comportamientos «disfuncionales», dejando espacio a la posible aparición de configuraciones más funcionales. Tal objetivo se conseguía por medio de la connotación positiva de todos los comportamientos, fueran sintomáticos o no (reformulación paradójica), y por medio de los rituales familiares.[3]

La publicación de los trabajos de Bateson en el libro *Steps to an Ecology of Mind* (1972a) descubrió al grupo nuevos horizontes en torno a 1975. El modo de pensar y trabajar cambió radicalmente. Se intentaba llevar la epistemología cibernética de Bateson a la praxis clínica, y pensar de un modo sistémico para actuar de un modo sistémico.

Respecto a las posiciones del Mental Research Institute de Palo Alto, los escritos originales de Bateson representaban un modelo sistémico más puro y, a la vez, más complejo. La distinción entre el mapa y el territorio, las categorías lógicas del aprendizaje, el concepto de mente como sistema y de sistema como mente, la noción de epistemología cibernética, y la introducción de la semántica asumieron una posición central. La aplicación

de estas ideas a la praxis clínica dio origen al desarrollo de un nuevo método de recogida y tratamiento de informaciones y de intervención en los
sistemas humanos. Se enunciaron tres principios con los que dirigir una
sesión: formulación de hipótesis, «circularidad» y neutralidad, que llegaron a ser el rasgo distintivo del modelo (Selvini Palazzoli, Boscolo y otros,
1980b).

La formulación de hipótesis organiza los datos provenientes de la observación. Se considera que una hipótesis es sistémica si tiene en cuenta
todos los componentes del sistema analizado, y propone una explicación
de sus relaciones, que no es ni verdadera ni falsa, sino sencillamente un
medio para la investigación. El terapeuta examina la plausibilidad de las
propias hipótesis a partir de las retroacciones verbales y no verbales de los
clientes.

La circularidad es precisamente el principio mediante el cual el terapeuta se apoya en tales retroacciones para verificar las propias hipótesis y
proponer otras nuevas. Es importante seguir cambiando las propias hipótesis para evitar la trampa de la «hipótesis verdadera», que provocaría rigidez en la interacción y daría término al proceso. Las hipótesis proceden de
la interacción recursiva entre terapeuta y familia. En este sentido, «ser
realmente seguidor de Bateson» significa atribuir la formulación de hipótesis, no al terapeuta o a los clientes por separado, sino a ambos a la vez.
Bateson (1979) se preguntaba: cuando un hombre corta un árbol, ¿dónde
está su mente? Y respondía que la mente es el circuito que vincula al hombre, al hacha y al árbol. Con otras palabras: mente y sistema son sinónimos.
De un modo análogo, uno puede preguntarse ¿dónde está la hipótesis?, ¿en
la mente del terapeuta o en otro lugar? En los años setenta se decía que la
hipótesis se hallaba en la mente del terapeuta, mientras que hoy decimos
que se encuentra, sin duda, en el contexto de la interacción.

Las preguntas circulares –que no se han de confundir con el concepto
de circularidad que se acaba de exponer– se definían, en la medida en que
el terapeuta hacía preguntas a los miembros de la familia sobre los comportamientos de dos o más de sus componentes. Estas preguntas se habían
planteado para obtener informaciones –y no tanto datos–: Bateson, de hecho,
sostenía que una información es «una diferencia que produce una diferencia», es decir, una relación, y en esto se distingue de un dato.

Las preguntas circulares tienen también otra consecuencia importante:
sitúan a cada miembro de la familia como observador de los pensamientos,
emociones y comportamientos de los otros; de esta forma, crean en la terapia
una comunidad de observadores. Por medio de tales preguntas se cuestiona nuestro egocentrismo: cada miembro de la familia *es dicho* en lugar de
decir, escucha la opinión que el otro tiene sobre él y, de esta manera, tiene
más posibilidades de conocerlo.

Para conocer con mayor profundidad el proceso podemos decir que la
información obtenida con las preguntas circulares es recursiva. Tanto la familia como el terapeuta, mediante las preguntas, cambian constantemente
su propia comprensión, a partir de la información ofrecida por la otra parte. Las preguntas circulares contienen información sobre diferencias, nue-

vas conexiones entre ideas, significados y comportamientos. Estas nuevas conexiones pueden cambiar la epistemología o las premisas personales, los postulados inconscientes (Bateson, 1972) de los diversos miembros de la familia. Las preguntas circulares han pasado a ser, por sí mismas, una intervención, tal vez la más importante para el terapeuta sistémico.

Las preguntas circulares, propuestas inicialmente en el artículo «Hypothesizing-Circularity-Neutrality», pasaron a ser después objeto de estudio y de una clasificación más precisa por parte de diversos autores, entre los cuales se encuentran: Hoffman (1981), Penn (1982, 1985), Tomm (1984, 1985, 1987a,b, 1988), Deissler (1986), Fleuridas, Nelson y Rosenthal (1986), Borwick (1990). Trataremos brevemente dos de estas clasificaciones.

Karl Tomm, uno de los primeros estudiosos de las preguntas circulares, las ha clasificado en diversas categorías, según sus objetivos y sus características. Nos limitaremos a la primera clasificación de Tomm que, tomando en consideración la intención del terapeuta al plantear las preguntas, las ha dividido en preguntas circulares *informativas* y preguntas circulares *reflexivas*. Las primeras tienen principalmente el objetivo de recoger información, las segundas el de provocar cambios (estos dos objetivos no se excluyen mutuamente y, con frecuencia, las preguntas tienen un carácter mixto). La diferencia entre preguntas informativas y preguntas reflexivas está, no tanto en la formulación, cuanto en el lugar que las preguntas ocupan en el *timing* del diálogo: una misma pregunta, dependiendo del momento en que se plantea, puede asumir un carácter informativo o reflexivo (Tomm, 1985, 1988).[4]

Tanto las preguntas informativas como las reflexivas tienen una función análoga: investigar y poner de manifiesto diferencias y, por tanto, relaciones. Las diferencias tenidas en cuenta por Tomm pueden ser categóricas («la contraposición dialéctica entre una percepción, o un concepto, y otra percepción u otro concepto», Tomm, 1985, pág. 39) o temporales.

Las preguntas sobre las diferencias temporales son, de alguna manera, más complejas. Se concentran en una diferencia entre diferencias categóricas en dos momentos distintos, es decir, se concentran en un *cambio* [...] Si se detecta un cambio, el terapeuta puede hacer preguntas sobre los sucesos que pueden haberlo motivado, teniendo en cuenta que los recuerdos del pasado están en el presente (pág. 41).

Klaus Deissler, que ha definido su modelo sistémico como PST (basado en las tres coordenadas: persona, espacio, tiempo), ha destacado también la importancia de las diferencias temporales. En su modelo las preguntas «explicativas», centradas en el pasado, tienen un efecto de auto-confirmación de las premisas de los clientes; las de «conservación», centradas en el presente, pueden tener un efecto de confirmación, aunque también pueden crear una situación nueva; pero son las preguntas «de solución», centradas en las perspectivas futuras, las que tienen mayor posibilidad de producir situaciones nuevas.

La Neutralidad

La neutralidad es el principio que resulta más difícil de comprender fuera de una visión diacrónica. Del mismo modo que «es imposible no comunicar», resulta también imposible ser neutral en el momento de la acción. Por ejemplo, cuando el terapeuta pide a un miembro de una familia que describa las emociones y los comportamientos de otros miembros de la familia, lo sitúa en una posición activa, con frecuencia ventajosa respecto de los otros. La neutralidad, tal como la definió originariamente el grupo de Milán, es un proceso que se desarrolla en el tiempo. El terapeuta no crea alianzas o coaliciones, ni con los miembros de una familia ni con sus ideas. Naturalmente, esto se ha de considerar en su dimensión diacrónica. Por ejemplo, en el curso de una sesión el terapeuta, para no perder su propia espontaneidad y para evitar un bloqueo, puede ponerse a favor de una de las partes; pero después –con la ayuda de sus colegas que están detrás del espejo o, si trabaja solo, por medio de la reflexión en el intervalo entre una sesión y otra– puede conseguir de nuevo la neutralidad. Que es una posición relacional favorecida por una visión circular de la realidad; es una posición de curiosidad (Cecchin, 1987), que favorece la aparición de diversas ideas y puntos de vista.

Con el desarrollo de las teorías sistémicas ha sido necesario revisar la noción misma de neutralidad. Este concepto, tal como se comprendía en los años setenta por la cibernética de primer orden, presuponía la separación entre observadores y observados. Al terapeuta le resultaba posible colocarse en el punto de llegada o «meta» a la que tenían que dirigirse los clientes. La asunción posterior de la cibernética de segundo orden cambió la situación. Es imposible la separación entre observador y observado; el sistema tiene que incluir las dos partes, con lo cual el terapeuta no puede ser realmente «neutral»; porque, al formar parte del sistema, no puede ser neutral respecto de sí mismo, de sus propios prejuicios, de sus propias ideas. Lo mismo vale para el equipo, que tiene un punto de vista más abstracto que el del terapeuta que se encuentra en la sesión, pero que, a su vez, no puede dejar de verse condicionado por sus propias premisas.

Se han propuesto muchas ideas para integrar o corregir el concepto de neutralidad, entre ellas la de «curiosidad» (Cecchin, 1987) o la de «multiparcialidad» (Hoffman, 1988). Nosotros preferimos actualmente hablar de una *tendencia* a la neutralidad, una tendencia que debe ser una especie de asíntota ideal para el terapeuta o para el equipo terapéutico, pero que, por definición, es inalcanzable.

En 1979 el grupo de Milán se dividió. Selvini Palazzoli y Prata dejaron el Centro para continuar su investigación sobre la familia. Dicha investigación, basada en la cibernética de primer orden, trataba de «descubrir» posibles organizaciones familiares («juegos») específicas, pertenecientes a síndromes específicos, como la anorexia o la psicosis. Después, en 1983, Mara Selvini Palazzoli, Stefano Cirillo, Matteo Selvini y Anna Maria Sorrentino formaron un equipo para continuar la investigación sobre las tipologías familiares, cuyos resultados se publicaron en el volumen *I giochi psicotici nella famiglia [Los juegos psicóticos en la familia]* (1988).

Boscolo y Cecchin continuaron su propia investigación, que siguió un proceso distinto, bastante marcado por un cambio de contexto. En 1977 los dos terapeutas habían comenzado a impartir un curso de formación sobre la terapia familiar sistémica, dirigido a grupos de diez a quince profesionales provenientes de los ámbitos más diversos (en su mayoría de los centros públicos). Uno o dos terapeutas, que eran normalmente alumnos, atendían a las familias, mientras que detrás del espejo les observaban los demás alumnos, junto con dos profesores. De esta forma se pasó de la investigación sobre la terapia a la investigación sobre formación y terapia. Los roles se volvieron más complejos: por ejemplo, un profesor podía encontrarse en un determinado momento en el papel de terapeuta, profesor, supervisor.

Después, a principios de los años ochenta, Boscolo y Cecchin comenzaron a viajar por diversos países, exponiendo y aplicando su método en consultas, *workshop*, seminarios y encuentros. En sus viajes pudieron conocer a diferentes colegas y organizaciones, desde los pequeños centros de higiene mental a las clínicas, hospitales, universidades y otras instituciones. Diversos equipos, en Europa y en América, comenzaron a experimentar lo que se empezaba a conocer como «el método de Milán».

Tuvieron particular importancia los encuentros personales, incluso prolongados, con Humberto Maturana, Heinz von Foerster y, más tarde, con Ernst von Glasersfeld. Maturana puso en un lugar central al observador: «Todo lo que se dice, es un observador quien lo dice» (Maturana y Varela, 1980). Un concepto primario en su reflexión era el de autonomía organizadora de los sistemas vivos. Este concepto le llevó a considerar imposibles las «interacciones instructivas» o interacciones que pudiesen obtener directamente un cambio en el sistema vivo: el sistema responde según su propia organización y en coherencia con su propia historia. Según Maturana y Varela la realidad aparece en el lenguaje a través del consenso: en esta perspectiva, hay tantas realidades como conversaciones. Von Foerster introdujo el concepto de cibernética de segundo orden, o cibernética del sistema observador: el observador entra en la descripción de lo observado; de manera que observador y observado no se pueden separar. Finalmente Von Glasersfeld abrió el camino a los conceptos del constructivismo radical.

La unión de estas actividades y de estos encuentros tuvo como consecuencia la superación del marco de la familia, para abrazar una gama más amplia de sistemas humanos en interacción. Se fijó la atención en el sistema observador, y no –como antes– en el observado. Ambos se consideraban ahora como «mentes», dotadas del mismo grado de organización: los clientes observan a los terapeutas, lo mismo que los terapeutas a los clientes. Como consecuencia –y de un modo coherente con las perspectivas constructivistas y de cibernética de segundo orden– en la terapia no se destacaba tanto el comportamiento observado cuanto el comportamiento, las ideas, las teorías, las premisas personales de los miembros del sistema observador. Ya no se pensaba que la familia era una «máquina homeostática» que el terapeuta debía, en primer lugar, conocer y, después, reparar. Se comenzó a prestar mayor atención a lo que sucedía en la sesión: al intercambio de informaciones, emociones y significados entre terapeutas y clientes;

es decir, más al proceso terapéutico que a la intervención final. En el período precedente ésta representaba el *clou* del encuentro entre equipo y familia, y de ella dependía exclusivamente que hubiera posibilidad o no de que se pusiera en marcha un cambio. Si éste no se daba, el equipo consideraba que la hipótesis sistémica sobre la que se había preparado la intervención final no era *ad hoc*, es decir, no correspondía a la organización del sistema observado.

Examinado a la luz de estas nuevas reflexiones, el método de trabajo del grupo experimentó un nuevo cambio (Boscolo, Cecchin y otros, 1987). Terapeuta y equipo dejaron de tener en cuenta sólo al sistema formado por la familia que se presentaba a las sesiones, y comenzaron a formular hipótesis sobre el «sistema significativo» relacionado con el problema presentado. Por sistema significativo se entiende el sistema de relaciones entre las personas implicadas en el problema presentado. Por definición incluye al paciente designado y puede abarcar a los miembros de su familia nuclear, a las familias de origen (incluidos los difuntos más importantes), los contemporáneos del paciente, la escuela, el trabajo y, sobre todo, los profesionales, los expertos, y los servicios sociales y sanitarios que hayan podido entrar en contacto con el paciente. Naturalmente, el sistema significativo incluye también al terapeuta, como observador, con sus propias teorías y prejuicios. Los terapeutas trataban de comprender las formas en que los *pattern* de ideas y significados, aparecidos con el tiempo en la compleja red del sistema significativo, contribuyen a la creación, por consenso, de la imagen clínica observada.[5]

Este paso, de la familia a un sistema más amplio, se hizo necesario y surgió por la interacción entre docentes y alumnos en los primeros grupos de formación. La mayoría de los alumnos trabajaba en los servicios públicos, y esto significaba que la hipótesis del terapeuta tenía que incluir, como mínimo, al paciente, a la familia, al que les enviaba a la terapia, y a la compleja organización del servicio, con sus reglas y con profesionales más o menos competentes y con distintos planteamientos técnicos.

Los conceptos de Maturana, Varela, von Foerster y von Glasersfeld hicieron que se tuviesen en cuenta, cada vez que se analizaba un sistema, las posiciones de cada uno de los observadores que formaban parte del sistema significativo. Cuanto más se tienen en cuenta los diversos lugares desde donde se observa, más se conoce un sistema. Si el terapeuta, en vez de formular su hipótesis a partir de sus propios prejuicios y de su propio lugar de observación, trata de imaginar y relacionar entre sí las posibles hipótesis o puntos de vista de los otros miembros del sistema significativo del que forma parte, puede, de este modo, construir una hipótesis más compleja, con varias perspectivas y, en cierto modo, colectiva. La hipótesis personal, que corre el riesgo de ser unidimensional, llana como una imagen monocular, es sustituida por una hipótesis compleja, pluridimensional, dotada de profundidad, que ofrece una imagen estereoscópica del sistema.

La consecuencia final del diálogo entre docentes y alumnos fue la introducción de una dimensión macrosistémica en el trabajo. De esta manera se ha llegado a:

1. Examinar atentamente las situaciones, no sólo en los contextos psi-coterapéuticos, sino también en otros contextos: asistencia, rehabilitación, organización institucional.

2. Considerar no sólo las intervenciones verbales, como en el caso de la psicoterapia, sino también otras intervenciones basadas en la acción.

A medida que se avanzaba se caía en la cuenta de que la enseñanza ofre-cida a los alumnos consistía no en una técnica, sino en un modo nuevo de ver y de actuar. Este nuevo modo de ver se puede referir a la «epistemología cibernética» de Bateson. Cada alumno tenía que aprender a actuar median-te un análisis sistémico del propio contexto de trabajo, que podía sugerirle las técnicas adecuadas. Por eso se advierte a los alumnos que comienzan un curso, que no reproduzcan en sus ambientes de un modo exacto las téc-nicas que se aplican en el Centro. Así, el trabajo con la familia puede ser como un laboratorio donde se aprende a pensar y a actuar de una manera sistémica.

TIEMPO Y MODELO SISTÉMICO DE MILÁN

La actitud de los terapeutas del grupo de Milán hacia el tiempo ha se-guido su propia evolución, si se prefiere, su «historia natural». Cuando, a principios de los años setenta, el primer grupo de Milán abandonó el mo-delo psicoanalítico y asumió el del Mental Research Institute de Palo Alto, se concentró exclusivamente en el presente, a diferencia de lo que sucedía entonces en el modelo psicoanalítico, cuyo interés principal estaba en el pasado. Un famoso ejemplo de Watzlawick, Beavin y Jackson (1967) com-para la situación presente a una posición en una partida de ajedrez: el ju-gador experto, observando una determinada posición en una partida pue-de reconstruir de una manera plausible la secuencia de movimientos que ha llevado a dicha posición; por eso el conocimiento del presente es el úni-co necesario, especialmente desde un punto de vista operativo.

En coherencia con estas premisas, el grupo de Milán en su primer pe-riodo, de 1971 a 1975, concentró todo su interés en el presente, mientras que el pasado era tenido en cuenta sólo a partir del momento de la aparición del síntoma. La investigación estudiaba las relaciones que se creaban en torno al síntoma.

Cuando, después de 1975, se introdujeron las preguntas circulares y el proceso de formulación de hipótesis, la dirección de la sesión resultaba más complicada. Para formular una hipótesis había que preguntarse cómo se había organizado el sistema: sentir la curiosidad de descubrir de qué modo el sistema había encontrado, entre las muchas posibles, precisa-mente aquella organización que se tenía delante en el «aquí y ahora» de la sesión. Los terapeutas comenzaron a interesarse por la manera en que el síntoma se había ido formando. Se preguntaban dónde tenían su origen los tipos de relaciones observados, se trataba de rastrear la lógica de la su-cesión de las interacciones pasadas, valiéndose de una perspectiva trans-generacional. De este modo se analizaba la continuidad entre pasado y presente.[6]

Pero concentrarse demasiado sobre el pasado comportaba el riesgo de construir explicaciones lineales-causales del síntoma. Analizar preferentemente el pasado puede encerrar el sistema observado en el embudo de la necesidad: sólo existe esta realidad, luego es la única posible, luego hay una secuencia de acontecimientos necesarios que tenía que producir la situación actual. Aplicar con convicción esta idea significa también sustituir la visión sistémica (el presente crea su pasado) por una visión determinista (es el pasado el que determina el presente).

El grupo se dio cuenta de que a veces se quedaba detenido en la hipótesis formulada sobre el «juego familiar» en la primera sesión. Se producía así una situación bloqueada, como en un fotograma: como si los terapeutas retuviesen a la familia en el tiempo, considerando los posibles cambios como algo añadido a la situación inicial. Se basaban en una perspectiva sincrónica, que prevalecía claramente sobre la perspectiva diacrónica. Fue necesario un tiempo para darse cuenta y convencerse de que la familia era la que se veía en el momento en que se la veía y no la del pasado, la de la primera sesión.[7] Si tenía lugar un cambio, había que incluirlo en una nueva hipótesis y la familia tenía que ser considerada como una nueva familia, del mismo modo que el sistema terapéutico tenía que ser considerado como un sistema nuevo.

Se abandonó también la tendencia a mirar la terapia como una «historia» coherente organizada en secuencias, en una serie de pasos necesarios. Puesto que la intervención de la primera sesión crea un sistema nuevo, distinto del que existía previamente, *cada sesión es «la primera»*. No hay técnicas que vinculen una sesión, en una relación específica, con las que preceden y las que siguen. Sólo los acontecimientos que se manifiestan en el presente de la sesión determinan el curso de la misma. El recuerdo de las sesiones precedentes sirve sólo de marco amplio *(loose frame)*, que vale como transfondo y da un sentido a la conversación que se mantiene.

Es más, la historia que se relata en las sesiones no tiene un desarrollo lineal, no es una narración tradicional. Cada sesión cuenta una historia distinta.[8] Al mismo tiempo, el sistema terapéutico que vive aquella historia, como ya se ha dicho, viene definido también por sus estados precedentes, es decir, por las sesiones anteriores. El sistema tiene en sí mismo gran parte de las informaciones para poder cambiar y no se puede predecir cuándo, cuánto y cómo cambiará.[9]

El terapeuta se encuentra así en una posición curiosamente semejante a la del indígena de las islas Trobriand –con su cultura no lineal y centrada en el presente–, citado por Ornstein (1975):

En general cuando nosotros observamos el proceso de maduración de una planta (por ejemplo, un *yam)* vemos una secuencia. En el tiempo que dura ese proceso miramos al *mismo* yam que pasa de ser maduro a ser demasiado maduro. El monje zen no comparte nuestra visión y tampoco el indígena de las islas Trobriand. El yam maduro (que en la lengua de las Trobriand se dice *taytu)* permanece como yam maduro. Cuando aparece un yam demasiado maduro es una entidad diferente, sin ninguna conexión causal o secuencial con el yam maduro. Es una entidad completamente distinta y recibe un nombre diferente: *yowana*.

De igual modo, el cliente (individuo, pareja, familia) visto por los terapeutas, es una entidad «inédita» en cada sesión. El terapeuta hace posible que se atenúen las relaciones de causalidad secuencial y la concepción determinista que inmoviliza al cliente en aquella visión específica de la realidad que es la fuente de sus angustias. Por eso se considera el sistema como una entidad siempre dispuesta a transformarse en entidades diversas, es decir, dispuesta a construirse un futuro.

Si –tal como pensamos– el cambio es imprevisible, hay sin embargo una relación entre la teoría del cambio adoptada por el terapeuta y el cambio mismo. No tratamos en este momento la relación entre los significados atribuidos al cambio por parte de terapeutas de diversas escuelas, que varían notablemente. Nos ocupamos, por el contrario, de la relación entre tiempo y cambio en la teoría del terapeuta. Comenzaremos con un ejemplo, tomado de la experiencia psicoanalítica de uno de los autores.

En el programa de *training* psicoanalítico que yo seguía, el alumno tenía que analizar tres casos clínicos bajo la supervisión de un profesor. Era mi segundo paciente: un hombre de treinta años, con el que había comenzado un análisis que constaba de tres sesiones por semana. Era verano y mi profesor estuvo dos meses de vacaciones, de modo que pasaron tres meses antes de que pudiese informarle sobre la marcha de las sesiones. Después de aquellos tres meses mi paciente ya no presentaba los síntomas iniciales; al contrario, se encontraba bien y había comenzado a decir que estaba curado y que se podía concluir el análisis.

Al final de la presentación del caso mi profesor no manifestó el entusiasmo que yo me esperaba. Me preguntó qué valoración hacía yo de la situación. Respondí tímidamente que estaba de acuerdo con mi paciente. No me esperaba aquel «jarro de agua fría»: la presunta mejoría del paciente era fruto de una «seducción» del analista y de una típica «huida hacia la curación» y, por tanto, de una resistencia. Me quedé atónito, pero tuve que renunciar a mi convicción de que el análisis estaba a punto de acabar: seguía siendo un alumno y tenía que obedecer. Observé la misma expresión de desencanto en el rostro de mi paciente cuando le manifesté, evidentemente con un lenguaje no técnico, que la mejoría era una «huida hacia la curación». Sentía curiosidad por saber si el paciente aceptaría mi idea, como yo había aceptado la de mi profesor. Así fue. Y el análisis continuó durante mucho tiempo. Se puede decir que el paciente me había obedecido y yo había obedecido a mi profesor. Pero, ¿a quién había obedecido el profesor? A sus maestros y a los libros de técnica psicoanalítica, que prescriben un tiempo determinado para llevar a cabo un análisis.

Este caso adquirió una importancia particular por suscitar un interés por el tiempo. Se puede decir que favoreció el desarrollo de una *insight*, de un tomar conciencia de la relación entre tiempo y teoría, entre tiempo y cambio. La duración que un terapeuta prevé para una terapia está claramente relacionada con el tiempo previsto en su teoría. Por ejemplo, el tiempo que duraba un análisis de tipo freudiano en aquella época variaba de tres a cinco años, con una frecuencia de tres o cuatro sesiones por semana; un análisis de tipo kleiniano podía durar todavía más, incluso hasta ocho años. Tal relación –como aparece ilustrado por el ejemplo– prescribía los momentos en que podían aparecer cambios importantes, hasta llegar a la «curación» (aunque este último término no forma parte del vocabulario psicoanalítico).

Cuando el grupo de Milán comenzó el tratamiento de familias y parejas, en 1967, seguía el método psicoanalítico, con una frecuencia de una o dos sesiones por semana, durante periodos muy largos, incluso durante años. Evidentemente, la frecuencia de las sesiones y la duración de las terapias eran coherentes con la teoría psicoanalítica. Si tuviésemos que interpretar esa práctica desde una perspectiva constructivista podríamos decir que, desde el comienzo de la terapia, los terapeutas, junto con los clientes creaban una realidad en la que no podían esperarse cambios significativos antes de uno o dos años.

La asunción, ya citada, del método estratégico de terapia breve del Mental Research Institute de Palo Alto, en 1971, llevó a proyectar terapias que no debían durar más de diez sesiones, con una frecuencia semanal. La nueva praxis introducía, al mismo tiempo, la idea del principio y del final. Gran parte de las familias manifestaban cambios significativos dentro del periodo prescrito. Y lo que es más importante: se producían cambios repentinos y notables, con facilidad, antes de la octava o la novena sesión. En otras palabras, las expectativas de cambio antes de la décima sesión tenían como efecto práctico la aparición de los mismos cambios.

Durante algún tiempo dentro del grupo tuvieron lugar vivas discusiones sobre la validez de los cambios conseguidos con el modelo psicoanalítico respecto a los frutos del modelo estratégico. Después se acordó que se trataba de un falso problema. Lo que quedó fue la importancia de la relación entre tiempo, teoría y cambio y se cayó en la cuenta de la oportunidad de una cierta flexibilidad del terapeuta respecto de la relación tiempo-cambio: el terapeuta tendría que adaptarse a los tiempos de los clientes, que naturalmente son distintos en las diversas circunstancias. Un analista que no espera «comportamientos normales» antes de los tres años de duración del psicoanálisis, o un terapeuta «breve» que no los espera después de la décima sesión son rígidos (intransigentes) porque imponen a los clientes su propia expectativa de cambio. Es una actitud análoga a la de los padres que no están dispuestos a modificar su expectativa temporal con respecto al paso de sus hijos de la adolescencia a la madurez.

Un fenómeno interesante –referente a la duración de la terapia– fue que, a causa de la lejanía geográfica, resultó necesario distanciar más las sesiones en el caso de unas pocas familias que venían de muy lejos: la frecuencia vino a ser de una sesión al mes. Se comprobó «con sorpresa» que aquellas familias no sólo obtenían mejores resultados que las otras, sino que además daban la impresión de que la frecuencia mensual se adaptaba mejor a sus exigencias, aunque se trataba de familias con problemas graves. En consecuencia, se decidió aplicar el intervalo mensual a todas las demás familias y se obtuvieron resultados más que satisfactorios. Desde entonces el intervalo mensual pasó a ser una de las características más conocidas del modelo de Milán y se dejó de hablar de «terapia breve» para definirla como «terapia breve-larga»: breve por el número de sesiones, larga por la duración total del proceso terapéutico.

En la mayoría de los casos observados las terapias concluyeron con éxito antes de la décima sesión. Pero en algunos casos, particularmente en las familias con enfermos psicóticos crónicos, al final de la décima sesión no se habían manifestado cambios suficientes para concluir la terapia, por lo que se ofrecía un nuevo ciclo de diez sesiones; algunas de estas familias dejaban de acudir sin concluir este segundo ciclo. Estos fracasos en casos tratados durante periodos muy largos, hasta de dos o tres años, se contraponían curiosamente al éxito inesperado con familias que interrumpían el tratamiento por propia iniciativa, con frecuencia en las primeras sesiones, sin advertir siquiera a los terapeutas. De hecho algunas catamnesis sobre casos de *drop-out*, es decir, de abandono espontáneo de la terapia por parte de los clientes antes de la tercera sesión, revelaron sorprendentemente que en algunos de estos casos, después de dejar la terapia, se había producido una evolución positiva muy significativa. Fue un fenómeno curioso, en ciertos aspectos desconcertante, pues en algunos de estos casos había problemas realmente serios. Era difícil explicar cómo se pudieron manifestar cambios tan importantes, en un tiempo tan breve, en familias que no colaboraron.

Una de las hipótesis más plausibles para explicar tales «fugas terapéuticas», era que las familias dejaban la terapia porque había comenzado un cambio que amenazaba su cohesión interna, y corrían el peligro de dividirse. Con el lenguaje de aquella época se decía que la familia, como sistema vivo, tenía dos tendencias: una hacia la homeostasis, la otra hacia la evolución. Estas familias trataban de frenar la evolución puesta en marcha bruscamente con el abandono de la terapia.

Estos inesperados resultados catamnésicos provocaron el entusiasmo en la investigación y, durante un breve periodo, el grupo entró en una especie de *ego-trip*. Se pensaba que, cuando la terapia pasaba de la cuarta o la quinta sesión, esto significaba que los terapeutas no eran capaces de identificar o actuar en los «puntos nucleares» del sistema, en los cuales se suponía que convergían todas las funciones del sistema. Una acción sobre los «puntos nucleares» podía producir el máximo cambio con el mínimo esfuerzo (Selvini Palazzoli, Boscolo y otros, 1975). Las mismas familias, especialmente aquellas que tenían un miembro psicótico, se encargaron de hacer que el grupo «pisara tierra» y de curarlo de la «omnipotencia terapéutica».

Con todo, este conjunto de experiencias tuvo un efecto importante: el cambio tenía que ser considerado no sólo como un proceso continuo, sino también y sobre todo como proceso discontinuo. Estas ideas encontraron después su marco teórico en las teorías de los sistemas disgregadores de Prigogine (Prigogine y Stengers,1979) y en la teoría de las catástrofes de Thom (1972).

Podemos añadir además una sencilla consideración: todos los sistemas vivos tienen en sí mismos sus propias posibilidades de evolución y de auto-organización. Es suficiente crear un contexto apropiado para que puedan evolucionar espontáneamente. La metáfora del río estancado puede representar con sencillez la misma idea. Es suficiente eliminar el obstáculo y el río puede por sí mismo llegar al mar, sin esperar a que el lecho sea pacientemente reconstruido.

CAMBIO CONTINUO Y DISCONTINUO

Las diferentes teorías psicoterapéuticas postulan diversas relaciones entre tiempo y cambio. Todas las terapias centradas en la modificación del síntoma postulan una idea de cambio discontinuo. Por ejemplo, en la terapia del comportamiento aplicada a un caso de fobia, el terapeuta necesita un cierto periodo de tiempo para conseguir que el cliente no sea sensible a la angustia producida por el síntoma de la fobia; al desaparecer éste, se considera que la terapia ha concluido. Lo mismo vale para las terapias del comportamiento basadas en el condicionamiento operante, es decir, en facilitar la aparición de comportamientos más aceptables. De modo análogo, en las terapias estratégicas (Haley, 1963; Watzlawick, Beavin y Jackson, 1967) el objetivo es que el síntoma desaparezca. No es casual que todas estas terapias pertenezcan al grupo de terapias breves, que esperan que el cambio se produzca en un periodo de tiempo preciso.

En la terapia psicoanalítica el síntoma es considerado un epifenómeno, una expresión de profundos conflictos psíquicos internos. La simple desaparición del síntoma no significa curación, puesto que el síntoma puede verse sustituido por otros, mientras los conflictos no se resuelvan. El psicoanálisis, a pesar de las numerosas modificaciones teóricas y técnicas que ha experimentado con el paso de los años, con sus manifestaciones recientes que lo aproximan a la hermenéutica y al deconstruccionismo (Jervis, 1989), supone un proceso de crecimiento del cliente en la relación con el analista. Es evidente que este proceso requiere una actividad larga y difícil.

Por este motivo el tiempo del psicoanálisis es un tiempo continuo. Terapeuta y paciente, en la interacción dos, tres o cuatro veces por semana, terminan por modificar mutuamente sus tiempos y ritmos. Es una experiencia común que el tiempo del paciente se mide siguiendo el ritmo de las sesiones. De esta manera terapeuta y paciente evolucionan juntos de manera continua, sin darse cuenta. El cambio, además de lento, es gradual y progresivo. A veces puede darse un cambio de gran importancia, que puede analizarse, interpretarse y considerarse estable en una serie sucesiva de sesiones.

En la terapia sistémica la idea central es que los síntomas aparecen cuando las relaciones de una persona consigo misma o con los demás (los familiares tienen una particular importancia) pierden significado o adquieren significados oscuros o ambiguos. En estos casos los síntomas asumen el sentido de dilemas relacionales, en los que una persona se pregunta: «¿Cuál es mi lugar en mi familia? ¿Qué quieren de mí? Mi madre, ¿me prefiere a mí o a mi hermano? ¿Cuál es mi lugar en el mundo?», etcétera. Tales dilemas relacionales surgen, naturalmente, también en otros contextos como la escuela, el trabajo, el grupo de gente de la misma edad. Un síntoma puede aparecer si en el grupo al que uno pertenece hay secretos o se dan coaliciones de las que se excluye a uno de los miembros. La persistencia del síntoma, manifestación de los dilemas relacionales, mantiene a los miembros del sistema oscilando entre las alternativas. Para el miembro que padece el síntoma, en particular, es como si el tiempo se detuviese: hay una clara pérdida de capacidad de evolución.[10] La acción terapéutica trata de destruir las ambigüedades y los dilemas relacionales; si esto se consigue, el sistema se puede liberar de la oscilación y buscar sus propias soluciones. La terapia opera, pues, de un modo discontinuo.

Ya en *Paradoja y contraparadoja* (Selvini Palazzoli, Boscolo y otros, 1975) el grupo de Milán había propuesto una concepción discontinua del cambio: un cambio «por saltos», en contraposición al cambio gradual aceptado previamente. Nosotros pensamos que nuestra terapia tiende, desde la primera sesión, a poner en marcha posibles cambios no vinculados a ningún programa ni a pasos establecidos de antemano (cada sesión es la primera). Esto significa aceptar el riesgo de que el «salto» produzca cambios inesperados o no deseados por los mismos terapeutas. En un cierto sentido exige renunciar a cualquier pretensión de omnipotencia terapéutica, y devolver a la vida toda su capacidad de evolución.

Esto no quiere decir que no tengamos nuestra propia ideología. Por otra parte no sería posible no tener una ideología. Tratamos continuamente de ser conscientes de ello y de no usarla para condicionar a los demás. Consideramos al terapeuta como una persona que facilita, que es capaz –como un catalizador– de iniciar en el cliente un cambio. Esto requiere evitar –en lo posible– ofrecer soluciones a los pacientes, y construir con ellos un contexto en el que puedan encontrar sus propias soluciones. Más adelante veremos cómo se puede interpretar el proceso en términos de «mundos posibles».

Podemos leer de nuevo desde esta perspectiva el artículo «Perché un lungo intervallo tra le sedute?» (Selvini Palazzoli, 1980), que proponía algunas hipótesis para explicar el motivo por el cual en la terapia familiar las sesiones distanciadas, una vez al mes, daban mejor resultado que las semanales. La idea fundamental era que, si en una sesión se iniciaban cambios debidos a la perturbación introducida por el terapeuta, era necesario un cierto tiempo para que el sistema familiar encontrase un nuevo equilibrio. Si la sesión siguiente tenía lugar antes de que se consiguiese dicho equilibrio, el proceso terapéutico podía experimentar complicaciones, su ritmo se podía ver reducido y el terapeuta podía sentirse desilusionado.

Alguien ha definido este proceso terapéutico como «muerde y huye» *(bit and run)*, proceso al que normalmente ponen fin el terapeuta o el equipo terapéutico con la comunicación del «final de terapia», en el momento en que se comprueba un cambio muy significativo, cuando haya motivos para esperar que continúe espontáneamente en el futuro, sin la presencia del terapeuta. A la familia que experimenta este tipo de cambio se le encomienda la tarea –y se le da también la libertad– de dirigir su propio cambio. En este sentido la terapia sistémica insiste sobre el futuro, el tiempo de la posibilidad.

Estas ideas están en clara consonancia con aquel otro principio nuestro, recién enunciado, de que el sistema –individuo o familia– tiene dentro de sí la información y la capacidad para su posible evolución. Está claro que interpretar este axioma de un modo demasiado literal puede llevar a conclusiones extremas: bastaría encontrar la intervención justa y un único momento de discontinuidad podría resolver cualquier problema en una sola sesión: es evidente que se trata de una convicción que carece por completo de realismo. La experiencia enseña que son necesarios varios encuentros cliente-terapeuta para que puedan aparecer nuevas perspectivas, nuevas soluciones. A veces, como en los casos de psicosis crónica, no es suficiente ni siquiera la terapia, pues son necesarias otras intervenciones, por ejemplo: el ingreso en un hospital, la asistencia social, la rehabilitación.

El intervalo de un mes en la terapia familiar –intervalo necesario, como ya se ha dicho, para que el sistema familiar consiga un nuevo equilibrio– es claramente arbitrario. Hemos llegado incluso a proponer extrañas hipótesis para justificar su validez: ciclos menstruales, fases lunares, meses del calendario, etcétera. Pero hay una cosa cierta: como parecía que este intervalo lo aceptaban de buena gana la mayoría de las familias, también nosotros lo adoptábamos con agrado porque nos facilitaba mucho la organización de nuestro trabajo. Está claro que cualquiera que sea el intervalo de tiempo aplicado, se corre siempre el riesgo de la rigidez. A veces, para las dos primeras sesiones citamos a la familia cada dos semanas y después cada mes o después de un intervalo mayor. Otro factor que influye en la organización de los intervalos entre las sesiones es el contexto de trabajo: trabajar solo o en equipo, trabajar en un servicio público o privado. Hay que subrayar que, si bien es cierto que los cambios en el sistema terapéutico son discontinuos, también es cierto que los cambios acontecen *dentro de una relación continua.*[11]

Finalmente queremos recordar que el intervalo mensual, usado con frecuencia y bastante adecuado para la terapia de la familia, resulta –según nuestro punto de vista– demasiado largo para la terapia individual, para la cual es más indicado un intervalo semanal o quincenal. El intervalo óptimo en la terapia individual es más breve que en la terapia familiar, pues en la terapia individual es necesaria una mayor frecuencia de las sesiones para facilitar un clima de continuidad en la relación terapeuta-cliente, mientras que en la familia existe ya una red de relaciones entre sus miembros, lo que disminuye la necesidad de un contacto más frecuente con el terapeuta.

EL ANILLO AUTORREFLEXIVO DE PASADO, PRESENTE Y FUTURO

Queremos ahora analizar con mayor profundidad la relación entre el observador y las tres dimensiones del tiempo: presente, pasado y futuro. Cada sistema tiene una historia, un pasado que contribuye a definir los significados de los acontecimientos presentes; éstos, a su vez, definen el pasado. De esta forma se crea un anillo autorreflexivo en el que pasado y presente se influyen recíprocamente. El anillo resulta más complejo si se tiene en cuenta el futuro, que recibe su significado del pasado y del presente y, a su vez, influye sobre ellos: las expectativas, los planes, los proyectos contribuyen a dar un significado a las acciones presentes que, a su vez, condicionan la selección que la memoria realiza (el pasado).

Por ejemplo, un mito familiar que tiene sus raíces en el pasado influye en las percepciones y en las acciones del presente y condiciona los acontecimientos futuros que, a su vez, podrán modificar el mito e incluso hacer que desaparezca y que surjan otros mitos, creándose otros anillos autorreflexivos. Ofrecemos un segundo ejemplo, tomado de un grupo humano mucho más numeroso: el mito del *American dream,* cuyas raíces se hunden en la época de los pioneros que contribuyeron a la formación de Estados Unidos. Ese mito, que ha iluminado durante más de dos siglos la vida de sus habitantes y que tuvo su momento culminante después de la segunda guerra mundial, llegó a su ocaso con la guerra de Vietnam. Lo cual ha tenido como consecuencia, en la conciencia colectiva –no sólo en la americana–, la creación de un clima de confusión, de duda y la revisión de las premisas sobre las que se había apoyado aquel mito.

Pasado, presente y futuro están unidos en un único anillo recursivo, en el que cada uno recibe su significado de los otros dos. Sin embargo, hay que subrayar que el presente ocupa un lugar más importante en el anillo autorreflexivo. Como diría san Agustín, *todos los problemas son problemas del presente*. Para el filósofo de Hipona hay problemas pasados en el presente, y problemas futuros en el presente, además de los problemas presentes en el presente. Pero ningún problema existe fuera del presente, o mejor dicho, si está fuera del presente, ya no es un problema, es el recuerdo o la posibilidad de un problema.

Puede suceder que un suceso concreto –como una traición, una ruptura, una guerra o una muerte– adquiera un significado totalizador que por sí solo condiciona, a pesar del paso del tiempo, los acontecimientos del presente y configura decisivamente las perspectivas de futuro. En estas circunstancias, parece como si el anillo autorreflexivo se destrozase y se sustituyese por una cadena lineal, determinista: el suceso, que «es pasado», ejerce un influjo determinante sobre el presente y sobre el futuro, sin verse, por su parte, modificado. Ejemplos de este proceso pueden ser: un duelo no superado, las dificultades postraumáticas de los soldados –al volver de la guerra– obsesionados por recuerdos o sueños cargados de ansiedad o de terror, una infidelidad conyugal cuyas repercusiones emotivas continúan bloqueando la relación de la pareja, condicionando toda su existencia.

En su artículo «Da Versailles alla cibernetica» Bateson ofrece un ejemplo histórico muy elocuente. Poco antes del final de la primera guerra mundial los aliados propusieron a los alemanes unas condiciones de rendición favorables, recogidas en las catorce cláusulas, presentadas públicamente por el presidente Wilson, según las cuales no habría ni anexiones, ni reparaciones de guerra, ni destrucciones. En el tratado de Versalles los aliados no mantuvieron las promesas, provocando un clima de resentimiento, falta de confianza y odio, que fue la causa que dio origen después a la segunda guerra mundial. Los que la declararon estaban convencidos de que actuaban movidos por razones casuales, atribuibles al «presente», mientras que en realidad estaban influidos por los efectos de unos acontecimientos del pasado.

El común denominador de todos estos ejemplos es que las ideas vinculadas a un acontecimiento asumen una posición predominante en la conciencia individual o colectiva, en perjuicio de otras posibles ideas sobre el mismo acontecimiento, o de ideas, recuerdos, expectativas relacionadas con otros sucesos. Con otras palabras, se puede decir que «el sistema se hace rígido». Un ecosistema es tanto más flexible, adaptable, «normal», cuanto más abiertos están sus circuitos recursivos de modo que la información puede circular libremente. Sobre la base de esta formulación se puede sostener que la terapia sistémica, en particular mediante el uso de las hipótesis y las preguntas circulares, crea un contexto en el que las «rigideces» presentes se destruyen, permitiendo la apertura de nuevos circuitos y, con ello, de nuevas ideas y nuevas perspectivas.

Presente Esto sucede, como ha subrayado san Agustín, en el presente, en el «aquí y ahora», al hacer presentes los problemas del pasado y del futuro. En el psicoanálisis esto se realiza en el análisis de la transferencia y de la contratransferencia, mediante el cual se vive de nuevo el pasado. En otros modelos terapéuticos, como el behaviorismo y, en cierta medida, también el estratégico y estructural, mediante prescripciones de conducta para el presente. En algunas corrientes más recientes de la terapia psicoanalítica o sistémica (Anderson y Goolishian, 1988), así como en la hermenéutica, se destaca la importancia de la conversación y de los significados que aparecen en el «aquí y ahora».

futuro Un modelo terapéutico interesante, centrado en el futuro, es el de Milton Erickson, retomado y desarrollado después por De Shazer (1981). Erickson, en su trabajo *Pseudo-Orientation in Time as a Hypnotic Procedure* (1954), describe la hipnosis como una técnica no sólo de regresión al pasado, sino también de orientación para el futuro, en la que se sugiere al cliente que ya ha conseguido aquellos objetivos que expresan sus deseos actuales. De Shazer (1981), sin servirse de la hipnosis, consigue unos objetivos similares:

> El terapeuta y el cliente programan juntos, consciente y deliberadamente, lo que se le pedirá al cliente para obtener la solución deseada. Parece que en la situación terapéutica la simple descripción detallada de un futuro en el cual el problema ya está resuelto ayuda a crear la expectativa de que el problema se resolverá. Y parece que esta expectativa, una vez formulada, puede ayudar al cliente a pensar y a comportarse de modo que pueda llevar a efecto las propias expectativas.

Hacer presentes el pasado y el futuro en la relación terapéutica tiene la finalidad de introducir circularidad y flexibilidad en el sistema, de modo que desaparezcan las vacilaciones, las coacciones, los bloqueos, y el tiempo pueda volver a transcurrir libremente. Telfener (1987, págs. 34 y sigs.) sintetiza bien cómo puede suceder esto:

> Una renovada atención hacia el tiempo permitirá desvincular el presente del pasado y del futuro; una lectura distinta del presente permitirá seleccionar un nuevo pasado e imaginar más futuros probables. Pues el cambio es la regla de transformación que permite incluso desvincular el futuro del pasado, y romper una secuencia frecuentemente dada por supuesta por quien acude a una terapia.

MUNDOS POSIBLES

En la bibliografía se relacionan con frecuencia sistemas «patológicos» y sistemas «rígidos», es decir, sistemas dotados de una escasa o nula flexibilidad. Estos últimos tienden a reproducir los mismos *pattern*, los mismos

Sistemas
Patológicos

comportamientos o las mismas explicaciones. Se basan en premisas deterministas. Con frecuencia nuestros clientes tienen una concepción lineal del tiempo, una concepción «histórica», en la que el pasado determina el presente y condiciona notablemente el futuro. Una posibilidad de provocar el cambio, como ya se ha dicho, es crear un contexto que modifique las premisas deterministas de los clientes, favoreciendo su creatividad.

Hay una idea que «explica» –y nos parece interesante– cómo puede suceder esto: se refiere a la lógica y a la creación por consenso de una serie de mundos posibles. «Mundo posible» es una expresión usada en la lógica formal para referirse a las diversas situaciones que se pueden verificar. La expresión fue introducida por Leibniz en el *Discurso de Metafísica*, en el que el filósofo expresó la que es su afirmación tal vez más célebre: «El nuestro es el mejor de los mundos posibles» (Allwood, Anderson y Dahl, 1977).

> El mundo real es simple –yo diría que incluso demasiado simple–, es esquemático, sustancialmente pobre [...] La llegada de la mente humana lo cambia todo. A aquel único mundo esquemático le añade una pluralidad extraordinaria de mundos diversos. De la pobreza se pasa a la riqueza, de las cadenas de hierro a la libertad. Creo que en esto radica el profundo valor de la concepción de Leibniz, que ha puesto de manifiesto lo que ha sucedido realmente cuando en el universo ha aparecido el hombre. En un cierto sentido, han nacido una miríada de universos nuevos (Toraldo di Francia, 1990, pág. 26).

La tendencia, en el lenguaje común, es la de razonar siguiendo una lógica predicativa o proposicional (Allwood, Anderson y Dahl, 1977). Una lógica de este tipo considera un solo mundo posible, enunciando sus propias verdades como absolutas, como si nuestras afirmaciones sobre el mundo se fuesen vinculando mediante conclusiones incontrovertibles derivadas de las premisas. La función de la terapia sería la de encauzar hacia una lógica *modal*, en la que se admite la existencia de diversos mundos posibles. Nelson Goodman (1978) sostiene que para una persona es importante, en su vida diaria, pensar que la tierra es plana, pues en caso contrario tendría dificultades; sin embargo para un astronauta es importante pensar que la tierra es redonda, de lo contrario correría grandes peligros. Ambas afirmaciones –«la tierra es plana», «la tierra es redonda»– son válidas, dentro de dos mundos posibles diferentes o dos ámbitos descriptivos diferentes.[12]

Giuliano Toraldo di Francia (1990) expresa la misma idea al poner de relieve que las contradicciones entre la teoría de la relatividad general –que se ocupa del mundo macroscópico– y la mecánica cuántica –válida en el mundo subatómico– no impiden que los físicos puedan aplicar estas teorías, cada una en su propio ámbito descriptivo.

Podemos decir que nuestro conocimiento del mundo exterior no deriva de un simple reflejo de su imagen, sino que es una construcción dinámica del observador que compara el mundo «real» con los mundos posibles, introduciendo el tiempo.

> Un mundo posible no es una estructura sincrónica, sino el desarrollo diacrónico de una estructura: es una historia. Tal vez el universo sincrónico pueda

parecernos muy simple. Pero en cuanto introducimos la dimensión histórica todo se enriquece y se vuelve más complejo de un modo maravilloso (Toraldo di Francia, 1990, pág. 29).

La teoría de los mundos posibles se puede inscribir en la lógica modal, como observa Jerome Bruner (1986):

> En la nueva y más poderosa lógica modal, no se pregunta si una proposición es verdadera o falsa, sino en qué tipo de mundo posible sería verdadera. En caso de que fuese posible demostrar que es verdadera en *todos* los mundos posibles –en el sentido en que, por ejemplo, es verdadera en todos los mundos posibles la afirmación «un soltero es un hombre que no se ha casado»–, entonces se trataría (con una certeza casi total) de una verdad que no deriva del mundo, sino de la naturaleza del lenguaje.

Es posible interpretar cualquier discurso –dentro de ciertos límites– según lógicas diferentes, y cada lectura es correcta en el marco de las premisas del mundo que se constituye de esta manera –en el sentido que Goodman (1978) da al término «mundo»–. El modo de *interpretar* nuestros dichos y nuestros hechos tiene muchas consecuencias en nuestra vida. Cambiar los fundamentos de tales interpretaciones (premisas) es una de las condiciones para poder cambiar.

Pongamos un ejemplo. Si un padre nos dice: «Mi hijo no es autosuficiente», está expresando un enunciado con valor de necesidad, válido en todos los mundos posibles. Por su parte la afirmación: «Quizá mi hijo no sea autosuficiente» implica: «Este enunciado es posible, es decir, verdadero en algún mundo posible». El trabajo terapéutico tiende a eliminar las afirmaciones con valor de necesidad para introducir afirmaciones con valor de posibilidad. Con frecuencia aplicamos el término «idea» como expresión de un mundo posible. Por ejemplo: «¿Cuándo tuvo la idea de que su hijo no es autosuficiente? ¿Cómo tuvo aquella idea? ¿Qué podría suceder para que otra idea la sustituyera? ¿Quién es, entre las personas a las que más aprecia, la que podría ayudarle a cambiar de idea sobre la autosuficiencia de su hijo? Supongamos que la idea de que no es autosuficiente cambia dentro de un año, ¿qué cambiará entonces en su familia?», etcétera.

La lógica modal es utilizable en una perspectiva diacrónica, es decir, en un contexto temporal que permita relacionar un enunciado con enunciados correspondientes verificados en otros «puntos» del *continuum* temporal (Allwood, Anderson y Dahl, 1977). En nuestro trabajo procedemos de un modo análogo. Los mundos posibles sugeridos por las hipótesis sistémicas –formuladas y sometidas a verificación en el curso de la consulta o de la terapia– pueden no sólo modificar el «mundo real» de los clientes, sino también ayudarles a pensar en términos de mundos posibles. Así, se puede decir que la consulta o la terapia no crean sólo un contexto de aprendizaje sino un contexto de déutero-aprendizaje (aprender a aprender).

5. LOS TIEMPOS EN LA RELACIÓN DE CONSULTA Y DE TERAPIA

Cada diálogo tiene su tiempo y su ritmo, tiempo y ritmo que proceden de la interacción entre los tiempos individuales de los participantes en el diálogo. En este capítulo estudiaremos la importancia del análisis de las interacciones temporales en la sesión de terapia o de consulta. Nos ocuparemos, por lo tanto, de algunos aspectos relativos al tiempo de los clientes, al tiempo del terapeuta o del consejero, a los tiempos del equipo, para llegar finalmente a describir el modo en que estudiamos y utilizamos el tiempo en nuestro trabajo.

CONTEXTOS DE CONSULTA Y DE TERAPIA SISTÉMICAS

Queremos describir y clarificar aquí, de un modo preliminar, los conceptos de consulta y terapia sistémica y su evolución. En el campo clínico relativo a las intervenciones sobre la familia, durante mucho tiempo se ha hablado preferente o exclusivamente de «terapia»; en la bibliografía especializada el término «consulta» era realmente insólito. En los años ochenta el interés por la consulta y por su relación con la terapia ha aumentado progresivamente. Además, algunos autores, aunque trabajen en un contexto clínico con individuos, parejas o familias han renunciado *tout court* a la definición de «terapia» (véase Hoffman, 1988).

El libro publicado hace unos años, *Systems Consultation. A New Perspective for Family Therapy* (Wynne, McDaniel y Weber, 1986), ha puesto de manifiesto las razones y la utilidad del cambio de perspectiva de la terapia a la consulta en el campo clínico. Entre las razones se han aducido sobre todo las inexactitudes e inadecuaciones de las tipologías de los trastornos familiares: según algunos ningún esquema de clasificación es conceptualmente adecuado para describir los problemas de las familias. La idea de que una familia es «patológica», «patógena», está «enferma» y por eso necesita una terapia, tiene cada vez menos partidarios; de hecho los promotores de los movimientos de auto-ayuda, por ejemplo, no aceptan el concepto de patología familiar.

Otra razón está en el hecho de que, con cierta frecuencia, los clientes solicitan una entrevista con un experto para recibir aclaraciones sobre la superación de algunas dificultades, sobre un estado de malestar o de sufrimiento y no para someterse a un tratamiento como si estuvieran enfermos. Si el experto ofrece anticipadamente una terapia, limita su análisis a los problemas «patológicos» actuales y propone como objetivo futuro la solución de los mismos. Los clientes –si se trata de familias, algunos miembros de la familia– no están siempre dispuestos a ponerse a dialogar, a afrontar un viaje terapéutico que puede liberarles de algunos problemas, pero que puede hacerles pagar un precio demasiado alto, como la manifestación de conflictos incontrolables. Éste es uno de los motivos de las «interrupciones precoces» *(drop-out)* de la terapia por parte de los clientes. La consulta, por otra parte, tendría la utilidad de destacar los recursos más que los problemas, la salud más que la enfermedad. Prevé una relación de colaboración, simétrica, en la que la responsabilidad de las decisiones corresponde exclusivamente al cliente.

Como hemos expuesto en el capítulo 4, en la primera mitad de los años setenta, se acogía en un primer encuentro de consulta a las parejas y las familias que llegaban al Centro Milanese di Terapia della Famiglia. Al final del encuentro, si se consideraba necesario un tratamiento, se ofrecía a los clientes una terapia de diez sesiones. En aquel periodo pensábamos, en coherencia con nuestra visión cibernética de primer orden, que la familia estaba «enferma», y que era necesaria una intervención para liberarla de la enfermedad.

Después, poco a poco, hemos creado un contexto más afín a la consulta que a la terapia. En el diálogo con los clientes hemos evitado cada vez más las palabras que se refieren al campo de la enfermedad, como «síntomas», «sesión», «diagnóstico», etcétera: hemos adoptado un lenguaje que no se centraba en las patologías, coherente con las aportaciones teóricas que encontrábamos (cibernética de segundo orden, constructivismo, deconstruccionismo, orientaciones postmodernas y «post-Milán»). Hemos dejado de proponer las diez sesiones y preferimos dar, al final de cada sesión, la fecha del encuentro siguiente. Por lo demás, mientras que al principio el objetivo era eliminar los síntomas mediante la «intervención final», después ha prevalecido el estudio de las ideas, de las emociones, de los significados observados en el diálogo con los clientes, pensando que terapeutas y clientes coevolucionan y crean juntos la realidad.

Antes, en la relación entre nosotros y los clientes, la definición de terapia estaba muy clara. Hoy ya no es tan clara. Aunque normalmente vienen o son enviados para una terapia, los clientes reciben, implícitamente, una consulta. A veces se explicita que se trata de una consulta: cuando un colega nos pide que hagamos una valoración de un caso clínico que él está tratando o cuando se nos pide que trabajemos en contextos no clínicos, por ejemplo, si surgen problemas en un equipo –privado o público– de profesionales psiquiátricos. En ocasiones nos ocupamos también de intervenciones en servicios o empresas privadas, que evidentemente, sólo pueden ser intervenciones de consulta.

A propósito de la praxis de la consulta, resulta útil recoger la interesante clasificación de las consultas propuesta, en un campo no clínico, por Edgar H. Schein (1987), profesor de Management en el Massachusetts Institute of Technology. Distingue tres modelos de consulta: el modelo de la «adquisición de información o experiencia», el modelo «médico-paciente», el modelo de la «consulta procesual». En el primer modelo el cliente (un director o un grupo de directores de una empresa) sabe ya cuál es su problema, qué tipo de ayuda es necesaria y a quién dirigirse y acude a un consejero experto para que encuentre una solución. En el segundo modelo el usuario encomienda al consejero «que busque qué es lo que no va bien, que haga un diagnóstico y que prescriba lo que hay que hacer»; el cliente depende tanto del consejero que no se siente motivado para aprender de qué modo podría resolver futuros problemas.

En la consulta procesual (que, en cierto modo, se aproxima a nuestro modo de trabajar) la diferencia más importante respecto a los otros dos modelos está no tanto en los contenidos cuanto en la forma en que el consejero estructura la relación. «La premisa central es que el problema es del cliente y continúa siendo suyo mientras dura el proceso de consulta» (Schein, 1987, pág. 29). En último término sólo el cliente conoce bien el contexto en que se encuentra, sus peculiaridades, sus recursos y lo que podrá o no ir bien. Con la consulta procesual no sólo se pueden resolver los problemas de los clientes, sino que «lo que es más importante es que el cliente adquiere la capacidad de solucionar los problemas, de modo que podrá seguir resolviéndolos después de que el consejero haya concluido su trabajo» (ibíd., pág. 30). Con una terminología batesoniana podríamos decir –y así lo expresamos en nuestras terapias y consultas– que de esta manera se crea un contexto de déutero-aprendizaje (aprender a aprender).

TIEMPO DE LOS PACIENTES

Una idea-guía que nos parece importante en el análisis de las interacciones humanas es la que se refiere a su coordinación. Todos los sistemas –sean vivos o no lo sean– necesitan, para subsistir, un cierto grado de coordinación entre sus componentes. En los sistemas mecánicos la coordinación debe ser muy estrecha, con escasos o nulos márgenes de variabilidad. También en los sistemas vivos más simples, por ejemplo en organismos pluricelulares, la coordinación está sometida a las leyes de la necesidad: por ejemplo en el caso del cáncer, donde el hecho de que algunas células no se sometan a la coordinación de los tiempos de crecimiento y de evolución tiene consecuencias destructivas para todo el organismo.

Si fijamos nuestra atención no en estos sistemas, sino en los constituidos por la interacción de varios organismos, hasta llegar a las interacciones humanas, la realidad cambia. En estos casos se trata de la coordinación de entidades muy variables. Por otra parte, la variabilidad no puede superar ciertos parámetros. Es posible delimitar una gama *(range)* de las coordinaciones posibles; si nos desplazamos hacia los extremos la coordinación se vuelve demasiado lenta y demasiado constrictiva, y puede ocasionar disfunciones e incluso la destrucción del sistema.

Hay que mantener la coordinación entre los tiempos, ritmos y horizontes temporales dentro de un *range*, de lo contrario se pueden producir bloqueos y rigideces, o bien desorden y excesiva imprevisibilidad. Como hemos visto en el caso de los tiempos sociales de la ciudad (capítulo 2), un defecto en la coordinación de los tiempos puede tener estas consecuencias, así como en la familia puede producir descontento, sufrimiento y desarrollo de algunos síntomas. En el ya citado *Tiempos modernos* de Charlie Chaplin, el obrero de la cadena de montaje pierde la coordinación con la máquina y con los otros obreros, manifestando toda una serie de tics nerviosos (este ejemplo es, además, una eficaz demostración de la tesis según la cual los síntomas son metáforas de situaciones que se dan en las relaciones humanas).

La coordinación de los tiempos en las relaciones humanas depende de factores biológicos, culturales y sociales. Cuando un grupo de personas comienza a relacionarse, se produce en el tiempo una coherencia que es el fruto de la coordinación de acciones y significados. En esta coherencia es fundamental la coordinación de los tiempos. Cuando nos ocupamos de un caso clínico tratamos de «verlo» en el contexto de su sistema significativo (familia, escuela, puesto de trabajo, etcétera), a su vez incluido en un contexto más amplio, social y cultural. La observación de este complejo sistema, a través de la perspectiva del tiempo, lleva a descubrir armonía temporal o falta de ella dentro de cada individuo, entre el individuo y la familia, entre el individuo y los sistemas sociales –como la escuela y el trabajo–, entre la familia y la cultura dominante. A propósito de este último grupo queremos destacar los numerosos problemas de coordinación planteados por la inmigración y las sociedades en que conviven varias razas.

Si una persona tiene problemas de tiempo –es decir, dificultades para mantener el *range* apropiado en la coordinación de los tiempos– puede describirlos de varias maneras. Puede considerarse incapaz de coordinar los tiempos internos subjetivos entre sí o con los tiempos externos (tiempo de trabajo, tiempo de las relaciones sociales, etcétera). O como bloqueado en el tiempo, incapaz de evolucionar. O incapaz de vivir el presente, refugiándose en el pasado. Puede también sentir que el tiempo le oprime, se detiene, se escapa o sentirse angustiado al pensar en el futuro y en la muerte.

A continuación ofrecemos algunos ejemplos de los problemas de tiempo con los que nos enfrentamos en nuestra praxis cotidiana. No se trata, evidentemente, de una exposición sistemática, ni de una clasificación, sino simplemente de una mirada rápida sobre algunas formas posibles de vivir el tiempo como dimensión problemática.

Falta de armonía entre tiempo objetivo y tiempos subjetivos en la vida de pareja

Comenzamos con un ejemplo literario. El señor Kawai Joji, un hombre de treinta años, de aspecto e ideales bastante comunes, se casa con una muchacha de catorce años, Naomi, dulce y dócil, tranquila y modesta. Después de un par de años descubre una compleja serie de infidelidades y exigencias crecientes por parte de su esposa, que le parece una mujer irreconocible, es más, desconocida:

> Recordé de repente la imagen de nuestro primer encuentro cuando ella trabajaba todavía como camarera en el café Diamond. ¡Entonces era mucho mejor! Era ingenua, tímida, buena y un poco melancólica. No tenía nada que ver con esta mujer desgarbada y vulgar. Me había enamorado de Naomi tal como era entonces y me había dejado llevar por la fuerza de la inercia. Sin que yo me diese cuenta, ella había ido cambiando poco a poco volviéndose una mujer insoportable y casi odiosa (Tanizaki, 1988, pág. 266).

El señor Joji no es más que un personaje creado por la fantasía de Jun'ichiro Tanizaki. Sin embargo, actualmente aparecen problemas parecidos con más frecuencia de lo que se cree. Casos análogos se dan cada vez que uno de los miembros de una pareja se queda con una imagen del otro bloqueada en el pasado y se detiene así en un tiempo estático. Entonces se comienza a producir un desencanto, que irá creciendo: el otro ya no es como debería ser, o como era en el pasado. Esta discordancia de percepciones es el punto de partida de un aumento progresivo de las discordias, en que las actitudes se endurecen poco a poco. Al principio, se manifiestan pequeñas tensiones, después incomprensiones recíprocas, que pueden desembocar finalmente en un grave conflicto.

Una contraposición análoga entre imagen del presente e imagen del pasado ha sido estudiada –en el ámbito de la terapia– por el grupo de Milán que, a principios de los años setenta, se mantenía fiel a la hipótesis sistémica de la primera sesión (visión sincrónica), mientras que después ha prevalecido una visión evolutiva (diacrónica). En las relaciones personales –incluida la relación terapéutica– con frecuencia uno puede detenerse cognitiva y emotivamente en un fotograma concreto de la película de la propia vida.

El caso del matrimonio Valeri, por citar otro ejemplo, estaba lleno de *flashback* que les hacían volver continuamente a un fotograma de la vida pasada. Hacía diez años la señora Valeri había sido infiel a su marido. Desde entonces era cada vez más condescendiente con él para librarse de sus continuas acusaciones. Pero cuanto más dócil se mostraba ella más le acusaba él: «¡Jamás podrás borrar lo que has hecho!». La culpa de la señora Valeri continúa estando presente en la vida de la pareja, perpetuándose sin posibilidad de solución.

La incompatibilidad entre los tiempos individuales se puede transformar también de otras maneras en causa de malestar. El matrimonio Rossi es una pareja que comenzó con una relación óptima, pero que se va destruyendo por las continuas discusiones, y por una intolerancia aparentemente irrefrenable. En su caso la raíz del conflicto resulta ya evidente con las primeras observaciones: la señora Rossi es una mujer rápida, veloz, de movimientos repentinos, mientras que el marido es lento, plácido, pausado. Es suficiente un breve diálogo para darse cuenta de que la lentitud y los tiempos «largos» del señor Rossi exasperan a su mujer, que tiende por contraposición a volverse todavía más presurosa. Pero esto pone nervioso a su marido que se muestra todavía más lento. De un modo análogo a lo que pasaba en el caso de la mujer protestona y del marido encerrado en sí mismo de Watzlawick, Beavin y Jackson (1967) a la pregunta: «¿Por qué es usted tan lento?», el señor Rossi respondería: «¡Porque mi mujer me exaspera con sus prisas!», mientras que la señora Rossi replicaría: «¡Tengo prisa porque él me exaspera con su lentitud!».

Giorgio y Beatrice se presentaron en nuestro Centro porque tenían un problema en su relación de pareja. Cinco años de su matrimonio habían transcurrido en un clima de relativa serenidad, hasta el día en que, poco después del nacimiento de su primera hija, Beatrice comenzó a cambiar radicalmente su propio estilo de vida. En poco tiempo había pasado de encontrarse en una posición de sometimiento, como ángel del hogar, a tener una intensa vida social y había encontrado un trabajo. Pronto empezó a ser independiente de su marido. Éste tuvo una reacción catastrófica: primeramente, inició una relación con otra mujer; después, cuando su esposa le respondió de la misma manera, iniciando una relación con otro hombre, él se sintió realmente fracasado, cayendo en un profundo estado depresivo. Comenzó así una especie de calvario terapéutico en el que cada uno de los cónyuges era tratado por su psicoterapeuta individualmente. Dos años después Beatrice dio a luz otra niña y concluyó con éxito la terapia, mientras que Giorgio había llegado ya al séptimo año de terapia, cuando su psicoterapeuta le aconsejó finalmente que le convenía una terapia de pareja.

Las primeras sesiones con la pareja pusieron de manifiesto el núcleo fundamental de las dificultades, consistente en la liberación de Beatrice de su situación de sometimiento. El terapeuta redefinió aquel suceso como «la primera guerra de la independencia». En aquel momento se mostró una discrepancia, porque la esposa estaba mirando hacia el futuro y el marido se atormentaba porque no podía aceptarla tal como era, y seguía queriendo que fuera como había sido antes. Ambos cónyuges eran prisioneros de posturas irreconciliables: la mujer no comprendía la actitud inamovible del marido, y éste no comprendía el cambio irreversible operado en su esposa.[1] Incapaces de dejarse uno a otro y de estar juntos «como antes», ya no vivían en el mismo horizonte temporal; él vivía en el pasado, ella en el futuro. En consecuencia, desde hacía años su diálogo era un diálogo de sordos. Está claro hasta qué punto Giorgio, como marido, se parece al personaje de Tanizaki citado previamente.

El problema del matrimonio Amendola, de cuarenta años, sin hijos y con una elevada cultura, era el progresivo desinterés del marido hacia su esposa. Durante la primera sesión el terapeuta descubrió que la causa de aquel tedio que el señor Amendola tenía era, según ellos, la edad de la mujer. «Mi ideal estético –declaró– ha sido siempre la joven que conocí cuando contaba veinte años. Ya no soy capaz de desear a mi mujer, porque ya no es la misma de entonces».[2]

Esta situación es semejante a la anterior. Si allí el marido se mantenía apegado a la imagen de la mujer como «ángel del hogar» (como sustituta de su madre, dirían muchos psicoterapeutas), aquí le reprochaba el hecho de que hubiera cambiado físicamente. El denominador común es la disociación entre la imagen de una esposa ideal y la de la esposa real. Normalmente marido y mujer viven, cambian, envejecen juntos, cohabitan en el mismo tiempo. Si se les pregunta, fácilmente se descubre que ninguno de los dos considera que el otro envejezca como envejecen los desconocidos. Son como trenes que circulan a la misma velocidad: dos pasajeros que están junto a las ventanas de dos vagones colocados en paralelo se consideran mutuamente inmóviles. Pero si la «velocidad» es distinta y la diferencia aumenta a medida que pasan los años, en la pareja se pueden agravar los conflictos, y puede surgir el desinterés o una hostilidad recíproca, incontrolable.[3] Todas ellas son reacciones que nacen porque se pierde la coevolución. Incluso las afirmaciones, incongruentes sólo en apariencia, del señor Amendola: «Tengo sólo cuarenta años y estoy casado con una mujer que tiene ya cuarenta años...».[4]

Falta de armonía entre tiempo objetivo y tiempos subjetivos en la vida familiar

Elegimos el caso de Mauro Viale como primer ejemplo de dificultades familiares relacionadas con el tiempo. Se trata de un chaval de quince años que desde hace más de un año muestra dificultades cada vez mayores de comportamiento y de adaptación. Su rebelión, irrefrenable, se dirige sobre todo contra su padre. Una serie de preguntas aclara lo sucedido. El padre de Mauro había decidido, probablemente sin darse cuenta de ello, que su hijo, al cumplir los catorce años, tenía que comenzar a comportarse como un adulto. De esta forma Mauro experimentaba que, de la noche a la mañana, se interpretaban sus comportamientos de un modo nuevo, inexplicable: lo que antes estaba bien visto se volvía ahora, de repente, «infantil». La reacción de su padre le hacía comportarse de un modo todavía más infantil y, además, reivindicativo, provocando los previsibles castigos, hasta llegar a una situación de intolerancia recíproca.

El caso de la familia Pesenti lo presentó, en un grupo de supervisión, un psiquiatra de un hospital de una ciudad del Véneto. Se trataba de una familia de comerciantes ricos, con cuatro hijos. Cuando los hijos alcanzaron la mayoría de edad, sus padres decidieron dividir entre ellos la mitad de los bienes familiares. Uno de los hijos, Mario, de veinte años, no había dado todavía –a juicio de sus padres– pruebas de seriedad y autocontrol, por lo que decidieron retener su parte hasta que demostrara madurez y capacidad de discernimiento. En la reunión de familia en que se comunicó a los hijos la decisión, Mario se enfureció, no aceptó el «diagnóstico» de los padres, y afirmó que era capaz de administrar su parte de los bienes igual que los demás hermanos. Sus padres, y también sus hermanos, consideraron sus manifestaciones de cólera como una prueba de inmadurez y de irresponsabilidad; y le mostraron mayor falta de confianza, provocando rápidamente reacciones cada vez más violentas. Como consecuencia llamaron a la policía, que llevó a Mario al hospital.

El psiquiatra que le atendió, diagnosticó una crisis pantoclástica, y mandó que fuera ingresado. Muy pronto Mario pasó a ser un paciente modélico y, después de un periodo de hospitalización no demasiado largo, se le dio el alta y fue a casa, donde, en seguida, se repitió la *escalation* simétrica, el recurso a la policía y una nueva hospitalización. En el curso de los cinco años siguientes, Mario fue hospitalizado muchas veces hasta que comenzó a desinteresarse por las discusiones con la familia, y empezó a adaptarse al estatus de paciente psiquiátrico crónico. Es decir había terminado por asumir el papel de loco.

Si examinamos la evolución de este caso podemos observar que el *kick* inicial apareció cuando los padres y los hermanos dijeron a Mario que sus comportamientos eran inmaduros, que no se desarrollaba según lo esperado. El desacuerdo de Mario con tales manifestaciones había provocado un aumento de las discordias con los hermanos, que se habían vuelto, gracias a Mario, todavía más responsables y maduros. La *escalation* subsiguiente había hecho necesaria la intervención de terceras personas, la policía y el psiquiatra, el cual se mostró realmente aliado de la familia, al llamar a Mario loco en lugar de inmaduro. Por su parte Mario, alejado del ambiente conflictivo de su familia, se calmaba rápidamente en el hospital, de manera que pronto se le daba el alta.

Nos preguntamos qué habría sucedido si los psiquiatras hubiesen adoptado, desde el principio, una actitud diferente en relación con el conflicto familiar, si hubiesen tenido una visión y expectativas más positivas que las de los protagonistas del caso. Si, sobre todo, hubiesen tenido más cuidado al comunicar el diagnóstico, teniendo en cuenta que el primer episodio observado podía ser expresión de un simple, aunque violento, conflicto familiar, que habría podido tener una evolución distinta si hubiese sido afrontado con una actitud de espera y neutralidad. Según la reciente perspectiva de la «emotividad expresada» familiar (Leff y Vaughn, 1985), se podría decir que al principio los profesionales no han actuado para reducir la emotividad expresada, es decir, el conflicto, sino que han terminado por aumentarla.

Tiempo del terapeuta

El contexto de la sesión

La sesión de consulta o terapia puede dirigirse con la ayuda de colegas que observan detrás de un espejo unidireccional o sin ella. Este último es un método frecuentemente utilizado por terapeutas de la familia pertenecientes a las escuelas más diversas. En nuestro Centro es la praxis más común.

En el caso del grupo de Milán la sesión tiene lugar normalmente en una sala en la que el terapeuta[5] o los terapeutas se encuentran junto con la familia. Mediante un espejo unidireccional y un micrófono conectado a un sistema amplificador la sala de terapia está comunicada con la sala de observación, donde se encuentra el resto del equipo. Con un sistema de vídeo se graba lo que acontece en la sala de terapia. El equipo terapéutico se reúne antes del comienzo de cada sesión (pre-sesión) para dialogar sobre la síntesis de la sesión precedente, o sobre los datos tomados por teléfono con las primeras informaciones sobre los clientes, si se trata del primer encuentro. Durante la sesión propiamente dicha, el terapeuta o el equipo pueden interrumpir en cualquier momento la conversación entre terapeuta y familia. En estos casos el terapeuta sale de la sala de terapia y consulta al equipo.[6]

Normalmente, en el curso de una sesión tienen lugar una o dos interrupciones. Al final de la sesión hay una interrupción más larga: mientras la familia espera, el equipo, en la sala de observación, intercambia comentarios, ideas, emociones, informaciones que dan origen a hipótesis cada vez más complejas, hasta llegar a la llamada hipótesis sistémica sobre el sistema significativo –que incluye a los clientes y también al equipo–. Sobre la base de esa hipótesis se prepara una intervención, la «intervención final», que se comunica como conclusión de la sesión cuando el terapeuta vuelve a la sala de terapia. La intervención final se puede limitar simplemente a fijar la fecha de la siguiente sesión, o puede consistir en una declaración, una duda, una reformulación, una historia, relativos a lo que ha surgido en el curso de la sesión. Es menos frecuente que se propongan prescripciones o rituales.

Evidentemente, la sesión tiene lugar en el «aquí y ahora», en el presente. Pero el horizonte temporal del diálogo terapéutico y del que mantiene el equipo es mucho más amplio. La pre-sesión, sobre todo, ofrece a los terapeutas informaciones acerca del pasado, que puede ser el pasado de la familia en sí (para la primera sesión) o el pasado del sistema terapéutico (es decir, las sesiones precedentes). Ya en la pre-sesión el equipo esboza las primeras hipótesis sobre el futuro de la sesión. Cuando el terapeuta entra en la sala de terapia, él y los clientes van a vivir lo que previamente hemos definido como «interacciones cara a cara», en cuyo curso se realiza la coordinación de acciones, significados y tiempos.

En general, es muy importante que el terapeuta tenga una sensibilidad que favorezca la comunicación, que permita establecer una relación positiva, que facilite la aparición de la confianza de los clientes en él. Dentro de esa relación surge un tiempo terapéutico, una «danza terapéutica» que es específica en cada situación: en ciertas terapias los acontecimientos se suceden a gran velocidad, en otras el ritmo es más lento. Cada terapeuta desarrolla su propia capacidad de danzar en el tiempo, su propia gama de posibles respuestas.

Es útil que el terapeuta salga de la danza cada cierto tiempo para examinar desde fuera la relación con el cliente. Uno de los autores ha encontrado su propio ritual para separar los dos momentos: el de empatía y el de distancia –cuando entra en su propio tiempo subjetivo para analizar la interacción entre él y los clientes, en sus manifestaciones cognitivas y emotivas, deja el diálogo externo para entrar en un diálogo interno–. Los clientes no saben que, durante los breves periodos de tiempo dedicados a este ritual, el terapeuta está detrás del espejo que en aquel momento lo separa de ellos. En esos momentos el terapeuta casi no escucha el diálogo, se sitúa como observador de sí mismo y del sistema que él constituye junto con sus clientes. El aislamiento, naturalmente, puede ser sólo parcial, porque el terapeuta nunca podrá alcanzar la distancia que tienen los colegas que se encuentran detrás del espejo. En estos momentos trata de formular hipótesis, no sólo sobre el sistema observado, sino también sobre el sistema observador: por ejemplo, se plantea preguntas sobre las emociones que los clientes provocan en él, y viceversa.[7]

Timing

Para que en la relación terapéutica y de consulta se cree un clima de confianza y de entendimiento, es esencial que el terapeuta tenga una sensibilidad especial para captar y destacar, en determinados momentos, ciertos temas. Si esto sucediese en tiempos diferentes, dificultaría el desarrollo de una relación terapéutica provechosa. Dicha sensibilidad guarda una estrecha relación con el tiempo. En nuestra lengua, a diferencia del inglés, el sustantivo «tiempo» no tiene su verbo correspondiente. Por eso adoptamos el término *timing*, usado en la bibliografía especializada de lengua inglesa, para expresar dicha sensibilidad. Es posible que la ampliación del horizonte temporal, del presente al pasado y al futuro, se proponga antes de tiempo y que no se respeten ciertas secuencias en la conversación, con el consiguiente distanciamiento de los clientes. Pongamos un ejemplo.

Una familia compuesta por tres personas –el padre, la madre y su hijo único– vino a nuestro centro para resolver una dificultad de comportamiento del hijo. Después de un breve diálogo sobre la situación actual del pequeño núcleo familiar, el entrevistador dirigió de repente su atención a la relación con las familias de origen, particularmente con los abuelos. Pero la conversación se bloqueó en seguida, los padres comenzaron a repetir, mostrando su irritación y de forma casi estereotipada, las mismas respuestas. El terapeuta, por su parte, comenzaba a dar pruebas evidentes de malestar y decidió interrumpir la sesión para pedir ayuda a los colegas que estaban detrás del espejo.

Al preguntarle el equipo sobre sus pensamientos y estados de ánimo, respondió que desde hacía unos minutos le parecía que estaba dando vueltas a un círculo, tenía la mente en blanco, y todo ello lo atribuía a la resistencia de la familia, que no era capaz de comprender. En el diálogo del equipo se propuso la hipótesis de que el terapeuta se había adentrado de forma prematura en el terreno minado de las relaciones con las familias de origen. Es probable que los padres, que habían venido para resolver un simple problema de su hijo, reaccionaran con frialdad ante el intento de implicar a los abuelos en el problema, y se alarmaran con la posibilidad de que los terapeutas quisiesen «buscar los esqueletos en el armario de la familia». Sucede con frecuencia que en las relaciones entre la familia nuclear y las familias de origen hay conflictos y secretos, acerca de los que no conviene indagar en la primera sesión, hasta que no se haya creado un clima propicio.

Es evidente que el terapeuta, en este caso, se había dejado llevar de su propio deseo de conocer, antes de tiempo, algo que la familia no estaba todavía dispuesta a revelar. El equipo se mostró unánime al destacar que el terapeuta no había esperado a que la posibilidad de dialogar sobre esos temas surgiese en el curso de la conversación, o después de que la familia estableciese una relación de confianza. En otras palabras, había cometido un error de *timing*. Normalmente, si los clientes mantienen una relación de confianza con el terapeuta, perdonan tales errores y otros que pueda cometer al dirigir las sesiones.

El diálogo del equipo permitió salir del bloqueo, del *impasse*, se interrumpió la indagación sobre las familias de origen para volver a centrarse en el presente. En cuanto el terapeuta volvió a la sesión después de este cambio de actitud, los padres respondieron con presteza, volviendo a intervenir por propia iniciativa.

Tener en cuenta el *timing* es útil, no sólo en el desarrollo de la relación terapéutica y de consulta, sino también para elegir los momentos oportunos en los que llevar a cabo determinadas intervenciones, o para decidir la frecuencia de las sesiones o la conclusión de la relación. Pongamos algún ejemplo.

Un hombre de veinticinco años se presentó en nuestro centro en estado depresivo. Al final del primer encuentro de análisis, el terapeuta, uno de los autores, le aconsejó una terapia individual con una frecuencia de una sesión semanal. El cliente aceptó, pero después de un par de meses de terapia comenzó a manifestar un empeoramiento de los síntomas depresivos y finalmente se desahogó diciendo: «¡Me siento cada vez peor porque no es suficiente que venga una vez por semana!». Y añadió que una tía suya joven y un amigo acudían a la terapia dos o tres veces cada semana, aunque parecía que estaban menos deprimidos que él. Naturalmente, el terapeuta objetó que la frecuencia de una sesión por semana era la óptima según su valoración del problema. De lo contrario, habría optado por una frecuencia distinta. Observó, además, que el timing del cliente no coincidía con el *timing* del terapeuta y que, por tanto, ambos se encontraban en un *impasse*. Si el terapeuta aceptaba la propuesta del cliente, contradecía su propio juicio clínico; en el caso contrario, contradecía las exigencias del cliente.

Por ello propuso que, para salir del *impasse* y satisfacer las exigencias de ambos, el cliente añadiese a la sesión semanal con el terapeuta otras dos sesiones, en casa, solo en una habitación, con un reloj que señalase el final al cumplirse los cincuenta minutos, y con un cuaderno de notas en el que tenía que escribir todo lo que se le ocurriese, sin omitir nada, pensando que hablaba con el terapeuta. Tenía que llevar todo lo escrito a la próxima sesión. A la semana siguiente se presentó con un voluminoso cuaderno y se lo entregó al terapeuta, que se lo devolvió inmediatamente, y le pidió que leyese lo que había escrito. El cliente estuvo leyendo durante cincuenta minutos sin que el terapeuta le interrumpiese. A la sesión siguiente el cliente llevó escritas sólo unas pocas páginas porque «he tenido la mente en blanco, se me ha ocurrido sólo esto».

En estas dos sesiones el cliente había comenzado a tener un humor más vivo. Enseguida dejó de hablar de la necesidad de más de una sesión por semana, porque había comenzado a sentirse mejor. Probablemente la mejoría estaba relacionada con el hecho de sentir que se había aceptado su necesidad de tener más sesiones. Y había dejado de escribir –para leerlas después– las «sesiones domiciliarias», porque esto le quitaba la posibilidad de hablar con el terapeuta: se podría decir que cuantas más sesiones tenía, menos sesiones hacía.

Una intervención importante de *timing* es la conclusión de la terapia, ya citada. Con frecuencia, como se dijo en el capítulo 4, el terapeuta o el equipo dan por concluida la terapia cuando el sistema cliente se encuentra en un momento de cambio significativo, porque se prevé que continuará hasta la solución del problema presentado. Pensamos que en muchos de estos casos continuar la terapia podría implicar al terapeuta en la solución, es decir, el terapeuta sería un elemento esencial del sistema, con el consiguiente peligro de mantener una terapia interminable. En estos casos se puede hablar de un error de *timing*.

TIEMPO DEL TERAPEUTA, TIEMPO DEL EQUIPO

Cuando se trabaja –como nosotros– en equipo, el tiempo de la interacción terapéutica se enriquece con un tercer elemento: el tiempo del terapeuta y el del cliente se relacionan con el del equipo de observación. Estos tiempos interactúan de un modo bastante complejo.

Ya hemos hablado de cómo el terapeuta, en el curso de su diálogo con los clientes, alterna periodos de empatía y de distancia. Cuando se trabaja en equipo, las funciones de empatía y de distancia están más claramente separadas. Desde el punto de vista del equipo de observación se pueden distinguir un momento de observación y un momento de diálogo, de interacción con el terapeuta. El equipo tiene sobre todo la posibilidad de observar desde una posición exterior la coordinación de la relación, la danza cliente-terapeuta. Dicha observación se refiere no sólo a la coordinación de los tiempos y de los horizontes de clientes y terapeuta, sino también a los ritmos de la interacción.

El subsistema terapeuta y el subsistema equipo se unen en el momento en que el terapeuta interrumpe la conversación con los clientes, y entra en la sala de observación para entablar el diálogo con el equipo. Al interrumpir la sesión «se para la grabación» y el terapeuta se traslada a un tiempo nuevo, distinto, el del subsistema que no estaba en interacción directa con los clientes.

De esta forma el terapeuta participa en dos diálogos distintos; cada uno de ellos tiene su propio tiempo y su lugar físico en una de las salas. Él es el *trait-d'union* entre los dos diálogos y por ello puede llevar emociones e ideas de los clientes al equipo y viceversa. Evidentemente no es un vehículo pasivo, sino activo: es él quien selecciona y escoge qué ideas va a llevar; a veces, como diremos más adelante, puede decidirse por transmitir a los clientes ideas del equipo distintas de las suyas. El terapeuta, aunque sea parte del circuito, sigue siendo el responsable último de las decisiones, ocupando por ello una posición central.

El equipo tiene la misión de analizar las conexiones entre los tres sub-sistemas. Puede suceder, por ejemplo, que el terapeuta –especialmente en un contexto de *training*, cuando todavía no tiene suficiente experiencia ni confianza en sí mismo– sea propenso a depender demasiado del equipo y a estar más unido a los colegas que al cliente. O viceversa, sobre todo cuando el terapeuta tiene una gran experiencia. Además, el equipo puede ayudar al terapeuta a descubrir su propio tiempo, a reflexionar sobre su capacidad de comunicarse con los otros, y a utilizar su propia idiosincrasia para ponerse en sintonía. Es natural que, junto a la danza cliente-terapeuta, aparezca una danza análoga terapeuta-equipo; pero también la relación entre equipo y terapeuta puede perder la armonía, si el equipo invade el campo del terapeuta, o si el terapeuta es demasiado pasivo o falto de iniciativa. Como expondremos más adelante, la experiencia dice, a este respecto, que es más frecuente que los miembros del equipo –y no los terapeutas– propongan la idea de concluir la terapia. De todas formas el equipo ha de tener en cuenta que su comportamiento se encuentra condicionado por un ritmo, una perspectiva temporal y un horizonte determinados.

Otro modelo de este tipo de trabajo es el *reflecting team* (Anderson, 1987), en el que el terapeuta no alterna su comunicación con los clientes, por una parte, y con el equipo, por otra, sino que permanece con los clientes y, junto con ellos, puede pedir una «reflexión» al equipo. En este caso se usa un espejo bidireccional, que permite al sistema terapeuta-clientes observar las discusiones del equipo. De esta manera se forma un proceso recíproco de observación y reflexión: la comunicación es totalmente circular, en ella ya no existe la barrera que separa al equipo terapéutico de los clientes.

Dos ejemplos tomados de la experiencia clínica ilustrarán la importancia del equipo en la re-definición del marco temporal de la sesión. El primero se refiere a una familia compuesta por tres personas en la que el padre –de más de cincuenta años– había comenzado recientemente a mostrar los síntomas de una manía persecutoria, con manifestaciones de delirio acompañadas de alucinaciones auditivas. Durante la sesión el terapeuta no era capaz de «despegar» porque repetían continuamente el contenido de los delirios paranoicos del padre («¡los vecinos me critican, todos dicen que soy un "culo"!»), y las veces que madre e hija habían intentado hacerle caer en la cuenta de que estaba equivocado. El terapeuta estaba atrapado en el ritmo lento, tedioso, de la familia, como absorbido por una perspectiva temporal sin futuro. De repente, salió de la sala de terapia y al entrar en la sala de observación, desconsolado, dijo que se sentía como en un callejón sin salida. Y hasta propuso la hipótesis de que el padre estuviese afectado por una «psicosis orgánica».

El equipo terapéutico, por el contrario, tenía ideas muy distintas. Lentamente, a medida que seguía el diálogo, el colega salió del tiempo bloqueado de la sala de terapia para entrar en el de la sala de observación. Al terapeuta se le abrieron nuevas posibilidades de búsqueda y, recuperando de esta manera un ritmo más rápido y un horizonte temporal más amplio, volvió a la sala de terapia, donde pudo desbloquear la situación.

El segundo caso se refiere a una familia de cuatro personas, en la que la hija menor, Annamaria, de veintidós años, padecía anorexia desde hacía poco tiempo. En el curso de la tercera sesión, al equipo que estaba detrás del espejo le pareció que la madre era capaz de atraer la atención del terapeuta sobre un periodo concreto en el que había dejado de hablarse con su suegra, sin que el marido le hubiese ayudado. En ese momento los demás miembros de la familia mostraron con delicadeza su desinterés, y finalmente su tedio; pero el terapeuta no captó sus mensajes. Las pocas veces que el terapeuta fue capaz de entablar de nuevo contacto con ellos, parecía que ya no tenían aquella actitud de colaboración que habían demostrado en las sesiones precedentes. O la madre volvía a contar su historia, o el terapeuta le invitaba a hacerlo, porque veía que ella colaboraba mejor.

Los colegas le llamaron para informarle de la situación, tal como la veían detrás del espejo, y de las dos hipótesis que habían formulado: una, que nos encontrábamos ante un fenómeno que no éramos capaces de comprender; la otra, que el terapeuta estaba atrapado en la perspectiva temporal de la madre, por lo que los demás miembros de la familia quedaban excluidos. Se decidió someter a verificación esta última hipótesis. Al volver a la sala de terapia el terapeuta dirigió su atención a los otros miembros de la familia, y comenzó a interrumpir a la madre cuando era necesario; de esta manera recuperó la atención y la participación de todos.

En resumen, gracias a estos dos ejemplos se puede comprobar que una de las funciones del equipo que está detrás del espejo es la de «curar» al terapeuta cuando no es capaz de coordinarse con los clientes y, como consecuencia, el curso del tiempo se interrumpe, se vuelve más lento o se bloquea.

Equipo como futuro: la familia Hayworth

La diferencia entre la perspectiva del terapeuta y la del equipo de observación es comparable a la que se da entre un futbolista que está jugando el partido y un espectador que sigue el partido desde las gradas del estadio. La atención del futbolista está puesta en ese momento concreto del partido e incluye, necesariamente una zona del campo limitada en la que están incluidos él mismo, el balón y los futbolistas que están más cerca. El espectador, como observador, puede ver todo el campo. Está lejos, quizás pierda de vista los detalles particulares y no experimenta la pasión del juego, pero puede tener una visión sincrónica del conjunto de los dos equipos, observar los movimientos de los veintidós jugadores y del árbitro e imaginar mentalmente, es decir anticipar, todas las posibles estrategias del juego.

El rol de espectador lo sitúa en una perspectiva futura, mientras que el rol de jugador, precisamente por estar implicado de un modo activo, lo sitúa en una perspectiva presente. El espectador tiene una mayor capacidad de previsión: puede prever qué zona del campo estará libre dentro de poco y cuál quedará bloqueada, puede intuir con más facilidad qué jugadas tendrán éxito, etcétera. Por eso con frecuencia los espectadores se enfadan con el jugador que no lanza el balón al lugar que ellos esperan, sin tener en cuenta que su visión del juego y su horizonte temporal son necesariamente más amplios que los de los jugadores.

Esta analogía deportiva, a nuestro parecer, se presta para ilustrar lo que sucede en el contexto de la terapia. Podemos afirmar que el equipo representa el futuro en el sistema terapéutico, el cliente representa el pasado, y la unión de cliente y terapeuta el presente. Respecto a la sala de terapia, el horizonte de la sala de observación es el de la hipótesis, el de la contingencia, el de la programación. Una función del equipo es la de transmitir esta apertura de horizonte al terapeuta y también, indirectamente, a los clientes. Las consecuencias prácticas de este modo de ver las cosas se pueden ilustrar con un ejemplo.

A la terapia llegaron una madre y su hija, que presentaron el problema del hijo varón, que no sabía nada de esa iniciativa. La familia Hayworth, además, tenía una historia particular. A la madre, Angela, le gustaba considerarse como anticonformista; se había marchado muy joven de Milán a Londres, donde había conocido a un fascinante piloto, natural de una isla del Caribe, un tal Charles Hayworth. Se había casado con él contra el parecer de sus padres, que habían calificado aquel matrimonio como un «capricho».

Tuvieron dos hijos, Vera y Sandy. Sandy, el paciente designado, tenía veinticuatro años y, según su madre y su hermana, había demostrado que era incapaz de dirigir su propia vida y de tomar decisiones claras y firmes. Mientras que su hermana, una muchacha aparentemente madura y muy coherente, había encontrado pronto un trabajo como profesora y vivía ya por su cuenta, Sandy vivía todavía con su madre y había comenzado su actividad como *viveur*, dedicándose de buena gana a una serie de relaciones sentimentales-eróticas con mujeres casadas de cuarenta años, cultivando las aficiones más diversas y aparentando –según decía su madre– que «estaba buscando trabajo». Por eso su madre y su hermana se mostraban muy preocupadas por su futuro.

A petición de los terapeutas, Sandy se presentó a la sesión siguiente. Parecía un muchacho inteligente, seductor, que sabía convertirse en centro de atención y atraía particularmente a su madre, mientras que Vera pasaba a un segundo plano, molesta y aparentemente irritada. Las preguntas pusieron de manifiesto que Sandy había heredado, en la familia, lo que había sido el rol y las características de su padre: genio y embrujo. Rol con el que el muchacho se identificaba de muy buen grado, mientras que, al parecer, Vera proseguía una línea pragmática y seria, representada en la generación anterior por su tía materna, que la había criado durante buena parte de su infancia. El equipo formuló rápidamente una hipótesis: Sandy y Vera habían heredado realmente los papeles de una obra de teatro de tipo pirandelliano y a medida que el tiempo pasaba cada uno de ellos se encerraba cada vez más en su propio traje de escena; su madre, por su parte, a pesar de sus expresiones de desagrado, ocupaba realmente el centro mismo del escenario, además de mantener consigo al hijo que hacía las veces de su marido difunto. En la intervención final se decidió poner el acento en las diferencias de carácter de los hermanos, promoviendo una especie de intercambio osmótico de sus características: pragmatismo y seriedad de Vera a Sandy; creatividad y ligereza de Sandy a Vera. Las reacciones no verbales de los hermanos fueron de sorpresa y curiosidad. Se miraron y se sonrieron, dando la impresión de que aceptaban la idea del intercambio. La madre, como era previsible, no se mostraba contenta en absoluto.

Cuando llegaron a la tercera sesión, parecía que los hermanos habían cambiado realmente. Se mostraban sonrientes, relajados, de vez en cuando intercambiaban miradas de complicidad. Vera ya no se sentaba rígida y presuntuosa, ni se escudaba detrás de su léxico profesional. Sandy había dejado de hablar con afectación y no hacía ostentación de su virilidad fascinante. La madre parecía todavía angustiada, tensa, con la necesidad imperiosa de exteriorizar sus propios sufrimientos. Fueron sus palabras y sus emociones las que atrajeron la atención de la terapeuta que, al parecer, no daba suficiente importancia al cambio de los hermanos. Y apenas hizo caso al hecho de que Sandy contara que había comenzado a hacer prácticas en un estudio fotográfico y pensaba dedicarse al trabajo responsablemente. A medida que la sesión avanzaba, el equipo que estaba detrás del espejo mostraba una creciente satisfacción por el curso de los acontecimientos y, al mismo tiempo, estaba alarmado por el cambio producido en la sesión, que podía destruir la evolución comenzada. Pues parecía que la terapeuta estaba anclada en las ideas y emociones de las sesiones precedentes. Sus preguntas, en lugar de poner de manifiesto y estudiar los cambios acaecidos, se referían de un modo casi pasivo a los miedos que todavía tenía la señora Hayworth y hacían simplemente alusión –sin detenerse en él– al cambio evidente en la relación entre los hermanos. Éstos, por su parte, se quedaron al principio perplejos y después contrariados, como desconcertados porque no se reconocía tal novedad. Por ello la terapeuta fue llamada fuera antes de que pasara media hora.

Al principio del diálogo la terapeuta, con una expresión de descorazonamiento, declaró: «¡No sé qué hacer! No hay ningún cambio, nada. Me parece que las cosas están empeorando». Estaba convencida de que la familia se encontraba en una situación no sólo estática, sino de regresión. Entre los elementos presentes en la sesión, que –como siempre– eran muchos y, en algunos aspectos, contradictorios, había tenido en cuenta exclusivamente los que indicaban inmovilidad (en su mayoría, las afirmaciones de la madre), relegando a un segundo plano y, finalmente, descartándolos, los ofrecidos por los dos hermanos que, por el contrario, manifestaban una evolución. En definitiva, se había quedado con la imagen de la familia que se había formado en la sesión anterior, y no era capaz de liberarse de ella. Fue necesario un largo diálogo para que superara su escepticismo y para que reconociera el cambio que era tan evidente para la sala de observación. Finalmente volvió de nuevo con la familia para comunicar una conclusión que anunciaba el fin de la terapia.

TERAPEUTA: Hemos observado que en vuestra situación ha comenzado una evolución, y nos parece que tiene las características de una evolución irreversible. Vera y Sandy están buscando, cada uno a su modo, su propio camino. La madre tiene que aceptar el curso natural de las cosas, que no significará soledad, sino una familia más unida y capaz de estar a su lado, si fuera necesario. Como ya no observamos la presencia de problemas psicológicos o psiquiátricos, nos parece oportuno dar por concluida esta terapia.

Cuando la terapeuta comenzó a hablar, los dos hermanos se mostraron inmediatamente aliviados. Pero fue la señora Hayworth la que se despidió con la afirmación más sorprendente; ni contenta, ni tampoco desesperada, simplemente declaró: «Sí, esperaba que hoy termináramos». En otras palabras, toda la familia se había proyectado hacia el futuro, en una medida que ninguno de los miembros del equipo habría podido prever antes del comienzo de la sesión.

Fue el equipo que estaba detrás del espejo el que entró en una perspectiva futura. La terapeuta se había quedado bloqueada en su propia visión inicial de la familia, fija en el pasado, sin ser capaz de valorar los cambios. En el curso de la interacción hasta los miembros de la familia habían comenzado a mostrarse cada vez más dudosos acerca de la evolución iniciada, hasta llegar a adaptarse a la actitud pesimista de la terapeuta. El equipo había mostrado a su colega una realidad diversa, un futuro que ella no era capaz de ver. Cuando la terapeuta volvió y comunicó a la familia las observaciones de sus colegas mediante la intervención final, los Hayworth dieron la impresión de haber captado que el equipo «había comprendido», y se alegraron mucho por ello. Por eso todos estaban tan satisfechos de que la terapia hubiese concluido.

De esa manera el equipo había «curado» a la terapeuta de una incapacidad para ver parte de la realidad que podría haber tenido graves consecuencias. Se corría el riesgo de que la familia terminase por adaptarse a la visión pesimista, estática, de la situación; y, una vez superado aquel momento de mayor inestabilidad, habría podido darse una reproducción *ad infinitum* de los viejos esquemas de interacción.

TIEMPO Y DIRECCIÓN DE LA SESIÓN

Pensamos que al dirigir una sesión (especialmente si se trata de la primera de una terapia) es oportuno seguir un recorrido «centrífugo», tanto en el tiempo como en el espacio. Respecto al tiempo, se trata de comenzar el estudio del presente para ampliarlo después al pasado y, después, al futuro, abarcando así todo el horizonte temporal.[8]

El terapeuta, por tanto, comienza la serie de preguntas interesándose por el «aquí y ahora», por los síntomas manifestados y las personas relacionadas con ellos en el presente (familiares, profesores, empresarios y, especialmente, los expertos que han elaborado el diagnóstico y enviado al paciente a la terapia). Poco a poco la atención va centrándose en el periodo en el que los síntomas fueron detectados y descritos por primera vez y en las acciones emprendidas con el fin de modificarlos o hacerlos desaparecer, para pasar después al análisis de las relaciones, de las ideas y de los significados que se han ido formando en el transcurso del tiempo y, en particular, de las situaciones que han condicionado la opción por las soluciones actuales en lugar de otras.

En el curso de la sesión nos dedicamos finalmente al futuro, al estudio de las perspectivas existentes, especialmente mediante preguntas hipotéticas sobre el futuro, que indirectamente introducen nuevas perspectivas y posibles soluciones. Naturalmente, serán los clientes los que descubrirán o inventarán nuevos significados, y los que tomarán sus propias decisiones.

Seguramente lo descrito es sólo un esquema del que se puede prescindir cuando la situación lo requiera; la terapia no es sólo ciencia, sino también arte. Es importante que el terapeuta o el consejero sea sensible a los mensajes de las personas que tiene delante, particularmente a los analógicos, como el estado emotivo (expresiones de tedio, atención, interés, etcétera) o los pequeños cambios de humor; y, por supuesto, también a los propios mensajes emotivos, a la profundidad de la empatía con los clientes, para valorar y ser consciente de los significados, de las ideas, de los *pattern* que aparecen en el proceso terapéutico.

Vamos a ilustrar a continuación, mediante un caso clínico, nuestro modo de utilizar el tiempo en la dirección de la sesión. Hemos elegido este caso porque se presta bien para estudiar en profundidad la importancia de una perspectiva temporal en la sesión, para poner de manifiesto la centralidad del tiempo en el análisis de las relaciones.

En el verano de 1990, uno de los autores (Luigi Boscolo) dirigió una sesión de consulta en una clínica psiquiátrica australiana, en el contexto de un seminario de estudio. En la sesión estaban presentes Jim, un estudiante de veinticuatro años, internado en aquella clínica, su madre de cuarenta y ocho años y el psiquiatra de Jim, que formaba parte del *staff* de la clínica y había tomado la iniciativa de pedir la consulta. En otra sala se encontraba un grupo de profesionales de la clínica que seguía la sesión mediante un circuito cerrado de televisión.

Al consejero se le había informado antes del comienzo de la sesión de que a Jim se le había trasladado hacía un mes de un hospital psiquiátrico de otra ciudad, con el diagnóstico de «psicosis esquizofrénica». Se le había ingresado con carácter urgente en aquel hospital con síntomas psicóticos graves, con alucinaciones visuales y auditivas, delirios y comportamientos incoherentes. La crisis psicótica había tenido lugar durante un viaje que él había hecho en solitario.

En el momento de comenzar la consulta, Jim había superado ya la crisis; aparece relativamente tranquilo, no presenta síntomas particulares y colabora con los médicos y el personal de la clínica. Pero sigue tomando tranquilizantes de modo regular, y parece que todavía no puede llevar una vida social normal.

La historia de su familia es la siguiente. El padre de Jim había muerto en un accidente de tráfico cuando él tenía cuatro años. Su mujer se había quedado sola con Jim y su hermano John, dos años menor que él. Dos años después la señora se había casado en segundas nupcias con Peter (un campesino como su ex marido), con quien tuvo su tercer hijo, llamado Sam, siete años menor que Jim.

Antes de describir detalladamente la sesión, vamos a adelantar el tema principal que apareció en el desarrollo de las sesiones. Parecía que Jim, un año antes, había comenzado a mostrar inquietud, desorientación, aislamiento social. Durante un breve periodo había recurrido al LSD, que le procuraba evasiones agradables (*good trips*). Dos meses antes había emprendido un viaje en solitario a las regiones más lejanas de Australia, interrumpido por la crisis psicótica. Es posible que la aparición de la psicosis estuviese relacionada con el consumo precedente del LSD. Parecía que la crisis psicótica había provocado en Jim una confusión en la percepción de sí mismo, en el recuerdo de su propio pasado y en la conciencia del presente. Es como si se hubiese producido una toma de conciencia psicótica (*psychotic insight*) mediante la cual nuevas emociones y, sobre todo, nuevas certezas, habían sustituido a las viejas. Pues su madre cuenta una historia completamente distinta a la de Jim. El consejero tratará de que aparezcan otras historias latentes para hacer posible que Jim salga de la prisión («esquizofrenia-enfermedad mental») en que se encuentra y se incorpore de nuevo a la vida social.

Como se ha dicho anteriormente, el análisis comienza con el examen de la situación actual (tiempo presente) y de las relaciones con el sistema significativo (familia, expertos).

CONSEJERO: El doctor White, aquí presente, me ha pedido que dirija una consulta, que valore la situación. En otra sala hay un grupo de colegas de la clínica que siguen la sesión.
(*Dirigiéndose a Jim*): ¿Cuál es ahora la situación?
JIM (*sonriente*): Ha comenzado a mejorar desde que comenzó la terapia.
CONSEJERO: ¿Por qué acudiste a la terapia?
JIM: ¡Padezco una esquizofrenia! (*Dirigiéndose al psiquiatra*): ¿No es cierto?
CONSEJERO: ¿Quién te ha dicho por primera vez...?
JIM (*mirando a su madre y sonriendo*): Ha sido la doctora del otro hospital, ¿no es cierto?
MADRE: Sí. Fue ella.
JIM: Pienso que al principio no se elaboró correctamente el diagnóstico. Ahora sí. Estoy mucho mejor. Han desaparecido las alucinaciones y las voces.
CONSEJERO: Parecía que estabas muy contento cuando has dicho que padecías una esquizofrenia...
JIM (*sonriendo*): Sí. Cada vez que veo a un médico me siento mejor.
CONSEJERO: Entonces has venido de buena gana para hablar conmigo...
JIM: Sí. Pienso que para mí ésta es una excelente oportunidad de obtener una ayuda profesional cualificada.

Mientras dice las últimas palabras, Jim se muestra relajado en la silla con una sonrisa feliz. Está claro que la primera hipótesis trata de relacionar la extraña e incongruente satisfacción manifestada por Jim ante la idea de padecer una grave enfermedad psiquiátrica con su contexto, especialmente con su madre, que le había acompañado.

CONSEJERO: De modo que te gusta hablar con los médicos...
JIM: Sí, sí. Espero que me den el alta para poder comenzar un programa terapéutico en el ambulatorio.
CONSEJERO: Has dicho que ahora te sientes mucho mejor; ¿te sientes normal?
JIM: ¡No! Me siento mejor porque tomo medicamentos, pero no me siento normal.
CONSEJERO: ¿Cuál es la diferencia entre sentirse mejor y sentirse normal?
JIM (perplejo, después de una pausa): No es mucha. Todavía no tengo confianza en mí mismo; veo que los demás tienen confianza en sí mismos.

Aquí parece que Jim se aferra a la enfermedad, que ocupa un puesto central en su existencia actual. El consejero introduce la posibilidad de la «normalidad» como primer paso para superar la etiqueta de enfermedad y sugiere otras explicaciones posibles.

CONSEJERO: ¿Quién te inspira más confianza dentro de tu familia?
JIM: Sam, John, Peter y, después, mi madre... (Mirando a su madre): Me parezco más a mi primer padre; tengo sus mismos modales... Pero ella no está de acuerdo conmigo (la madre sonríe).
CONSEJERO: Pero, ¿te acuerdas de tu padre?
JIM: No. Mis abuelos y las hermanas de mi padre me han dicho que me parezco a él.
CONSEJERO: ¿Te agradó que te lo dijeran?
JIM: Sí, mucho.

Jim dice que confía muy poco en su madre e introduce en el diálogo a su padre muerto, manifestando su alegría porque se parece a él. ¿Es posible que esté todavía unido a la vieja familia y no haya superado todavía el duelo por la muerte de su padre? La atención se dirige ahora al pasado más remoto.

CONSEJERO: ¿Cuándo has comenzado a pensar que no te sentías bien?
JIM: Ya intuí que había algo en mí que no iba bien cuando tenía seis años...
CONSEJERO: ¿De qué se trataba?
JIM: Me sentía solo, perdido... pienso que padecía una enfermedad psiquiátrica...
CONSEJERO (dirigiéndose a la madre): ¿Recuerda aquel periodo?
MADRE: Sí, pero entonces no estaba bien, porque tenía una enfermedad física, primero las fiebres reumáticas, después la osteocondrosis en la rodilla. A partir de los dieciséis años ha sufrido varias operaciones en la rodilla, y ha tenido que dejar de practicar el esquí y los demás deportes.

Según el lema del «dejad hablar al calendario» de Bowen, se puede decir que Jim sitúa el origen de su enfermedad en el periodo en que su madre se volvió a casar y, poco después, quedó embarazada; además, hay que destacar que John era disléxico y requería unos cuidados especiales; todas ellas fueron circunstancias que, de un modo imprevisto, privaron a Jim del apoyo materno. Se trata de una hipótesis simple –limitada a una transacción particular– que, evidentemente, no tiene la pretensión de representar una realidad compleja. Aparecerán otras hipótesis y se examinarán poco a poco. A veces, las respuestas de Jim provocan la sospecha de que no son «harina de su costal», sino que pueden provenir de la relación prolongada con los psicoterapeutas o de sus propias lecturas. Por otra parte, hay que añadir que Jim no había sido tratado previamente por psicoterapeutas y que, por tanto, es muy probable que sea él mismo el autor de su propia historia.

> JIM: Pienso que el problema de la rodilla lo causó la psicosis... Recuerdo que siempre estaba pataleando *(muestra cómo lo hacía)*.
> CONSEJERO: ¿Qué sabes acerca de la psicosis?
> JIM: ¡Bah!...
> CONSEJERO: Intenta decirlo...
> JIM *(en un tono interrogativo):* ¿Es un desequilibrio químico del cerebro? ¿Una enfermedad del cerebro?
> CONSEJERO: ¿Dónde has oído estas cosas?
> JIM: En el otro hospital. Me lo dijo la doctora *(la madre asiente)*.

Hay que notar que Jim atribuye la enfermedad orgánica de las rodillas (osteocondrosis) a una disfunción del cerebro. Parece que el diagnóstico psiquiátrico ilumina toda su vida, presente y pasada; Jim podía estar angustiado e inseguro acerca de su futuro; ahora, como enfermo, se le vuelve todo claro. Si no pensaba en sus estudios, ni trabajaba, ni era capaz de preparar su futuro de un modo autónomo, no era culpa suya, sino de la enfermedad. Es evidente que éste es un convencimiento peligroso que puede –especialmente si lo comparten los familiares y los doctores– llevar de un modo prematuro a la «cronicidad», es decir, a convertirse en un enfermo psíquico grave y crónico.

> CONSEJERO: Has dicho que a partir de los seis años te has sentido psíquicamente enfermo, mientras que tu madre ha dicho que tu enfermedad era física...
> JIM: Para un niño de seis años resulta difícil explicar a su madre que padece una psicosis, especialmente si no sabe muy bien qué es eso.
> CONSEJERO: ¿Cómo se manifestó la psicosis?
> JIM: Primero fue el trauma de la muerte de mi padre; después mi madre se volvió a casar.
> CONSEJERO *(dirigiéndose a la madre):* ¿Cómo se adaptaron los niños al nuevo matrimonio?
> MADRE: Yo pensaba que se habían adaptado perfectamente. Peter los aceptó muy bien. No hace diferencias entre los tres hijos, aunque pienso que, en el fondo, prefiere a Sam porque es su hijo.
> CONSEJERO: Jim dice que comenzó a padecer la psicosis a los seis años. ¿Tenía entonces usted la impresión de que estaba enfermo, de que era diferente a los otros niños?
> MADRE: No. Yo diría que no.
> CONSEJERO: ¿Qué decían sus maestros?

MADRE: Era como los demás. Incluso podía rendir más, pero no había nada que estuviese mal en su cerebro.

CONSEJERO *(dirigiéndose a Jim):* Parece que nadie se dio cuenta de que no estabas bien.

JIM: No, porque yo era capaz de ocultar mis problemas. Cuando me di cuenta de que en la escuela tenía dificultades con la literatura, con la lógica, con la abstracción, me dediqué a la cerámica; me inscribí en un curso de cerámica.

CONSEJERO: ¿Te sentías diferente de tus hermanos?

JIM: Sí. John estaba muy apegado a su madre por los problemas que tenía en la escuela; pero después, con su gran fuerza de voluntad, los ha superado bien. Tiene mucha confianza en sí mismo, y practica muchos deportes. Sam es muy inteligente y es el preferido de Peter; va muy bien en la escuela.

Acaban de aparecer con toda claridad dos historias distintas. La discrepancia de la madre es total. Los dos pasados que emergen de las dos narraciones son discordantes, faltos de armonía. Son dos historias contrapuestas que divergen cada vez más a medida que el consejero va profundizando su análisis. Hay que añadir que, según parece, Jim ve a Peter y a Sam por una parte, a la madre y a John por otra, como si fueran dos parejas; y se considera a sí mismo aislado. Es probable que antes del matrimonio de su madre Jim se haya sentido importante y después los hermanos y el padrastro hayan amenazado su posición, haciendo problemática su integración en la nueva familia. Quizá se haya debido esto también al hecho de que sus tías y sus abuelos paternos hicieron de Jim el heredero espiritual de su padre, resultándole difícil superar el duelo por la muerte de su padre. Si a este cuadro añadimos también las consecuencias de la grave enfermedad de las rodillas, que le impidió practicar el esquí y otros deportes y, con ello, tener experiencia de una sana competición con sus hermanos y con los niños de su edad, es probable que Jim se haya visto agobiado por las dudas, inseguridades y angustias ante su propio futuro hasta llegar a la crisis de la que salió con una nueva historia que justifica la interrupción de su desarrollo personal.

JIM: Después de la muerte de mi padre, me parecía tener una gran responsabilidad sobre mis espaldas. Mi madre estaba sola, tenía un hermano menor...

CONSEJERO: ¿Quién te puso esa responsabilidad sobre tus espaldas?

JIM *(mirando a su madre):* Primero ella y después Peter.

CONSEJERO: ¿Por ser el hermano mayor?

JIM: Pienso que sí, pero entonces no era muy consciente de ello, me sentía presionado.

CONSEJERO: De modo que has asumido el papel de hijo, de marido y de padre.

JIM: Un poco.

CONSEJERO: ¿Te parecía que tu madre tenía necesidad de consuelo, de ayuda?

JIM: ¡Claro que sí; de mucha ayuda!

CONSEJERO *(dirigiéndose a la madre):* ¿Le parece correcta esta descripción?

MADRE: No. Jim está describiendo la vida de un niño al que yo no he conocido.

CONSEJERO *(dirigiéndose a Jim):* ¿Puede ser que al ver a tu madre sola hayas pensado que eras su marido?
JIM: Sí. Puede ser, tal vez... desde un punto de vista psiquiátrico.
CONSEJERO: ¿Qué quiere decir?
JIM *(sonriendo):* Es muy difícil explicarlo, es...

En este momento el consejero comienza a introducir otras historias posibles, alternativas a la de Jim y también –de un modo implícito– a las de la madre, que no acepta nada de lo que dice su hijo. Lo que más impresiona es que parece que a ella los mensajes relativos a las inseguridades y sufrimientos del pasado no le afectan en absoluto. Parecen una pareja simétrica. Se confirma la opinión de que Jim quiere expresarse contra ella, culpabilizándola. A medida que pasa el tiempo asume una actitud cada vez más condenatoria hacia su madre que, por su parte, muestra desacuerdo y desapego.

Es interesante el hecho de que Jim, al responder a la pregunta sobre la posibilidad de haber tenido que ocupar, al morir su padre, el papel de hijo y de marido, dice: «Sí... tal vez desde un punto de vista psiquiátrico». Parece reconocer que ha roto un tabú.

CONSEJERO: Por tu manera de hablar parece que no formas parte de esta familia. ¿Tuvieron Sam y John las mismas impresiones que tú?
JIM: No. Peter y ella se ocuparon más de ellos. Yo me sentía aislado.
CONSEJERO: Si preguntase a tu madre si se dio cuenta de que entonces te sentías tan solo, ¿qué respondería?
JIM: No lo sé, pregúntaselo a ella, pienso que responderá que no.
CONSEJERO: ¿Puedes preguntárselo tú a ella?
JIM *(dirigiéndose a su madre):* ¿Cómo crees que me sentí todos esos años?
MADRE: No creo que haya sido tan triste.
JIM: ¿Es que no murió alguien en nuestra familia?
MADRE: Sí.
JIM *(de una vez y atropelladamente):* ¿Y no crees que eso me traumatizó? ¿No crees que un niño de cuatro años que pierde a su padre sufre un trauma? ¿Que el otro hombre que entra en casa no es el mejor sustituto de un padre? ¿Y que, al ser yo el hijo mayor, tuve más responsabilidades?
MADRE: El hecho de que seas el mayor no justifica todo eso.
CONSEJERO *(dirigiéndose a la madre):* ¿Qué piensa?
MADRE: No estoy de acuerdo. Nunca le he dicho que fuera un extraño *(outsider)* y él nunca me ha dado muestras de serlo. Está describiendo a un hijo al que nunca he visto.
JIM: Además de la situación que acabo de describir, también he padecido las fiebres reumáticas, las operaciones de la rodilla y después la esquizofrenia... ¿Cuándo te darás cuenta de que estoy enfermo? Parece que «has seguido perdiendo el autobús».
CONSEJERO: ¿Te has sentido alguna vez comprendido por ella?
JIM: A veces. Pero ha tenido una actitud más materna hacia mis hermanos. Me ha tratado como a una persona débil.
CONSEJERO: Parece que estás muy enojado con ella. ¿Lo estás también con Peter?
JIM: No.

CONSEJERO: ¿Con tus hermanos?

JIM: No *(su madre lo mira y sonríe como si le hiciese gracia).*

En este momento se plantean preguntas hipotéticas sobre el pasado que pueden hacer surgir otros mundos posibles. Además, el consejero comienza a poner en duda, de un modo explícito, las historias y las convicciones de Jim. Lo hace en este momento porque le parece que es el más oportuno; Jim muestra mucho interés. El consejero continúa su análisis con algunas preguntas. Si Jim no acepta que se ponga en duda sus premisas, el consejero, naturalmente, continuará con otros temas y sentimientos. Es evidente que si estas dudas se hubiesen expresado en un momento anterior de la sesión, es muy probable que hubieran provocado una ruptura en la relación.

CONSEJERO: Has dicho que si tu padre no hubiera muerto, ahora estarías bien, ¿no es cierto?

JIM: Sí, sí.

CONSEJERO: No comprendo cómo hay tantos niños cuyo padre ha muerto y no reaccionan como tú... También John ha reaccionado de otra manera. Además, tienes a tu madre, a tu padrastro, a tus dos hermanos, ¿por qué te sientes tan solo? Estoy confundido.

JIM: No lo sé.

CONSEJERO: Al principio parecías contento, sonreías mucho, parecía que estabas contento por estar enfermo, por hablar con los doctores; ¿estás buscando un padre entre los doctores?

JIM: Puede ser.

CONSEJERO: No comprendo; trato de encontrar un sentido, pero no lo consigo. Me parece que me estoy volviendo esquizofrénico...

JIM *(ríe ruidosamente).*

Jim ha encontrado un sentido. El terapeuta, por su parte, quisiera encontrarlo y le pide ayuda. La carcajada ruidosa, la única de la sesión, parece indicar que el consejero ha tocado un punto muy importante. Jim, con su enfermedad, ha encontrado un sentido, un nuevo significado para su vida, mientras que el consejero ahora sigue estando confundido, no encuentra un sentido en la historia de Jim, y además tiene la sensación de «estar volviéndose esquizofrénico». La ecuación confusión-esquizofrenia es una equivalencia semántica que tiene el objetivo de borrar la etiqueta de enfermedad mental, de poner la situación actual fuera del ámbito médico y de comenzar a atribuir otros posibles significados a sus convicciones. Se duda de la exactitud del diagnóstico, visto por Jim como causa de su precario presente y –como comprobaremos más adelante– de un futuro miserable. El consejero hace suyos los dilemas que surgen de las historias contadas. Es evidente que Jim ve su pasado de una forma determinista: la muerte de su padre fue el *primum movens,* el trauma que llevó al matrimonio de su madre, al cambio de la organización familiar, a nuevas alianzas, a nuevos traumas y ahora, a consecuencia de todos estos traumas, él está enfermo.

El consejero trata de «desconectar» los vínculos deterministas que unen pasado, presente, futuro, haciendo suyos los dilemas del caso, quedando confundido y buscando nuevos significados. Es como si dijese: no soy capaz de comprender por qué has construido esta historia. También se puede decir que el consejero trata de ir desmontando el pasado del cliente para que puedan surgir nuevas historias.

> CONSEJERO *(expresando su confusión):* Tengo que encontrar un sentido, un significado... ¿Puedes ayudarme?
> JIM *(sigue riendo).*
> CONSEJERO: Puede ser que estés contento porque siendo esquizofrénico puedes encontrar un nuevo padre entre los médicos, quién sabe...
> JIM *(mostrándose serio de nuevo):* Me puse enfermo antes de acudir a los médicos.
> CONSEJERO: Me gustaría que me ayudases a resolver mi dilema. No comprendo cómo no has podido encontrar lo que John ha encontrado.
> JIM: Él era más pequeño.
> CONSEJERO: ¿Y qué significa eso?
> JIM *(un poco irritado):* Usted es el psiquiatra, usted tendría que explicármelo...
> CONSEJERO: Sí, soy un psiquiatra. Pero para poder ayudar antes tengo que comprender.
> JIM: No sé qué decir. ¡Ya he dicho que todo se debe al trauma que sufrí siendo niño!
> CONSEJERO: Comprendo tu explicación, pero tú tendrías que comprender también mi confusión. Decías que te has sentido aislado en tu familia; pero, fuera de la familia ¿no has tenido amigos?
> JIM: Sí, pero la amistad no es suficiente; me he sentido siempre como un marginado, ¡y ya es bastante para volverse uno esquizofrénico! ¿No le basta con esta explicación?

A pesar de ver cómo sus certezas vacilan, Jim vuelve explícitamente sobre sus traumas del pasado y reafirma su convencimiento de que es esquizofrénico. En este momento, el consejero para evitar la repetición, pero sobre todo para evitar el enfrentamiento con Jim, cambia de tema. Comienza a preguntar sobre su familia de origen, especialmente sobre la familia de su madre. Un dato significativo es que los abuelos maternos se han ocupado de ella y de sus hijos en el breve intervalo entre el primer y el segundo matrimonio. Jim recuerda aquel periodo como un periodo de estabilidad: mantenía una buena relación con su abuelo materno. Cuando su madre se casó de nuevo, las relaciones con la familia de origen cesaron casi del todo.

> CONSEJERO: De modo que te gustaba estar con tu abuelo, ¿te quería?
> JIM: Sí, creo que me quería.
> CONSEJERO: Entonces, ¿por qué no decidiste aceptarlo como segundo padre?
> JIM: Estaba demasiado confundido.
> CONSEJERO: Si tu madre no se hubiese casado de nuevo, ¿habrías seguido con tus abuelos?
> JIM: Sí. Si no se hubiese casado de nuevo, yo no estaría ahora en esta situación.

CONSEJERO: Explícate...

JIM: Me las arreglaría mucho mejor en la vida.

CONSEJERO: Parece que te lamentas por no tener una madre mejor, ¿la cambiarías?

JIM *(sonriendo):* Pero pediría un reembolso.

MADRE *(se echa a reír).*

CONSEJERO: Supongamos que yo quisiese y pudiese hacer ese reembolso, según tú, ¿cuánto tiempo sería necesario?

JIM *(evita la respuesta):* Pero ahora me siento mucho mejor.

CONSEJERO: Si ahora tu madre fuese tal como tú quieres, ¿cambiaría alguna cosa?

JIM: No.

CONSEJERO: ¿Crees que ahora necesitas más un padre que una madre?

JIM: Sí. Ciertamente, un padre.

Esta búsqueda del padre, este vínculo todavía profundo con el padre muerto, será uno de los temas centrales del diálogo posterior a la sesión y de la intervención final. En este momento las preguntas miran hacia el futuro.

CONSEJERO: ¿Cómo ves tu futuro?

JIM *(meneando la cabeza):* No muy bien, seré ceramista.

CONSEJERO: ¿Tienes novia?

JIM: No.

CONSEJERO: ¿Nunca la has tenido?

JIM: Sí, he salido con alguna chavala, pero nada serio.

CONSEJERO: ¿Has tenido relaciones sexuales?

JIM: Sí, pero nada especial.

CONSEJERO: ¿Piensas casarte más adelante?

JIM: No, nunca me casaré ni tendré hijos.

CONSEJERO: ¿Por qué?

JIM: Porque no sería capaz de educarlos.

CONSEJERO: ¿Por qué dices que eres incapaz?

JIM: Ya se lo he dicho, seré ceramista, me iré a una montaña cerca de aquí y abriré por mi cuenta un taller para fabricar objetos de cerámica.

CONSEJERO: De modo que has decidido vivir solo en un sistema no vivo, rodeado de cerámicas... te llevarás al menos un gato, un perro *(a pet)*...

JIM: ¡No, una chavala!

CONSEJERO: ¿Y la chavala será tu mascota *(pet)*?

JIM *(se ríe):* No me parece una mala idea.

CONSEJERO *(con tono provocativo):* ¿Pero no te gustaría más seguir enfermo toda tu vida, para que ellos *(señala al psiquiatra)* se ocupen de ti?

JIM: No.

CONSEJERO: Me parece que sigues pensando que no has tenido una familia, que has sido como un huérfano, que te has vuelto esquizofrénico. Pero, ¿no has encontrado una familia en los psiquiatras, en los enfermeros, una familia que puede ocuparse de ti toda tu vida?

JIM: No, no, no, ya he dicho lo que quiero hacer, ¡quiero fabricar objetos de cerámica!

Jim está proyectando para sí mismo un futuro gris, en soledad. El consejero le desafía, con cierto humor y le propone –de forma provocadora– un futuro más simple todavía, el de enfermo crónico totalmente dependiente. El efecto de las provocaciones es, normalmente, el de hacer menos probables los futuros propuestos por el cliente. Pero es importante que el consejero siga neutral respecto a las posibles opciones que el cliente tiene a su disposición. Al final de la sesión se afronta el tema de la separación de la familia, que provoca un cambio inesperado en el tono emotivo del diálogo. La madre rompe a llorar de un modo sincero, intenso, que sorprende incluso a Jim.

CONSEJERO *(dirigiéndose a la madre):* Cuando Jim salga de la clínica, volverá a casa o...

MADRE *(con una expresión muy seria):* Peter y yo hemos discutido este problema; si Jim deja la clínica, será mejor para él que no vuelva a casa y que los especialistas sigan ocupándose de él *(Jim se agita un poco, bosteza de un modo llamativo y se comporta como si la cosa no fuese con él).*

CONSEJERO *(a la madre):* ¿Cuándo han comenzado a pensar que sería mejor separarse?

MADRE *(larga pausa de silencio; le cuesta retener las lágrimas):* Cuando empezó a estar mal, pensamos que... *(Rompe a llorar, y dice sin detenerse)* Porque está muy enfermo, está gravemente enfermo..., al ser un enfermo mental no puede vivir ahora en casa, ni siquiera puede vivir solo... tienen que curarlo... si es esquizofrénico, enfermo mental, es mejor que por ahora esté en una clínica... *(Jim mira cómo llora su madre, está atento, inmóvil, silencioso; el temblor continuo de su pierna, evidente desde el comienzo de la sesión, ha desaparecido).*

Ante el llanto sincero de su madre, parece que Jim está impresionado, casi sereno: finalmente le ha llegado al corazón. Es probable que Peter quiera desentenderse de él y que su madre se encuentre en un dilema. Su llanto es una manifestación de amor, del que antes no había dado muestras. Las vivas emociones que ahora están apareciendo pueden anunciar un cambio futuro.

CONSEJERO *(a la madre, que está enjugándose las lágrimas):* Pero, ¿cómo era Jim antes de todo esto?

MADRE: Era el más cariñoso de todos, el que demostraba más afecto... al que he podido educar con mayor facilidad hasta que se puso enfermo *(se vuelve hacia Jim y le sonríe).*

CONSEJERO: ¿Qué piensa Peter acerca del hecho de que Jim vuelva a casa?

MADRE: Peter no ha tratado con enfermos mentales, no se opone abiertamente a que vuelva a casa, pero pienso que en el fondo tiene muchas dudas.

Después de un breve diálogo con el grupo presente en la sala de observación, el consejero vuelve y les da a conocer la siguiente intervención.

CONSEJERO: Lo que más me ha impresionado de su historia es el acontecimiento de la muerte de Steve, es decir, de su marido *(dirigiéndose a la madre)* y de tu padre *(dirigiéndose a Jim).* Creo que todos ustedes han olvidado de forma prematura a este hombre y, como consecuencia, no ha habido un auténtico duelo...

JIM *(con una expresión de sorpresa y de hallazgo):* Es verdad, es verdad... no lo había pensado. Olvidado de forma prematura... es así, realmente es así. *(También la madre parece impresionada, está absorta.)*

CONSEJERO: Ahora yo quisiera proponerles una tarea muy importante, una tarea que deberá llevar a cabo la vieja familia, es decir, usted, señora, tú, Jim, y John. Tienen que dedicar un día a la semana –si es posible, el mismo día de la semana– a Steve. Ese día hablarán de él, contarán historias de cuando estaba vivo, sacarán sus fotografías. Si es posible, ese día se acercarán al cementerio para ver su tumba. Todos los demas días está prohibido hablar de él, ni entre ustedes, ni con los demás miembros de la familia. A propósito de los demás miembros de la familia... antes de comenzar la tarea, por ejemplo esta noche durante la cena, diga usted a su marido y a Sam que yo como consejero les he encomendado esta tarea que les acabo de describir, y que estoy seguro de que comprenderán, y de que no tendrán objeciones al respecto. Tienen que hacer esta tarea al menos cuatro veces, es decir, en el curso de un mes, al final del cual presentarán a Paul *(el psiquiatra)* los resultados que hayan obtenido. *(Tanto la madre como el hijo parecen realmente impresionados y –Jim especialmente– satisfechos.)*

Esta intervención, formada por una reformulación y por un ritual, tiene varios objetivos:

1. Hacer presente el problema de la muerte del padre, causa –según Jim– de todos los sufrimientos posteriores.

2. Este hacer presente se refuerza al decir que habían olvidado al padre de forma prematura, de modo que se facilita su recuerdo en el presente.

3. Al mismo tiempo la madre, Jim y John participan del mismo drama, como víctimas de la muerte de un marido o de un padre al que olvidaron de forma prematura para no sufrir demasiado. Es posible, en relación con esto, que, al casarse en segundas nupcias, la señora haya tenido que evitar el hablar del primer marido para no oponerse al segundo, impidiendo, como consecuencia, la vivencia del duelo.

4. El ritual tiene el objetivo de facilitar una experiencia emocional colectiva que crea cohesión y pone a los miembros de la familia (la primera familia) en el mismo plan.

5. La consecuencia de todo ello es que Jim puede volver a entrar en la vieja familia y sentirse aceptado. Nuestra experiencia nos dice que si un miembro de una familia se siente parte de ella, es decir, aceptado por los otros, puede dejar a su familia y encaminarse hacia la autonomía. Si sucede lo contrario, las consecuencias pueden ser realmente catastróficas.

El sentirse aceptado por la vieja familia favorece también la incorporación a la nueva. Cuando ésta se da, el luto se ha realizado por completo. Prescribir el luto a la madre y a los hijos del primer matrimonio, dejando fuera a Peter y a Sam en el rol de observadores participantes, pone los cimientos para la construcción de la nueva familia sobre las cenizas de la vieja.

Catamnesis. El consejero tuvo la oportunidad de volver a Australia al año siguiente. En el curso de uno de sus seminarios se encontró con el doctor White, el cual le comunicó que la consulta había tenido un gran influjo en la familia, especialmente en Jim. Este último manifestó, después de un breve periodo, un cambio que nosotros definimos como discontinuo: desapareció su hostilidad hacia su madre, así como su impresión de sentirse marginado dentro de la familia; recuperó su esperanza en el futuro y nueva ilusión por las personas y las cosas. El doctor White subrayó que, para la familia, Jim había «cambiado a mejor», incluso con relación a sus mejores tiempos antes de la crisis. La familia había realizado el ritual con intensa participación emotiva, lo cual había hecho que se reforzaran sus vínculos afectivos. Hay que destacar que, al contar esta experiencia al psiquiatra, la madre, con lágrimas en los ojos, le mostró la alianza –que había llevado siempre en una cadena desde que murió su primer marido– de su primer matrimonio.

6. HACER PRESENTE EL PASADO

Uno de los temas centrales de nuestra reflexión es el anillo autorreflexivo que une pasado, presente y futuro. Nuestra concepción de las relaciones entre las tres dimensiones del tiempo contrasta normalmente con la concepción de los clientes, cuya perspectiva suele ser lineal y causal. En sus relatos nos encontramos continuamente con nexos causales deterministas, en los que los acontecimientos y las relaciones del pasado tienen un influjo directo en las relaciones presentes y condicionan el futuro. La perspectiva contraria –es decir, el influjo que el futuro puede tener sobre el presente y sobre el pasado– está lejos de su pensamiento, y también de la lógica del sentido común.

Es normal que, al concebir la relación entre presente, pasado y futuro como una relación recursiva, se pueda actuar sobre cualquiera de las dimensiones del tiempo para tener un efecto sobre las otras. Los clientes suelen creer que es necesario poder cambiar el pasado para poder cambiar el presente y, como consecuencia, el futuro. El terapeuta que, como es obvio, actúa sólo sobre el presente, puede operar sobre la memoria del pasado o sobre las expectativas y, por tanto, sobre el futuro.

De todas formas, ya hemos dicho que todos los problemas son problemas del presente. Por eso un paso preliminar de la terapia consiste en hacer presentes los problemas y, con ellos, las soluciones posibles. Para hacerlos presentes es necesario un presupuesto fundamental: que el pasado y el futuro se puedan trasladar al presente. Que se pueda re-crear un pasado y re-crear un futuro. Por supuesto, un pasado y un futuro distintos de los que traen los clientes: el cliente tiene sólo un mundo posible, el terapeuta introduce una pluralidad de mundos posibles.

Es importante recordar que el presente ilumina el pasado. Por eso prestamos una atención extraordinaria a la experiencia actual de lo que acontece en la sesión, de la que se puede partir para informarse acerca de la historia. Historia que, de todas formas, no se considera como un proceso lineal, sino como una parte del anillo recursivo ya mencionado. Actuando en el presente, nos ocupamos junto con los clientes de los acontecimientos, de los significados y de las relaciones dentro del horizonte temporal que abarca pasado y futuro, de modo que puedan surgir diferencias, significados nuevos, nuevas claves de lectura, que puedan romper las rígidas cadenas deterministas. Los cambios posibles subsiguientes pueden llevar, con el tiempo, a una organización nueva de significados y relaciones, con la consiguiente solución de los problemas presentados.

Una lectura postmoderna de este mismo proceso consiste en que, mediante el diálogo terapéutico en el presente, acontece un proceso de desmontaje de las historias de los clientes, con la construcción de nuevas historias (historias alternativas, según la definición de Michael White). Es evidente que el desmontaje de las historias acontece en el ámbito de todo el horizonte temporal.

LA BALANZA DE LA MEMORIA

En su relato *Funes el memorioso* (1941) Jorge Luis Borges creó un hombre que, después de caerse de un caballo, se vuelve todo él memoria, capaz de evocar los acontecimientos sucedidos durante veinticuatro horas, pero empleando exactamente veinticuatro horas. La misma magnitud de su memoria hace que Funes no pueda –y hay que entenderlo de un modo literal– vivir, condenado (no sólo por su propia inmovilidad) a una vida de pura contemplación:

> Nosotros, al mirar de un modo superficial, podemos ver tres vasos encima de una mesa. Funes veía todos los sarmientos, los racimos y las uvas de una vid. Recordaba las formas de las nubes australes del amanecer del 30 de abril de 1882 y podía compararlas, en su memoria, con la cubierta que imitaba al mármol de un libro que había visto una sola vez o con la espuma que produjo un remo, en el río Negro, la víspera de la batalla de Quebracho (Borges, 1941).

La memoria total de Funes es sólo en parte una creación poética. El caso imaginado por Borges se puede comparar al experimento del neurocirujano canadiense William Penfield que, en la mesa de operaciones, aplicó un electrodo en diversas áreas cerebrales de individuos que padecían una grave epilepsia; la operación se hacía con anestesia local, en personas perfectamente conscientes. La estimulación eléctrica de determinadas áreas provocaba la aparición de una especie de memoria total, capaz de evocar completamente experiencias pasadas, que hacían las veces de la conciencia presente y a las que ni se podía parar ni se podía recordar después: como si esas personas viesen de nuevo una parte de la película de su propia vida, reviviendo el pasado tal como lo habían vivido en el momento en que estaba presente. Una experiencia que, como la de Funes, parecía borrar el tiempo, porque –por así decirlo– la persona se colocaba «dentro del tiempo», perdiendo la distancia que permite distinguir las diferencias.

En los mismos años en que Borges escribía su relato, el neuropsicólogo Aleksandr Lurija comenzaba la observación de dos casos clínicos: uno de ellos, Shereshevsky (Lurija, 1968), era una especie de réplica viva del Isidoro Funes de Borges; el otro, Zazetsky (Lurija, 1972), era, en cierto modo, el complemento opuesto, un hombre condenado, por una lesión sufrida en la guerra, a vivir sin memoria.

CASOS CLÍNICOS

Los dos casos clínicos observados por Lurija nos pueden orientar acerca de la función de la memoria (pasado) en nuestra vida. Shereshevsky vivía, literalmente, de su propia memoria prodigiosa, ganándose la vida con sus demostraciones que podrían parecer increíbles: sin ser políglota, había conseguido repetir palabra por palabra un canto de la *Divina Comedia* en italiano e incluso recordarlo después de unos años.[1] Y, sin embargo, parecía que una memoria tan prodigiosa no le había ayudado al tomar decisiones en su vida. Había vivido siempre esperando un futuro impreciso, siendo capaz de imaginar muchas cosas, pero sin decidirse a nada concreto. Se había vuelto un hombre sin futuro, sin programas realistas, viviendo siempre al día.

Zazetsky, por el contrario, parecía relegado a una existencia casi vegetativa, incapaz de recordar, privado de gran parte de su memoria en un corto espacio de tiempo. Y, sin embargo, en un plazo de veinte años, fue capaz de escribir, con un esfuerzo indecible, tres mil páginas de «autobiografía» y, después, consiguió ordenarlas, llegando –aunque sin recuperar nunca todas sus facultades– a recrear su propio pasado. Sus recuerdos aparecían sólo al escribir, para desaparecer después de su mente y quedar sólo en las páginas escritas.

Los casos paralelos de Shereshevsky y Zazetsky demuestran, tratándose de situaciones extremas, algo esencial. La ausencia del pasado o su exceso producen efectos parecidos: condicionan la capacidad de mirar hacia el futuro. Tanto Shereshevsky, que pasó toda su vida esperando que «sucediese algo importante» (y, mientras tanto, la pasó aprendiendo de memoria), como Zazetsky, que no podía aprender ni lo más elemental, estaban presos en un presente cerrado, en el que es obligatorio volverse hacia atrás y mirar hacia adelante es una aspiración irrealizable.

En la vida cotidiana cada uno ha de hacer una especie de equilibrio de la memoria en la que el pasado sea –pues no se puede prescindir de él– como una guía para la acción, pero sin que su peso llegue a excluir el presente. Probablemente no es casual que, de los dos pacientes de Lurija, el hombre sin pasado, cuyo mundo estaba destruido, que era también el que menos capacidades tenía, fuera el que, mediante su búsqueda del pasado, llegó a construirse una existencia más significativa.

PASADO Y NARRACIÓN

La narración es básica para los seres humanos. Julian Jaynes (1976) ha llegado a afirmar que la conciencia actúa casi exclusivamente «narrando» nuestras acciones, incluyéndolas en un desarrollo continuo y coherente. Todos los pueblos han tenido y tienen sus propias historias: los mitos de los «primitivos» de Lévi-Strauss; los de los antiguos griegos; las cronologías puntuales y monótonas de los egipcios.

La noción de historia propia de nuestra civilización es la de una sucesión de acontecimientos irrepetibles que se dirigen hacia una conclusión. Es la perspectiva de la historia sagrada cristiana, de la idea de «progreso», pero también la forma característica de la novela. La historia, la narración, forma parte de nuestro modo de vida. Creamos nuestras historias personales o familiares calcando la forma de contar que se nos ha transmitido (según Hayden White, 1981, transformamos nuestros anales primero en crónicas, después en *histoires* narrativas propiamente dichas). Vivimos en tanto en cuanto narramos, o viceversa.

George Orwell describe en *1984* un mundo en el que se revisa continuamente la memoria histórica para que se adapte a las disposiciones de un gobierno absoluto omnipotente. El protagonista, Winston Smith, es uno de los que se encargan de escribir de nuevo los periódicos viejos, cuyos artículos tienen que reflejar siempre las líneas de la política en cada momento, impuesta por el Gran Hermano. En el curso de la novela, Smith se da cuenta de que su sociedad hace de la vida algo intemporal, y la búsqueda de su propia identidad exigirá que se ponga a buscar su pasado personal y también el pasado de aquella sociedad:

> Si a uno se le niega este conocimiento, se le niega una fuente vital de significado y reflexión, es decir, se le niega el acceso al material del que está formado el sí mismo (Assmann, 1991).

Con frecuencia es posible encontrar situaciones orwellianas en algunas familias que acuden a la terapia, por ejemplo en familias en las que uno de los miembros presenta comportamientos psicóticos. Tales comportamientos representan, en una perspectiva de relación, respuestas coherentes a un contexto «loco», y derivarían de una gran disconformidad de las emociones, pensamientos y significados del «paciente designado», que continuamente percibe la orden de que ha de creer exclusivamente en las ideas de los otros miembros de la familia y no en las propias, y que después se ve rechazado incluso cuando demuestra que se adapta. Situaciones como éstas van incluso más allá que las descritas por Orwell, con un miembro psicótico que vive en un estado perpetuo de inseguridad, de ambivalencia en la relación con los demás y, tal vez, refugiándose en un mundo autista. Una corriente importante de la psiquiatría se opone a esta visión que considera el origen de la psicosis como efecto exclusivo de las relaciones humanas, y sostiene que se da donde previamente existe una vulnerabilidad del sistema nervioso, es decir, biológica, en relación con los factores productores de estrés *(stressors)*, tanto internos como externos (Ciompi, 1983). En este sentido el término «paciente designado», concepto fundamental para la psicopatología de las relaciones, tendría que entenderse como «paciente designado biológicamente».

Michael White (White y Epston, 1989) considera historias todas las formas de relación que se establecen entre individuos. La historia es, evidentemente, un proceso en el que el pasado es constitutivo del presente e indica la dirección hacia el futuro. A partir del pasado (de la historia o de las historias) elaboramos nuestros sistemas de significación. La historia general nos proporciona las coordenadas culturales en las que nos movemos. Las historias de los grupos a los que pertenecemos nos ofrecen coordenadas cada vez más reducidas: la familia no es más que uno de estos sistemas de significación o historias. Nuestra historia individual define el sentido que atribuimos personalmente a los acontecimientos. Es un sentido que depende de nuestro modo de interpretar y de conocer el pasado, pero que tiene consecuencias hoy y mañana. Evidentemente, esto está también relacionado con las interpretaciones que los demás hacen de nuestra historia y que, a su vez, están influidas por nuestra manera de definirnos y contarnos a nosotros mismos.

Guy Ausloos (1986) ha creado, partiendo de unos principios semejantes, una técnica terapéutica, el «historiograma» *(historiogram)*, para tratar a las familias de los emigrantes, que no suelen conservar una memoria definida del pasado. Los terapeutas piden a los hijos que cuenten lo que recuerden de la historia de su familia, y que escriban en un folio las fechas y los acontecimientos más importantes. Si hay lagunas evidentes en la narración, les animan para que pidan ayuda a sus padres o a otros parientes. De esta forma, toda la familia ha de reconstruir una versión coherente y continua de su propio pasado.

A veces, puede suceder que en el proceso de nuestra historia entre de repente un elemento extraño, traumático: puede ser la revelación de un viejo secreto, la irrupción de un recuerdo lejano; o bien una confesión, una maldición echada sobre algún suceso presente; o también una predicción, el anticipo de una posibilidad. En resumen: pueden ser elementos procedentes del exterior o de dentro, y se pueden referir a sucesos pasados, presentes o futuros.[2] El efecto que producen es el de desordenar la historia hasta llegar a poner en duda –como en el caso que vamos a contar– la misma identidad del protagonista y la totalidad de sus relaciones con los demás. Como ha dicho Erik H. Erikson (1959), la identidad procede de la «confianza de que nuestra capacidad de mantener una continuidad *(sameness)* interna (...) corresponda a la continuidad *(sameness)* de los que para nosotros son significativos». Pondremos como ejemplo un fragmento de un caso clínico.

Un hombre, un profesional de cuarenta y cinco años, natural de un pueblecito de montaña del norte de Italia, había llevado siempre una vida de marido, padre y ciudadano ejemplar. Tenía tres hijos y una vida profesional satisfactoria desde todos los puntos de vista. Durante un periodo de mayor tensión, se vio deslumbrado por una especie de «revelación» que le llevó a descubrir en su propio pasado algo que le resultaba inconcebible.

Una noche le asaltó de repente el recuerdo de que había sido objeto de una violencia sexual por parte de su padre hacía cuarenta años. Con una claridad cada vez mayor recordó después una serie de experiencias homosexuales completamente ajenas a lo que era su vida cotidiana. El recuerdo lo sumió en la desesperación. La historia que se había contado siempre a sí mismo y que había relatado a los demás ya no era coherente con sus nuevos recuerdos. Ahora se veía en contradicción, no sólo consigo mismo (no podía compaginar los dos grupos de recuerdos), sino también con los demás. ¿Cómo podía saber si estaba hablando con uno que conocía sólo el lado impecable de su vida, o con uno que conocía su segunda historia? ¿Cómo podía ser un padre respetable si él ya no se respetaba a sí mismo?

La iluminación imprevista de nuestro cliente había desfigurado el modo en que se veía a sí mismo y a su familia de origen, y también el sentido que había dado a su historia, es decir, a su vida hasta ese momento. Su identidad se había partido en dos, había comenzado a sentirse dividido en un doctor Jekyll y un mister Hyde, a la vez que se iba formando la misma duda acerca de su padre, el hombre irreprensible que había abusado de él.[3] La vida se le hacía difícil por el esfuerzo continuo, aunque vano, por hacer volver aquel «terrible recuerdo» al inconsciente del que había salido. Por último, comenzó a pensar que alguien se estaba dando cuenta de que él había tenido en el pasado aquellas experiencias homosexuales. De ahí a la manifestación de una especie de trastorno paranoide el paso fue breve.

De esta manera el paciente había pasado a ser un hombre sin una historia coherente, precisa. Y se sentía en un presente confuso («ya no sé quién soy»), sin un futuro («no me importa nada de lo que pueda ocurrir»). Aquel hombre vivía recordando continuamente el pasado. Su presente, en realidad, estaba totalmente ocupado por el intento de borrar aquel pasado, de sepultarlo en el olvido. El futuro era una constante anticipación angustiosa: antes o después, todos llegarían a conocer aquel secreto vergonzoso. No iba a ser capaz de vivir en aquella historia nueva e inédita que tenía que contarse. Como dijo en la primera sesión «¿cómo puede uno que ha sido siempre el actor principal ocupar la peor parte del escenario?».

CREAR UN PASADO

Karl Popper (1976) sostenía que pensar en el carácter reversible del tiempo conduciría a la conclusión de que los horrores de Hiroshima serían una ilusión, como si no hubiesen existido. Pero los horrores de Hiroshima, o los de Auschwitz, *no existen más que en la memoria*. De ahí la importancia que tiene para cada uno de nosotros y para cualquier cultura el «tener un pasado». La historia no «existe» si no se recuerda: los hititas, por ejemplo, no han existido para nuestra civilización hasta que no se les ha «redescubierto». De ahí la necesidad que los testigos de los campos de concentración tienen de *recordar* el holocausto (véase Levi, 1947): si el holocausto se olvidara, dejaría de existir para la conciencia del mundo. Recordarlo en el presente tiene la función de mantener vivo el duelo por las víctimas, y de evitar que en el futuro se puedan repetir semejantes tragedias.

Según la definición de san Agustín, pasado y futuro no existen en cuanto tales para el individuo, existen como «presente del pasado» y «presente del futuro». Pero si el pasado existe en tanto que se recrea continuamente en el presente, de ello se deduce que la «retrodicción» (Jaques, 1982) tiene el mismo grado de incertidumbre que la predicción. En otros términos, no hay certeza del pasado, de igual modo que tampoco la hay del futuro. Y, como observa Hampshire (1965, pág. 127), si se objeta: «En cualquier momento del futuro podría ocurrir algo que me hiciera cambiar de opinión», la misma objeción se puede formular para el pasado: en cualquier momento podría ocurrir algo (tal vez un nuevo testimonio ofrecido por otros) que modificara mi opinión sobre el pasado.

El pasado es tanto más modificable cuanto menor es el consenso sobre él. Nadie pone en duda un hecho cierto y universalmente aceptado, como la fecha de la declaración de la primera guerra mundial. Pero sobre las causas que provocaron aquella guerra se han escrito decenas de volúmenes, con las tesis más diversas. En el caso de los acontecimientos de la vida de un individuo o de una familia, el margen de incertidumbre es bastante grande. Como consecuencia, las reconstrucciones suelen ser diversas, además de modificables. Nuestra tendencia, en cuanto seres humanos, es la de interpretar y elaborar constantemente la experiencia y el recuerdo de la experiencia. Nosotros recordamos interpretando, y no registrando puntualmente las experiencias «brutas».

Este mismo proceso lo describió Freud en el tratamiento psicoanalítico. El psicoanalista, mediante el análisis de la transferencia (y de la contratransferencia) reconstruye con el paciente su pasado y el influjo que ha tenido en la situación actual, favoreciendo así la manifestación *(insight)* de nuevos significados y emociones. Es sabido que los pasados reconstruidos en las sesiones de psicoanálisis reflejan las teorías del psicoanalista, por lo que la persona psicoanalizada puede adquirir un pasado freudiano, un pasado jungiano, un pasado kleiniano, del mismo modo que los clientes de un terapeuta sistémico adquieren un pasado centrado en las relaciones.

En suma, el pasado no es «reconstruible» tal como era, sino que se recrea constantemente en el presente. A este respecto cita Gardner (1985) un experimento interesante: se hizo que un grupo de personas estadounidenses escucharan un relato y se les pidió después que recordaran la secuencia de la historia.[4] El relato era un mito de los indios hopi y seguía un proceso que podía parecer incoherente y sin sentido para la mentalidad occidental. La mayor parte de las personas recordó bien los detalles de la historia, pero organizándolos según el esquema occidental del proceso de un relato, con un principio, un desarrollo y una conclusión, lógicos y coherentes. La memoria se había basado más en las expectativas que en los datos. También podemos interpretar esta experiencia de otro modo: el hombre es un animal semántico, tiene que explicar los acontecimientos. Y las explicaciones se dan atribuyendo al pasado una secuencia lógica que conduce al presente y abre al futuro: se trata del concepto de «narratización» de Jaynes, al que ya hemos aludido.

El pasado se recuerda en el presente dentro de la relación que establecemos con nosotros mismos, con nuestras fantasías, con nuestro mundo interior, y en la relación con los demás. De esta forma, las interacciones microsociales y macrosociales pueden cambiar la visión del pasado a diferentes niveles (individual, social, incluso cultural): la «memoria histórica» no es más que una interpretación del pasado compartida por la mayor parte de los que pertenecen a una cultura, es decir, la creación por consenso más vasta posible.

El historiador Flavio Biondo da Forlì (1392-1463), al escribir un canto a Florencia y a Italia, creó un esquema que fue capaz de dominar durante varios siglos la historia de Europa. Unió los mil años transcurridos desde la caída del imperio romano de Occidente y la llegada de la dinastía de los Medici a Florencia, considerándolos un único periodo: el «Medium Aevum». De esta forma nació un esquema narrativo: del esplendor de Roma, pasando por la decadencia medieval y bárbara, hasta el renacimiento del siglo XV. Aquella categoría, que era rígida, fue aplicada también a la historia de Asia («edad media» china o india), manteniéndose la connotación de periodo oscuro y bárbaro. Fueron necesarias bastantes generaciones para superar el prejuicio de los «siglos oscuros» (Boorstin, 1985, págs. 580 y sigs.).

Dentro del contexto terapéutico hay formas específicas de crear pasados. Podemos agruparlas, con un esquema simple, en la dicotomía fundamental propuesta por Jerome Bruner (1986) entre «pensamiento paradigmático», característico del conocimiento científico y de la lógica, y «pensamiento narrativo», característico del conocimiento humanista, que se manifiesta principalmente mediante el relato (aunque se puede describir cualquier realidad de las dos formas). El pensamiento narrativo, menos centrado en la coherencia intrínseca y en la verificabilidad, actúa sobre todo manteniendo abierto el significado del relato, de modo que el interlocutor pueda interpretarlo del modo más amplio posible. De esta forma, la exposición narrativa hace una

> *conjugación de la realidad en subjuntivo* [...] Tomo prestado el significado de «subjuntivo» de la segunda acepción del término ofrecida por el *Oxford English Dictionary:* «Designa un modo (en latín: *modus subjunctivus*) cuyas formas se usan para denotar una acción o un estado tal como se piensa en ellos (y no como un hecho) y, por eso, se usa para expresar un deseo, una orden, una exhortación o un evento contingente, hipotético o previsto». El modo subjuntivo, por tanto, indica que se trata de posibilidades humanas y no de certezas estables. Una narración lingüística, tanto si está «concluida» como «en curso», produce un mundo en subjuntivo (Bruner, 1986, págs. 33 y sigs.).

Ahora bien, la narración que cada persona hace de su propia historia suele ser (aunque no siempre) una narración en indicativo. Se tiende a dar una única interpretación de los hechos, un único punto de vista. A estas historias en indicativo les corresponde un modo paradigmático, que es el del pensamiento lineal-causal. Por el contrario, la participación en una terapia transforma el pasado de los clientes en una auténtica narración, que cumple los tres criterios propuestos por Bruner: creación de significados más implícitos que explícitos, subjetivización del relato y adopción de una pluralidad de perspectivas. El diálogo con el terapeuta puede introducir una realidad en subjuntivo, porque el terapeuta ofrece a los clientes no sólo un punto de vista desconocido, sino que en general ofrece más de uno, sin indicar necesariamente que uno de ellos es el adecuado. Además, si el diálogo no se mantiene con una sola persona, sino con familias o parejas, a cada uno de los participantes se le da la oportunidad de exponer su propia perspectiva, de modo que la historia contada se hace multifocal: una historia que es mucho más que la simple suma de los relatos individuales. De esa manera puede aparecer un «pasado en subjuntivo», liberado de la causalidad. Las metáforas son también uno de los instrumentos lingüísticos que facilitan este proceso de «pasado en subjuntivo». A veces, en fin, son los puntos de vista del equipo terapéutico, comunicados por el terapeuta o expresados directamente, como en el *reflecting team*, los que enriquecen en último término el juego de las perspectivas, abriendo la posibilidad de innumerables interpretaciones del pasado.

La diferencia fundamental entre las historias en indicativo, que ponen en marcha la terapia, y el pasado contado en subjuntivo es que este último ofrece a su «lector» (término usado para mantener la analogía con un texto literario) la posibilidad de *re-escribirlo* de acuerdo con su propia imaginación y sensibilidad, de pasar de la estructura básica del relato a su despliegue en el tiempo, del conjunto de la trama a sus detalles. Retomando una metáfora de Bruner (1986, págs. 46 y sigs.):

> El paso que da el lector de las dovelas a los arcos, al significado de los arcos, constituye una realidad más amplia: él pasa continuamente de un elemento al otro, hacia adelante y hacia atrás, intentando expresar, al final, un sentido del relato y, al mismo tiempo, la forma y el significado del relato mismo.

Por eso es aconsejable que el terapeuta adopte perspectivas unívocas o muy vinculantes. Ésta puede ser una lectura según las teorías narrativas del principio de la neutralidad.

Además de las metáforas, de los modos verbales y del uso retórico de los verbos, se pueden emplear otros métodos para crear pasados. Sobre todo, el uso de la interrogación, de las preguntas. La pregunta es una forma retórica que concede al destinatario toda la responsabilidad en la atribución del significado.

Un tipo especial de pregunta es la pregunta hipotética (Boscolo, Cecchin y otros, 1987), que se puede referir a acontecimientos y significados del pasado, del presente o del futuro. Por ejemplo, en relación con el pasado, se puede preguntar a una persona anoréxica: «Si en el pasado usted hubiese decidido comer, ¿como habrían reaccionado, por ejemplo, sus abuelos?». Una pregunta de este tipo lleva consigo una posible relectura, por parte del destinatario, de un antiguo juego trigeneracional. En las sesiones dirigidas de esta forma, es posible crear nuevos pasados haciéndolos presentes: el «nuevo» pasado puede influir recursivamente sobre el presente, devolviendo al sistema flexibilidad y capacidad de evolución. Se puede plantear una pregunta semejante en relación con el presente y con el futuro: «Supongamos que usted decida ahora comer, ¿cómo...?», o bien: «Supongamos que usted decida en el futuro comer, ¿cómo...?».

Recrear una familia

En la terapia, a veces, se puede llevar a cabo la creación de un pasado mediante técnicas extrañas, aunque no sean excepcionales. Esto sucede sobre todo cuando el diálogo que se mantiene es insuficiente para que avance el proceso terapéutico. Comprobémoslo con dos ejemplos. El primero se refiere a una terapia individual. Se trataba de una mujer de veintiocho años, deprimida, realmente grave. Después de cinco meses de terapia, con una frecuencia de una o dos sesiones por semana, el terapeuta no había observado ninguna mejoría. La paciente emitía continuamente el mensaje de que para ella ya no había nada que hacer, que su vida no tenía sentido, que cualquier esfuerzo era inútil. La mujer situaba el origen de su depresión incurable en la infancia; precisamente en los cinco primeros años de su vida en los que, al parecer, había vivido en un apartamento muy pequeño, con su padre alcohólico, con sus hermanos, que eran muchos y, sobre todo, con su madre, que no se preocupaba de ellos, «que nunca se dignó mirarme». Parecía dominada, casi obsesionada, por los tristes recuerdos del pasado remoto. Había experimentado la grandísima e intolerable falta de su madre; había sufrido por ello, y cuanto mayor era, más sentía el peso de aquel pasado.

Después de varios meses de terapia, en los que fracasó el intento de ayudar a la paciente, el terapeuta se dio cuenta de que ella situaba el origen de su enfermedad exclusivamente en el pasado, y de que sus esfuerzos para cambiar la situación con palabras y para suscitar interés por sucesos del presente y del futuro no habían tenido ningún efecto. En ese momento el terapeuta inventó una forma de relacionarse capaz de hacerles salir del *impasse*. Decidió hacer presente el pasado no sólo en el diálogo sino también con una prescripción peculiar, con acciones. Comunicó explícitamente a la paciente que había comprendido que estaba equivocado: ella sólo podía cambiar si él era capaz de modificar su pasado. Y prosiguió: «La única posibilidad que tengo de ayudarte es la de ser la madre que nunca tuviste. Por tanto, de ahora en adelante, trataré de ser la madre que nunca tuviste en los cinco primeros años de tu vida, trataré de tener la actitud que hubieras deseado que tuviese tu madre. Tendrás que ayudarme, de vez en cuando, indicándome, levantando el dedo, si soy o no aquella madre». De esta manera, el terapeuta podía controlarse a partir de las respuestas de la paciente. Usando este método, la depresión comenzó a remitir al cabo de unas pocas sesiones.

En este caso el terapeuta, aceptando la irreversibilidad del pasado, había pedido a la paciente que se comportara como si el pasado fuera reversible. Evidentemente, no era el pasado lo que tenía que cambiar; pero el cambio que acontecía en el presente se reflejaba en la interpretación que la paciente daba del pasado. Y a medida que el pasado se hacía (en el recuerdo de la paciente) nuevo, se abría de nuevo el anillo recursivo que permitía cambiar también su presente.

El grupo de Milán trató hacia 1975 un caso parecido, recogido en *Paradoja y contraparadoja* (Selvini Palazzoli, Boscolo y otros, 1975). Era una familia con una niña que padecía una grave psicosis. La madre estaba segura de que ella misma era la «causa» de la psicosis de su hija, a consecuencia de su relación conflictiva con sus propios padres. También en esta familia el mito de la culpa estaba anclado en un pasado intolerable. Para resolverlo, los dos terapeutas propusieron que se les considerara como padres de la madre, para cambiar aquel pasado y crear la posibilidad de un presente distinto. Aunque la actuación de los terapeutas en esta circunstancia es diferente de lo que acontece en el *setting* psicoanalítico, la lectura de la situación presenta muchas semejanzas con un psicoanálisis de la transferencia.

Está claro que la posibilidad de desmontar y reconstruir un pasado depende de la perspectiva con la que se mira el futuro. Si observamos los sistemas vivos con una perspectiva *a priori*, nos introducimos en una visión probabilista, que supone un alto grado de imprevisibilidad: es imposible predecir el proceso evolutivo. Pero si vemos, *a posteriori*, una evolución ya sucedida, la consideramos con carácter de necesidad, como si los acontecimientos que determinan el presente estuviesen relacionados de un modo determinista. El hombre, como ya hemos dicho, es un animal semántico, que busca continuamente explicaciones. La causalidad no está en el mundo externo, sino que es un principio, un instrumento del observador para dar un sentido a lo que observa. Lo que ha observado se explica, *a posteriori*, como si se tratara de una cadena determinista. Es un error explicar los acontecimientos futuros en los sistemas vivos de una manera determinista, porque no se tiene en cuenta la imprevisibilidad. Si, por ejemplo, observamos *a posteriori* el desarrollo de las especies, vemos una concatenación necesaria en la evolución. Pero si nos preguntamos *a priori* cuál será la evolución de las especies futuras, no podemos saberlo.

Con frecuencia los clientes que acuden a la terapia aplican su perspectiva *a posteriori* también a sus consideraciones *a priori*. En otras palabras: su pasado sirve de contexto rígido para su futuro. Un error epistemológico de este tipo se dio en las reacciones de los testigos de los primeros acontecimientos de 1989 en la Europa del Este: nadie era capaz de tener una perspectiva de futuro tan abierta como para prever cambios radicales, impensables en los cuarenta años precedentes. Una perspectiva evolutiva ha de tener presentes los momentos de inestabilidad, en los que el proceso evolutivo llega a su máxima imprevisibilidad, momentos que Prigogine y Stengers (1979) han definido como «bifurcaciones». Este último concepto corresponde, en la metáfora narrativa, a la aparición de historias alternativas. Si, por el contrario, se usa una terminología batesoniana, se podría decir que la acción del terapeuta sistémico cambia la epistemología[5] de los clientes, aproximándola al principio de equifinalidad de Bertalanffy (1968): de antecedentes distintos se pueden derivar consecuencias iguales; de antecedentes iguales, consecuencias distintas. Una relación entre clientes y terapeuta basada en los presupuestos de esta epistemología abre el horizonte del cambio.

Henry Street Settlement: cómo crear un pasado

El horizonte temporal varía dependiendo de la cultura y de la clase social. Como ya dijimos en el segundo capítulo, es propio de la burguesía occidental basar su propia vida en un pasado conocido, a partir del cual se proyecta hacia el futuro (Coser y Coser, 1963). Pero no se ha de pensar que se trate de una característica universal; personas cuya cultura es muy fatalista tienden a interesarse por el presente, a no preocuparse demasiado por los acontecimientos pasados y a no proyectar su futuro. Smith (1952) ha puesto de relieve que la cultura china y la de los indios salishan del Estado de Washington se caracterizan también por subrayar la importancia del presente. El predominio del tiempo presente es palpable, dentro de la cultura estadounidense, en las clases sociales bajas (Coser y Coser, 1963), y prevalece de un modo significativo en los casos de marginación social.

Una de las razones que llevan a los marginados a reducir al presente su propio horizonte temporal puede estar en su imperiosa necesidad de adaptarse, aquí y ahora, al ambiente que los rodea y al tipo de relación que establecen con los asistentes sociales, que se ocupan sobre todo de sus problemas coyunturales. Con frecuencia en esa relación demandas y ofertas se reducen al campo del apoyo o de la asistencia social y, con ello, a actuaciones sobre problemas inmediatos (conseguir un trabajo, una vivienda, una ayuda económica, etcétera). A veces, parece que estas personas no tienen pasado, apenas conservan un vago recuerdo de los grupos a los que pertenecen, y viven sólo en el presente y en el ámbito temporal más cercano a él, es decir, el pasado y el futuro inmediatamente próximos.

Precisamente un grupo de asistentes sociales, algunos de los cuales habían conocido el modelo sistémico de Milán a través de varios encuentros con Boscolo y Cecchin, intentó introducir un modo nuevo de relacionarse con los usuarios de una agencia social, Henry Street Settlement, situada en el barrio Lower Manhattan de Nueva York. La mayoría de los habitantes de la zona son marginados sociales, muchos de los cuales son hispanoamericanos con un nivel de estudios bajo, poca capacidad de relación y dificultades para aprender inglés; todo ello da al barrio el aspecto de un gueto.

Mediante la técnica de ensayos y errores el grupo llegó, con el paso del tiempo, a desarrollar una modalidad de intervención sistémica realmente original y eficaz. La idea central, que surgió del trabajo del grupo, era que la relación entre los asistentes y los usuarios tenía lugar, no sólo en un horizonte temporal reducido al presente, sino también mediante diálogos y actividades rutinarias (del tipo estímulo-respuesta), que llevaban a todos los participantes a interactuar como máquinas vulgares, según la definición de Heinz von Foerster.[6]

La modalidad adoptada en el método fue la de dedicar a cada uno de los usuarios una larga sesión inicial (de una hora y media a dos horas), dirigida por dos asistentes sociales, permaneciendo el resto del grupo detrás del espejo unidireccional. Los asistentes –en el curso de la sesión– trataban de crear un pasado y, especialmente, dentro de ese pasado, intentaban crear una familia, un grupo de pertenencia (Ahto, Sampieri y colegas, comunicación personal). Esto trae a la memoria la obra *Seis personajes en busca de un autor* de Pirandello, en la que al comienzo de la acción seis personajes suplican al Director y a sus actores, que estaban ensayando una pieza de teatro, que les den un papel en ella. Como en esta obra de teatro, los colegas de Henry Street asumen la perspectiva del Director y construyen una historia para sus personajes. La diferencia es que en Henry Street son los autores los que piden a los personajes que entren en la nueva historia que se escribe para ellos.

Muchas de las preguntas de los asistentes tratan de introducir en el pasado la dimensión hipotética. Por ejemplo, si el usuario recuerda poco o nada de su padre, o no ha tenido un padre, se le puede preguntar: «¿Qué padre desearías haber tenido? ¿En qué trabajo te hubiera gustado que hubiera trabajado tu padre? Si hubieras tenido una hermana, ¿qué tipo de padre hubieras querido para ella? ¿Qué tipo de relación hubieras querido con tu padre en la infancia? ¿Y en la adolescencia? ¿Qué tipo de relación hubieras querido que tu padre tuviese con tu madre, y viceversa?».

En los casos en que el usuario revelara una historia de abandono por parte de su madre, que vivía de forma desordenada y promiscua, el terapeuta podía preguntar: «Supongamos que tu madre hubiese crecido en una situación de menor pobreza, en un ambiente en el que hubiese resultado más fácil ganarse la vida, ¿cómo crees que se habría comportado contigo, con tu hermana, con tu padre?...», etcétera. Las preguntas hipotéticas se refieren también a la escuela, a la relación con posibles profesores o compañeros del pasado.

El objetivo es cocrear un grupo de pertenencia, una identidad más positiva y compleja para el usuario. Después, las hipótesis pueden llegar a ser una realidad, y esto lo favorece el hecho de que el usuario cuenta con un grupo de personas que se ocupan de él, que creen posible e incluso probable que sea no alguien «diferente», sino una persona como las demás. De esta forma, el pasado cocreado en el «aquí y ahora» ofrece las condiciones para que el usuario pueda entrar en una nueva historia y pueda hacer nuevas opciones, entre las que se encuentra la de salir de la marginación.

Para el consejero o el terapeuta es importante actuar «en el pasado» no sólo en casos semejantes, en los que parece que no hay un pasado, sino también en los casos en que parece que el horizonte temporal está totalmente ocupado por el pasado, como en los casos de depresión. Actuar en el pasado significa, sobre todo, poder introducir lo hipotético, favoreciendo la aparición de historias alternativas, que pueden abrir después la puerta hacia el futuro. Si en el primer caso –el de Henry Street– es apropiado hablar de construcción de una historia posible a partir de los indicios, de las pistas ofrecidas por el usuario, en el segundo la cocreación de historias nuevas surge del desmontaje simultáneo de una historia pasada.

El pasado del terapeuta

El proceso terapéutico se puede explicar en clave narrativa de tres maneras. La primera es que el cliente lleva su propia historia al terapeuta y le encarga la tarea de escribirla de nuevo (es lo que sucede en las intervenciones psicoeducativas).[7] La segunda es que el terapeuta crea un contexto dentro del cual el cliente tiene que escribir de nuevo su historia, según sus propias opciones personales (es la perspectiva preferida por Anderson y Goolishian). La tercera es que el cliente y el terapeuta desmontan y reconstruyen la historia llevada por el cliente, llegando a realizar de esta forma una «narración a cuatro manos». En el primer caso el autor de la historia es el terapeuta, en el segundo el cliente, en el tercero los dos son co-autores. Ofrecemos a continuación un caso que el mismo equipo terapéutico ha descrito siguiendo este tercer modelo.

Silvio Castelli acudió a la terapia con sus padres (su madre, ama de casa, y su padre, médico) a causa de una gravísima bulimia. Era un joven de veinticinco años, muy delgado, ágil y elegante, pero dominado por accesos de un hambre incontenible, que en el curso de un año habían hecho que se le ingresara en el hospital dos veces por desequilibrios electrolíticos. En la primera sesión Silvio describió con todo detalle los accesos de bulimia, que en aquel momento le costaban al padre más de lo que podía ganar. Cuando tenía tanta gana de comer obligaba a su madre a cocinar para él días enteros. Y cuando ésta no podía más, Silvio reservaba una salita en un restaurante cercano, comía, incluso durante toda la tarde, cantidades enormes de alimento, que podían llegar hasta veinticinco kilogramos al día. Para poder conseguirlo entraba y salía continuamente del servicio contiguo, donde se metía en la boca, en forma de bola, una toallita áspera para sacársela después de golpe y vomitar; procedimiento que, entre otras cosas, le había provocado hemorragias en el esófago.

En el curso del diálogo apareció un recuerdo que al terapeuta le pareció muy importante: el joven había tenido un hermano que murió a los ocho años cuando él tenía doce. El equipo decidió servirse de aquel hecho en la intervención final de la primera sesión.

TERAPEUTA: Lo que nos impresiona de vuestra familia es que sois los supervivientes de una muerte, cuyo duelo no habéis concluido todavía. (A Silvio): Hace un año, decidiste dejar de estudiar por temor a que, si te marchabas de casa, tus padres, que ya habían perdido un hijo, no podrían soportarlo. Por eso has comenzado a tener un comportamiento que obliga a tu madre a estar preparándote continuamente comida y a tu padre a trabajar para saciar tu hambre. De esta manera les aseguras que, por el momento, no dejarás su casa. (A los padres): Comprendemos también vuestro comportamiento, que es el de unos padres que han sufrido mucho al perder a su hijo y hacen todo lo posible por mantener vivo al hijo superviviente.

SILVIO (perplejo, al terapeuta): ¿Por eso como también por mi hermano muerto?

TERAPEUTA: Es posible. Ahora nosotros trataremos de buscar la manera de ayudaros a concluir el duelo, de forma que, cuando Mario esté realmente sepultado, podréis ser libres para volver al curso de vuestra vida.

Al comienzo de la siguiente sesión la familia comenzó diciendo: «¡Ha sucedido un milagro!». Silvio contó que las palabras del terapeuta, especialmente la idea de que él era un superviviente, y que no había concluido el duelo, le habían impresionado y había seguido pensando en ellas toda la noche. Al día siguiente había sentido algo que describió como «paz interior» y se había dado cuenta, muy sorprendido, de que el estímulo incontenible del hambre había desaparecido: su apetito había vuelto a ser normal.

Había llamado a sus amigos, a los que no veía desde hacía un año, y se había ido a pasar con ellos el fin de semana. Desde entonces, la bulimia había desaparecido.

Una vez concluida la sesión, el equipo terapéutico comenzó a dialogar: ¿cuál podía ser la «causa» de un cambio discontinuo tan sorprendente? Los colegas que estaban detrás del espejo habían observado que el terapeuta, en el curso de la primera sesión, había dado a conocer la intervención final con una inusitada intensidad emotiva, mientras que los tres miembros de la familia se habían quedado inmóviles, petrificados, como si estuvieran en trance. La tesis predominante fue que el terapeuta había establecido contacto con la familia, transmitiendo una vivencia personal sobre un tema universal como el de la muerte. La descripción conmovió al terapeuta, que recordó de repente cómo él mismo en la infancia tuvo un hermano que murió, y que éste había sido, entre otros, uno de los temas principales de su psicoanálisis personal. El recuerdo y la emoción del terapeuta contrastaban notablemente con el relato de la muerte de su hijo menor, que la familia había recordado aparentemente sin una emoción particular.

Por último, esto llevó al equipo a reconstruir una extraña cadena de asociaciones, que les hizo formular la hipótesis de que los clientes podrían cambiar al situarse como observadores de los terapeutas, que representan ante ellos sus propios conflictos emocionales no resueltos. Lo cual tendría el efecto de provocar un proceso análogo en los clientes, que –paradójicamente– cambian, mientras que el terapeuta mantiene sus conflictos, ¡esenciales para resolver los de los demás!

La terapia, pues, sería eficaz de la misma manera en que, según Aristóteles, el teatro es catártico, porque representa al público sus propios dramas universales.

UN MITO ROTO

En el caso que presentamos a continuación, el comienzo de las dificultades de una pareja coincidía con la aparición de una divergencia de horizontes temporales. De hecho, durante algunos años, aquella pareja había vivido en un mito (recreado continuamente en el presente), enraizado en un pasado estático, inmóvil. Como sucede en la vida, un mito de esas características no podía resistir a los influjos del ambiente, que provocaron una desavenencia entre los cónyuges que creció con el tiempo. La evolución imprevista de la mujer hacia una mayor autonomía e independencia –favorecida por una terapia individual, que ella estaba siguiendo– provocó una fuerte oposición con el carácter estático del marido.

La pareja estaba formada por Fabio, de treinta y cuatro años, empleado en una empresa comercial, y su mujer Anna, de veintinueve años, profesora en una academia de lenguas. Anna era un mujer exuberante, de una belleza clásica, que podía recordar un cuadro de comienzos del siglo XX. Fabio, por el contrario, era delgado, muy menudo. El contraste entre ambos no era sólo somático. Anna se presentaba como una mujer abierta, instintiva, fuerte. Fabio era serio, tranquilo, aparentemente sin sentido del humor; llamaba la atención por su carácter meticuloso, acompañado de una necesidad de controlarlo todo, que él no podía contener. La pareja tenía un hijo, Emanuele, de cinco años, que iba a la escuela primaria, un niño muy desenvuelto y extravertido. En el último año había surgido entre los cónyuges una tensión cada vez mayor. Finalmente, los dos se habían decidido a acudir a una terapia de pareja, motivándola por la «escasez de contacto» recíproco. La terapia se llevó a cabo en seis sesiones con una duración total de diez meses.

En el curso de la primera sesión, la única en la que participó Emanuele, el terapeuta examinó cuidadosamente el origen del desacuerdo y las causas que, según la pareja, lo habían provocado. Ellos contaron la historia siguiente: Anna, antes de casarse, era una muchacha inquieta e incapaz de adaptarse a su propia familia. Fabio fue quien la liberó, dando un sentido a su vida. Durante los cinco primeros años de matrimonio Anna había vivido a la sombra de Fabio, al que apreciaba por su rectitud y dedicación a la familia, y especialmente por su extraordinaria cultura, en virtud de la cual lo consideraba como maestro suyo.

Aparentemente, el nacimiento del hijo había comenzado a producir las primeras desavenencias en la relación: los dos se habían encariñado mucho con Emanuele. Además, Fabio se había vuelto un padre obsesionado con su hijo y cuidaba de él con una escrupulosidad extraordinaria. Relacionó esa intensa vinculación con el hecho de que su querido padre había muerto cuando él tenía catorce años, dejándolo solo. «Quiero dar a mi hijo el padre que yo no he tenido», dijo. Anna, por su parte, estaba contrariada por aquella situación. Dijo que el niño se estaba alejando de ella y que se ponía de parte de su padre. «¡Quisiera que se hablara de mí –se lamentó–, pero Fabio y mi hijo hablan de ellos y nunca de mí!» El comportamiento análogo de Emanuele confirmaba la presencia de una estrecha relación con su padre. Este último había dado al equipo, desde el principio, la impresión de ser un excéntrico, porque parecía que predominaban en él actitudes de abuelo y de niño, por encima de las de padre y marido. Lo cual les había llevado a proponer la hipótesis de que podía tener problemas de identificación sexual.

Cuando Emanuele tenía dos años, Anna había acudido a una terapia individual a causa de un síndrome de ansiedad depresiva; la terapia había durado dos años y, según ella, le había «ayudado mucho». Pero la terapia individual, como sucede con frecuencia, había ocasionado un desequilibrio en la pareja. Anna había cambiado y vivía en un horizonte temporal cada vez más abierto al futuro, mientras que Fabio estaba más vuelto hacia el pasado. La hipótesis del equipo terapéutico fue que Anna, por su parte, tuvo que detenerse en su proceso evolutivo para no provocar el peligro de una posible crisis en su matrimonio. El conflicto se basaba en una disparidad de los tiempos internos, pues uno de los miembros de la pareja había evolucionado mucho más rápido que el otro.

Los dos llegaron muy tristes a la segunda sesión. Anna, sobre todo, parecía deprimida y contó que, después de la primera sesión, había comenzado a padecer una forma de «agotamiento» caracterizada por la depresión, la apatía y el insomnio. Pero no era la primera vez que tenía síntomas parecidos: según Fabio, cada año por Navidad (la sesión tenía lugar en enero), Anna comenzaba un periodo de depresión, que duraba hasta el verano, y al que seguía después un periodo de euforia. En ese momento el terapeuta propuso la hipótesis de que podía tratarse de una forma cíclica de trastorno del humor. Fabio, por su parte, estaba particularmente insatisfecho por la situación: él, como intelectual, había tratado durante años de instruir a su mujer «para que mejorase»; pero parecía que la relación con su terapeuta había cambiado mucho a Anna en menos de dos años, mucho más de lo que el marido había conseguido durante varios años de afectuosa enseñanza.

El deseo evidente que Fabio tenía de controlar a Anna y también al niño, asociado a la tendencia de Anna a manifestar periodos depresivos alternados con periodos de euforia moderada, es comparable a las dinámicas puestas de manifiesto por el grupo de Heidelberg (Stierlin, Weber y otros, 1986), para el cual las premisas de la relación de las familias bipolares son del tipo «o, o», más que del tipo «y, y». En estas familias la persona que muestra los síntomas oscila entre periodos de depresión, en los que se adapta a la premisa familiar de obediencia, y periodos de euforia, en los que desobedece notoriamente. En este caso, podemos clasificar el comportamiento de Anna como una típica oscilación entre obediencia y desobediencia a Fabio o, mejor dicho, al mito familiar que prescribía la estabilidad y el no-cambio.

En el curso de la sesión Fabio mostró también una cierta ambigüedad hacia su mujer. «Anna me provoca mucho cuando está picante, eufórica –afirmó–. Pero me asusta la idea de que en estas condiciones pueda cometer una locura. No sólo me provoca, sino que me irrita mucho cuando se despreocupa y engorda». Si se las interpreta como órdenes, las afirmaciones de Fabio tienen un tono paradójico de doble vínculo.

Fueron momentos destacados de la sesión aquellos en que el terapeuta, por una parte, reformuló la actitud de Fabio hacia Anna como «maestro y policía» –definición que el interesado aceptó con una expresión impasible– y, por otra, expresó su preocupación por la relación demasiado estrecha entre padre e hijo, y por la aparente ausencia de relación entre hijo y madre. Recogemos a continuación toda la intervención conclusiva:

TERAPEUTA: Mis colegas están de acuerdo en lo que se decía al principio, particularmente en relación con el trabajo que Anna ha hecho con la doctora Ferri: has comenzado a crecer, has trabajado muy bien, has empezado a sentirte bien, a sentirte más segura, llena de vida. Y has hecho feliz a tu marido, pero al mismo tiempo le has alarmado. Cualquier pareja puede experimentar el cambio dentro de unos ciertos límites. Tal vez después pueda cambiar y consiga tolerar un cambio mayor; pero durante un periodo de tiempo tolerará sólo un cierto cambio y nada más. Lo que mis colegas notan es que, en cierto modo, Anna ha estado demasiado bien, demasiado segura... es lo que sucede cuando una mujer casada comienza, mediante una terapia individual o mediante otra experiencia, a sentirse mujer, a sentirse segura de sí misma. Es lo que nosotros llamamos la *guerra de la independencia,* porque las mujeres normalmente están acostumbradas, en sus familias de origen, a estar «debajo» de los varones, a permanecer sometidas, a creerse inferiores. Después, al casarse, sucede con frecuencia que muchas mujeres se descubren a sí mismas mediante diversas experiencias, incluida la psicoterapia. Comienzan a descubrir su propia femineidad y su propia autonomía. En este sentido, un colega ha notado que, cuando Anna decía que al principio estaba muy impresionada por Fabio, después se ha casado, y durante mucho tiempo ha dependido casi totalmente de él, estaba reflejando de este modo un viejo modelo de la relación entre varón y mujer, entre macho y hembra. Después, con la madurez –digámoslo así–, o con otros estímulos...

ANNA: Me he liberado...

TERAPEUTA: Te has liberado de este clisé, y ha aparecido la mujer segura de sí misma, que siente que está creciendo, con ganas de hacer cosas nuevas, de realizar actividades más adecuadas para ella. Cuando ha sucedido todo esto, a él le ha gustado mucho. En realidad no le gustaba tener una mujer así, con esa pinta de mujercita. Si yo he comprendido bien, tú, Fabio, no tienes gustos comunes, eres original y, por eso, esta mujer te gusta como es ahora, sientes hacia ella una gran atracción, una gran admiración. Pero llega un momento en que te sientes poseído por el miedo; porque se pueden traspasar los límites que Fabio puede tolerar. Es decir, el miedo a que ella se comprometa demasiado, te ignore, te deje por otro. Entonces te vuelves como un niño pequeño que tiene miedo. En cierto sentido, eso es lo que ha sucedido desde que ella se ha sentido mejor hasta este último periodo en que ha comenzado a encontrarse triste; imagino que se sentirá...

ANNA: Una nulidad.

TERAPEUTA: Una nulidad, exactamente. De esta manera vuelves a darle seguridad. Se había llegado al límite.

ANNA: Es decir, ¿estoy caminando hacia atrás...? Estoy dándole seguridad...

TERAPEUTA: Exactamente. Habías llegado al límite. Después de un tiempo, volverás a entrar en la fase de crecimiento. En un determinado momento también él, como suele suceder, podrá tener un periodo de crecimiento, o bien seguir como está. Esto es lo que nosotros observamos normalmente.

En este momento, se encomendó a la pareja la realización de un ritual que introdujera la posibilidad de una relación distinta entre padres e hijo.

TERAPEUTA: Lo que ahora os pedimos es que tú, Anna, dos veces por semana, por ejemplo el martes y el jueves, tomes aparte a tu marido, en un lugar donde podáis estar solos, y le expreses lo que piensas sobre la relación que él, Fabio, tiene con su hijo. El encuentro tiene que durar, al menos, media hora.

La prescripción se llevó a cabo escrupulosamente. Cuando volvieron a la sesión siguiente se habían producido dos cambios importantes: el niño se había separado de su padre (y el padre de él), y se había acercado a su madre. Además, Fabio había dejado de preocuparse por el pasado, y se estaba preocupando mucho más por el futuro, y, sobre todo, por el futuro de la pareja.

Anna había notado que el niño volvía a dirigirse a ella, y no sólo a su padre. Fabio, al principio, había sentido que el hijo se le había vuelto «como un extraño»; pero después de una semana había comenzado a corresponderle cuando el niño lo buscaba. De esta manera, se pudo centrar de nuevo el discurso terapéutico en la relación de la pareja. Fabio afirmó que su trabajo le satisfacía, pero que en casa «ya no tenía estímulos, ya no cargaba con su mujer».

Durante la sesión, al igual que en todas las demás, marido y mujer siguieron manifestando una actitud contradictoria. Ambos estaban de acuerdo, de palabra, en la gran distancia que existía entre ellos, en la indiferencia recíproca (también en lo sexual) cada vez mayor. Sin embargo, por otra parte, seguían manifestando una gran cercanía; se miraban con insistencia, se sentaban muy cerca el uno del otro, hablaban siempre y sólo de la pareja, y casi nunca de terceras personas.

En la intervención final el terapeuta dijo: «Vosotros os queréis demasiado, estáis demasiado juntos, casi de una forma simbiótica. Este exceso de compañía os produce una angustia de fusión y una angustia de separación. Habéis creado un mito, según el cual amarse es detenerse en el tiempo. Precisamente por esto cuando tú, Anna, has comenzado a emanciparte, se ha producido una crisis en vuestra relación. Observamos que tratáis por todos los medios de construir un amor más real en el futuro. El hecho de que vengáis a la terapia es uno de estos medios».

En la cuarta sesión contaron que Emanuele era mucho más autónomo y estaba más tranquilo, y que la pareja se había independizado de su hijo. Por otra parte, Fabio no conseguía superar el miedo a que Anna (que entretanto había engordado demasiado) siguiese aumentando de peso. La imagen del futuro de Anna como mujer obesa, le disgustaba: «Me da miedo pensar que mi mujer se vuelva deforme, como mi madre, que murió gorda, y quisiera comprender por qué motivo el peso de mi mujer me fastidia tanto. Hasta el hecho de ver a mi mujer en salto de cama me hace sentirme mal. Comprendo que se trata de ideas ridículas, pero esto es lo que pienso». (Esta declaración condujo a una serie de hipótesis sobre la relación entre Fabio, las mujeres y los hombres, que aquí no trataremos.)

Anna, por su parte, se sentía valorada por lo que pesaba, como una mercancía, y hasta le daba miedo engordar, porque su marido estaba obsesionado con la idea de que estuviera más delgada. Parecía que, de todos los miembros de la familia, Emanuele era el más satisfecho y, en fin, estaba bien tanto con su madre como con su padre. En el curso de la sesión la atención pasó del peso de Anna al peso de las diferencias recíprocas en la relación. Se notó que la relación era de tipo complementario: Fabio era lógico, y en él los sentimientos estaban completamente escondidos detrás de la lógica y del raciocinio, mientras que Anna era instintiva, llena de pasión. Se notó que, en la relación de pareja, Fabio contenía las pasiones de Anna con la lógica, y que Anna, con sus pasiones, ponía sentimiento en la lógica fría de su marido. Pareció que estas reformulaciones impresionaron de un modo positivo a la pareja.

En la quinta sesión Anna y Fabio se presentaron más tranquilos. La relación entre ellos había mejorado claramente y, después de varios meses, habían vuelto a tener relaciones sexuales. Anna podía afirmar que Fabio ya no estaba enfadado con ella. Probablemente para evitar el peligro de que el equipo pensase que el trabajo terapéutico había concluido,[8] Fabio, por su parte, aceptó que también se sentía mejor, pero insistió en que estaba preocupado de que «en el futuro desapareciese su felicidad». Anna, a su vez, con una actitud de satisfacción, dijo que había comenzado una dieta de adelgazamiento pensando en las vacaciones, porque quería «estar bien en el mar con su nuevo traje de baño». Pero enseguida añadió que no se habría esforzado en adelgazar por el marido, porque le parecía que era una especie de chantaje: «Te quiero si estás delgada, no te quiero si estás gorda».

En la discusión del equipo se estuvo de acuerdo en el hecho de que la pareja había salido del *impasse*. Y se decidió concluir la terapia.

TERAPEUTA: He dialogado con los colegas que están detrás del espejo sobre la situación general y estamos de acuerdo en que en este momento no vemos problemas psicológicos o psiquiátricos que requieran nuestra presencia. Por ello hoy nosotros concluimos la terapia. Vemos que se ha puesto en marcha una evolución en vuestra relación como pareja, como familia, con vuestro hijo, una evolución positiva, por lo que pensamos que en este momento ya no es necesaria nuestra presencia. Naturalmente, contamos con que habrá altos y bajos, como sucede en todas las parejas. La vida es un problema, los conflictos están a la orden del día. En este sentido estoy de acuerdo con vosotros en que la felicidad, si se puede llamar felicidad, no es una línea continua, hay momentos de felicidad, al igual que hay momentos de indiferencia y momentos en que se discute. Vivir juntos quiere decir encontrar soluciones, encontrar compromisos, etcétera. Nosotros pensamos que, en este momento, vosotros podéis ya encontrar vuestras soluciones.

ANNA: ¿Para toda la vida?

TERAPEUTA: Lo que nosotros vemos ahora es una pareja, una familia, que evoluciona, que está buscando un nuevo equilibrio. Pensamos que ahora podéis hacer frente vosotros mismos a vuestros conflictos y a las dificultades de la vida. Vemos que, con altos y bajos, habéis tomado esta dirección. No es posible responder a la pregunta de Anna: «¿Para toda la vida?». En caso de que más adelante penséis que necesitáis ayuda, ya tenéis nuestra dirección.

La retroacción de los cónyuges fue muy vivaz, como si la conclusión de la terapia les hubiese sorprendido. Fabio (que había dado al terapeuta la impresión de que era para él como un padre adoptivo) afirmó que se sentía «un poco perdido». Por el contrario, Anna se sentía por fin capaz de afrontar la relación de pareja, aunque, al mismo tiempo, tenía la preocupación de volver a deprimirse «y de que todo comenzara de nuevo».

Generalmente, cuando hacemos este tipo de intervenciones al final de la terapia, la evolución de las parejas o de las familias continúa su proceso. En algunos casos (que no son frecuentes) después de algún tiempo, los clientes quieren reanudar las sesiones.

Tres años después del final de esta terapia, Anna pidió un nuevo encuentro. La pareja se presentó para discutir de nuevo el problema de la obesidad de la mujer. Dijeron que después del final de la terapia hubo un periodo muy positivo, que Anna quedó embarazada y había nacido «una niña preciosa», que ya tenía un año. Emanuele crecía muy bien, y la pareja había encontrado un *modus vivendi* satisfactorio, hasta hacía seis meses, cuando Anna había comenzado a engordar, y el marido a reprochárselo, manifestando su disgusto por el cuerpo de su mujer. Anna respondía a las críticas de su marido con expresiones como «o me quieres a mí o quieres a mi cuerpo» o bien «tu amor depende de los kilos que peso», y aireaba la posibilidad de encontrar un montón de hombres a quienes les gustaría tal como estaba. Fabio respondía que era superior a sus fuerzas, porque su ideal era una mujer delgada, etcétera. La pareja participó en otras dos sesiones, suficientes para que saliese –esperamos que definitivamente– del juego sin fin.

CORREGIR EL PASADO

Oreste y Elettra Valeri eran dos profesionales de unos cuarenta años, los dos licenciados y cultos. Hacía cierto tiempo que Oreste había concluido un psicoanálisis individual, pero de vez en cuando necesitaba todavía consultar al psicoanalista que, finalmente, le aconsejó que se dirigiera a nuestro centro para una terapia de pareja. También su mujer había comenzado, hacía unos años, un psicoanálisis que aún no había concluido. Al final del primer encuentro con el consejero se propuso una terapia de pareja, con la condición de que los dos psicoanalistas diesen su consentimiento. El analista del marido, al haberle sugerido que se dirigiera a nuestro centro, había aceptado ya implícitamente; el de la mujer (de orientación kleiniana) no respondió cuando se le planteó el tema, cosa que la mujer se esperaba de antemano, porque intervenía muy raramente en las sesiones. Elettra interpretó su silencio como un consentimiento.

El marido, atormentado por los problemas de las relaciones sexuales con su mujer, había llevado a la fuerza a Elettra a la terapia. Oreste quería tener relaciones sexuales con su mujer y se lo pedía de un modo obsesivo, y cuando Elettra accedía, él decía que «ya nada era como antes», y aludía a una lejana «jugarreta» de su mujer. Los acontecimientos habían seguido un proceso que era bastante común en las parejas que acudían a nuestro centro, y que tiene que ver también con los cambios de las relaciones entre los sexos en la Italia de la posguerra. Después del nacimiento de la primera hija, que tuvo lugar cuatro años después de haberse casado, Elettra comenzó su análisis que, en un breve periodo de tiempo, hizo de ella una mujer más independiente y segura de sí misma. En su trabajo empezó a sentirse más apreciada y a tener muchas satisfacciones. Llegó a enamorarse de un compañero de trabajo, que también estaba casado. Tuvo con él una relación que duró un par de meses, después se arrepintió y confesó todo a su marido, esperando que la perdonara. Para Oreste fue un «mazazo», del que «todavía no se había recuperado»: comenzó a sentir celos patológicos y a atormentar a su mujer repitiendo siempre las mismas preguntas: «¿Cómo te fue con él? ¿Resultó excitante? ¿Conseguía satisfacerte mejor que yo? ¿Era más experto que yo?», etcétera. Para ponerse al nivel de su mujer comenzó, a su vez, a tener relaciones con otra mujer, pero sin conseguir mitigar el sufrimiento de su orgullo de hombre herido.

La relación de pareja se deterioró hasta el punto de que Elettra, exasperada, comenzó a hablar de separación. Al mismo tiempo, sorprendentemente –para ellos, no para nosotros–, Elettra quedó embarazada de nuevo y los proyectos de separación se dejaron a un lado. El periodo del embarazo fue bastante tranquilo, tal vez porque Oreste contaba con que durante aquellos meses su mujer no iba a serle infiel. Poco después del nacimiento de su hija todo comenzó de nuevo. Las escenas de celos y los intentos obsesivos por desenterrar el pasado se hicieron cada vez más frecuentes.

Ante las insistentes amenazas de la mujer de salir de aquel «infierno», Oreste, con la ayuda de su analista, consiguió llevarla a nuestro centro para una terapia de pareja. En la segunda sesión, la mujer declaró abiertamente que había venido sólo con la intención de «curar» a su marido, pues ella ya seguía su propio análisis, del que estaba totalmente satisfecha. El marido, por su parte, encomendaba al terapeuta una misión imposible, la de cambiar, o mejor, la de corregir el pasado.

Era como si dijese a su mujer: «¡Todo volverá a ser como antes, a condición de que no hubieses estado nunca con él!». Está claro que se trataba de algo irrealizable, era como si dijese: «Te perdonaré con una sola condición, ¡*que no hubieras hecho lo que ya has hecho!*» (resulta evidente el error garrafal en el uso de la *consecutio temporum* de los verbos, que no consigue expresar adecuadamente el caos temporal de una afirmación semejante).[9] Sólo se puede dirigir una prohibición al futuro; aquí, por el contrario, el acto prohibido *ya había sucedido* y, por tanto, era imposible obedecer esa prohibición, por su misma naturaleza: sólo resultaría factible si se invertía la flecha del tiempo. Con otras palabras: Elettra tendría que haber obedecido a la prohibición de algo que ya había hecho y que, además, estaba situado en un pasado compartido por ambos cónyuges. Cualquier intento de suprimir un pasado compartido está destinado al fracaso, a una acumulación progresiva de intentos tan frenéticos y confusos como inútiles, como bien saben los obsesos y los psicóticos.

Bien pronto se cayó en la cuenta de que la terapia era difícil: los cónyuges se sentía seguros en sus posturas contradictorias. El marido describía un pasado idílico antes de la infidelidad que había destrozado su vida. La mujer, aunque aceptaba que había realizado un hecho indecente, afirmaba que la decisión de romper aquella relación y de confesar espontáneamente a su marido el daño causado, tenía que haber suscitado en Oreste una reacción de comprensión, e incluso de perdón.

Al final de la segunda sesión, y con el propósito de crear una secuencia temporal entre el pasado y el presente, se decidió prescribirles un ritual, centrado en la experiencia traumática: sólo un día a la semana, el indicado por el terapeuta, tenían que revivir dicha experiencia. Tenían que dedicar los jueves a recordar los acontecimientos relacionados con las relaciones extraconyugales, primero las de la mujer, y después las del marido; a revivir, en la medida de lo posible, las intensas emociones de aquellos momentos, a echarse en cara de un modo enérgico los daños presuntamente sufridos. Se les hizo una advertencia importante: que se detuvieran en cuanto se dieran cuenta de que corrían el riesgo de perder el control y de llegar a las manos. Durante los demás días de la semana estaba prohibido hablar de aquellos sucesos; era indispensable evitar cualquier comentario y discusión sobre lo que se había dicho el día dedicado al pasado. Los resultados de las discusiones de aquel día tenían que comentarse en la sesión siguiente. El ritual tenía la función de crear una clara secuencia pasado-presente, delimitando un tiempo para discutir y, si era posible, resolver los problemas del pasado, mientras que los demás días se dedicarían exclusivamente al presente y al futuro. Es frecuente que, en situaciones de este tipo, este ritual consiga reducir la tensión de la pareja, pues sólo se pueden recordar las experiencias negativas durante un cierto periodo de tiempo, claramente separado del tiempo restante. Generalmente, la pareja no es capaz de hacerlo por sí misma: en todo momento existe la sospecha –o la expectativa– de que el otro esté pensando en los hechos traumáticos del pasado.

Pero cuando la pareja volvió a presentarse ante los terapeutas, enseguida se comprobó que el ritual había sido ineficaz. En el primer intento de realizar la tarea propuesta, Elettra había atacado duramente a Oreste que, a su vez, había reaccionado con una agresividad parecida, hasta el punto de que fue imposible continuar. En las tres semanas siguientes ni siquiera intentaron llevar a cabo el ritual.

TERAPEUTA *(usando a veces un lenguaje culto, en sintonía con el lenguaje de los pacientes y con sus conocimientos psicológicos):* Nos ha impresionado mucho el hecho de que la gravedad de vuestro conflicto no os ha permitido realizar el ritual que os habíamos propuesto. Nos encontramos ante una situación pirandelliana. En primer lugar: lo que se pide es que se cambie un acontecimiento que sucedió en el pasado y que, por definición, al ser pasado, no se puede cambiar. En segundo lugar: la situación es pirandelliana en el sentido –y tú, Orestes, lo estás demostrando de muchas maneras, con las palabras, con los sufrimientos y con las lágrimas– de que la persona más importante para ti, tu mujer, la persona con la que estás más unido, tuvo esta experiencia pasada, a la que continúas volviendo como un ex combatiente del Vietnam vuelve a las experiencias de guerra, que no se pueden cambiar, porque hubo una guerra y no se puede cambiar el pasado. Además, la persona a la que continúas manifestando que te sientes muy unido, está haciendo todo lo posible (y es muy probable que lo consiga) para empujarte a romper la relación. Estamos asistiendo a un drama que, en un determinado momento, es muy probable que conduzca a la ruptura de vuestra relación. Esta experiencia pasada se ha convertido para ti, Oreste, en la razón de tu existencia. Lógicamente, al ser una experiencia pasada, no se puede cambiar. Por eso os encomendamos una tarea que tenía el objetivo de resolver la situación pirandelliana o, si lo preferís, paradójica...

MARIDO: ¿Qué quiere decir?

TERAPEUTA: Que esta experiencia pasada, por definición, no se puede borrar, porque es pasada. En tercer lugar: el corolario de todo esto, que hace pirandelliana la situación, vista desde fuera, es tu reacción, Oreste. Ante esta experiencia, una persona como tú podía tener las reacciones más variadas, es decir: aceptar el pasado y la idea de que el pasado es pasado, y volver a un nuevo tipo de vida; o bien no tolerar el pasado y dejar a su mujer, y encontrar otra compañera; o bien, otra reacción posible, dejar a su mujer, y no querer saber nada más de mujeres. Hay un montón de posibilidades. Sin embargo, ha tenido lugar la reacción que tenemos ante nosotros: te has detenido en el pasado y continúas pensando una y otra vez en la relación de tu mujer con aquel señor, hasta el extremo de que tu mujer ya no puede aguantar más. Ahora bien, lo repito, el pasado no se puede cambiar, y si continúas actuando de esta manera, es decir, haciendo todo lo posible para perder a la persona a la que más quieres, creas las condiciones para una evolución irreversible. Mis colegas y yo, como terapeutas, somos únicamente testigos de un drama pirandelliano –o un drama de Verdi, como *Otello*, por ejemplo–, un drama que tiene una fuerza interna mayor que la de los protagonistas, e incluso que la de los terapeutas. En la sesión anterior me dijiste: «Propóngame una intervención al estilo de Palo Alto» pero, en este momento, ya no son posibles más intervenciones. Es una fuerza mayor que la vuestra y la nuestra. Si estáis de acuerdo, quedamos para dentro de seis meses y veremos juntos cómo ha evolucionado todo esto. Pero nosotros decimos que esta situación, este drama, muy probablemente, dadas sus premisas, llevará a una separación. La iniciativa de la separación puede tomarla cualquiera de los dos, eso es lo de menos. Puede que la tome ella *(dirigiéndose a la mujer)*, porque llegará un momento en que no podrá aguantar más, querrá demostrar que el pasado es pasado; o bien, puede ser que la tome usted *(dirigiéndose al marido)*, porque llegará un momento en que se canse, porque lo ha intentado, lo ha intentado y no lo ha conseguido, y rompe la relación. Ésta es una de las evoluciones más probables. Como alternativa a ésta, dadas las premisas, y si continúa la relación, es posible que el dolor y las reacciones emotivas profundas sean las de uno de esos dramas complejos en los que, como el tiempo se ha parado, todo se vuelve expiación: es decir, el futuro como expiación. En cierto modo, Elettra, tú tienes que expiar y ser continuamente testigo del dolor de tu marido, que se expresa de mil maneras, por lo que has hecho. Estos dramas pueden durar toda la vida, como muestra buena parte de la literatura del siglo XIX y muchas novelas escritas...

MARIDO: ¡Ésta no es una alternativa!

TERAPEUTA: Es la alternativa que se deriva de estas premisas: la continuación de una aventura en la que también los terapeutas –yo, pero también vuestros psicoanalistas– son siempre, ¿cómo se podría decir?...

MARIDO: Espectadores.

TERAPEUTA: Espectadores de un drama en el que tiene que haber testigos de la expiación. En el que siempre, toda la vida, tendrás que manifestar un dolor intemporal, que no se puede parar.

MARIDO: Pero, ¿usted como terapeuta no ve otra alternativa?

TERAPEUTA: No veo alternativas dentro...

MARIDO: Pero, tiene que haber una metodología...

En este momento el marido (y, aunque no lo expresa de un modo verbal, también la mujer) se rebela contra el futuro propuesto por el terapeuta. Es interesante analizar detalladamente el fragmento de la sesión referido al tiempo.

1. El terapeuta hace explícita la petición paradójica del marido, es decir, que se cambie lo que no se puede cambiar.

2. Se pone de relieve la irreversibilidad del tiempo, la flecha del tiempo: el pasado, por ser pasado, no se puede cambiar, no se puede corregir de ningún modo.

3. Al mismo tiempo, el horizonte temporal se abre hacia el futuro. El terapeuta comienza a formular hipótesis. Primero, sobre lo que podía haber

sucedido en el pasado, presentando una serie de posibilidades: reparación, separación inmediata, búsqueda de una nueva compañera, aislamiento. Después, continúa ofreciendo hipótesis sobre lo que puede suceder en el futuro.
4. El terapeuta declara su propia impotencia. Oreste lo define como «espectador», y él acepta la definición. El equipo terapéutico se encuentra en una situación de *impasse*; por consiguiente, al marido y a la mujer se les restituye la encomienda y, por tanto, la responsabilidad de ser actores de su propio drama.

La estructura retórica del discurso no presenta todos estos elementos de un modo secuencial o en tiempos sucesivos, sino de un modo circular. Cada una de las argumentaciones desemboca en otra que, después, cíclicamente, vuelve sobre una de las precedentes. La frase «el pasado no se puede cambiar» se repite de un modo machacón.

Se sustituye la lógica determinista por una lógica modal. Pero el terapeuta, al declararse testigo impotente, ofrece sólo dos posibilidades (separación o sufrimiento continuo), las dos dolorosas. Es interesante el hecho de que, ante esa rigidez, el marido se rebela abiertamente; en realidad, el terapeuta se ha servido de una lógica que está a medio camino entre la inicial del marido y la modal propiamente dicha. Las alternativas propuestas son dos, determinadas rígidamente. Pero este cambio radical de los roles, en que el terapeuta anuncia la imposibilidad de un verdadero cambio, provoca de repente un cambio total de actitud en Oreste, que hasta entonces se había pronunciado en favor de la estaticidad. Ahora la pareja tiene que buscar una solución. Sólo ellos, y nadie más, pueden cambiarse a sí mismos.

> MARIDO: Pero, tiene que haber una metodología...
> TERAPEUTA: La metodología consiste en cambiar la relación, porque, si no se consigue cambiar el pasado, en un momento dado se puede cambiar la relación.
> MARIDO: Un momento. Si partimos del presupuesto de que quien ha puesto en marcha este mecanismo soy yo, de que quien se ha detenido en aquel momento soy yo...
> TERAPEUTA: Un momento, perdona: te interrumpo porque no estoy de acuerdo. Estas cosas son siempre consecuencia de una relación; tú, como actor de este drama, podías comportarte de otras formas, pero sólo después de que el otro actor del drama, tu mujer, te puso en esta situación. Tú no eres el único responsable, el responsable es la interacción.

En este momento el terapeuta vuelve a introducir en el discurso del marido la causalidad circular. A través de la causalidad lineal («yo soy responsable»), el marido se atribuye implícitamente el rol de protagonista, de la misma manera que antes se había atribuido el rol de víctima, poniendo a su mujer como causa de sus sufrimientos. El terapeuta vuelve a poner en primer plano la relación.

> TERAPEUTA: Todos los comportamientos dependen de la naturaleza de las relaciones. Nuestras previsiones, basadas en vuestra relación, nos han llevado a considerar dos evoluciones posibles. Es más probable la de la ruptura...

MARIDO: ¿No sería posible una vida normal?
TERAPEUTA: No. Si no cambian las premisas, no.
MARIDO: Veamos. Me parece que lo que acaba de decir sobre el futuro expresa algo evidente; pienso que nadie podrá decir que no es verdadero: que el pasado determina los hechos de hoy, y el hoy determinará el mañana.

Oreste, con su actitud lógica, expresa perfectamente las premisas de muchas personas frente al tiempo, es decir, el pensamiento determinista: las condiciones iniciales determinan cualquier evolución futura, sin que quede lugar para lo imprevisto. En este momento se ha puesto a Oreste frente a las consecuencias lógicas de sus propias ideas. Si insiste con su lógica, se le abre un futuro indeseable. La única salida es que cambie sus ideas. Pero esto le resulta todavía difícil de aceptar.

Además, el terapeuta ha declarado también que no importa quién de los dos va a decidir abandonar al otro. De esta manera ha liberado a la pareja de otra forma de simetría, aquella según la cual cada uno espera que sea el otro quien tome la iniciativa, para poderse sentir como víctima y ver al otro como culpable. El diálogo terapéutico ha quitado esta posibilidad a los dos, evitando así un juego sin fin. Todo esto, aunque se ha expresado de un modo aparentemente despreocupado, sin énfasis, puede facilitar la aceptación por parte de la pareja.

MUJER *(dirigiéndose al terapeuta):* Usted habla de relación, pero sus palabras, en determinados momentos, se pueden aplicar también a un nivel individual.
TERAPEUTA: No, no, no tiene nada que ver con la vida del individuo. Aquí estamos hablando de una relación.
MUJER: Sí, pero si él sigue detenido allí, o si yo...
TERAPEUTA: Puede suceder que, de alguna manera, vuestra relación pueda cambiar algún día, si él dice algo, o si tú haces algo... Y, de alguna manera, por primera vez, tu marido puede pensar que él, por ejemplo, es tan bueno como, o es mejor que el hombre con quien mantuviste aquella relación, y sepultar este asunto, sintiéndose liberado de esa duda continua y obsesiva que tiene. ¿Está claro? Puede suceder, no se sabe. Es *random*, se dice en inglés, es decir, es casual. Puede suceder algo, un gesto, no sé, si lo supiese se lo diría, y esto puede cambiar la relación y, al cambiar la relación, él puede verte con otros ojos y viceversa, y se puede salir del drama pirandelliano. ¿Está claro lo que estoy diciendo?
MUJER: Sí, sí, clarísimo.

A la interesante pregunta de la mujer (cuya terapia individual parece que tiene más éxito que la del marido): «¿Se pueden aplicar sus palabras también a un nivel individual?», el terapeuta responde que la relación condiciona los comportamientos individuales que, a su vez, condicionan la relación. El terapeuta introduce la conexión entre la relación (como resultado del comportamiento de ambos), de la que no son conscientes, y los comportamientos individuales, de los que son demasiado conscientes. Lo cual ofrece la posibilidad de pasar a una visión circular, que relaciona sus acciones con los significados que se les atribuyen. De esta manera pueden salir de la visión lineal-causal y, por tanto, moralista, en la que «la culpa es del otro».

Al mismo tiempo, se introducen también las ideas de indeterminación e imprevisibilidad, presentes en las relaciones humanas, poniendo en duda implícitamente el determinismo en que la pareja sigue detenida. Al seguir introduciendo imprevisibilidad en la relación, se da una sacudida a la situación bloqueada de la pareja. Cada uno de ellos espera que sea el otro quien «quiera» o «deba» cambiar, o bien, en la relación terapéutica, que «el doctor haga algo para que él/ella quiera cambiar». Sin embargo, el terapeuta confiesa su impotencia, introduce imprevisibilidad y, al mismo tiempo, varias perspectivas futuras. El cambio ya no es sólo fruto de la voluntad, sino que puede suceder también debido al azar. El terapeuta pone el orden estéril y estático de la pareja frente a las variables que introducen un desorden fecundo. Prigogine describiría esta situación como un sistema alejado del equilibrio, con una probabilidad máxima de reorganización. La pareja puede pasar de la rigidez a la flexibilidad y, consiguientemente, salir de la prisión en la que está encerrada.

> TERAPEUTA: Al final de este encuentro, además de las dos posibilidades que hemos sugerido, puede suceder que la señora piense que él ya no es el hombre al que había conocido, o puede creer que ya no es el mismo después de las experiencias que ha tenido. También puede suceder que te suceda algo a ti, Oreste, algo que te libere de la idea obsesiva de aquella vieja «jugarreta» y que cambie vuestra relación. También el tiempo tiene algo que decir. Por eso el próximo encuentro será dentro de seis meses.

MEMORIA Y OLVIDO

Memoria y olvido constituyen dos funciones indispensables en la existencia del individuo. Dos funciones complementarias: si predomina de un modo extremo una u otra de ellas, se altera excesivamente el equilibrio de la memoria y se producen desequilibrios hipermnésicos, como en el caso de Zazetski, o amnésicos, como en el de Shereshevski. En otras palabras: la pérdida del equilibrio memoria/olvido dificulta la adaptación al ambiente.

Sin llegar a estos extremos, el exceso de memoria puede tener un significado patológico. El trastorno postraumático del estrés tiene como síntoma principal el recuerdo continuo del episodio traumático, que no se consigue olvidar nunca. En el otro extremo, podemos situar las amnesias histéricas que, en cierto modo, son el resultado de una incapacidad de olvidar. El remordimiento, aunque sea de una forma mediata, somática o simbólica, encuentra siempre un camino para hacerse presente de nuevo; incluso cuando parece que la amnesia es eficaz, termina por ser tan excesiva que reduce enormemente las posibilidades de una vida social: el histérico sufre siempre a causa de una memoria que no se puede suprimir.[10]

Memoria y olvido juegan también un papel en la interacción. Pongamos un ejemplo. Los señores Tebaldi eran una pareja de profesores de treinta y cinco años, que tenían dos hijos, de doce y ocho años. Se habían acercado a la terapia a causa de sus hijos, que hacía un año aproximadamente habían comenzado a enfrentarse violentamente, reñían a menudo y eran cada vez más agresivos. Ya en la primera sesión se comprobó que los padres, a su vez, discutían con mucha frecuencia sobre el comportamiento que debían tener con sus hijos. El marido se quejaba, sobre todo, atribuyendo mucha importancia a este dato, de la «pérdida de memoria» de su mujer, que se manifestó casi al mismo tiempo que comenzaron los problemas con los hijos. La mujer no sabía explicar ese debilitamiento imprevisto de la memoria y reconocía que, si su marido no hubiese tenido una memoria extraordinaria, incluso para los asuntos domésticos, la situación familiar se habría vuelto muy pronto dramática. Tampoco el marido, al preguntársele, supo indicar el motivo de esa amnesia tan misteriosa.

La hipótesis del equipo fue que el proceso de pérdida de memoria –y también el problema de los hijos– comenzó cuando el marido había empezado a acudir a un curso de psicoterapia, una actividad que le resultaba muy gratificante y le había servido para superar el tedio de un trabajo repetitivo. El síntoma «pérdida de memoria» había tenido el efecto de implicar al marido fugitivo en los asuntos de casa, para suplir las carencias de su mujer: hacía la compra, cosa de la que la mujer se olvidaba normalmente, etcétera. Él mismo decía que había tenido que desarrollar una «hipermemoria».

Una de las intervenciones más eficaces de todo el curso de la terapia fue la siguiente, efectuada en la tercera sesión.

> TERAPEUTA: Nosotros vemos que entre vosotros existe una profunda unión, aunque últimamente se ha hecho presente un sentimiento de frustración. Hemos pensado que, entre tanto, habéis mantenido una relación en la que la mujer ha acaparado todo el olvido, mientras que el marido tiene toda la memoria. Éste ha sido un hecho muy positivo, porque ha resultado muy útil para la familia. Pero pensamos que en la vida de cada uno de nosotros es muy importante tanto recordar como olvidar. El problema que vemos en vosotros como pareja es que el olvido está exclusivamente en una persona, y la memoria en la otra. Pensamos que es importante que dos días por semana, el martes y el sábado, hagáis lo que os pedimos. *(Al marido):* Tienes que abstenerte de recordar las cosas, *(a la mujer):* mientras que tú tratarás de recordar lo que puedas. *(Al marido):* Es fundamental que durante esos dos días no trates de recordar nunca nada a tu mujer.

En la sesión siguiente la atmósfera parecía más relajada. Con tono jovial el marido dijo que la mujer había recordado más de lo que esperaban, y que él había podido por fin tomarse un respiro. De esta forma, la terapia pudo proseguir con provecho.

Tal como este capítulo ha tratado de mostrar, el equilibrio entre memoria y olvido es esencial también en el desarrollo de la terapia. Incluso podemos reinterpretar en términos de memoria y olvido la hipótesis propuesta por Selvini Palazzoli en el artículo «Perché un lungo intervallo tra le sedute?» (1980): un intervalo largo permite también que los clientes olviden su relación con los terapeutas, mientras que los efectos de lo que ha sucedido dentro de aquella relación influyen en ellos; lo mismo vale para los terapeutas que, a su vez, pueden olvidar su relación con los clientes, y prepararse para ver las novedades que puedan surgir en los encuentros sucesivos.

En este contexto, se puede también interpretar el ejemplo de la familia Hayworth, propuesto en el capítulo 5, en términos de exceso de memoria. Si es cierto que el recuerdo depende también de la intensidad del contacto emotivo, se puede comprender perfectamente por qué en aquel caso fue la terapeuta que se encontraba con los clientes la que, por exceso de memoria, continuaba viendo a la familia con la perspectiva del pasado. Por el contrario, el equipo que estaba detrás del espejo había conseguido olvidar la familia del pasado, y la veía proyectada hacia el futuro.

Se dan también casos de terapias que se bloquean y en las que parece que resulta imposible avanzar. En algunas situaciones de *impasse* prolongado durante mucho tiempo, el sistema terapéutico pierde capacidad de evolución, parece que el tiempo se para y las ideas que circulan son siempre las mismas. En estos casos, cuando los intentos de salir del *impasse* resultan vanos, interrumpimos las sesiones, a veces durante varios meses, para favorecer el olvido, tanto para los clientes como para los terapeutas, con la posibilidad de volver a ver la situación *ex novo*.

En estos casos el olvido representaría el «remedio» adecuado para dejar de recordar las hipótesis y explicaciones que son, al mismo tiempo, efecto y causa del *impasse*. En el lenguaje narrativo se diría que el intervalo favorece el desmontaje de la historia que surge en la intervención terapéutica: también la terapia se convierte en una historia de la que es preciso liberarse.

El intento de olvidar voluntariamente la terapia podría llevar, paradójicamente, a un refuerzo del recuerdo. «La verdadera cancelación del recuerdo es el olvido, que es un hecho involuntario, debido a fenómenos físicos o psíquicos» (Bettetini, citado en Giorello, 1990). Precisamente por esto los terapeutas, al encontrarse al final del largo intervalo acordado, no recurren a los apoyos mnemotécnicos comunes (fichas clínicas, grabaciones en vídeo), ni vuelven a dialogar sobre el caso. En estas situaciones difíciles es más válido que nunca lo que ha dicho Georges Perec: «La memoria es una enfermedad que tiene como remedio el olvido» (citado ibíd.).[11]

7. HACER PRESENTE EL FUTURO

Cada modelo terapéutico centra su interés en un punto distinto del horizonte temporal. La orientación hacia el futuro es característica de muchas terapias breves, tanto individuales como familiares, de las terapias de la conducta –en particular las basadas en el condicionamiento operativo–, de la hipnosis. También la terapia sistémica ha terminado por dar preferencia a una perspectiva orientada hacia el futuro: se trata, con otras palabras, de construir un futuro en el aquí y ahora de la sesión. De modo que se hace presente el futuro, o mejor, muchos futuros posibles, entre los cuales los clientes harán su propia elección. La posibilidad de un futuro no determinado por la necesidad, sino abierto a diferentes opciones a veces imprevisibles, es un alivio para nuestros clientes y ofrece la posibilidad de salir de situaciones existenciales bloqueadas, con sus parálisis y angustias, y de reanudar el camino de la evolución.

Es la orientación temporal de nuestra sociedad la que pone el futuro en primer plano. Aunque esto no significa renunciar a la dimensión histórica, tanto individual como social, se puede estar de acuerdo con Heinemann y Ludes (1978, pág. 162): «El tiempo [es] considerado un *continuum* abstracto, cuyo futuro aparece abierto y puede adquirir distintas formas para el individuo y para las interacciones sociales». El cambio rápido y constante de los sistemas y de los modelos sociales en el mundo occidental hace menos probables los razonamientos fundados en la conservación del pasado. La cultura postindustrial, basada en los poderosos medios de comunicación instantánea, experimenta un cambio continuo. Los objetivos que se pretenden alcanzar y los medios para conseguirlos ya no se pueden basar en los modelos estáticos del pasado, sino que se tienen que fundamentar en lo que en cada momento es posible, o en la anticipación de lo que será posible en el futuro.

Como ya hemos dicho a propósito del pasado, también el futuro se puede ver de distinta forma, dependiendo de las variables antropológicas y sociales. Una cultura fatalista, además de conceder poca importancia al pasado, reduce también las expectativas de futuro, que parece incontrolable y sujeto a la imprevisibilidad de cada caso o al carácter inescrutable de Dios. En ambos casos, la posibilidad humana de influir en los acontecimientos futuros es insignificante. Kluckholn y Stodtbeck (1965) han hecho una comparación entre cinco comunidades de diferente cultura en el sureste de Estados Unidos. Mientras que los mormones y los tejanos de origen anglosajón están, como era previsible, orientados hacia el futuro, la orientación de los indios zumi y los navajos se dirige sobre todo hacia el pasado, y la de los hispanoamericanos hacia el presente. Lewis (1966) ha observado que en las clases pobres norteamericanas se da una tendencia a realizar proyectos a corto plazo, con una escasa tendencia a programar el futuro: una actitud que es completamente razonable, si se conoce la escasa seguridad que los componentes de estas clases sociales pueden tener en su propio futuro. Hay situaciones en las que el futuro, por su misma naturaleza, crea inseguridad. Son los casos en los que permanecen abiertas muchas posibilidades para la capacidad de elaboración, que pueden llevar a la «saturación del sí mismo» (Gergen, 1991), con una posible aparición de ansiedades y angustias paralizantes. La situación dentro del horizonte temporal se puede experimentar de distinto modo dependiendo de las circunstancias y del tiempo individual, cultural o social. Las personas que tienden a la ansiedad, ante un aumento del estrés interno y externo, para preservar su propia integridad, pueden responder con una restricción de la perspectiva temporal, disminuyendo así la posibilidad de verse perturbadas por el exceso de expectativas.

Como ya observaba Minkowski (1933), y como resulta evidente en nuestra praxis clínica diaria, los problemas psicológicos y los trastornos psiquiátricos están relacionados a menudo con verdaderas «patologías del futuro». No sólo las personas afectadas por síndromes psiquiátricos graves, como esquizofrénicos y depresivos, sino también familias enteras en las que se dan problemas de una cierta gravedad, manifiestan una incapacidad casi total para proyectar un futuro.

PREGUNTAS SOBRE EL FUTURO Y PREGUNTAS HIPOTÉTICAS

Entre las preguntas circulares, de las que nos hemos ocupado en el capítulo 4, las preguntas sobre el futuro y las preguntas hipotéticas ocupan una posición central porque hacen posible que surjan nuevas orientaciones y nuevas decisiones. Así lo puso de relieve in primis el artículo clásico «Hypothesizing-Circularity-Neutrality» (Selvini Palazzoli, Boscolo y otros, 1980b) y, en segundo lugar, en el volumen Milan Systemic Family Therapy (Boscolo, Cecchin y otros, 1987), donde se subraya la posibilidad de que algunas de estas preguntas hagan surgir nuevas organizaciones, significados y emociones.

Penn (1985) ha propuesto el término feedforward (en correspondencia con feedback) para indicar el proceso puesto en marcha por las preguntas referidas al futuro, es decir, la construcción de nuevas posibilidades de relación, de nuevos «mapas».

> Al tener en cuenta estos mapas la familia se sitúa en la posición de meta respecto de su propio dilema, y el sistema adquiere una perspectiva más amplia de su propia capacidad de evolución.

Desde el punto de vista práctico, las preguntas sobre el futuro, unidas a la connotación positiva, promueven la práctica de nuevas soluciones, sugieren acciones alternativas, favorecen el aprendizaje, anulan las ideas de predeterminación y se dirigen al modelo específico de cambio del sistema [...] En ese momento se podría decir que la familia está en un proceso de *feedforward*.

Como ya se indicó en el capítulo 6, es posible dirigir las preguntas hipotéticas también al pasado y al presente. Son las que introducen, mediante una lógica modal, diversos «mundos posibles». Por ejemplo, las preguntas hipotéticas relativas al pasado, introducen la posibilidad de un presente distinto del actual en uno de los mundos posibles: ¿qué sucedería ahora si el pasado hubiese sido distinto de como ha sido? «Si vuestro hijo no hubiese nacido, ¿cuál sería vuestra situación como pareja? Si hubieseis decidido divorciaros hace tres años, ¿dónde se encontraría ahora tu mujer? Si hubieseis ido a vivir lejos de los suegros, ¿qué tipo de relación tendríais con ellos?», etcétera. Después de una serie de preguntas de este tipo, que llevan a la aparición de un nuevo mundo posible, el entrevistador puede pasar con provecho del modo condicional al indicativo para conferirles una «realidad» posible. Más adelante pondremos algunos ejemplos clínicos.

Las preguntas sobre el futuro, por el contrario, son preguntas abiertas, sin restricciones ni condicionamientos, excepto los puestos por la realidad actual. Son preguntas que exploran el horizonte temporal del sistema y de sus miembros, y sus posibles diferencias. Por ejemplo: «¿Cómo será vuestra vida dentro de diez años? ¿Hasta cuándo permanecerá sin cambios la situación actual? ¿Cuándo será vuestra hija madura y podrá marcharse de casa? ¿Cuándo aceptarán sus padres que ella pueda marcharse?», etcétera. Las preguntas tienen, por tanto, una doble función: exploran la capacidad de los clientes para proyectarse en el futuro sin restricciones y, al mismo tiempo, les estimulan para que vean la posibilidad de inventarlo de nuevo.

Las preguntas hipotéticas en el futuro introducen una restricción *(constraint)* en las posibilidades futuras. Es decir, ponen al interlocutor frente a un mundo posible sujeto a los condicionamientos indicados por parte del equipo terapéutico. En este tipo de preguntas el terapeuta introduce hipótesis sobre uno o varios futuros posibles, y ofrece las hipótesis como estímulo para los clientes. De esta manera se pueden poner en duda sus premisas. Por ejemplo: «Si decides que vas a dejar de comportarte como una anoréxica, ¿cómo piensas que van a reaccionar tus padres? Si os divorciáis, ¿que harán vuestros hijos? Si el padre decidiera ocuparse más de su mujer que de sus hijos, ¿cómo se comportaría ella?», etcétera. Según la clasificación de Tomm (1985), las preguntas sobre el futuro se pueden incluir entre las preguntas descriptivas, y las hipotéticas en el futuro entre las preguntas reflexivas.

Las llamadas patologías del futuro consisten, sobre todo, en una oclusión del horizonte temporal (ausencia de expectativas; incapacidad de ver el futuro; incapacidad para orientar su existencia hacia el futuro), o bien en una visión determinista del futuro (incapacidad para ver mundos posibles que sean diferentes de la proyección inmediata del existente). Las preguntas futuras actúan, sobre todo, en las oclusiones del horizonte temporal, ampliándolo y poniendo en duda las premisas centradas en la permanencia de un presente o de un pasado inmutables. Las preguntas hipotéticas, por el contrario, actúan principalmente sobre la visión determinista: ponen en duda las premisas mecanicistas, abren la posibilidad de nuevos mundos.

Emanuela: un futuro bloqueado

Vamos a exponer a continuación un caso en el que parece que las preguntas sobre el futuro e hipotéticas han tenido una función importante para abrir perspectivas a la familia Rocca, hasta el punto de liberar a uno de sus miembros de un aislamiento psicótico, casi autista, de un futuro bloqueado. Para nuestra cliente, Emanuela, las perspectivas de futuro se habían comenzado a reducir desde hacía unos años, y estaban comenzando a manifestarse los síntomas de una psicosis crónica.

Emanuela Rocca era una muchacha de veintiocho años, hija primogénita de Gianni, un director de empresa de cincuenta y cuatro años de edad, que viajaba frecuentemente, y de su primera mujer, de origen inglés, Tracy, que después del divorcio había salido de Italia para establecerse en Londres, su ciudad natal. A partir del momento del divorcio, que había tenido lugar hacía diez años, Emanuela vivía con su padre y con su hermana menor, Gabriella. Filippo, su hermano mayor, vivía por su cuenta y tenía un extraordinario trabajo en una sociedad financiera de una gran ciudad. La educación de los hijos había tenido lugar tanto en Italia como en Inglaterra. Algunos años después del divorcio la madre se había casado de nuevo y mantenía una estrecha relación con Filippo, su hijo preferido. También Gianni se había casado de nuevo, hacía dos años, con Bruna, una maestra de mediana edad, que todavía no vivía con él, sino en otra ciudad con su madre, que estaba enferma.

Durante la época de sus estudios universitarios Emanuela había comenzado a tener problemas de ansiedad y depresión y, a consecuencia de ello, estuvo acudiendo a una terapia individual con una psicóloga. Después de un año se tuvo que interrumpir la terapia porque la terapeuta cambió de residencia. El sentimiento de abandono fue tan intenso que, pocos meses después, el mismo día que tenía que haber ido a encontrarse con su madre en Londres, Emanuela se tiró desde un puente, y se rompió las dos piernas. Después de esta experiencia y, a causa de la manifestación de síntomas psicóticos, fue acogida por una comunidad terapéutica. En esa comunidad no mejoró, sino que se cerró cada vez más en sí misma, y sufrió un proceso de graves trastornos del pensamiento y de la afectividad. Se le aplicaron terapias tanto farmacológicas como de rehabilitación. La terapeuta que la trataba, y que presenció también nuestro primer encuentro con la familia, sostenía que sus intentos de entablar una relación con Emanuela habían dado escasos resultados, y que no tenía interés por las actividades de grupo.

En el primer encuentro y en los sucesivos, el padre se sentaba junto a Gabriella, atractiva y vestida con elegancia, mientras que Emanuela, menos agraciada que su hermana, se sentaba aparte, acurrucada en la silla, mirando al vacío. El grupo lo completaban Filippo, elegante, con aspecto de *yuppie*, y la terapeuta de la comunidad, que, al parecer, se encontraba un poco incómoda. La primera sorpresa del terapeuta fue que no se aludió a la ausencia de Bruna, y cuando se preguntó por ella el padre, sin inmutarse, dijo que Bruna estaba cuidando a su madre. No se volvió a pronunciar su nombre en el curso de la sesión. Parecía que Filippo estaba más ausente que presente, y en un par de ocasiones dijo que no se preocupaba de su familia, y que estaba muy ocupado con su trabajo y también a causa de su reciente marcha a Roma por motivos laborales. Emanuela, por su parte, no colaboró en absoluto con el terapeuta en el curso de toda la sesión, y la mayor parte de las veces respondió a las preguntas con el silencio, con expresiones extravagantes, o mezclando confusamente las palabras.

En la sesión se plantearon dos temas principales: uno evidente y otro oculto. El primero se refería a la impotencia y a la frustración que sentían el padre y Gabriella en sus visitas a Emanuela, que a menudo se comportaba de un modo inconstante y grosero; a veces, incluso rechazaba sus visitas. El análisis de las posibles razones de la conducta de Emanuela no dio ningún resultado. El tema oculto se refería a un probable acuerdo entre el padre y Gabriella; incluso alguno de los compañeros que estaban detrás del espejo llegó a sugerir que entre ellos podía haber una intriga amorosa. Sin embargo algunas preguntas indirectas, que pretendían averiguar si esto era cierto, no dieron ningún resultado. Al final del encuentro se propuso la idea de convocar para la próxima vez sólo al padre y a las dos hijas, para comprender mejor su relación, excluyendo a Filippo, porque parecía que su vida era ya autónoma.

En la segunda sesión se reveló que el acuerdo entre el padre y Gabriella había comenzado hacía mucho tiempo, en un periodo anterior al divorcio. Mientras que Filippo había gozado del favor de su madre, Gabriella había sido la preferida de su padre. Parecían unos padres que tenían que resolver el problema de las rabietas de su hija. El análisis del rol de Bruna en el conjunto de la familia llevó a la conclusión de que Gianni se había casado con ella probablemente, más que por amor, por miedo a la soledad en el futuro (o bien, como alguno se atrevió a sugerir, para sentirse cubierto). Parecía que sentía pasión por Gabriella, que correspondía de un modo más discreto. Esta última hablaba de Bruna como de una «mujer buena y valiosa», muy ligada a su madre. Emanuela respondió, cuando se le preguntó sobre Bruna, como si se tratase de un marciano.

El equipo seguía teniendo una duda: en qué medida el bloqueo de Emanuela se debía a la relación con su madre, y en qué medida a los celos por la relación de su padre con Gabriella, o a la envidia que pudiera sentir hacia su hermana. A las sesiones siguientes acudió también Bruna, que agradeció mucho la invitación. En la tercera sesión Bruna contribuyó notablemente al esclarecimiento de las ideas. Se presentó como una mujer sencilla, con sentido común, que no terminaba de creerse que se había casado con un hombre que procedía de una clase social más alta que la suya. Hacía todo lo que estaba en su mano para que las hijas la aceptaran, y se complacía en las conversaciones con Gabriella, pero no era capaz de entablar una relación con Emanuela, que la rechazaba completamente. Lo que no había resultado del todo evidente en la primera sesión lo puso de manifiesto Bruna que, de un modo cándido, confesó que había una «pasión» entre Gianni y la hija mayor.

Reproducimos un fragmento de la sesión, en el que aparecieron emociones muy significativas.

> TERAPEUTA *(dirigiéndose a Bruna):* Acabas de decir que percibes una fuerte pasión entre Gianni y Gabriella, ¿no te lleva esto a sentirte excluida?
>
> BRUNA: No, porque comprendo qué tipo de relación se da entre un padre y una hija. También yo me siento muy ligada a mi madre.
>
> TERAPEUTA: ¿No es posible que en el futuro esto haga más difícil la emancipación de Gabriella respecto de su padre?
>
> BRUNA: Creo que no, pero, puede ser...
>
> PADRE *(con cierta dificultad y con un tono poco sincero):* Yo espero que mis hijas hagan su propia vida, porque en el futuro yo estaré con Bruna.
>
> TERAPEUTA *(dirigiéndose al padre):* Es posible que Emanuela se encuentre bloqueada en su desarrollo porque está esperando que las cosas se aclaren en casa, es decir, que Gabriella se relacione más con los de fuera de casa y que se regularice vuestra situación. *(Indicando a Bruna y a Gianni):* Puede ser que esté confundida al veros casados pero separados...
>
> PADRE: No entiendo nada, no sé qué está pensando.
>
> TERAPEUTA: ¿Y tú, Bruna?
>
> BRUNA: Pensándolo bien, me parece que Emanuela estaría contenta si tuviese cerca a su hermana. Veo que discuten a menudo, pero tengo la impresión de que se quieren mucho.
>
> TERAPEUTA *(dirigiéndose a Emanuela):* ¿Estás de acuerdo con esto?
>
> EMANUELA *(con mirada distraída)*: Yo no estoy aquí... no lo sé.
>
> TERAPEUTA: ¿Y tú, Gabriella, estás de acuerdo?
>
> GABRIELLA: Me gustaría que mi hermana fuera mi amiga, pero cada vez que trato de acercarme a ella, me trata muy mal.
>
> TERAPEUTA: En tu opinión, Gabriella, ¿por qué Emanuela está bloqueada en el presente: porque no acepta que su padre haya elegido a otra mujer o porque se siente excluida de la intensa relación que tenéis vosotros dos? *(Gabriella se ruboriza y su padre se agita en la silla).*
>
> GABRIELLA: Como ha dicho mi padre, tampoco yo espero ya comprender a Emanuela. Si decidiese salir del estado en que se encuentra, si dejase de hacer todas esas cosas extrañas, sería bienvenida entre nosotros.

Hay que subrayar que durante este diálogo Emanuela parecía particularmente silenciosa y atenta. Precisamente a partir de esa sesión comenzó a abrirse al *staff* y a los demás miembros de la comunidad. En la sesión siguiente se comprobó que la evolución de Emanuela continuaba; su padre se había ido a vivir con Bruna –lo cual nos sorprendió mucho–, alegando que estaba cansado de tantos viajes. Gabriella, por su parte, anunció la fecha de su boda.

Al principio, parecía que Emanuela estaba excluida de la familia, porque todos podían considerarse emparejados, excepto ella: el padre con Gabriella y, después, con Bruna; Filippo con su madre; mientras que a Emanuela no le quedaban más que una terapeuta –a la que perdió después– y la comunidad. Esta hipótesis y, sobre todo, el hecho de que podía ser necesario que Emanuela interrumpiera su estancia en la comunidad terapéutica, debido a las dificultades económicas que el padre había manifestado en la primera sesión, constituyeron la base de una serie de preguntas, que analizaban el futuro próximo de Emanuela, planteadas en el curso de la quinta sesión.

TERAPEUTA *(dirigiéndose a Gabriella):* Yo me pregunto: si Emanuela decidiese de repente salir de la comunidad y hacer su vida fuera, como todas las muchachas de su edad, ¿dónde crees que iría? Emanuela me ha dicho que no lo sabe. ¿Y tú?
HERMANA: No lo sé.
PADRE: Yo lo sé. Vendría a mi casa conmigo. Yo estaría muy orgulloso y ella contentísima.
TERAPEUTA: Bien, pero supongamos (es una hipótesis que planteo) que prefiere irse con su hermana...
PADRE: Bueno, no creo que resulte tan fácil, porque su hermana tiene novio y, antes o después, se va a casar, hará su propia vida...

Gianni se presenta a sí mismo como un buen padre, dispuesto a acoger a su hija con los brazos abiertos. Emanuela ha dado muestras de ansiedad y de rechazo hacia él tal vez por temor a posibles intenciones o fantasías incestuosas dirigidas hacia ella, desde que Gabriella ha comenzado a enfriar la relación con su padre y a unirse más intensamente con su novio.

✗TERAPEUTA: Pero si Emanuela decidiese, cuando concluya su programa en la comunidad, salir, ¿encontraría abiertas vuestras puertas o no?
PADRE: Emanuela tendría tres posibilidades: irse a vivir con su madre a Londres, irse a vivir sola, o bien venir a vivir con nosotros.
TERAPEUTA: Decidiría ir a vivir contigo y Bruna, con los hermanos, o...
PADRE: No, con su hermana o con su hermano, creo que no.
TERAPEUTA: Quiero decir provisionalmente, durante un cierto tiempo, una semana o dos...

El terapeuta está preocupado por el futuro, y estudia las posibilidades de que, después de la salida obligada de Emanuela de la comunidad, alguno pueda ocuparse provisionalmente de ella, para evitar que caiga de nuevo en el vacío.

HERMANA: Podría vivir conmigo...
PADRE: Pero tú tendrás que hacer tu vida, con tu marido...
HERMANA: ¡Eso no importa!

A medida que avanza la conversación aparece una insistencia muy significativa: parece que el padre no puede resignarse a perder a las dos hijas. Como está perdiendo a Gabriella, trata de conseguir a Emanuela.

TERAPEUTA *(mirando fijamente a Emanuela, con la intención de penetrar en su desinterés):* Emanuela, estamos hablando de tu caso, de la posibilidad de que el programa terapéutico concluya, de tu salida de la comunidad.

EMANUELA *(con una expresión vacía y de desafecto):* Bueno, yo nací en el 62, es decir, tengo ya una cierta edad y... pienso casarme, antes o después, sólo... es lo único que me preocupa, por el momento.

TERAPEUTA: ¿Piensas en casarte?

EMANUELA: Sí.

Ante la pregunta sobre la salida de la comunidad, aumenta la oscuridad de su estado esquizofrénico. El terapeuta se centra en la expresión «pienso en casarme».

TERAPEUTA: Así que tu proyecto es casarte. ¿Casarte dentro, en la comunidad, o fuera?

EMANUELA: ¡No puedo casarme dentro de la comunidad!

TERAPEUTA: Es decir, que te casarías fuera de la comunidad. Si sales de la comunidad, de acuerdo con lo que dices, no te irías con tu familia, no te irías con tu madre, sino que te casarías, encontrarías un muchacho. Harías tu propia vida.

EMANUELA: Sí, pienso que sí. Bueno, eso espero, porque la comunidad no me ha ayudado en ese sentido.

TERAPEUTA: ¿Qué quieres decir?

EMANUELA: Sí, quiero casarme, si no, ¿qué hago?

TERAPEUTA: ¿Decías que la comunidad no te ha ayudado?

EMANUELA: No...

TERAPEUTA: ¿Tienes ya alguna idea del hombre que te gustaría? ¿Hay alguno que te guste especialmente?

EMANUELA: No, todavía no hay ninguno en concreto.

TERAPEUTA: Entonces, ¿qué quiere decir casarse? ¿Casarse con un hombre? ¿Era eso lo que querías decir?

EMANUELA: En realidad, ni siquiera yo lo sé.

TERAPEUTA: «Si salgo de la comunidad, me gustaría casarme», ¿no es eso lo que has dicho?

EMANUELA: No tengo las cosas claras... no sé qué decir, bueno, claras...

Emanuela, de nuevo, da unas respuestas tangenciales, evasivas, incomprensibles. La ambivalencia la lleva a oscilar entre momentos en que entra en contacto con el terapeuta y momentos en que vuelve a su propio mundo.

TERAPEUTA: Veamos, mi pregunta es: cuando salgas de la comunidad, ¿a qué puerta preferirías llamar? ¿A la de tu padre y Bruna, a la de tu madre en Londres, o a la de tus hermanos?

EMANUELA *(excitada):* Creo que en mi familia no puedo..., no sé, ¡yo no lo sé!

TERAPEUTA: Si tuvieses que elegir, ¿a quién elegirías?

EMANUELA: ¿Si tuviese que tomar una decisión? ¿Qué quiere decir eso de si tuviese que tomar una decisión? *No tengo* proyectos.

TERAPEUTA: Quisiera hacerte una última pregunta. Cuando dices «tendré que concluir el programa», ¿tienes idea de cuándo saldrás, si es que vas a salir, de la comunidad? ¿Sabrías decirme cuándo?

EMANUELA: No.

Las preguntas del terapeuta, en esta última parte del diálogo, se centran en los posibles futuros, en los posibles proyectos de Emanuela y, en particular, en el momento delicado y tal vez peligroso de la salida –quizá forzada por motivos económicos– de la comunidad. Parece que a través de la esquizofrenia de Emanuela se deja entrever, por una parte, la constatación de que en su familia se casan todos menos ella (el segundo matrimonio de su madre en Londres, el segundo matrimonio de su padre, el matrimonio ya próximo de su hermana, el «matrimonio» de su hermano con su trabajo y con sus amigos, que son muchos); y, por otra, la preocupación de verse expropiada del único refugio que tiene, esto es, la comunidad. En definitiva, cuando tiene que pronunciarse a propósito de la salida de la comunidad, su lenguaje se vuelve enigmático. Este dato no nos sorprende: nuestra experiencia como terapeutas de familias con pacientes esquizofrénicos, ya en los años setenta, nos llevó a descubrir un tema fundamental. Las teorías antipsiquiátricas de entonces, las posiciones de Laing, Cooper, Basaglia, consideraban al esquizofrénico como portador de la bandera de la libertad, del cambio del *statu quo;* para nosotros, por el contrario, era el que defendía más que nadie el *statu quo* o, como se decía entonces, la homeostasis familiar. Su temor era que un cambio de las relaciones familiares pudiese suprimir su única razón de ser, como si la solución psicótica fuese la única posible.

TERAPEUTA: ¿Saldrás, por ejemplo, dentro de unas semanas, de un año, de varios años, o tal vez nunca?

Esta pregunta sobre el futuro tiene una doble vertiente: introduce la posibilidad del cambio y, además, define el momento en que tiene lugar. La formulación verbal y la definición temporal de un posible cambio, constituyen un vínculo (y, por tanto, una posibilidad) que desafía a la indeterminación de la interlocutora.

EMANUELA: Ni siquiera eso lo sé. Podría... bueno, porque mi terapeuta ha venido aquí y no ha sabido decir, por qué he abandonado esto, bueno, no es cosa mía decir lo que haré, cuando concluya mi programa.
TERAPEUTA: Si tuviésemos que adivinar, ¿cuándo crees que llegará el momento en que ya no necesitarás a la comunidad?
EMANUELA: Sinceramente, no tengo ni la más remota idea.
TERAPEUTA: ¿Es posible que sigas necesitando de la comunidad mientras vivas?
EMANUELA: No, pienso que he hecho muchas cosas. En realidad, no necesito una terapia familiar, tampoco necesito otros grupos terapéuticos en comunidad y, por eso, he dejado de colaborar con la comunidad.
TERAPEUTA: De modo que es posible que, en cierto sentido, te hayas retirado a la comunidad, como antes uno podía retirarse a un convento. Ya sabes que, en otro tiempo, algunas mujeres se retiraban a un convento para siempre, se encerraban entre cuatro paredes, y se acabó. ¿Es esto posible? ¿Es posible, después de todo, que te guste encerrarte en alguna comunidad, en algún hospital...?

Como el diálogo se complica, se percibe una redundancia en las preguntas del terapeuta, interesadas por la situación posterior a la salida de la comunidad, y en las respuestas de Emanuela, con frecuencia confusas, pero suficientemente claras por lo que respecta a la falta de alternativas fuera de la comunidad. Parece que terapeuta y cliente se encuentran en campos opuestos: el terapeuta tiene el encargo implícito, de la persona que envía a Emanuela y del padre de ésta, de resolver el problema de la salida de la comunidad y, de diferentes maneras, trata de abrir perspectivas para Emanuela, proponiendo un periodo de transición dentro de la familia o fuera de ella. Parece que el terapeuta lucha en su intento por desbloquear tres futuros: el de la comunidad, que tiene que despedir a Emanuela si no paga; el de su padre, que no gana lo suficiente como para estar pagando siempre a la comunidad; el de Emanuela que, al no encontrar otra salida, no puede prescindir de la comunidad. Parece que la conclusión de este análisis sería que a Emanuela no le queda ninguna opción, que, probablemente, cuando tenga lugar su salida de la comunidad podría caer otra vez en el vacío. Pero desde hace un tiempo parece que en el horizonte se puede ver una evolución menos dramática. En realidad, la cercanía entre el padre y Bruna, por una parte, y Gabriella y su novio, por otra, representa el esclarecimiento de los roles dentro de la familia, con la posibilidad de que el futuro de Emanuela se abra a nuevas perspectivas.

TERAPEUTA: Entonces, ¿es posible que te hayas retirado, en un cierto sentido, a un convento?
EMANUELA: No soy capaz de pensar en ello.
TERAPEUTA: ¿No eres capaz de pensar en ello?
EMANUELA: No. Es posible... No sé desde qué punto de vista...

Alguno podría preguntarse si introducir escenarios de este tipo (vida recluida en un convento, en un hospital o en una comunidad) no podría tener una influencia negativa, al sugestionar al cliente para que tienda hacia los objetivos aparentemente propuestos por el terapeuta. Nosotros pensamos que, en un contexto de empatía y de visión positiva, la aceptación por parte del terapeuta de las posibles decisiones de los clientes, favorece una evolución constructiva y disminuye las tendencias autodestructivas.

La familia no se presentó a la siguiente sesión. Una semana después la terapeuta de la comunidad llamó por teléfono al centro, y dijo que, contra su parecer, el padre había decidido interrumpir la terapia familiar, porque Emanuela había tenido en poco tiempo una mejoría notable. Había comenzado a disfrutar en los encuentros con sus familiares, tanto en la comunidad como en casa; se había entregado a las actividades de la comunidad, asumiendo una actitud de mayor apertura hacia los demás, y su lenguaje se había vuelto casi normal. Seis meses después tuvo una breve crisis, con síntomas de delirios y alucinaciones, de la que consiguió recuperarse sin precipitarse en el autismo de los meses anteriores.

Lucia: la renuncia a un reino

La capacidad que las preguntas circulares, particularmente las referidas al futuro, pueden tener para abrir nuevos y –podríamos decir– menos peligrosos escenarios futuros en la vida de una persona, se ilustra a continuación con el caso de Lucia, una niña de siete años, cuya inteligencia contrastaba de un modo notorio con su escaso, casi nulo, aprendizaje escolar, del mismo modo que su rechazo de las relaciones sociales en la escuela se contraponía a su vivacidad, y a su pretensión constante de ser el centro de atención en el ámbito familiar.

El caso lo había llevado la escuela al SIMEE (Servicio materno-infantil) con la siguiente motivación:

> Durante el primer año escolar la niña ha tenido graves dificultades de aprendizaje, hasta el punto de que casi no sabe leer ni escribir. También su vida social ha sido extraordinariamente pobre, sin motivaciones, continuamente al margen de las relaciones. En el curso del segundo año ha tratado de participar en las actividades de su clase, pero, a causa de la inmadurez de su comportamiento, y de su actitud infantil y esquiva en relación con sus compañeros, se encontraba limitada y su participación resultaba por ello marginal y pasiva tanto en las actividades escolares como en las lúdicas.

El consejo escolar decidió que repitiera el segundo curso.

La familia Marcheggiani la integraban, además de Lucia, su padre, Mario, de cuarenta y cinco años, agente de comercio; su madre, Giulia, de cuarenta y dos años, ama de casa, y su hermana Anna, de diecinueve años, que cursaba el último año de estudios administrativos. La psicóloga que había redactado el informe sobre la familia en el SIMEE, había decidido enviarla a nuestro centro, porque parecía que las dificultades de Lucia estaban estrechamente relacionadas con la situación de su familia. En efecto, en su primer encuentro con nosotros, descubrimos que la familia Marcheggiani tenía muchos problemas.

El padre era propenso al pesimismo, a la depresión; se lamentaba continuamente de la crisis en su trabajo, pues ganaba poco y no era capaz de pagar los gastos familiares: la mitad de los ingresos familiares provenían de ayudas económicas de los padres de su mujer que, tanto afectiva como materialmente, les apoyaban mucho a todos, particularmente a su preferida, Lucia.

La madre, dos años antes, había sufrido un ataque al corazón (según los médicos, de naturaleza psicosomática) y había estado ingresada, por poco tiempo, en el hospital. Desde entonces, había comenzado a sentir el «terror» a una muerte repentina, y siempre tenía necesidad de un familiar que estuviese muy cerca de ella. Como casi no se movía, su peso había aumentado de un modo llamativo. Hay que destacar que la crisis cardíaca había coincidido con el comienzo del primer curso escolar de Lucia, una coincidencia que la familia no puso de relieve.

Anna parecía una muchacha introvertida, triste, obsesionada con los problemas de sus estudios. En los últimos años había cambiado tres veces de centro a causa de las dificultades con los estudios; el año anterior había suspendido y esperaba, finalmente, conseguir el diploma para poder encontrar enseguida un trabajo. A menudo estaba fuera de casa: no le gustaba ocuparse de su madre; el ambiente de su casa le resultaba pesado, a causa de los intentos diarios y frustrados, suyos y de sus padres, por enseñar a Lucia a leer y escribir, y por las frecuentes discusiones entre sus padres.

En la primera sesión el aspecto cabizbajo, triste, de sus padres y de Anna cambiaba repentinamente cada vez que Lucia entraba en escena con su repertorio vivaz de comunicaciones analógicas (se levantaba, se movía, paseaba por la sala) y verbales: frases graciosas, bromas, incluso comentarios provocadores, como: «Mi papá es un baúl, mi mamá una cuba y, si sigue así, romperá la silla», etcétera.

El fenómeno más evidente era que, cuando Lucia no hablaba, los rostros de sus familiares se apagaban, para encenderse de nuevo con sus bromas. Parecía que Lucia ocupaba el centro del escenario, desde donde entretenía a su familia (y al terapeuta). Este último, cuando el *timing* en la sesión le pareció oportuno, comenzó a plantear cuestiones sobre las premisas de Lucia.

> TERAPEUTA *(dirigiéndose al padre):* Parece que Lucia está preocupada por vosotros, que sois sus padres, pues continuamente está tratando de animaros, de divertiros; ¿de quién está más preocupada?
> PADRE: De mi mujer.
> TERAPEUTA: Parece que Lucia hace un trabajo a tiempo completo...
> LUCIA *(interrumpiendo y señalando con el dedo a sus padres):* ¡Sí, para los dos!
> TERAPEUTA: Cuando estás en la escuela, ¿no estás pensando siempre en tu casa, en cómo estará o dejará de estar tu madre?
> LUCIA *(riéndose):* Sí, es exactamente así. Mi mamá es muy comilona.
> TERAPEUTA: Se preocupa tanto de vosotros que me parece una abuela *(una ruidosa carcajada colectiva).*

En este momento, en la mente del lector se habrá establecido una relación entre las observaciones de los maestros sobre el comportamiento «infantil» de Lucia en la escuela y el comportamiento «como abuela» en la sesión. La primera hipótesis que podemos plantear es que la diversidad entre los dos comportamientos está probablemente destinada a ser mayor con el tiempo, porque el comportamiento de Lucia en casa cuenta con gratificaciones inmediatas, al contrario de lo que sucede en la escuela, y esto puede llegar a favorecer la reclusión de Lucia en su propio mundo. Parece que Lucia ha crecido en un contexto familiar, que le ha permitido/pedido comportamientos atribuibles a los diferentes roles de hija, madre, abuela. Esta última, por el poder que le confiere el sistema familiar, parece que ha contribuido notablemente a la «coronación» de Lucia en el reino de los Marcheggiani. Parece que el futuro de Lucia ya está trazado: como reina, tiene que mandar y no obedecer. Hasta con el terapeuta, que tiene ya treinta años de experiencia a sus espaldas, se comunica al mismo nivel, o incluso con actitud de superioridad.

ANNA: ¡Es verdad, es verdad! Se ocupa de nosotros en todo momento, está pendiente de todo, qué hacemos, qué comemos, lo controla todo.
TERAPEUTA: Como una abuela.

Lucia cambia de tema, se levanta y va donde está su madre; en cuanto ésta comienza a hablar, se lo impide y reanuda el espectáculo, poniendo motes cómicos a los presentes que, naturalmente, se echan a reír. Parece que, por una parte, a Lucia no le gusta la comparación con la abuela y, por otra, parece que, como si se tratara de un reto, exagera su papel: contradice al terapeuta, hace callar a su madre, se burla de los presentes. En ese momento, el terapeuta introduce la metáfora de la reina, que no puede reinar a la vez en el reino de los Marcheggiani y en el de la escuela. Es evidente la referencia a la introducción de mundos posibles.

TERAPEUTA: Al principio tenía la impresión de que eras la princesa de esta familia, pero ahora me parece que eres la reina.
LUCIA *(parece muy satisfecha).*
TERAPEUTA: ¿Quién manda más en esta familia?
LUCIA *(levantando el busto y haciendo una expresión cómica de mando):* Naturalmente, yo...
TERAPEUTA: ¿Y después de ti?
LUCIA: La abuela, el abuelo, después el baúl de mi padre, el balón de mi madre, y mi hermana Pinocho *(naturalmente, gran carcajada colectiva).*
TERAPEUTA: ¿Quién manda más, el abuelo o la abuela?
LUCIA: La abuela.
TERAPEUTA: Es decir, que hay dos reinas en esta familia, tú y tu abuela.
LUCIA: Yo mando más porque soy un poco más agresiva que ella.
TERAPEUTA: O sea, que es de tu abuela de quien aprendes a mandar... Es interesante, realmente interesante. Lucia, ¿nos darías permiso para ayudar a tus padres? Porque han venido aquí para que les ayudemos, ¿no es así?
LUCIA *(parece perpleja, piensa detenidamente, y exclama):* ¡No!
TERAPEUTA: ¿Quieres hacer tú este trabajo? ¿Por qué no quieres que lo hagamos nosotros? ¿Es que tú ya no tienes un trabajo en la escuela? *(parece que a Lucia no le gustan este tipo de preguntas, y se refugia en una respuesta genérica, tangencial sin sentido).*
TERAPEUTA: No te andes por las ramas, Lucia, respóndeme: ¿Por qué haces el trabajo de casa y no el de la escuela?
LUCIA *(claramente contrariada, agita los brazos en el aire):* Trabajo también en la escuela; no sé leer, pero sé escribir un poco.
TERAPEUTA: Aquí eres una reina, pero en la escuela no. Tu maestra no se deja mandar como tu madre. Tampoco tus compañeras te obedecen, ¿no es así? *(sus padres y Anna asienten, Lucia se queda perpleja).*
TERAPEUTA: Te resulta difícil dejar este reino, ¿no es así? *(el terapeuta sale para dialogar sobre el caso con el equipo).*

En esta secuencia el terapeuta comienza a connotar positivamente a Lucia, promoviéndola de princesa a reina, provocando la consiguiente complacencia de la niña; después, la relaciona con la otra reina, la abuela, que ocupa la posición central en la familia. El narcisismo de Lucia es tan grande que se pone por encima de todos, incluida su abuela. En lugar de discutir esta posición, el terapeuta, como un súbdito, le pide permiso para ayudar a sus padres, y sugiere la posibilidad de que ella se pueda ocupar de la escuela. En el lenguaje verbal Lucia no deja que el terapeuta se ocupe de sus padres, pero en el analógico lanza mensajes de perplejidad e indecisión. Es probable que en su mente se esté abriendo camino la posibilidad de un futuro distinto para ella y para su familia. El comentario al final de la sesión es el siguiente.

> TERAPEUTA: Nos encontramos ante una familia con diversos problemas, económicos y de pesimismo de cara al futuro *(dirigiéndose al padre)*, de ansiedad y miedo a morir *(dirigiéndose a la madre)*, de dificultades en los estudios y temores ante el futuro *(dirigiéndose a Anna)*. Parece que Lucia se ha hecho cargo de la compleja situación familiar, trabajando a tiempo completo para entreteneros, para animaros. Por su comportamiento, vemos que es una niña deliciosa, inteligente y divertida, que se comporta a menudo como su abuela, a la que ve cómo desde hace años, junto al abuelo, se preocupa de vosotros. Parece que ha asumido, como hemos dicho, un trabajo a tiempo completo, y que no le queda ni tiempo ni fuerzas para pensar en la escuela. Una compañera ha manifestado la preocupación de que Lucia, al aprender sólo a mandar, tendrá dificultades para relacionarse con los demás, o incluso esto puede llegar a resultarle algo imposible. Para terminar, nos ha impresionado, particularmente, la respuesta negativa de Lucia a nuestra propuesta de ayudaros a vosotros, sus padres. Antes de despedirnos, como no hemos concluido todavía el análisis, os pedimos que no cambiéis a partir de ahora hasta el próximo encuentro, el próximo mes, porque de lo contrario podríamos confundirnos. Especialmente tú, Lucia, continúa mandando y siendo la reina de esta familia.

Parecía que la familia estaba contenta, excepto Lucia, que se había quedado triste, y no quiso dar la mano al terapeuta. Parecía que las emociones mostradas por cada miembro de la familia al comienzo de la sesión habían cambiado radicalmente. De todas formas, el equipo tenía la impresión de que también Lucia estaba de acuerdo con el terapeuta, pero que, por orgullo, escondía sus sentimientos positivos. Si tal impresión no tenía fundamento, la terapia habría comenzado con mal pie, el *timing* habría sido erróneo y el desafío precoz a las premisas de Lucia habría sido contraproducente.

La invitación a no cambiar hasta la sesión siguiente tenía el objetivo de quitar a Lucia la ilusión del control, al ponerla en un dilema: si desobedece, tiene que cambiar su comportamiento; si obedece, tiene que aceptar las propuestas del terapeuta. Esta parte de la intervención hará desconfiar a muchos colegas, que pensarán que estos conceptos son obsoletos, una herencia del periodo estratégico. Por nuestra parte, no tenemos reparos en utilizar también otras intervenciones atribuibles a otras teorías, en coherencia con el paradigma de la complejidad, según el cual el mejor modo de ver y actuar en el mundo es a través de una red de teorías. Con otras palabras: a veces salimos de nuestra ortodoxia para beber en otros pozos que, en determinadas circunstancias, se muestran más abundantes. Lo importante es ser conscientes de cuándo entramos y salimos de la ortodoxia, y tener bien presentes las diferencias entre las premisas teóricas y la praxis del modelo al que se acude.

En la segunda sesión, un mes después, Lucia no mostraba el comportamiento excitado, casi histriónico, divertido y entretenido, de la primera sesión. Por el contrario, parecía tranquila, y contribuía de buena gana a ofrecer informaciones relativas a las complejas relaciones entre la familia nuclear y la familia de origen. Recogemos a continuación un párrafo del diario de la segunda sesión:

> Parece que Lucia es el centro de las relaciones entre las tres generaciones y, por eso, hay una confusión de roles. Ha vivido durante mucho tiempo con sus abuelos maternos, mientras su padre estaba ausente por motivos de trabajo, y consideraba a su abuela «más madre que su madre». La abuela trataba a su hija y a Lucia del mismo modo, como si fuesen dos hermanas. El abuelo era más divertido que el padre, y se entrometía continuamente en sus cosas. La familia nuclear no tenía un espacio propio. Lucia, contraponiéndose a la estaticidad de su padre y de su hermana, responde a los mensajes de su madre, triste y aburrida, con vivacidad y creatividad. Es significativo el hecho de que en tres ocasiones, durante la sesión, se ha levantado de la silla para ir a acariciar y besar a sus padres, cuando se hablaba de sus conflictos, como para darles seguridad. Al final de la sesión el terapeuta comunica a las hermanas que se queden en casa, y dice que al próximo encuentro acudirán sólo los padres.

En las sesiones tercera, cuarta y quinta participaron sólo los padres, que hablaron de la mejoría progresiva de Lucia en casa y –según los maestros–, también en la escuela. A la última sesión, la sexta, un año después de la primera, acudieron también las hijas. El cuadro que el terapeuta tenía delante, al entrar en la sala de terapia, fue especialmente significativo: los padres y Anna estaban sentados juntos, mientras que Lucia ocupaba una silla un poco apartada, y estaba sentada con los pies debajo de los muslos, agachada, simulando que leía atentamente un libro que le cubría completamente la cara. Es como si estuviese diciendo: «Yo me dedico a la escuela, que ella se ocupe de la familia».

El terapeuta, después de las primeras preguntas de rigor, trató de que Lucia participara. Ella bajó el libro, sonrió y señalando con el dedo a su familia, dijo: «Ellos tienen la palabra, yo tengo que leer». Con humor y con elegancia señaló verbal y, sobre todo, analógicamente, en el curso de la sesión, que había salido del campo, que en ese momento estaba interesada por la escuela y por la gente de su edad. Un informe de la escuela, llevado por los padres, confirmaba plenamente el cambio: como era muy inteligente, había recuperado fácilmente el tiempo perdido, y se había introducido en una red envidiable de amistades con los niños de su edad. También su hermana Anna parecía menos triste, más relajada y más optimista acerca de su futuro. Sólo los padres estaban dispuestos a continuar el proceso terapéutico para solucionar sus conflictos.

Hacia el final de la sesión, el terapeuta hizo presente un futuro distinto para la pareja, presentando una opción que suscitó un especial interés por parte de la mujer.

TERAPEUTA *(dirigiéndose a la madre):* ¿Has pensado alguna vez en trabajar fuera de casa?
MADRE: Claro que sí... pero a mi marido nunca le gustó la idea...
PADRE: Porque tenía que criar a las hijas...
TERAPEUTA: Ahora las hijas se van haciendo independientes. Pienso que si quisieses hacer algún tipo de trabajo, a tiempo parcial o a tiempo completo, la situación en el futuro podría cambiar...
MADRE *(se ilumina su rostro):* Es verdad, es verdad.
TERAPEUTA: Pienso que el trabajo, en primer lugar, aumentaría un poco los ingresos, lo cual disminuiría la ansiedad de tu marido y, al mismo tiempo, tu propia ansiedad, muy relacionada con la de tu marido; en segundo lugar, podrías perder peso y sentirte mejor físicamente con lo que, por un segundo motivo, disminuiría más tu ansiedad; en tercer lugar, creo que esto es muy importante, buscar un trabajo fuera de casa, haría desaparecer, como por encanto, todas tus fobias, tu miedo a quedarte sola...
MADRE: ¡Estoy totalmente de acuerdo!

El terapeuta sale para la discusión ritual con el equipo al final de la sesión y, al volver, comunica que ya no hay problemas psicológicos que hagan necesaria la prosecución de las sesiones. Parece que los Marcheggiani están muy contentos y aliviados, excepto el padre que, al salir, pregunta al terapeuta si podrá volver a llamar dentro de unos meses. El terapeuta, por su parte, dice que deje pasar un periodo más largo, al final del cual la situación será tan distinta que ya no habrá necesidad, de una vez por todas, de ayudas externas.

La impresión global es que las tres mujeres han dejado, en realidad o de momento sólo en la imaginación, las aguas estancadas del *impasse*, de la estaticidad, y han emprendido un nuevo viaje hacia el futuro. Parece que el último mensaje del padre refleja su preocupación por un posible futuro de soledad. Como se sugirió en el capítulo 4, el equipo terapéutico no escuchó los mensajes –primero, de la pareja y, después, del padre– de que no se les dejara, por el peligro, que conocemos bien, de que pasaran a ocupar la posición de los hijos, lo cual impediría a los padres redefinir su propia relación presente y futura después de la emancipación de las hijas. Continuar viendo a la pareja y no a la familia, habría llevado a confirmar el «diagnóstico» de familia dependiente, problemática, mientras que el anuncio del final de la relación pone de relieve los recursos que la propia familia tiene para una evolución hacia la individuación, la separación, la autonomía, de todos sus miembros. Rara vez, en nuestra experiencia, hemos comprobado que esta decisión sea prematura. De todas formas, el riesgo del final de la terapia está muy compensado con las ventajas relativas a la superación de la patología por parte de los clientes. Si sucede lo contrario, la situación se resuelve simplemente con la vuelta de los clientes a la terapia.

Parejas violentas: «Tú me provocas, yo te pego»

El problema de la violencia, particularmente el de la violencia conyugal y familiar, ha suscitado en los últimos años un complejo y vivo debate en el campo de la terapia de la familia. Vamos a limitarnos aquí a citar el trabajo de Gerry Lane y Tom Russell, dos psicólogos de Atlanta (Georgia) que, después de aplicar durante varios años el modelo sistémico de Milán, han creado una intervención destinada a parejas violentas reincidentes, en las que ni las intervenciones de naturaleza terapéutica ni las de tipo judicial resultan eficaces. Su intervención se apoya, en gran parte, en preguntas circulares e hipotéticas sobre el futuro, y se reserva para aquellas parejas en las que los episodios frecuentes de violencia no llevan ni a una separación ni a la adopción de nuevos modelos de convivencia.[1]

El contrato estipulado entre Lane y Russell y el tribunal de Atlanta prevé que, una vez que las parejas entran en contacto con los terapeutas, el tribunal se compromete a respetar el carácter confidencial de su relación y a no intervenir en el proceso terapéutico. Normalmente, los encuentros con las parejas no superan el número de tres.

En el primer encuentro se pone mucho cuidado en establecer con los clientes una relación de confianza mutua, pidiéndoles información sobre su relación y sobre el contexto en que viven. Se plantean una serie de preguntas circulares e hipotéticas sobre el futuro, que sugieren la posibilidad de la pérdida del control por parte del «agresor» y de la «víctima», con consecuencias graves irreversibles:

> Damos a conocer nuestra preocupación respecto a la violencia e insistimos en que las consecuencias de la misma pueden ser graves, sin indicar a ninguno de los miembros de la pareja como causante de la situación. Lo hacemos mediante preguntas circulares y sobre el futuro. Comunicamos a cada uno de los miembros la responsabilidad de ambos en el comportamiento violento, y la responsabilidad de ambos por permanecer dentro de una relación violenta. Por ejemplo, podemos preguntar: «Si continúa esta violencia en vuestra relación, ¿quién morirá primero?». Podemos proseguir con preguntas como: «Si uno de vosotros mata al otro y va a la cárcel, ¿quién cuidará a vuestros hijos?». Después podemos preguntar: «Si uno de los dos muere y el otro va a la cárcel, y vuestros hijos crecen sin vosotros, ¿a quién culparán por no haber tenido padres?». No tratamos de imponer a las parejas nuestros mapas o soluciones para su problema. Como ya hemos dicho, hemos adoptado esta actitud, después de haber observado la ineficacia de los intentos precedentes de controlar el comportamiento violento de estas parejas reincidentes (1986).

Resulta claro que las preguntas de Lane y Russell pertenecen al grupo que hemos definido como preguntas hipotéticas en el futuro, o preguntas que, mediante la introducción explícita de vínculos en el futuro, obligan a enfrentarse con una serie de opciones, que pueden resultar peligrosas. Según la terminología de Karl Tomm (1985), estas preguntas exploran diferencias temporales de contexto, es decir, crean mundos posibles, en los que el contexto de las relaciones y de las acciones será radicalmente distinto a lo que es en el presente.

Nuestra hipótesis es que el posible efecto de estas preguntas no se debe tanto a su aspecto atemorizador (como ya se sabe, nadie ha dejado de fumar porque se le diga que, a corto plazo, tendrá un tumor) como al hecho de que se diferencia de la epistemología de los violentos, que es semejante a la que Bateson (1972b) ha descrito en su artículo clásico «The Cybernetics of "Self": a Theory of Alcoholism» El violento, al igual que el alcohólico, vive de acuerdo con una epistemología del control: tiene la presunción de que (en el futuro) sabrá controlar sus propios impulsos. Las preguntas hipotéticas sobre el futuro, por el contrario, cuentan con la posibilidad de que el agresor –y la víctima– pierdan el control; los contenidos de estas preguntas dibujan escenarios inquietantes, que contradicen los mapas de los violentos. A la común e inevitable respuesta de que ellos pueden controlar sus propios comportamientos, se puede replicar poniéndoles como ejemplos los innumerables delitos recogidos en las crónicas periodísticas y televisivas, cometidos por personas que creían tener el control de sus propios impulsos.

La intervención descrita trata de que la atención de los protagonistas no se centre en su pareja como causa de su propia violencia («tú me provocas, yo te pego»), y la dirige hacia ellos mismos («yo respondo a mis impulsos incontrolables»). Se podría decir que el sujeto que saca provecho de este proceso pasa de una cibernética de primer orden a una cibernética de segundo orden. También aquí hay una analogía con la botella de Bateson: el violento pone la causa de su propio comportamiento en el otro, igual que el alcohólico pone la causa de su propia dependencia en la botella. La eficacia de esta intervención se puede atribuir al hecho de que el «tocar fondo» no sucede, como para el alcohólico, en el presente, sino en un futuro hecho presente. Si se espera a que la violencia toque fondo, uno de los cónyuges corre realmente el riesgo de morir.

Hacer presente un futuro nuevo en una comunidad de intervención inmediata

Franca Miola, terapeuta de la familia, después de haber participado en un seminario titulado *El anillo autorreflexivo de presente, pasado y futuro*, dirigido por los autores, nos ha enviado un informe que expone la aplicación de estas ideas en su trabajo como consejera de un centro de acogida para niños maltratados. Recogemos a continuación una parte de su informe:

> Estas reflexiones se basan en una experiencia de intervención de protección de menores, llevada a cabo en la USSL 72 de Magenta (Milán), gracias a un acuerdo con la Fondazione Fanciullezza Abbandonata, de Milán.
> En el proyecto estaba incluida la creación de una *comunidad de intervención inmediata*, vinculada a los servicios sociosanitarios y asistenciales de la USSL, como lugar de acogida inmediata para niños de tres a catorce años, que necesitan un periodo de alejamiento de su propia familia por los actos graves cometidos contra ellos, o por la necesidad de efectuar un análisis más atento de la realidad de sus familias, o por situaciones de extrema emergencia (como pueden ser: hospitalización de sus padres, encarcelamiento, suicidio, etcétera).
> El alejamiento, excepto en los casos de emergencia que acabamos de citar, lo decreta el Tribunal de Menores de Milán, a petición de los servicios sociales, de los agentes sociosanitarios, o de algún ciudadano [...] La decisión de llevar al

menor a la Comunidad la toma el Servicio Social de la USSL, de acuerdo con el Centro de Terapia familiar –del que soy responsable– y de la Unità Operativa Minori. La acogida viene precedida por una serie de operaciones:
1. Un análisis psicofísico del menor para comprobar la existencia de malos tratos y/o abusos y la gravedad de los mismos.
2. La programación de un proyecto específico de protección del niño y de ayuda a la familia durante un tiempo que va de los tres a los cinco meses y que coincide con la permanencia del menor en la comunidad.

El juez correspondiente [...] determina que la familia se someta a un examen del Servicio de Terapia familiar, para comprobar si está en condiciones de recuperar la patria potestad. Si la respuesta es positiva, el proyecto prosigue con el regreso gradual y «controlado» del menor a su casa; si la respuesta es negativa, se recurre a la utilización de otros medios como la custodia familiar, una comunidad de residencia, la adopción [...].

Este proceso introduce la posibilidad de que los padres elijan entre el cambio, para que se les reconozca la patria potestad, o la renuncia a sus hijos, con la consiguiente búsqueda de otros padres a quienes se confía a estos niños.

La familia responsable de los malos tratos se caracteriza por una concepción rígida, en la que el pasado se considera inmutable y determina el futuro. El programa descrito, que separa a la familia del niño durante un tiempo definido, y la posibilidad de elegir que se le da en el presente a la familia, por lo que respecta al destino del niño, introducen la tercera dimensión del tiempo: la posibilidad, la hipótesis, el proyecto, es decir, el futuro.

Futuro que se articula en un proceso circular con el presente y, sobre todo, con el pasado, modificándolos. En otras palabras, dentro del espacio del análisis y del pronóstico, que viene a ser un espacio terapéutico, las tres dimensiones del tiempo, relacionadas recíprocamente en un anillo recursivo de significaciones, pueden liberar a la familia de los procesos deterministas, que desembocan de un modo tan dramático en el abuso y en los malos tratos.

DE LA AMBIFINALIDAD A LA AMBITEMPORALIDAD

Cronen y Pearce (1985), al referirse al conocido concepto de equifinalidad en los sistemas (Bertalanffy, 1968), han puesto de manifiesto en el método de Milán una característica que han definido como «ambifinalidad». Nuestra decisión de dar primacía a la variable tiempo nos ha llevado a sustituir el término de ambifinalidad por el de «ambitemporalidad». Antes de exponer las razones de esta sustitución queremos recoger, de un modo relativamente extenso, una parte del artículo de Cronen y Pearce referida a la descripción de la epistemología reflexiva y dinámica en la que se basa el método de Milán.

El método de Milán no es sólo una colección de técnicas que un terapeuta puede usar, sino más bien una epistemología amplia y sofisticada, un modo de pensar y de actuar en los sistemas sociales [...] Los terapeutas ven a la familia de un modo sistémico y dinámico. En esta perspectiva, la estructura de la familia se sitúa en las relaciones entre los miembros de la familia, no en las características de cada miembro. La estructura es siempre un proceso evolutivo [...] Los sistemas evolucionan continuamente porque su estructura está vinculada de un modo recursivo a la acción [...] Esta evolución, sin embargo, no va siempre en la

dirección deseable. A veces, la lógica de la familia tiene como resultado un estado de sufrimiento [...] Con todo, el problema presentado consiste a menudo en
una descripción deficiente de la estructura y de los modelos de acción de la familia. Como la mayoría de nosotros, la familia normalmente piensa en términos
de individuos más que de sistemas, en términos de procesos lineales más que de
relaciones reflexivas, y en términos de «estados estáticos» más que de «procesos
dinámicos».

Según nuestro punto de vista, el método usado por los terapeutas de Milán
se puede considerar como un método que expresa una epistemología (sistémica)
reflexiva y dinámica, que se contrapone de un modo evidente a la de la mayor
parte de las familias. La misma sesión, así como las «intervenciones» y las «prescripciones», es una invitación para que la familia participe en esquemas de acción que reconstruyen de un modo reflexivo esta epistemología.

A partir de esta descripción del método de trabajo, Cronen y Pearce
(1985, págs. 70 y sigs.) pasan a describir el concepto de ambifinalidad:

> Cualquier discusión sobre los efectos o sobre cómo funcionan las cosas en
> un sistema resulta difícil si se usa un lenguaje de tipo lineal. En una epistemo-
> logía sistémica no se pueden distinguir las «causas» de los «efectos», de la mis-
> ma manera que no se pueden «aislar» las variables importantes sin destruir el
> sistema. Una causa ambifinal es aquella cuyo efecto depende del contexto o es
> «contingente» en el estado del sistema en el que tiene lugar [...] El procedimien-
> to que el grupo de Milán usa es ambifinal porque tiene efectos diferentes, de-
> pendiendo de las características del sistema en el que se da la «invitación». Ade-
> más, los diferentes efectos son suficientemente amplios como para ejercer un
> poderoso estímulo de cambio en la lógica actual del sistema, favoreciendo su
> evolución.

Como hemos dicho antes, nuestro interés actual por los sistemas humanos, vistos a través de la perspectiva del tiempo, nos ha llevado a dar primacía al término ambitemporalidad sobre el de ambifinalidad. Un sistema
social (por ejemplo, la familia) se puede considerar como un conjunto de
individuos, cada uno con su propio tiempo, o bien como un conjunto de historias individuales, que se compenetran para constituir la historia del sistema. Dentro de una familia, como ya hemos dicho, los individuos pueden tener tiempos y ritmos diversos: puede ser que uno de sus miembros no evo-
lucione al mismo ritmo que los otros miembros, se pare o retroceda en el
tiempo, mientras que los demás pueden adaptarse, comprender tal situación, o bien convertirse en opositores intolerantes, con las consecuencias
que esto tiene para el clima familiar. Se puede manifestar una excesiva implicación emotiva entre alguno o todos los miembros de la familia nuclear
y de la familia de origen, con predominio de un clima de frustración y de
hostilidad, características de una situación de alta «emotividad expresada»
(Leff y Vaughn, 1985).

En estos casos la orientación del terapeuta trata de aceptar las diversas
perspectivas temporales de los miembros de la familia, sin tomar posición
a favor de ninguno de ellos y, al mismo tiempo, de introducir la posibilidad
de una coordinación y correlación temporales distintas. Esto puede actuar

en la situación de bloqueo, es decir, de rigidez y de retraso temporal del sistema, liberando su capacidad de evolución.

Es como introducir una secuencia que abre el presente al futuro. Se connota positivamente la ausencia de cambio y, al mismo tiempo, se indica la posibilidad de cambiar. Por ejemplo: «Comprendemos que, de momento, para vosotros resulta mejor seguir como estáis..». De esta manera, aunque es cierto que aceptamos explícitamente el *statu quo*, la expresión «de momento» introduce la posibilidad de la evolución. El uso de algunas expresiones temporales, como «de momento», «en este periodo de tiempo», «hasta ahora/en adelante», «no es todavía el momento oportuno», etcétera, quita a la intencionalidad –a la voluntad de los clientes y de los terapeutas– el poder de cambiar, y se lo entrega de nuevo al tiempo, al futuro. Parafraseando a Cronen y Pearce podemos decir, por tanto, que este tipo de intervención puede ejercer un poderoso estímulo de cambio de la actual lógica estática del sistema, en favor de una lógica evolutiva, abierta al futuro. Desde un cierto punto de vista, ésta se aproxima a una tautología, una tautología –podemos decir– terapéutica. Al mensaje «el tiempo se ha parado» corresponde el mensaje «vuestra evolución es cuestión de tiempo». Es una tautología que simplemente cambia el acento respecto al problema propuesto.[2]

La ambitemporalidad consiste en el reconocimiento y en la aceptación del presente, con la inclusión y la aceptación de las posibilidades futuras. El presente es como es, el futuro podrá ser una copia del presente o una forma inédita. Una vez más, las premisas que se ponen en duda son las deterministas: «Si nuestro presente es fruto de nuestro pasado, entonces nos espera un futuro ya determinado». A esta monotemporalidad respondemos con la ambitemporalidad, que presupone la posibilidad (pero no la fatalidad) de lo imprevisible.

Las preguntas circulares sobre el futuro, o hipotéticas, pueden resultar muy útiles en los casos en que se usan ciertas definiciones, ciertos diagnósticos, pronósticos o juicios que tienen carácter de fatalidad, de intemporalidad, como algunas expresiones precedidas por el verbo ser, como «es de carácter débil», «es delincuente», «es esquizofrénico», donde las palabras «carácter», «delincuencia» y, en cierta medida, «esquizofrenia» tienen la connotación de un proceso difícilmente reversible. Bateson, por ejemplo, sostiene que las instituciones penales son poco eficaces para la consecución de los fines que tienen establecidos de educación y reinserción en la vida social, porque contribuyen a que sus internados asuman definitivamente la característica «delincuencia». La diferencia existente entre «delincuencia» y «actos de delincuencia» es una diferencia de modelos lógicos: mientras que la delincuencia es una característica intrínseca del individuo y es intemporal, un acto de delincuencia está ligado a circunstancias contingentes. La «delincuencia», después de todo, determina un futuro: si una persona «es un delincuente», su futuro está predeterminado y su perspectiva temporal se caracterizará por una serie de comportamientos delincuentes; algo parecido le sucede, según muchos autores, al esquizofrénico; cuando cesan o disminuyen los síntomas propios de su enfermedad, se dice que es un «esquizofrénico en periodo de remisión».

Podemos percibir aquí un anillo recursivo que refleja el que se observó en la construcción del pasado: el futuro que nosotros creamos está determinado por las premisas del pasado y por los significados atribuidos a las circunstancias del presente. Pero el futuro imaginado retroactúa sobre el presente y, de este modo, crea las condiciones para su verificación. Éste es el mecanismo de las profecías que se autodeterminan (*self-fulfilling prophecies*), descritas de un modo exhaustivo por Watzlawick (1984).

Hemos aludido a la delincuencia y a la esquizofrenia. Lo mismo se puede decir de otras muchas características. Las consecuencias son muy distintas cuando se dice: «el niño *es* malo» y cuando decimos: «el niño (en este momento) ha hecho algo malo». Mediante las preguntas circulares, especialmente las preguntas sobre el futuro e hipotéticas, se pueden poner en duda las premisas de fatalidad e intemporalidad de estas etiquetas (*labels*), y favorecer la aparición de una visión abierta a la contingencia y a la temporalidad.

Como ya se ha dicho, la posición del terapeuta respecto a los diversos tiempos individuales y colectivos, presentes y futuros, es la de la aceptación positiva, que abre la puerta a una posible configuración nueva de los mismos tiempos, con la consiguiente manifestación de una nueva coherencia sistémica: aceptar el diagnóstico en los términos en que se ha formulado (como si fuese definitivo), tratar a la persona diagnosticada como a las demás (como si el diagnóstico no tuviese valor) e introducir una expectativa de cambio (como si el diagnóstico pudiese perder su validez en el curso del tiempo) son etapas simultáneas del proceso terapéutico en una perspectiva ambitemporal.

La ambitemporalidad está presente también cuando el terapeuta sistémico, al analizar el problema, sugiere que no haya cambio, deteniendo, de un modo aparente, el tiempo. Dicha ambitemporalidad se introduce en el presente mediante el uso de las expresiones temporales ya citadas. Por ejemplo, al afirmar: «En este momento, para vosotros, sería prematuro cambiar», «de momento, podría seguir haciendo lo que hace», a la realidad del problema se añade otra realidad posible. En la conciencia de los clientes (y del terapeuta) se abre un futuro nuevo.

Huida hacia el futuro

La familia Maggi, compuesta por la madre de sesenta años, viuda desde hacía cinco, y dos hijas, Caterina, de treinta años, licenciada en química e investigadora en una gran empresa, y Teresa, de veinticuatro años, aprendiz en un laboratorio médico, vino a nuestro centro por iniciativa de Caterina, que estaba preocupada por los problemas de su hermana. En el primer encuentro Caterina, que había dejado a su familia hacía cinco años, para trasladarse a Milán, contó que en sus visitas periódicas veía que su hermana «retrocedía progresivamente», se encerraba en sí misma, perdía el interés por la vida fuera de casa, con la consiguiente preocupación de su madre, que se lamentaba con frecuencia por ello, también en las frecuentes conversaciones telefónicas.

Teresa parecía dejada, descuidada en su propio aspecto, triste y quejumbrosa. Decía que no tenía ningún futuro, que su madre no la comprendía, que sentía un gran complejo de inferioridad con relación a su hermana y a todas las personas que conocía. Lo atribuía todo a su pasado, a la vida pasada de su familia, que se volvió caótica porque el apartamento en el que vivían estaba junto al bar en el que trabajaban sus padres. «Casi nunca hemos comido todos juntos, porque mi padre, mi madre, o los dos, tenían que estar en el bar.» Su padre, que nunca había tenido una buena relación con su mujer, había muerto a consecuencia de un infarto hacía cinco años. La relación entre las hermanas reflejaba la que hubo entre sus padres: Caterina, la preferida de su padre, no había conseguido entenderse ni con su hermana ni con su madre; Teresa había estado siempre «pegada» a su madre (ésta insistió, con cierta exasperación, en que andaba siempre detrás de ella, continuamente, como una sombra). Se dijo que Teresa había comenzado la «regresión» poco tiempo después de que su hermana se fuera a la gran ciudad.

Una de las hipótesis del equipo, en el curso de este primer encuentro, fue que Caterina había dejado a su familia, después de la muerte de su padre, por el clima depresivo que se había apoderado de ellas; y que después, como su madre la echaba de menos, Teresa empezó a tener una serie de dudas, que habían minado su autoestima y habían provocado una necesidad obsesiva de sentirse querida por su madre. Se había creado el conocido círculo vicioso en el que los síntomas, expresión de un dilema de la relación («¿me quieren o no me quieren?»), tienen el efecto opuesto al deseable, porque provocan reacciones de compasión, frustración, exasperación.

Cuando el consejero propuso la fecha para el encuentro siguiente, Caterina dijo que acababa de concluir una psicoterapia individual, que había durado dos años, y que creía haber alcanzado su propio equilibrio; en otras palabras, nos entregó a su madre y a su hermana para que las «arregláramos». En una serie de siete encuentros en el plazo de un año, Teresa mostró un gran cambio, comenzó a preocuparse más de sí misma y de su manera de vestir, entró a formar parte de un club deportivo, hizo muchas amistades, y llegó incluso a cambiar su irritante tono de voz, que ya no era lastimero y quejumbroso, sino seguro y agradable.

La consecuencia fue que su madre dejó de preocuparse por la regresión de su hija y empezó a preocuparse porque se había abierto demasiado al mundo exterior; al mismo tiempo, se dijo que Caterina tenía problemas existenciales. Era la tercera vez que un novio dejaba de salir con ella, y había caído en un estado de ánimo cada vez más impenetrable. El equipo decidió invitar también a Caterina para que acudiese al encuentro siguiente. Ella respondió positivamente.

El encuentro resultó muy interesante. Desde el comienzo se respiró un clima de fuerte tensión entre las tres mujeres; se dijo que el último fin de semana, durante la visita habitual de Caterina, había tenido lugar una fuerte discusión entre las dos hermanas, porque Caterina acusaba a Teresa de no pensar bastante en su madre y de ser arrogante. Se había sentido particularmente ofendida cuando Teresa había dicho que había encontrado una amiga, «que es como una hermana». Su madre mostraba abiertamente su incomodidad y, suspirando, dijo: «Si estas dos muchachas se pusiesen de acuerdo, habría armonía en la familia».

En la discusión del equipo se propusieron las siguientes hipótesis:

1. La progresiva emancipación de Teresa, con la consiguiente participación en la vida del mundo exterior, había provocado una mayor soledad en su madre, que había intentado, con mayor insistencia, que Caterina controlase a su hermana. Esta situación podía poner a Caterina en el rol del marido-padre muerto prematuramente. Hay que destacar que en el curso de la sesión, por tres veces, Teresa dijo, dirigiéndose a Caterina: «¡Quiero una hermana, no un padre!».

2. La rápida separación-individuación de la hermana menor había puesto en crisis a la familia, particularmente la relación con Caterina, que hasta entonces había sido la mujer responsable y realizada, y había provocado una rivalidad con su hermana, un enfrentamiento que tenía características contrarias al que existía antes entre ellas. La sólida posición de Caterina, a los ojos de su madre, había comenzado a tambalearse, porque «a su edad no tiene todavía su propia familia ni hijos».

3. La vida de Caterina, al igual que la de otras mujeres que han tenido una estrecha relación con su padre, o que han vivido una alianza con su padre contra su madre, ponía de manifiesto, por una parte, su carácter emprendedor y su autonomía, pero, por otra, revelaba una gran carencia emotiva y una dificultad para establecer una relación intensa y estable con otro hombre.

Estas hipótesis habían llevado al equipo a proponer una intervención que reflejase los temas de rivalidad, de ruptura, de conflictividad exasperada, que parecían determinar el clima de tensión, y a veces de angustia, de la familia. La tarea no resultaba fácil. Como el tiempo pasaba en el complejo diálogo del equipo, se planteó de improviso una hipótesis, situada temporalmente en un futuro lejano, una «huida hacia el futuro», que obtuvo enseguida el consenso general. El terapeuta, al volver, dijo, dirigiéndose a la madre:

> TERAPEUTA: Mis colegas que están detrás del espejo, particularmente las mujeres, piensan que, como madre, tienes que tener un poco de paciencia hasta que se cumpla tu deseo de que tus dos hijas se pongan de acuerdo. Caterina y Teresa, aunque hayan tenido siempre pequeñas discusiones, que en este momento son bastante duras, se están encaminando irreversiblemente hacia una relación de hermanas, es decir, de mutua aceptación, aunque naturalmente continuarán teniendo divergencias. Dejemos que el tiempo pase y nos veremos dentro de tres meses.

A la primera reacción de estupor siguió otra de aceptación y de alivio. Como comentario de esta intervención podemos decir que, si el equipo hubiese elegido una intervención centrada en los conflictos pasados y presentes de la familia, se habría quedado dentro del tiempo del sistema familiar, mientras que la huida hacia el futuro, es decir, la evolución prevista, ofrecía la posibilidad de una relación menos conflictiva entre la madre y las dos hermanas.

Parecía que la respuesta positiva de la familia a la intervención indicaba que ésta estaba en sintonía con las expectativas de sus miembros. Como ésta fue la última sesión, todavía no tenemos informaciones sobre la evolución a largo plazo. Pero podemos decir –por propia experiencia– que a menudo tales intervenciones tienen efectos muy positivos, a veces son la solución, mientras que en otros casos parece como si no se aceptaran, porque el *timing* (capítulo 5) no ha sido el apropiado. Es evidente que en estos casos el equipo da marcha atrás, y vuelve a los temas y tiempos precedentes. Aunque, como se ha dicho, el *timing* es un elemento muy importante que el consejero y el terapeuta han de tener presente en su trabajo, al tratarse de sistemas vivos complejos y no de simples máquinas, no es posible valorarlo con precisión. Hay siempre un componente de ensayo y error, como lo hay al atravesar un territorio desconocido, en el que no hay caminos. El *timing*, pues, ofrece una simple orientación para la acción; sus efectos revelarán hasta qué punto era o no era adecuado.

A continuación vamos a estudiar la relación existente entre la «huida hacia el futuro» del terapeuta –o del equipo terapéutico– y el *timing*, al analizar uno de los momentos más importantes de la consulta y de la terapia: su final. Como ya expusimos en el capítulo 4, con frecuencia concluimos la consulta o la terapia en el momento en que el profesional o el equipo perciben un cambio muy significativo en los clientes: una transmisión más fluida de la información y de la comunicación, una mayor capacidad para «ver» una variedad de soluciones a los mismos problemas, un mejor clima emotivo y, sobre todo, una capacidad nueva para resolver los conflictos. Los problemas, los síntomas que se presentan para que se resuelvan, pueden estar todavía presentes, pero parece que las condiciones para que se mantengan están desapareciendo. En suma, cuando nos encontramos frente a lo que en nuestra jerga llamamos un «giro del sistema», comunicamos a los clientes que nuestra tarea ha concluido.

Normalmente, después de una desorientación momentánea, ellos aceptan con agrado esta decisión, a menudo piden que quede abierta la posibilidad de una reanudación de los encuentros, en caso de que hubiera una nueva crisis. Del análisis de nuestras catamnesis, resulta que la mayoría de estos casos continúa evolucionando positivamente después del final, mientras que son muy pocos los casos que vuelven después de uno o más años. Podemos atribuir la decisión de concluir la relación de consulta o terapia a una «huida hacia el futuro» de los profesionales, en la que, si hay éxito, participan también los clientes.

SIMILIA SIMILIBUS CURANTUR: LA DIVISIÓN DEL EQUIPO

A veces, especialmente en los casos en los que prevalecen relaciones de tipo simétrico, o existen divergencias profundas, en la intervención se recurre al medio conocido como división de las decisiones del equipo *(split decision intervention)*. En estos casos el terapeuta vuelve a la sala de terapia diciendo que el equipo no ha sido capaz de tomar una decisión unánime y, acto seguido, expone las dos posiciones sostenidas por las dos «facciones» del equipo. Normalmente, una parte del equipo es partidaria de mantener el *statu quo ante*, mientras que la otra parte es partidaria de un cambio. De este modo el equipo terapéutico refleja el tipo de relación más significativo de la familia (división, después *impasse*) e introduce la posibilidad de cambio: *similia similibus curantur*.

También es posible ver una intervención de este tipo a través de la perspectiva del tiempo. La mitad del equipo connota de un modo positivo el presente o el pasado: «Conviene que sigáis como habéis estado siempre», o bien: «Estamos preocupados. La mejor solución es que continuéis comportándoos como lo estáis haciendo». La otra mitad connota de un modo positivo el futuro: «Conviene que siga avanzando el cambio que se ha iniciado». De este modo, las dos partes del equipo representan (y concretan) dos ámbitos temporales diversos, ordenando la experiencia temporal de la familia y, al mismo tiempo, mezclando los ámbitos, «abriendo» radicalmente el horizonte temporal de la familia. Vamos a esclarecerlo con algunos casos.

Triangulación de un doberman

A veces los individuos, las familias o los sistemas terapéuticos se bloquean en el presente. Si tomamos prestado el modelo de la simetría y complementariedad de Watzlawick (Watzlawick, Beavin y Jackson, 1967), un sistema se puede bloquear en una complementariedad o en una simetría rígida, ambas fuente de malestar y de sufrimiento. Cuando estos modelos entran en juego en la terapia llevan al *impasse*, como si el tiempo se detuviese y se perdiese la capacidad de evolución. En el caso que sigue se expone una intervención propuesta por el equipo terapéutico, para evitar la posible interacción simétrica con la familia, poniendo en marcha un proceso evolutivo.

La familia Adorni estaba formada por el padre, un médico de cincuenta años, la madre, de cuarenta y cinco, y dos hijas. La mayor, de treinta años y también médico, se había casado hacía cinco años con un colega, y había tenido una niña. Luisa, la menor, al comenzar la consulta tenía dieciséis años y presentaba un síndrome de anorexia bastante grave, que había comenzado hacía tres años, poco después del nacimiento de su sobrina.

En las dos primeras sesiones había participado toda la familia, incluida la hermana mayor, con la que Luisa mantenía una relación ambivalente: por una parte sentía admiración, por otra sentía envidia hacia ella, especialmente desde que era madre. Una de las primeras hipótesis relacionaba el inicio de la anorexia con la intensa relación que se había creado entre su madre, su hermana y su sobrina. Su padre era un hombre rudo, de talante expeditivo, volcado en su trabajo; para las dos hijas el «centro de gravedad» era su madre.

A partir de la tercera sesión y hasta la sexta se invitó sólo a los padres y a Luisa, que iba dando muestras de una mejoría progresiva. Mientras que antes había suprimido totalmente sus relaciones sociales, había llegado ya a establecer una relación realmente intensa y positiva con una amiga, con la que pensaba ir a vivir a un pequeño apartamento. Su peso había aumentado moderadamente, había desaparecido casi completamente su obsesión por el alimento, pero no había vuelto a tener menstruaciones.

Al observar esta evolución positiva, el equipo decidió convocar para la séptima sesión sólo a los padres, pensando que se acercaba ya el momento de la conclusión. El tema principal del encuentro fue la presentación de dos tesis contrapuestas por parte de los padres. El padre sostenía con decisión que ahora los problemas de Luisa eran simplemente problemas de crecimiento, que no necesitaba un apoyo terapéutico. Estaba convencido de que después de un año, cuando Luisa cumpliera los diecisiete, las dificultades que todavía tenía con el alimento y el peso desaparecerían espontáneamente. La madre, por su parte, manifestaba su desacuerdo con su marido, porque pensaba que Luisa seguía teniendo dificultades y seguramente, si faltaba el apoyo terapéutico, tendría una recaída. Lo que asustaba a la madre, además del peligro de muerte, era que Luisa volviera a encerrarse en casa para reanudar la batalla infernal contra la comida. El marido respondía con impaciencia ante estas expresiones de su mujer, repitiendo su propio punto de vista. Naturalmente, su mujer le interrumpía proponiendo de nuevo sus ideas, etcétera.[3]

En el diálogo del equipo se decidió aceptar «simultáneamente» las perspectivas temporales opuestas e inconciliables de los dos miembros de la pareja, poniendo ambas al mismo nivel, lo cual resultó posible gracias a la intervención de división del equipo.

TERAPEUTA: Hemos tenido una larga discusión, pero no hemos conseguido ponernos de acuerdo. Algunos pensamos que la madre tiene razón y que la terapia debe continuar. Otros, por el contrario, no están de acuerdo y piensan que la terapia debería concluir hoy, pues opinan que el padre tiene razón y que el paso del tiempo lo resolverá todo. Acabamos de salir de una discusión acalorada con la decisión de dejar que el tiempo pase. Hemos decidido interrumpir la terapia durante un año, es decir, hasta que Luisa cumpla diecisiete años. Si para entonces Luisa tiene todavía problemas, quiere decir que la madre tenía razón y, en ese caso, continuaremos la terapia.

Al año siguiente, ni siquiera los padres se presentaron: en una conversación telefónica indicaron que Luisa estaba bien, que había vuelto a tener menstruaciones, que vivía desde hacía unos meses con su amiga en un pequeño apartamento y que tenía buenos resultados en sus estudios.

Dos años después de la última sesión el padre llamó a uno de los autores, que había sido el terapeuta de la familia, pidiendo, con un cierto embarazo, un encuentro para él y para su mujer. Cuando se le preguntó si Luisa había tenido una recaída, respondió enseguida que no; era el matrimonio quien tenía ahora problemas. A la pareja se le concedió un encuentro. Después de dar unos rodeos extraños para exponer la razón de la solicitud de la sesión, el padre dijo: «Doctor, no se ría, ¡hemos venido porque tenemos un grave problema con el perro!».

Contaron que Luisa, poco antes de irse a vivir con su amiga, se empeñó en que sus padres le comprasen un perro –¡nada menos que un doberman!–. Ellos tendrían que cuidarlo, porque su apartamento era muy pequeño. Durante los fines de semana ella iría a ver a sus padres y a jugar con el perro. Todo fue bien hasta que el perro se hizo demasiado grande y comenzó a comportarse de un modo extraño con sus dueños. Obedecía siempre al doctor Adorni y jugueteaba con la hija; con la madre jugaba, pero de un modo peligroso: a menudo saltaba encima de ella, le arañaba y, a veces, amenazaba con morderla («muestra al doctor las marcas que te ha dejado», le dijo el marido).

El marido estaba muy preocupado por la integridad física de su mujer. Pensaba que en el futuro correría realmente peligro de muerte. En un par de ocasiones había decidido usar su pistola para matar al perro, pero su mujer le había pedido con tono amenazador que no lo hiciera, porque suponía que Luisa reaccionaría con una recaída catastrófica. Los intentos del padre por convencer a Luisa para que se deshiciera del perro habían resultado vanos. Luisa respondía que ya era hora de que aprendieran a tratarlo bien, como hacía ella durante los fines de semana. Se había llegado a una situación tan difícil entre el padre, la madre, el perro y Luisa que los padres pensaron que el equipo terapéutico del centro podía liberarlos de ella.

Una de las hipótesis fue que Luisa, al marcharse de casa, había dejado en su lugar un perro feroz que, «extrañamente», estaba resultando peligroso para la integridad física de la madre. En lugar de permitir que se deshiciesen de él, Luisa forzaba a sus padres, con amenazas implícitas, para que lo mantuvieran. Todo hacía pensar que estaba ofreciendo a su madre el plato de la venganza. Otra hipótesis era que el perro tenía que acaparar la atención de su madre, a fin de evitar que ésta pudiese relacionarse mucho con su hija mayor y con su sobrina. Tercera hipótesis: que el perro, al crecer, hubiese resultado «triangulado» por dos «padres» simétricos, es decir, con dos estilos opuestos, que lo confundían. Incluso se podría decir que el perro no se comportaba de un modo neutral y que la madre llevaba la peor parte.

Al final del encuentro el terapeuta dijo que, al volver a casa, tenían que reunir a la familia, incluidas las hijas y el yerno, para decirles que habían solicitado un encuentro con el terapeuta del centro (que estaba a trescientos kilómetros de distancia) por su preocupación de que el perro pudiese perder el control, y para discutir juntos las posibles medidas que tendrían que tomar. El ritual tuvo éxito, y el padre comunicó que ya no era necesario un próximo encuentro, porque toda la familia –incluida Luisa– había decidido entregar el perro a un centro de adiestramiento.

La pareja Adorni representa un caso clásico de relación simétrica («yo tengo razón»-«yo tengo razón»), en la que cada uno de los miembros de la pareja tiene miedo de sucumbir si acepta la definición del otro. De este modo, entran en un círculo vicioso caracterizado por dos perspectivas lineales causales contrapuestas, en las que es imposible para ellos encontrar una secuencia «antes... después». Se encuentran en una situación semejante a la de la guerra fría, en la que EE.UU. y URSS estuvieron bloqueados durante varios decenios: ninguna de las dos partes podía aceptar el desarme en primer lugar, por temor a sufrir una agresión. El tipo de relación simétrica de los padres incluía también a Luisa y ponía de manifiesto una lucha continua por el control. La intervención de división del equipo en la séptima sesión puso a los terapeutas en una situación complementaria respecto de la pareja, aceptando simultáneamente los mapas opuestos de los dos. De esta manera, el equipo evitaba el ponerse en una posición simétrica (lo que habría llevado con toda probabilidad a una *escalation* semejante a la de la pareja) poniendo, al mismo tiempo, a todos los participantes en una posición complementaria respecto del tiempo, al que, en cierto modo, se le daba la última palabra.

El artículo ya citado de Bateson sobre la «Cybernetics of "Self"» (en Bateson, 1972a) fue una contribución importante para la comprensión de la relación simétrica. En él se compara la relación simétrica del alcohólico respecto de la botella con la que el hombre asume en relación con la naturaleza. Ambos cometen el error epistemológico de tener la presunción *(hybris)* de que controlan la botella o la naturaleza. En este sentido, se puede decir que, dentro de la intensa y prolongada relación entre el equipo terapéutico y los clientes, la posición de complementariedad que asumió el equipo respecto de los cónyuges y del tiempo, pudo ser el elemento correctivo de lo que Bateson definía como «error epistemológico».

Llegados a este punto, es necesario plantearse una cuestión: ¿Fue la intervención de división del equipo lo que resolvió el caso? Responder que sí, sería simplista y reduccionista, demostraría una excesiva confianza en las posibilidades taumatúrgicas de una intervención puntual. Hay que ver la división del equipo en el conjunto de una relación compleja desarrollada en el tiempo. Si se hubiese efectuado tal intervención en la primera sesión, sin tener en cuenta el *timing*, es probable que no hubiese tenido ningún efecto. Como ya se ha dicho, es imposible establecer *qué* es lo que realmente lleva al cambio terapéutico. Sólo podemos ofrecer una serie de hipótesis.

Connotación positiva y ambitemporalidad

La familia Valentini estaba formada por los padres, de mediana edad –él ejercía una profesión liberal y ella era una empleada–, y sus dos hijos: Ettore, de veinte años y Cinzia, de dieciocho. Ettore, «enmadrado» desde su más tierna infancia, había necesitado siempre atenciones por parte de sus padres, mientras que parecía que Cinzia, más autónoma, vivía su propia vida sin depender mucho de la familia.

Un año antes del comienzo de la terapia, Ettore había sufrido una crisis de disociación, con delirios y alucinaciones. Los síntomas habían remitido después de un breve periodo de recuperación y de una terapia antipsicótica, aparentemente sin dejar huella. Pero habían quedado síntomas de tipo negativo, como apatía, inercia, pérdida de interés por el mundo exterior. Se pasaba la vida encerrado en casa. Había perdido a los pocos amigos que tenía y había dejado de acudir al instituto. Hablaba muy poco y casi sólo para discutir con su madre. Sus padres, consternados, estaban siempre detrás de él, pero sin resultados apreciables.

La terapia familiar, cuyos detalles no ofrecemos, obtuvo resultados positivos en el curso de cinco sesiones. Se podía comprobar la evolución de Ettore porque había vuelto a salir y a encontrarse con sus viejos amigos y, además, pensaba volver al instituto al año siguiente.

Al principio de la sexta sesión el padre empezó diciendo que Ettore estaba mejorando mucho y parecía que recuperaba autonomía de día en día. Ettore, por su parte, había asumido en la sesión la actitud de quien «está fuera», como para decir, de una vez por todas, que se había emancipado de su familia. Pero inmediatamente después el padre comenzó a tratar otro tema que francamente le tenía asombrado. Su mujer y él, que, según sus palabras, siempre habían estado de acuerdo, habían comenzado a discutir de un modo extraño. Su mujer le acusaba de ser muy cómodo y egoísta, él replicaba que era ella quien no se quería preocupar ya de la familia. En suma, el resto de la sesión se caracterizó por una discusión continua entre los cónyuges con alguna intervención ocasional por parte de Cinzia, mientras que Ettore mantenía su propio silencio seráfico.

Durante el diálogo del equipo se planteó la hipótesis fácil de que Ettore había decidido por fin desvincularse de su madre, que había comenzado una nueva evolución, y que miraba desde fuera lo que pasaba en su familia. Como Cinzia estaba fuera de los problemas familiares desde hacía bastante tiempo, los padres, al verse libres de la preocupación por su hijo, se encontraban en una situación en la que tenían que preocuparse el uno del otro, y ambos, sobre todo la madre, se sentían solos.[4]

La tarea del equipo era subrayar las dos caras de la evolución familiar: el cambio del hijo y el malestar de los padres, dejando abiertas las posibilidades de cambios posteriores. Se decidió la siguiente intervención.

TERAPEUTA: Nos parece evidente que se ha puesto en marcha una evolución positiva *tanto* en Ettore, que ha empezado a pensar en su propio futuro, *como* en el comportamiento de los padres, que han comenzado a manifestar abiertamente sus conflictos y tensiones. Por nuestra experiencia sabemos que esto sucede en casi todas las familias. Los hijos se independizan y sus padres pueden por fin exteriorizar sus conflictos conyugales, que antes tenían que mantenerse ocultos para salvaguardar el interés general de la familia.[5] En suma, por los cambios observados, vemos que se ha puesto en marcha un proceso evolutivo positivo. Sin embargo, hay un desacuerdo entre los miembros del equipo por lo que respecta a las perspectivas futuras. Según una parte del equipo, el proceso evolutivo comenzado es ya irreversible, por lo que la terapia debería concluirse. Según la otra parte del equipo, esta irreversibilidad no es tan segura. Hemos decidido, por tanto, que nos veamos dentro de seis meses, para estudiar si el cambio es irreversible.

La intervención provocó reacciones interesantes en los familiares. Ettore, asintiendo con auténtico alivio, afirmó: «Por lo que a mí respecta, estoy de acuerdo en que se concluya la terapia». Su madre, por el contrario, mirando fijamente a la terapeuta con expresión de ansiedad, dijo: «Nuestra situación está bloqueada. Necesitamos ayuda. ¿No podéis darnos ahora algún consejo?». Por el contrario, el padre y la hija se mantuvieron neutrales y no hicieron ningún comentario sobre la intervención.

Este caso se presta a una serie de observaciones. Desde el punto de vista de la familia, es decir, del sistema observado, resulta interesante notar que los ámbitos temporales de los miembros de la familia han cambiado desde el principio de la terapia. A través de las respuestas es fácil intuir que Ettore ha comenzado decididamente una fase evolutiva, en la que el tiempo corre y se abre hacia el futuro. La madre, por su parte, está paralizada en una dimensión estática: no sabe, no quiere o no puede darse cuenta del cambio y vive en un tiempo inmóvil; parece que el padre y la hija oscilan entre estos dos polos.

Es todavía más interesante la valoración desde el punto de vista del sistema observador, el equipo terapéutico. La situación de la familia (evolución de Ettore y comienzo del conflicto entre los padres) había llevado a los terapeutas a connotar positivamente tanto la evolución como el conflicto, poniéndolos en relación con una nueva perspectiva temporal, abriendo la posibilidad de un futuro positivo. Además, el equipo, al dividirse en dos partes (una que considera irreversible la evolución, y otra que la considera reversible), reflejaba las posiciones del hijo y de la madre. De esta manera, la intervención aumentaba el grado de indeterminación del sistema terapéutico, introduciendo la ambitemporalidad: evolución o situación estática, tiempo fijo en el presente o abierto hacia el futuro. Por tanto, el posible efecto positivo de la intervención es doble. No sólo abre el futuro a una visión positiva, sino que lo abre también a la indeterminación, es decir, a la posibilidad de evolución en las direcciones más variadas.

La indeterminación que se crea de esta manera quita al equipo terapéutico la autoridad que le dan los clientes y el contexto, y se la devuelve a los clientes. El terapeuta, a quien se atribuyen los conocimientos, certezas, garantías y capacidad de decidir el sentido y la importancia de los cambios, responde con incertidumbres, posibilidades, indeterminaciones, que dejan al cliente la libertad para elegir los significados que quiere atribuir a las ideas y a las acciones.[6] Se puede decir que con la división del equipo se da al tiempo o, mejor dicho, al futuro, la responsabilidad del cambio.

Una familia de «tea party»

A veces, una intervención de división del equipo puede ser conveniente al final del primer encuentro, en los casos en que no está claro qué piden los clientes, o en los que es inconstante la motivación de los diversos miembros de la familia (alguno está motivado, otros no), o en los casos en que no se manifiesta desagrado ni sufrimiento. Vamos a aludir a un caso que pertenece a este último grupo y que en nuestras conversaciones nos gusta definir como «familias de tea party»: familias que dan la impresión de que vienen a la terapia para mantener conversaciones simpáticas y despreocupadas, como si se tratara de tomar té.

La familia Beria, compuesta por tres miembros, se presentó al primer encuentro en un clima amistoso, de insólita alegría y despreocupación: parecía que habían venido a pasar un rato entre conocidos. Los padres, una pareja de pequeños empresarios de la llanura del Po, fabricantes de corbatas, eran los dos muy obesos. La señora Beria, como para subrayar su vocación empresarial, llevaba un pequeño ordenador en su bolso. Su hija Carlota, de dieciocho años era la paciente designada. También obesa, le habían extirpado el bazo cuando tenía catorce años y había sufrido un grave accidente cuando tenía quince: atropellada por un coche, que le partió la tibia y el peroné; como padecía trompocitopenia, resultó imposible operarla y estuvo escayolada durante más de un año.

En el momento de la consulta, tres años después, caminaba con gran dificultad, aunque no constaba que hubiese lesión ortopédica. Casi no tenía ninguna relación con gente de su edad, y gran parte de sus interacciones eran con personal sanitario, médicos, enfermeros y fisioterapeutas. Como pesaba más de noventa kilos, Carlota no quería que la vieran, se quedaba en casa haciendo alguna tarea doméstica y estaba siempre encerrada en sí misma.

Sus padres se lamentaban de que Carlota dependiese tanto de su madre, mientras que ella se quejaba de que sus padres, especialmente su madre, pasaban mucho tiempo fuera de casa, demasiado ocupados por su trabajo. Pero todas las recriminaciones mutuas se veían contradichas por el comportamiento no verbal, que indicaba una aceptación incondicional del *statu quo*. La impresión del equipo era que para la muchacha el tiempo se había parado, mientras que sus padres oscilaban, concentrándose o en el «futuro» de la empresa o en el presente estático de la familia, dominado por su hija, que engordaba cada vez más. Parecía que Carlota no sólo era incapaz de evolucionar, sino que estaba padeciendo una regresión hacia un pasado de niña cada vez menos autosuficiente.

Una de las hipótesis del equipo fue que los padres oscilaban entre la empresa y la hija, como si ambas fueran necesarias para evitar un posible vacío en la relación conyugal. De este modo, resultaba posible explicar también la contradicción de sus peticiones. Parecía que estaban diciendo: «Cambiadnos (con palabras), pero no nos cambiéis (emotivamente)». El equipo decidió concluir el primer encuentro con una intervención que reflejase el dilema (separarse o permanecer juntos) y la ambitemporalidad de la familia (evolucionar o detenerse).

TERAPEUTA: Normalmente nosotros, en el primer encuentro con una familia, sabemos decir si se trata de una situación que requiere nuestra intervención. Generalmente llegamos a un acuerdo sobre este punto, pero en vuestro caso no es así. Una parte del equipo piensa que Carlota ha tomado ya la opción de su vida: ser el bastón de la ancianidad de sus padres. Piensan que los padres aceptan esta opción y, como hay un común acuerdo, no hay necesidad de nuestro apoyo. Otra parte del equipo, por el contrario, piensa que nuestra intervención es necesaria, porque, tras la aparente falta de preocupaciones, Carlota experimenta un auténtico malestar a causa de su situación existencial. Parece que en ella se puede observar un deseo de encontrar su propia autonomía y proyectarse hacia el exterior de la familia, como hacen las muchachas de su edad. Naturalmente, también sus padres comparten este deseo. Como veis, el equipo se encuentra en un *impasse*. Hemos decidido veros después de las vacaciones de verano en una segunda sesión. Os pedimos que, entretanto, anotéis vuestras re flexiones sobre lo que os hemos dicho. Lo que penséis podrá sernos útil para salir del *impasse*, y nos ayudará a decidir si continuamos o no con los encuentros.

La familia reaccionó a la propuesta de la intervención como si lo dicho fuera simplemente obvio. Hacia el final de la intervención los Beria asentían con convicción, como confirmando analógicamente las palabras del terapeuta. Cuando salieron, el equipo dialogó brevemente sobre lo sucedido y llegó a dos conclusiones provisionales. Sobre todo, que parecía que la familia había aceptado la ambitemporalidad de los dos mundos posibles descritos por el equipo, el del tiempo evolutivo y el del tiempo estático. Además, como había aceptado la doble descripción de los mundos posibles, había entrado implícitamente en una relación terapéutica.

En la segunda sesión, su actitud había cambiado completamente, no era desinteresada, de *tea party,* como la del mes precedente, sino la correspondiente a una familia que sufre, que se encuentra mal y busca ayuda. Fue particularmente el padre quien lo expresó explícitamente, diciendo que estaba enfrentado con su hija. El motivo de esta fuerte rivalidad era la madre/mujer, que parecía oscilar entre los dos. Como ya se daba un claro interés por parte de la familia, resultó posible proseguir con provecho los encuentros.

8. TIEMPO Y RITUALES

Un estudio sobre el tiempo no puede concluir sin ocuparse antes de los rituales, que están penetrados profundamente por el tiempo.

TEMPORALIDAD E INTEMPORALIDAD EN LOS RITUALES

Según Mircea Eliade (1949), el hombre primitivo encuentra su propia realidad sólo fuera del tiempo, en el acto sagrado del rito, que reactiva y reactualiza el arquetipo inmutable. El libro *El mito del eterno retorno* recoge un importante número de testimonios para sostener esta tesis: sólo en el ritual, que va marcando los momentos significativos de su vida, el hombre es realmente él mismo, mientras que el tiempo del devenir está vacío de significado. Por eso, el hombre «es» realmente, no cuando se abandona al tiempo subjetivo, sino cuando repite las acciones arquetípicas realizadas de una vez para siempre, *in illo tempore*, por la divinidad.[1]

Incluso el tiempo del devenir, en las sociedades primitivas, debe pararse periódicamente para quedar después regenerado mediante el rito:[2] «Todos los rituales imitan un arquetipo divino y su actualización continua acontece en un solo instante mítico intemporal» (Eliade, 1949). Al sumergirse en el rito, los participantes pueden experimentar la realidad de lo sagrado. De aquí derivan los rituales que, en todas estas sociedades, van marcando el ritmo de la vida del hombre; por ejemplo, los «ritos de paso» de Van Gennep (1909), que trasladan al individuo a un «tiempo neutro», en cuyo curso acontece el tránsito de una fase a otra de su vida, o los ritos que ordenan y marcan el ritmo de los tiempos cotidianos. El hombre que participa en el ritual no sólo *es*, sino que *está en su sitio*. Y, naturalmente, en su propio tiempo: después del rito de paso, el joven entra, reconocido por el grupo social al que pertenece, en la edad adulta; después del matrimonio, en la condición de esposo, etcétera.

De momento adoptaremos la definición de ritual expuesta por Van der Hart (1983, págs. 5 y sigs.):

> Los rituales son actos simbólicos, que se han de realizar de un modo determinado y siguiendo un cierto orden, y pueden estar o no acompañados de fórmulas verbales. Junto a los aspectos formales, se puede distinguir un aspecto

emotivo de los rituales. El ritual se lleva a cabo con gran participación e intensidad emotiva. Si no sucede así, nos encontramos ante rituales vacíos. Algunos rituales se realizan periódicamente durante toda la vida de los interesados; otros, por el contrario, una sola vez (pero pueden realizarlos de nuevo otras personas).

Como resulta evidente por la definición, los rituales que nos interesan cuentan con un reconocimiento social, aunque sea mínimo. Los rituales individuales tienen una función distinta, pertenecen al ámbito de los hábitos temporales, o al de la psicopatología (ritualismos obsesivos). El ritual es un *acto* que vincula un significado simbólico con un aspecto formal definido: la secuencia y el orden de los actos es, al menos, tan importante como los significados expresados. Usando terminología semiótica, se puede decir que en el ritual el significante es tan digno como el significado, y ambos son insustituibles al definir el acto simbólico que constituye el rito. La presencia de fórmulas verbales es accesoria y, por sí sola, nunca configura un ritual.

Parece que la segunda parte de la definición contradice la idea común de ritual aceptada en la sociedad occidental madura. Normalmente, se define «ritual» como un comportamiento formal carente de verdadera participación interior en relación con las ideas y valores que están en juego (Merton, 1957): un ejemplo lo constituye la celebración religiosa «seguida de una forma puramente ritual», lo que significa: «exterior, sin participación». El auténtico ritual es el de las culturas tradicionales, el que cualquier familia o cada uno de nosotros ha experimentado en el curso de su propia vida, en el que un conjunto de gestos socialmente prescritos se vive con auténtica intensidad.

La tercera parte de la definición de Van der Hart introduce el tiempo en el concepto de ritual. Se pueden distinguir dos tipos de ritual: los primeros se viven una sola vez (o sólo en el curso de acontecimientos relevantes, como una enfermedad grave). Son rituales que introducen una *discontinuidad* en el tiempo, que marcan el paso de un tiempo a otro tiempo distinto. Son aquellos que Van Gennep (1909) ha denominado «ritos de paso»; el ejemplo típico de éstos es el rito de tránsito de la infancia a la edad adulta, al que ya hemos aludido. Van der Hart (1983) habla también de «rituales de curación», semejantes a los de paso; por ejemplo, los realizados por los chamanes cuando, en un determinado contexto, surgen problemas inesperados, como una enfermedad o un malestar inexplicable de un individuo: se trata de rituales individuales y singulares.

El segundo tipo de rituales, por el contrario, implica la repetición. Son rituales repetidos periódicamente, que señalan una *continuidad* y regularidad en el curso del tiempo. Entre ellos se incluyen los «rituales de intensificación», actividades colectivas de un grupo que refuerzan la cohesión del grupo en relación con los acontecimientos externos, y los «rituales teléticos» (Firth, 1972), es decir, actos que acompañan el ingreso o la salida, aunque sea transitoria, de un individuo fuera del grupo.

Un caso aparte lo constituyen, finalmente, los «ritos de inversión», que suponen un cambio de roles dentro de un grupo y que, según Van der Hart

(1983, pág. 9), pueden pertenecer a cualquiera de los dos grandes tipos. Como nosotros estudiamos los rituales sobre todo desde el punto de vista del tiempo, definiremos a los del primer tipo como «rituales de discontinuidad», a los del segundo como «rituales de continuidad».

Rituales de discontinuidad	*Rituales de continuidad*
Ritos de paso	Ritos de intensificación
Ritos de curación	Ritos teléticos
Ritos de inversión	

Hay que recordar, en fin, una propiedad que los rituales tienen en común con otras formas de expresión simbólica: la flexibilidad. Por muy precisa que sea su articulación formal, los rituales son «abiertos», variables y modificables con los cambios del ambiente.

El tiempo tiene una gran importancia en el ritual. Tanto Mircea Eliade (1949) como Norbert Elias (1984), al comentar la evolución de la experiencia del tiempo, sitúan sus fundamentos en la experiencia del rito. Además, Elias sostiene que el origen de la medición del tiempo está en el *ritual*. El ejemplo que él pone es el de algunas pequeñas sociedades agrícolas africanas del siglo pasado. En estas sociedades tribales una de las tareas principales del sacerdote era la de observar cada día la salida del sol. Cuando el sol salía detrás de un determinado peñasco, entonces era el tiempo propicio para la siembra. Entonces, y sólo entonces, el sacerdote podía pronunciar las palabras del rito propiciatorio, que permitía a la tribu comenzar la siembra.

Van Gennep (1909) ha descrito el desarrollo de los ritos de paso siguiendo un esquema que pone de relieve la importancia que el tiempo tiene en ellos, y que se puede aplicar con pequeñas variaciones a cualquier tipo de ritual. Al principio, en el tiempo cero, la condición del sujeto del ritual es la normal de cada día. En este momento se desarrolla el *rito de separación*, en el que el vínculo de la persona con su propio grupo –su pasado– se rompe de un modo drástico (fase preliminar). La persona entra entonces en un periodo «marginal» *(marge)*, en el que el tiempo se suprime: se encuentra en una situación fuera del tiempo, la condición de lo sagrado según Eliade (fase liminal). El ejemplo más conocido de estado marginal en nuestra cultura son los cuarenta días que Cristo pasó en el desierto. Al final de este periodo, un *rito de agregación* reincorpora la persona al grupo (fase postliminal). Pero la persona es ahora distinta, ha accedido a un futuro del que antes estaba excluida, mientras que ahora se le prohíbe retornar al pasado. En un rito de continuidad, una salida análoga del tiempo conduce a un «tiempo suspendido», donde la persona se sumerge en la realidad de su propio ser, negada por la vulgaridad de la vida profana.

La primera función del ritual respecto del tiempo es, por tanto, la creación de un tiempo «suspendido». *Durante el ritual se suprime el tiempo,* y los participantes están fuera del curso cotidiano del tiempo. En este «estado suspendido», es posible incluso una reorganización ritual de la temporalidad de los participantes.

En un rito de paso, junto a la suspensión del curso del tiempo, se crean otras dos condiciones: un bloqueo del pasado y la apertura de futuros posibles. De una forma semejante a lo que acontece en el diálogo terapéutico, el ritual interrumpe una cadena de acontecimientos y libera al futuro de las hipotecas del pasado, haciendo posible una transición de un estado al otro. La metáfora que puede describir el efecto de este tipo de ritos es la flecha del tiempo: el rito de paso señala (crea) una transición irreversible.

El rito de continuidad, por el contrario, como se repite regularmente, marca el ritmo del tiempo y lo hace regular. No es casual que estos rituales estén relacionados históricamente con acontecimientos periódicos (la siega, el año nuevo, el ciclo de las estaciones), que hacen posible la distinción de una secuencia que se repite con regularidad y marca el ritmo de la vida colectiva. La metáfora que puede describir su efecto es la del ciclo del tiempo: el rito de continuidad señala (crea) una serie regular de repeticiones, retornando siempre al presente intemporal (Eliade, 1949).

LOS RITUALES EN LA FAMILIA

Según Gluckman (1962b), los rituales son esenciales en los grupos multifuncionales, es decir, grupos donde las mismas personas desempeñan al mismo tiempo diversos roles (sustentamiento, socialización, producción y distribución de bienes) en un espacio limitado. El rito es capaz de regular la complejidad, que en estos grupos conduciría a una rápida autodestrucción, porque cada rol implica a todos los demás, y en estos contextos se tolera poco el desorden.

El orden, que en nuestra sociedad se consigue sobre todo mediante una distribución espacial de las actividades (casa, puesto de trabajo, escuela, reuniones), se consigue en una sociedad tribal mediante la regularidad del ritual. En otras palabras, donde no hay distribución espacial, se necesita una distribución temporal: el ritual sincroniza a los miembros del grupo y coordina en el tiempo sus interacciones. En nuestra sociedad el grupo multifuncional más importante sigue siendo la familia. No es extraño, pues, que sea precisamente la familia la sede donde tiene lugar la mayor parte de nuestros rituales.

Se piensa que la sociedad industrial occidental es ya una sociedad poco ritualizada. A menudo los ritos que quedan parecen empobrecidos, realizados sin la participación interior de las personas. Se han vuelto rituales vacíos. Gluckman sostiene que ésta es una consecuencia de la distribución espacial de la sociedad. Como la separación en el espacio de las diversas esferas de actividad está bien definida, resulta que la coordinación ritual, al parecer, se vuelve superflua.

De todas formas, también es verdad que esta separación no siempre es suficiente, ni se puede llevar a cabo en todas las ocasiones. La familia sigue siendo un grupo multifuncional, cuyos miembros mantienen un contacto estrecho. Si en esta microsociedad se empobrece la dimensión ritual, se favorece también la confusión en la coordinación de los tiempos: como hemos visto en los capítulos precedentes, resulta muy difícil decidir cuándo un muchacho es maduro, o cuándo se puede decir que el periodo de un duelo ha concluido. Los ritos de paso residuales son pocos (bautismo, matrimonio, funeral) y a menudo no corresponden a un cambio profundo de los mapas cognitivos: es posible que dos personas formen una nueva familia sin contraer matrimonio, y viceversa, dos personas se pueden casar sin separarse efectivamente de sus respectivas familias de origen.

Sin embargo, en el ámbito familiar, siempre está presente un cierto grado de ritualidad. No se trata normalmente de grandes ritos de discontinuidad, sino más bien de pequeños rituales de continuidad, que tienen la función de consolidar la cohesión de la familia, su continuidad, y de perpetuar lo que Reiss (1981) define como paradigma familiar. Bossard y Boll (1950) incluían también dentro de los rituales algunos hechos que forman parte de la vida cotidiana de la familia, pero que están prescritos y son simbólicos, al menos en parte. La cena, por ejemplo, es un ritual de intensificación cuando en ella está presente toda la familia; normalmente la comida del domingo se prepara mejor y tiene un carácter más ritual; y la cena de Navidad, mucho más compleja y solemne, asume las características de un gran rito anual.

Firth (1972) nota que, junto a estos ritos de intensificación, en las familias están también presentes «ritos teléticos». La manera que tienen de despedirse dos cónyuges cuando se separan por la mañana y cuando se reúnen por la tarde es importantísima para definir su relación recíproca y sus respectivas posiciones en la casa: el tono de voz de los saludos, la distancia que se mantiene, el besarse o el no hacerlo, el modo de besarse, son formas (repetidas cada día) de definir una cierta relación. La teoría de Firth, seguida hasta sus últimas consecuencias, llevaría a considerar como ritual cualquier acción que se repita habitualmente. De ser así, el rito se vería privado de gran parte de su fuerza emotiva. Por eso preferimos limitarnos a definir como «rituales» familiares los actos que se distinguen del tiempo cotidiano de la familia, y permiten a todos sus miembros percibir un momento de discontinuidad, a partir del cual se puede regular y dar un ritmo a la vida familiar.

Los rituales familiares perpetúan el sistema de creencias y de significados de la familia, y consolidan sus vínculos con las generaciones pasadas. Los rituales, determinados socialmente, se transmiten de una familia a otra, crean continuidad respecto del pasado, regulan el paso del tiempo[3] y condicionan la evolución futura.

El tipo de rituales predominante en cada sociedad depende, según Douglas (1973), principalmente de dos factores: «estructura» y «presión» del grupo. La estructura del grupo, según esta interpretación, es el sistema de clasificación compartido por toda la sociedad, el orden social en tanto en cuanto lo aceptan y practican todos sus miembros. Por el contrario, la presión del grupo es el conjunto de restricciones, de condicionamientos más o menos activos, con que los miembros del grupo influyen sobre el comportamiento de los otros. En el primer caso se habla de una variable interiorizada; en el segundo, de una censura que viene de fuera.

Cuando en una sociedad hay una estructura fuerte o una presión fuerte, nos encontramos ante un caso de «autoridad establecida», donde las interacciones están muy ritualizadas y predominan los ritos colectivos de paso e intensificación. Cuando hay una estructura débil unida a una presión fuerte, la sociedad tiende a estar «atrapada» (Minuchin, 1974), con límites definidos hacia el exterior, pero con confusión dentro de los mismos. Esta confusión no permite el desarrollo de rituales colectivos, pero favorece necesariamente el desarrollo de rituales individualizados. Finalmente, una sociedad con estructura débil y presión débil es una sociedad «desocupada» (disengaged, Minuchin 1974); en ella hay pocos rituales, y los conflictos normalmente se controlan mediante el abandono del campo. Esta situación se puede observar en las tribus de los pigmeos, donde los vínculos entre los individuos son muy débiles y los complejos rituales de las tribus limítrofes se consideran ridículos.

Al igual que las sociedades, también los grupos familiares se diferencian por la importancia que dan a los ritos. Van der Hart (1983) distingue entre familias «posicionales» (donde el grupo cuenta más que el individuo, las posiciones jerárquicas están bien establecidas y la presencia e importancia de los rituales es máxima) y familias «orientadas hacia la persona» (donde el individuo prevalece sobre el grupo, la jerarquía está menos definida, y la ritualidad es extraordinariamente escasa). En las familias que Minuchin (1974) define como «atrapadas» los límites de cara al exterior son fuertes, la cohesión del grupo es alta, pero la jerarquía está menos definida y no tiene influencia; en ellas los rituales tienden a ser pocos y confusos. Estas distinciones tienen, como veremos, una cierta importancia para la terapia. Imber-Black, Roberts y Whiting (1988) sugieren, por ejemplo, que se examine rigurosamente, en el curso de la terapia, el grado de ritualidad espontánea de una familia. De esta manera el terapeuta puede saber en qué medida la familia puede aceptar el ritual, hasta qué punto podrá colaborar y qué grado de complejidad del ritual le resulta accesible.

EL TIEMPO TERAPÉUTICO COMO TIEMPO RITUAL

El tiempo de la terapia es, sin duda, un tiempo separado, un tiempo vivido por quienes participan en él (como terapeuta o como «paciente») de una manera muy cercana a la experiencia del tiempo sagrado. Es interesante observar que las psicoterapias tienen varias características comunes con los ritos de paso. Si tomamos como ejemplo el psicoanálisis, modelo de otros muchos tipos de psicoterapia, podemos observar que el análisis clásico es rico en medios que separan radicalmente su tiempo del tiempo cotidiano. Sin querer forzar las categorías de Van Gennep, podríamos decir que el análisis comienza con una solicitud de consejo (fase preliminar), seguida del proceso terapéutico propiamente dicho (fase liminal), hasta llegar a una conclusión, en la que es necesario que se realice la separación entre analista y analizando (fase postliminal). En este momento, el analizando es «agregado de nuevo» al mundo de la vida cotidiana.

En cierto modo, es posible considerar esta analogía un tanto forzada; mucho más directa es la semejanza entre el desarrollo de los rituales de paso y el de las sesiones de terapia sistémica. Las sesiones comienzan con una presesión, mientras las familias esperan en la sala de terapia (fase preliminar); continúan con el *corpus* de la sesión propiamente dicha y con el diálogo del equipo (fase liminal); concluyen, finalmente, con la despedida al final de la sesión, en la que se comunican la fecha del próximo encuentro y, si es el caso, una intervención de reformulación, o una prescripción, o un ritual, que «acompañan» a la familia a su mundo (fase postliminal). Nótese que esta última función puede desempeñarla de un modo completo una simple conclusión, como sucede con el *ite, missa est* de la misa.

Con ello no pretendemos decir que las psicoterapias se hayan programado intencionadamente de modo que pareciesen ritos de paso. Pero resulta interesante que, de un modo inconsciente, reflejen su estructura básica. En realidad, la *función* que la psicoterapia realiza en nuestra sociedad es análoga a la función básica de los ritos de paso en las sociedades arcaicas: reconocer el paso de un individuo o de un grupo de un estado a otro, en el caso específico de paso del estado de «enfermos» al de «sanos». Por eso no es sorprendente que las terapias se hayan configurado, en mayor o menor medida, según la forma de un rito.

Algunos grupos de la sociedad contemporánea ven hoy la psicoterapia como una especie de «acompañamiento» necesario en la vida, como un análisis interminable, que compromete durante varios años a un cliente con uno o varios terapeutas. A menudo esta desritualización del contexto terapéutico produce confusión entre las categorías de la vida y las de la terapia. La confusión se comprende perfectamente. La experiencia terapéutica se ve privada de un elemento esencial de su propia naturaleza: el estar entre paréntesis respecto de la vida cotidiana.

Tiene cierta relación con esto una experiencia muy significativa que uno de los autores (Luigi Boscolo) ha tenido en un centro privado de psicoterapia, situado en la zona de Beverly Hills (Los Ángeles) donde se le había llamado por dos años consecutivos para realizar una actividad de enseñanza y de formación en el modelo sistémico. En las dos semanas pasadas en aquel centro, se ocupó, como consejero y supervisor, de diversos casos clínicos. En el *staff*, formado en gran parte por psicoterapeutas individuales y de pareja, había también un joven antropólogo-terapeuta inglés, John Turner, que hacía tres años había dejado Inglaterra para trabajar en aquel centro. Al final de los dos seminarios entregó a Boscolo una carta que resumía sus reflexiones. La transcribimos a continuación sin comentarios (aunque tendríamos que hacer muchos), porque ofrece una contribución interesante a propósito de la relación entre ritualidad, terapia y vida.

Luigi,

no quiero que se dedique el tiempo del grupo para discutir estas cosas, pero quería esclarecer algunas cuestiones de nuestra conversación del otro día.

Pienso (o, si lo prefieres, mi hipótesis es) que tienes una misión: la misión de hacer comprender a los terapeutas y a los clientes que la terapia está centrada en el cambio y que, una vez que el cambio se ha producido, la terapia puede concluir.

De las cuatro familias con las que has trabajado en el centro esta semana, a tres de ellas les has dado un mensaje que tiene que ver principalmente con la confianza y la fuerza, y con la capacidad de afrontar problemas ajenos a la terapia. Tal vez sea ésta tu función (quizá también tu objetivo) en tus viajes por el mundo: anunciar la noticia de que la terapia no es necesariamente interminable. Ésta debería ser una buena noticia para algunos terapeutas (y también para algunos clientes). Tu función, desde este punto de vista, es la de facilitar el divorcio entre terapeutas y clientes.

Dices que sólo quieres que los terapeutas y los clientes sean conscientes de esto; y, sin embargo, cuando dices que la terapia va por un lado y la vida por otro, sugieres que quien permanece en la terapia está, en cierto modo, excluido de la vida, que hay una ruptura entre la persona y el curso de su vida. Creo que la mayor parte de las personas pensarán que hay en tu misión un trasfondo moral. Describes la terapia como un estado periférico, camuflado respecto de la vida, sin formar parte de ella. Por eso, cuando dices a un cliente que la vida va por un lado y la terapia por otro, de algún modo la terapia queda en una posición subordinada. La vida, en cierto modo, es real; la terapia, no; la terapia, en parte, es irreal. En definitiva, si esto es así, en cierto modo consideras la terapia como algo que no vale tanto como la vida. O bien, que vale tanto como la vida si se da a corto plazo.

No estoy en desacuerdo con esta consideración tuya, mientras se acepte que la relación que se establece entre una persona que ayuda a otra pertenece al ámbito al que siempre ha pertenecido, a un ámbito no comercial. En las diversas etapas de la evolución humana, quien necesitaba ayuda se ha dirigido siempre a un chamán, un hombre-medicina, un sacerdote, un rabino, un anciano, etcétera. Estas relaciones pertenecían al ámbito del parentesco, de la comunidad o de la religión. Eran relaciones que pertenecían a la vida. Creo que estarás de acuerdo con ello. A una mujer que se confiesa todas las semanas no le dirías que la confesión está por una parte y por otra la vida. No podrías separar la confesión de la vida.

Sin embargo, estableces un divorcio entre la terapia y la vida. ¿Por qué? Tal vez porque, por primera vez en la historia de la humanidad, las personas pagan por tener amistad o familiaridad. Antes, cualquier tipo de ayuda para los problemas psíquicos, espirituales y de relación se daba fuera del ámbito comercial; actualmente se ha hecho de la familiaridad una transacción comercial. Pienso que éste es el motivo por el que consideras terapia y vida como categorías separadas.

Pero la comercialización de las relaciones continúa creciendo. Es cada vez mayor el número de personas que quiere mejorar su propia psique o su propio cuerpo, y buscan personas que les ayuden a conseguirlo; y, como las personas tienen unas exigencias cada vez mayores acerca de lo que quieren obtener de una relación (las relaciones son bienes de consumo que se pueden vender –o mejorar, como los ordenadores– para tener otras mejores), buscarán relaciones que tengan esas cualidades que cada vez resulta más difícil encontrar en las relaciones tradicionales de amistad y de amor.

Además, la noción –proveniente de los años 60– de crecimiento personal, forma ya parte de la cultura dominante; y el crecimiento es un proceso continuo. Pues bien, si mezclas todo esto, se deduce la idea de que la terapia es la vida; la terapia es una parte normal de la vida burguesa. El sistema de parentesco de cada individuo contiene hoy un pariente nuevo y ficticio, el terapeuta. Es una familiaridad que se paga. Y es crónica. O a largo plazo, para usar una expresión que no está ligada a la patología.

Pienso que ésta es la causa por la que en América este fenómeno está creciendo. Subyace la idea de tener un terapeuta como parte de una dieta psíquica, exactamente igual que las vitaminas y el ejercicio forman parte de una dieta física. Has usado la palabra «dependencia» para definirlo (y no se puede decir que su connotación sea positiva). No es propiamente una dependencia (porque no es degenerativa), sino un cierto modo habitual de actuar y de pensar.

Y aquí llegas tú con tu noción de terapeuta como agente de cambio; un terapeuta que se adopta, y después se abandona rápidamente. Esta noción tiene sus raíces en la tradición de Palo Alto, de Bateson y de Haley; está basada en las ideas sobre la comunicación y sobre el cambio como proceso discontinuo. Tu concepción del terapeuta no se fundamenta en la cultura dominante en América (la del crecimiento y de la mejora de relaciones), que deriva de Freud (el cambio requiere mucho tiempo porque las raíces del conflicto son profundas) y de los humanistas de los años 60 (el cambio dura toda la vida; todos podemos desarrollar nuestras capacidades, si se dan las condiciones adecuadas).

Y así, en contraste con tu noción de terapeuta (agente de cambio con C mayúscula), está la noción de terapeuta que establece una relación con el cliente y la mantiene durante mucho tiempo, porque es un modelo para las demás relaciones, y porque todo lo bueno que se desarrolla en aquella relación se reflejará en la vida del cliente. Es un modelo a largo plazo. Es más un modelo de crecimiento que de cambio. Pienso que la mayor parte de los terapeutas lo suscribiría, excepto algunos terapeutas de la familia, terapeutas de la crisis, terapeutas del comportamiento, y algunos terapeutas racionales-emotivos de la tradición de Ellis y Beck. Por eso tu noción de vida y de terapia como dos categorías existenciales distintas, ya no se adapta al fenómeno moderno del terapeuta como miembro *bona fide* de los sistemas de parentesco de las personas. Pienso que éste es un fenómeno social y cultural que está unido al de las personas que se casan más tarde, tendencia que crece en las familias con hijos únicos. Nos estamos haciendo una sociedad de átomos sociales, con menos relaciones que en ningún otro periodo de la historia. Por eso tiene sentido disponer de una relación comercial, que es la terapia.

Éste es el motivo por el que digo que son muchas las personas que no acuden a la terapia buscando un cambio. Acuden a la terapia para establecer una relación, un cierto tipo de relación; y ése es todo el cambio que quieren. También los terapeutas (que en gran parte son o mujeres que no se han casado, o mujeres cuyos hijos han dejado el nido) necesitan relaciones; quieren tener a los clientes como hijos durante un tiempo, puesto que no tienen hijos o los suyos hacen su propia vida como adultos, o quieren, por su parte, amigos «sucedáneos». Ésta es una interpretación bastante negativa. Pero está basada en la observación de terapeutas y clientes en el curso de los diez últimos años, en las tres clínicas donde he trabajado.

Por eso, si tu misión es dar a conocer que la terapia y la vida son distintas, me parece que eres como el rey inglés que trató de invertir el sentido de la marea. Pienso que es una empresa noble, pero a menudo te encontrarás «con los pies mojados».

Creo que la mayor parte de los terapeutas desean tener relaciones terapéuticas a largo plazo, exactamente igual que los clientes.

Como echaste raíces tanto en Viena como en Palo Alto, conoces perfectamente los dos modelos terapéuticos de los que estoy hablando. El problema es que la marea cultural dominante en América se basa en Viena (a través de Esalen y Carl Rogers), no en Palo Alto. La cultura occidental es incalculablemente más freudiana que batesoniana. Por eso pienso que tu llamamiento para que seamos conscientes de la separación entre vida y terapia se lo llevará la marea comercial del mejoramiento de las relaciones y de la familiaridad.

Estoy contento por escuchar este llamamiento tuyo, porque tendrá alguna influencia (perturbará) en aquellos con quienes entres en contacto, pero me preocupa que no sepas cuáles son las fuerzas contra las que te enfrentas. Pero como estás hablando de cultura, quizás ya lo sepas.

La tragedia (para mí) es que estas cosas no sólo se han convertido en norma (quien pertenezca a la América urbana y diplomada, tiene que introducir un terapeuta en su propia vida y en su propio sistema de parentesco), sino que todo esto será algo cada vez más común. Y así como el resto de América sigue a California, y el resto del mundo occidental sigue a América, la comercialización de amigos y parientes sustitutivos llegará a ser una costumbre cada vez más general.

Mitos, historias y ritos

El grupo de Milán puso en práctica, por primera vez, un ritual terapéutico en el caso de la «familia Casanti», en la primera mitad de los años 70, descrito en el capítulo 9 de *Paradoja y contraparadoja* (Selvini Palazzoli, Boscolo y otros, 1975). Se trataba de una terapia con una familia que tenía una hija anoréxica que, después de algunas sesiones, aparentemente se había recuperado, tanto en lo referente a su actitud hacia la comida, como en su peso corporal. Algunos meses más tarde, sin embargo, la familia se puso de nuevo en contacto con el equipo, porque la hija había intentado suicidarse. Se decidió reanudar la terapia. El equipo estaba de acuerdo en que se encontraba ante un poderoso mito familiar, que unía a tres generaciones: todos los miembros de la familia tenían que obedecer incondicionalmente al abuelo, el «jefazo». La presunta curación, que motivó la conclusión de la terapia, había sucedido para mantener el mito que, al parecer, se había empezado a poner en duda. Se podría hablar de una «huida hacia la curación».

El equipo se convenció de que era necesario encontrar una intervención que pudiese crear solidaridad y cohesión en la familia nuclear, y que favoreciese la definición de unos límites más claros respecto a la familia de origen evitando, al mismo tiempo, una contraposición entre las dos. Todo esto se consiguió mediante un ritual que se debía realizar después de la cena: la familia se reunía durante una hora, con las puertas cerradas, y cada miembro hablaba por turno durante quince minutos de la relación con la familia de origen. Al final del ritual, estaba prohibido comentar o discutir lo sucedido. De esta forma, el ritual se configuraba como un anti-mito, pero sin que los terapeutas dijesen nada de esto explícitamente:

En definitiva, podemos concluir que nuestra prescripción de un ritual trata de evitar el comentario verbal sobre las normas que perpetúan las relaciones problemáticas. El ritual familiar es la prescripción ritualizada de una relación en la que las normas *nuevas* sustituyen de un modo tácito a las antiguas (Selvini Palazzoli, Boscolo y otros, 1975, pág. 107).

De este modo, el ritual terapéutico nacía como contraposición a un mito familiar; se trata de un hecho sugerente, si se tiene en cuenta la estrecha relación existente entre rito y mito.

George Orwell, en su libro *1984,* concibió un mundo en el que la historia la reescriben continuamente los diligentes funcionarios de un ministerio *ad hoc* –el ministerio de la verdad–, para que sea siempre una fiel justificación de las orientaciones del gobierno en cada momento. Los mitos, todos los mitos, son muy semejantes a la historia según el ministerio de la verdad: se reescriben continuamente, pero como si fuesen siempre idénticos. Los mitos no recogen la evolución en el tiempo. Homero no era consciente de que estaba componiendo la enésima versión de los *nostoi* antiguos al escribir su *Odisea:* para cada rapsoda griego, su propia versión del mito era también la única e inmutable, y era la misma que había sido siempre. De igual modo, el último juglar de la Mesa Redonda tampoco tenía en cuenta las diversas versiones –semejantes, pero siempre distintas– de la figura del rey Arturo que se habían propuesto en los siglos anteriores.

En la definición de Ferreira (1963), que fue el primero en elaborar una teoría al respecto, el mito familiar es expresión de las convicciones compartidas –y aceptadas implícitamente– por todos los miembros de la familia, aunque no estuvieran necesariamente expresadas con palabras. Ferreira consideraba el mito como una construcción estática, de acuerdo con la perspectiva de la «homeostasis familiar» entonces dominante: el mito no cambiaba nunca. Unos treinta años después, en la perspectiva del paradigma narrativo, Alan Parry (1991, pág. 52) escribe:

> Un mito, en esta perspectiva, representa una historia que encarna y define las creencias reconocidas por una persona, o también por un grupo, sobre la naturaleza de las cosas [...] Un mito, al definir las premisas y las creencias fundamentales de una persona sobre determinadas circunstancias, influye en el proceso de selección de los acontecimientos que se pondrán de manifiesto en las historias contadas. En esto consiste el «círculo hermenéutico», según el cual nuestras convicciones determinan nuestro comprender, y nuestro comprender determina nuestras convicciones.

Esto significa que el mito está dentro de un proceso circular, evolutivo. Como observan, entre otros, Bagarozzi y Anderson (1989), los mitos personales o familiares, al igual que los culturales y sociales, muestran un alto grado de plasticidad. Se modifican, pero sin que quien los vive sea consciente de ello. Así, un mito familiar puede ser una variación de un mito socialmente aceptado (cuántos mitos familiares que hemos observado son variaciones sobre el tema, común a toda la cultura italiana, de la «buena madre»); y un mito personal puede ser, a su vez, la adaptación individual de un mito familiar.

El mito, en las sociedades primitivas, se sitúa, como diría Eliade *in illo tempore*, en un tiempo que está fuera del tiempo profano del devenir y, por tanto, no puede cambiar, porque sagrado y profano están claramente separados. Los mitos personales o familiares, en nuestra sociedad, no son tan inmutables. A menudo ni siquiera están presentes en la conciencia y pueden cambiar silenciosamente sin que nos demos cuenta de ello. Un mito de perfección, encarnado en un miembro de la familia, se puede convertir en un mito de caída, si el familiar en cuestión se muestra irremediablemente inferior a las expectativas. Pero pudiera ser que ninguno se diera cuenta de esta transformación. La psicoterapia, por ejemplo, puede influir en las llamadas premisas epistemológicas o presupuestos básicos inconscientes (Bateson, 1972b), representados por los mitos de una forma narrativa y metafórica. En un sistema mayor, en el sistema de la cultura, hay un grupo numeroso de personas, como poetas, artistas, sociólogos, filósofos, escritores, que ilustran los diversos mitos y su evolución en el tiempo.

Queremos recordar la contribución de David Reiss (1981), que ha realizado una interesante investigación sobre la cultura familiar. Ha concebido el mito familiar como constructo cognitivo compartido por toda la familia, asimilable al concepto, central en su investigación, de paradigma familiar (véase *supra*, capítulo 3). El mito, a nuestro parecer, se diferencia del paradigma familiar de Reiss al menos por dos motivos: sobre todo, porque es una forma metafórica de los constructos cognitivos de la familia[4] (visión sincrónica); en segundo lugar, es una narración o una «historia», en el sentido que Michael White (White y Epston, 1989) ha dado a este término y, por tanto, se desarrolla en el tiempo (visión diacrónica). La peculiaridad del mito es que tiene la estructura de una historia –con principio, desarrollo y final–, pero se trata de una historia ya acontecida en otro tiempo, que no es el tiempo cotidiano. El mito, que se despliega en el tiempo, se sitúa fuera del tiempo.

Como recuerda Jerome Bruner (1986), cualquier narración tiene dos caras, definidas por Frank Kermode, siguiendo a los formalistas rusos, como *fabula* y *sjuzet* (trama, o *plot* en inglés); la primera es el tema sustancialmente intemporal de cualquier relato, la segunda es la secuencia lineal de acontecimientos que constituyen su desarrollo. Es posible distinguir también estas dos caras en las historias, incluidos los mitos, que un individuo o una familia cuentan de sí mismos. Se basan en un fundamento intemporal, que expresa de un modo metafórico el sistema de significados y valores del individuo o de la familia, para actualizarlo en el tiempo mediante una narración.[5]

Si el mito es una metáfora del sistema de significados vigente y, por consiguiente, se sitúa fuera del tiempo, el rito es una posibilidad de actuar sobre el mito, introduciendo el curso del tiempo. Lévi-Strauss (1958) ha sostenido que mito y rito son expresiones distintas de los mismos sistemas de significación: en su terminología, mito y ritual expresan las mismas estructuras. Por eso, se puede considerar el ritual terapéutico como una acción metafórica que tiene el efecto de liberar la capacidad de evolución de un sistema. La familia Casanti era portadora de un mito que no había evolucionado en armonía con el ambiente circundante y que, en un cierto momento, se convirtió en una prisión para las nuevas generaciones y llegó a provocar problemas. Ahora podemos decir que la familia Casanti, fiel al mito, había comenzado a perder la coordinación entre sus tiempos y los tiempos de la sociedad. Cuando se conoció el mito y sus consecuencias, se inventó un ritual *ad hoc*, que había liberado capacidad de evolución de la familia.

Antaño la vida individual y colectiva estaba muy ritualizada; el ritmo de las diversas fases del ciclo vital estaba marcado por rituales precisos que, en los diferentes países occidentales, se diferenciaban sólo en los contenidos, pero formalmente tenían las mismas funciones. En la sociedad contemporánea gran parte de estos rituales se han atenuado o se han extinguido. Persisten sólo ritos locales, en algunas regiones, ciudades, pueblos o familias. Según algunos, parte del malestar, de los «problemas» de la sociedad contemporánea, se debe a la falta de ideologías, de valores, de sacralidad y, sobre todo, a la pérdida de los rituales tradicionales.

Describiremos a continuación un caso de un ritual de cambio, muy frecuente en las sociedades primitivas, que se verificó en el curso de una terapia, y que dio al equipo una señal palpable de un cambio en una relación significativa. Se trata de un episodio de la terapia de la familia Hayworth, tratada en el capítulo 5. En el curso de la segunda sesión se descubrió, muy pronto, que uno de los principales obstáculos para la superación del conflicto y de la dificultad en la relación entre madre e hijo, estaba en la hostilidad y en la indiferencia entre el hijo y la hermana. Sandy, el hijo, según el parecer de la familia, había heredado el hechizo y la inmoralidad de su padre, y se servía de ello para relacionarse con mujeres, a menudo mayores que él, pero en el campo laboral no había hecho prácticamente nada; esto constituía una fuente de grave preocupación para su hermana y su madre, que veían cómo se le presentaba un futuro difícil en su trabajo y en su vida. Su hermana Vera, por el contrario, aparentaba ser una mujer «normal», muy trabajadora, racional y más bien rígida, llamada a una vida ordenada y aburrida, sin altibajos.

Los terapeutas decidieron concluir la sesión proponiendo que los dos hermanos intercambiaran sus características más destacadas: Vera podría dar a Sandy parte de su propia seriedad y rigidez; Sandy, por su parte, podría ofrecerle parte de su embrujo y de su creatividad. Inmediatamente después del final de la sesión, antes de abandonar la sala, los dos hermanos se pusieron delante del espejo y, casi sin darse cuenta, intercambiaron sus chaquetas y se las probaron, mirándose fijamente uno a otro. Llegaron muy satisfechos a la siguiente sesión: uno hablando de su nuevo trabajo y del futuro con ponderación, la otra sonriendo y bromeando. Además, los hermanos mostraban una inédita actitud de complejidad constructiva. Sin embargo, su madre, en lugar de sentirse aliviada porque su hijo había comenzado a dar muestras de responsabilidad, parecía sombría.

En este caso los dos hermanos habían realizado, sin ninguna instrucción previa, un rito de intercambio de vestidos, un tipo de rituales que Van

Gennep (1909) clasifica entre los ritos de paso y, más concretamente, entre los ritos de hermanamiento y nupciales. Además, el gesto ritual de los dos hermanos se convertía realmente en una metáfora de la redefinición de la relación observada en la prescripción terapéutica: una relación en la que los hermanos están en el mismo plano, y cada uno puede dar al otro algo de sí mismo. Se podría objetar que lo descrito no era un ritual, sino un simple gesto; pero, a nuestro parecer, el gesto adquiere carácter ritual precisamente cuando se sitúa dentro de un espacio (y de un tiempo) separado, en presencia de testigos. Se puede observar una analogía entre los testigos y el contexto de la terapia, por una parte, y el sacerdote y la ceremonia nupcial, en la que los contrayentes se intercambian los anillos, por otra.[6]

RITUALES DE PASO, RITUALES DE CONTINUIDAD

Antes de ilustrar nuestros rituales terapéuticos por medio de casos clínicos, queremos esclarecer los presupuestos de los que partimos:

1. El ritual hace que el individuo o la familia se comporten de una determinada manera, que es distinta de las conductas actuales, que han producido sufrimiento y han provocado problemas. Al intentar realizar el ritual, los clientes pueden encontrar la «tercera solución», que no coincide ni con los intentos precedentes, ni con la precomprensión de los terapeutas. Los rituales, además de introducir significados y emociones, introducen comportamientos nuevos. Parece que este paso del pensar al hacer representa una de las razones principales por las que los rituales son a menudo eficaces en las psicosis crónicas, en las que el grupo está inmunizado respecto de las palabras, hipótesis o interpretaciones.

2. Uno de los aspectos fundamentales del ritual es que pone a todos los miembros de una familia en el mismo plano al realizarlo. Puede consistir simplemente en una reunión de una hora dos veces por semana, para poner en común, por turno, reflexiones y emociones relacionadas con un determinado tema propuesto por el terapeuta; o bien, en acercarse todos juntos al cementerio para reflexionar sobre la muerte de un allegado; o incluso en contarse, en un momento preciso de la semana, las informaciones recibidas de otras personas, que no pertenecen a la familia, para revelar secretos que están causando problemas en su relación, etcétera.

La participación de todos los miembros de la familia en estas circunstancias ofrece la posibilidad de que aparezca una visión nueva de sí mismos y de los otros: introduce –en lugar de perspectivas lineales o moralizantes– una visión circular que relaciona ideas, emociones, personas. Pero la característica principal es que crea una experiencia colectiva que puede motivar a los protagonistas para encontrar un punto de encuentro, un consenso, que les ofrezca nuevas perspectivas compartidas. Esto hace pensar en ritos como la misa o la comunión, que convocan repetidamente al grupo de los fieles, y en los ritos laicos de ciertas reuniones políticas, empresariales, deportivas.

3. El ritual favorece de este modo la armonización de los tiempos individuales y colectivos. En este libro hay muchos ejemplos de ritos indivi-

duales y colectivos, y de su coordinación antes, durante y después de la consulta y de la terapia. Cada ritual terapéutico marca un ritmo al tiempo y lo delimita, porque el ritual introduce un orden y una secuencia. A veces, en los casos en que el tiempo está bloqueado, como en las situaciones paradójicas, el ritual tiene la posibilidad de introducir secuencias que se habían borrado.

4. El objetivo del ritual, generalmente, no es el de transmitir contenidos,[7] aunque en ciertos casos (por ejemplo, en casos de psicosis) un ritual simple puede servir para transmitir un contenido. El objetivo de la formulación de un ritual es actuar en los procesos: un ritual eficaz puede poner en marcha un cambio procesal. Dicho con otras palabras: para nosotros cuenta más la forma que el contenido del ritual. Además, muchos de los rituales que prescribimos son crípticos, en el sentido de que los contenidos son oscuros para los clientes, de modo que se evita el riesgo de que se conviertan en interacciones instructivas. Desde el punto de vista semiótico, se podría definir nuestros rituales como casos de *hipocodificación* (Eco, 1975): los clientes se encuentran frente a hechos simbólicos cuyo código no conocen totalmente, y se les anima a que creen nuevos códigos y nuevos sistemas de significados,

5. Otra característica del ritual, de una importancia semejante al establecimiento de una experiencia emocional colectiva, en la que todos los miembros están en el mismo plano, es la indicación dirigida a los clientes de que está prohibido hablar, en los intervalos entre los rituales, de todo lo que ha sucedido mientras se realizaba el ritual. Esto tiene el objetivo de crear una división muy clara entre la experiencia cotidiana y la experiencia ritual, pues obliga a los clientes a comportarse de formas diferentes en estas dos experiencias, ofreciéndoles así la posibilidad de vivir como si fuesen dos familias distintas. Si no se diese esta indicación, naturalmente los diversos miembros de la familia hablarían de las experiencias rituales en otros momentos de la vida cotidiana, anulando las diferencias introducidas por el ritual, vaciándolo de sentido y privándolo de su eficacia.

Antes de ilustrar con algunos breves ejemplos clínicos el uso de los rituales, queremos recordar las dos categorías de rituales empleados en la terapia: rituales de continuidad, expresión del ciclo del tiempo; y rituales de paso (de discontinuidad), expresión del tiempo lineal, de la flecha del tiempo. Los rituales de paso marcan un único punto de discontinuidad, que se convierte en pernio de un cambio irreversible. Por ejemplo, en una familia con hijos adolescentes, a quienes no se considera todavía autónomos y responsables, se prescribe un ritual de un día a la semana, hasta la sesión siguiente, en el que se pide a los hijos que se comporten de un modo responsable y autónomo y a los padres que creen las condiciones para que esto se pueda realizar.

Por el contrario, los rituales de continuidad crean un movimiento cíclico, que ordena el devenir del sistema. Un ejemplo es el ritual, dado a los padres, de alternarse en días pares e impares para ser «el padre de turno» (Selvini Palazzoli, Boscolo y otros, 1977).

Enterrar el pasado

Se puede usar un rito de paso cuando se quiere actuar en un problema del pasado que continúa influyendo en el presente. En tales circunstancias el rito puede desbloquear el correr del tiempo. El caso que referimos a continuación se describe en Imber-Black, Roberts y Whiting (1988). Una familia de tres personas (padre, madre e hijo) se había acercado a la terapia por causa de un problema del hijo. El problema presentado se había resuelto en poco tiempo, pero se había hecho evidente otro, mucho más grave. Los cónyuges eran presa de una interminable serie de discusiones violentas, a menudo dramáticas, que convertían la vida familiar en un verdadero infierno. Al preguntar la terapeuta cuál era el motivo de la discusión, la respuesta fue que discutían por un hecho sucedido en un pasado remoto que, bajo ningún concepto, podían revelar a otras personas, incluida la terapeuta.

La terapeuta, pues, tenía que ayudarles a resolver un problema fundamental sin poder conocer el problema. Inventó un ritual ingenioso y pintoresco. Cogió una simple caja de cartón, después sugirió a cada uno de los cónyuges que escribiesen en un folio una narración del acontecimiento secreto que era causa de sus discusiones; cuando la escribieron, les ordenó que doblasen el folio en cuatro partes y lo introdujeran en la caja. Acto seguido, pidió a un obrero de la clínica que llevase palas y picos (era pleno invierno). Les hizo cavar un hoyo debajo de una encina y enterrar la caja. Podríamos decir que la terapeuta había hecho presente el pasado enterrándolo en el presente. Concluida la operación, les dijo: «De ahora en adelante, cada vez que comencéis a discutir, tenéis que pararos y venir a discutir *aquí*, sobre este lugar donde está enterrado vuestro pasado».

Marido y mujer llegaron de buen humor a la sesión siguiente y, con cierto apuro, contaron que al comenzar la primera discusión, después de la sesión, se habían parado, habían subido al coche y se habían puesto a discutir debajo de la encina. En lugar de discutir, se habían echado a reír. Después, cada vez que estaban a punto de comenzar una nueva discusión, se detenían antes de empezar. El ritual descrito fue la solución, y la terapia concluyó. Se puede decir que de esta manera el ritual consiguió concretar la idea de que el pasado es pasado y hay que enterrarlo. La idea de que el pasado no se puede cambiar porque es pasado, la introdujo el ritual que, de un modo simbólico, hizo que los cónyuges enterraran el pasado, creando un contexto –discutir de pie, debajo de una encina y encima de una caja de cartón– en el que se provocaban emociones opuestas a las presentes en las repetidas discusiones.

Noches pares, noches impares

Los rituales inventados al comienzo de los años 70 y recogidos en el libro *Paradoja y contraparadoja* (Selvini Palazzoli, Boscolo y otros, 1975) y en algunos artículos (Selvini Palazzoli, Boscolo y otros, 1974, 1977) han representado un impulso importante para el desarrollo de nuevos rituales.

Por ejemplo, el artículo «Una prescrizione ritualizzata nella terapia della famiglia: giorni pari e giorni dispari» (Selvini Palazzoli, Boscolo y otros, 1977) describe un rito de continuidad de uso frecuente. En un principio, se pensó para los casos comunes de familias donde los padres interferían recíprocamente en su función de padres, provocando la confusión en sus hijos. La intención de este ritual era crear una secuencia temporal, que permitiera a cada uno de los padres comportarse con los hijos del modo que quisiera, sin que el otro interfiriera.

En este ritual se prescribía que en los días pares (martes, jueves y sábado) uno de ellos sería «el padre de turno», mientras que en los días impares (lunes, miércoles y viernes) estaría de turno el otro. A los hijos se les encomienda la tarea de controlar que esto se haga y de anotar los incumplimientos y olvidos. Como en todos los rituales, tiene que haber un periodo en el que la vida siga su curso como de costumbre. Por eso se pedía a la familia que el domingo se «comportase espontáneamente».

Si el ritual «días pares y días impares» resultó y sigue siendo bastante útil para introducir un orden y una secuencia en las relaciones diurnas entre padres e hijos, el ritual análogo «noches pares y noches impares» resulta eficaz cuando en la vida nocturna de la familia se dan patologías, a veces incluso graves. Según nuestra experiencia, en un cierto número de familias –en particular las que tienen un miembro psicótico o prepsicótico– se dan formas no comunes, a veces extravagantes, de vida nocturna. En algunos casos sucede que hijos o hijas adolescentes duermen todavía en el lecho matrimonial, entre los padres; o duermen con uno de los padres, mientras que el otro se retira a otra habitación.

Pongamos un ejemplo. Era una familia formada por tres personas: padre, madre e hijo. El padre era un joven director de una empresa, perteneciente a una familia rica desde hacía varias generaciones. En el momento de casarse, la futura mujer le había convencido para que construyera la residencia familiar de modo que la habitación destinada a los hijos tuviese la puerta frente a la de los padres, a fin de poder «tenerles siempre a la vista». Habían tenido sólo un hijo, que al comenzar la terapia tenía nueve años.

Desde hacía un año Giacomo –así se llamaba el niño– padecía graves accesos de terror nocturno, acompañados de pesadillas y en forma de auténticos ataques de pánico. Se le había diagnosticado un *pavor nocturnus* y se le había propuesto una psicoterapia individual, que no había dado ningún resultado. Entretanto, la vida de Giacomo se había alterado profundamente a causa del problema: el aprendizaje escolar había disminuido de un modo alarmante, y a menudo se quedaba dormido en la escuela, en mitad de las lecciones.

Durante la primera sesión, dada la naturaleza del problema presentado, el terapeuta analizó minuciosamente la vida nocturna de la familia. Giacomo era el centro de la vida de sus padres, siempre mimado, observado y controlado. Desde hacía un año el niño y sus padres dormían cada vez menos por las noches. A la primera señal de alarma por parte de Giacomo, sus padres acudían rápidamente en su ayuda y, después de innumerables intentos de tranquilizarlo, se lo llevaban a su cama, donde pasaba el resto de la noche. No hace falta decir que en esta casa no había llaves en los dormitorios ni en el baño.

El terapeuta, antes de prescribir el ritual nocturno, les dijo que tenían que poner llaves en las puertas de los dormitorios y del baño. Giacomo podía cerrar o dejar abierta su propia habitación, mientras que sus padres tenían que cerrar con llave la puerta de su dormitorio desde las diez de la noche hasta las ocho de la mañana del día siguiente. El lunes, el miércoles y el viernes por la noche «el padre de turno» sería el padre; el martes, el jueves y el sábado por la noche, la madre. La noche del domingo podían comportarse de un modo espontáneo. El padre de turno tenía que ocuparse a su manera de todo lo que le pasara a Giacomo por la noche. Si decidía acercarse a su habitación para consolarlo, tenía necesariamente que cerrar con llave al otro en el dormitorio del matrimonio. Evidentemente, Giacomo no podía entrar de noche en la habitación de sus padres.

La orden de poner llaves a las puertas de las habitaciones «calientes» tenía por objeto introducir una posibilidad de elección entre tiempo colectivo y tiempo privado, elección que parecía, de acuerdo con las informaciones recibidas, imposible en esta familia. El ritual de las noches pares y noches impares, con la prescripción para el padre de turno de que cerrase la puerta del dormitorio matrimonial si se acercaba a la del hijo, tenía por objeto ayudar a la pareja a crearse un tiempo y un espacio separados del tiempo y del espacio dedicados al hijo.

Evidentemente, el terapeuta había formulado diversas hipótesis sobre el origen y la naturaleza de la vida (en particular, de la vida nocturna) de esta familia. El amor y el cariño hacia el hijo parecían mucho mayores que el amor conyugal; esta hipótesis se veía confirmada por el hecho de que Giacomo estaba destinado a ser heredero único de una gran fortuna, adquirida durante muchas generaciones, y era el centro de una complicada red de afectos y de intereses. Por otra parte, al ocuparse por las noches de su hijo, los cónyuges evitaban tener relaciones íntimas; o bien, visto desde otra perspectiva, el hijo con su *pavor nocturnus* impedía que sus padres fueran realmente pareja: les alejaba del lugar tradicional de la pareja, el dormitorio matrimonial. Otra idea que apareció era que los tres no eran capaces de constituir una jerarquía. Como Giacomo había crecido, se había creado una confusión de roles, en la que los tres podían ser vistos (especialmente por sus familias de origen) como tres hijos. Se podría también observar que la preocupación de los padres por su hijo, y la falta de tiempo para estar juntos, les impedía tener relaciones sexuales y, por tanto, tener más hijos.

En la segunda sesión la familia dijo que había tenido lugar un cambio extraordinario: los padres dijeron que habían realizado el ritual perfectamente, aunque esto había supuesto mucho sufrimiento, particularmente para la madre. En un mes Giacomo había tenido sólo dos accesos menores de *pavor*, ocurridos los dos en noches en que estaba de turno su padre. Parecía que Giacomo se sentía aliviado y mostraba implícitamente su gratitud hacia el terapeuta por haberlo liberado de sus padres y haberle permitido recuperar el contacto con el mundo diurno. La terapia prosiguió durante tres sesiones más sólo con los padres, por las dificultades que tenían entre ellos. En aquel periodo Giacomo no tuvo más problemas nocturnos, acudía a la escuela contento y tenía un buen rendimiento.

El ritual había cambiado radicalmente el tipo de vida nocturna de los tres miembros de la familia, porque había introducido una distinción clara entre el rol de padre y el rol de hijo, permitiéndoles así emprender de nuevo el camino de la evolución, que se había interrumpido. Además de las hipótesis propuestas anteriormente, podemos decir que este ritual se había formulado basándose en los tipos de relación descritos por la familia, que contenían un cambio de ritmos día-noche con serias consecuencias en la vida escolar y social del hijo.

El caso descrito es un caso simple, monosintomático. Mucho más complejos en términos de comportamientos nocturnos, y mucho más difíciles en el plano terapéutico son los casos de psicosis, en los que a menudo nos encontramos ante una vida nocturna a veces más activa y significativa que la diurna, cuyo conocimiento es muy importante para el terapeuta, porque ofrece ejemplos significativos de confusión de roles que resultan menos evidentes y claros en la vida diurna. Por eso en los casos de familias con un miembro psicótico indagamos en la vida nocturna, porque normalmente la familia no revela espontáneamente estas informaciones. La serie de interferencias nocturnas entre padres e hijos hace que se detenga el desarrollo y paraliza a los hijos en un estadio infantil.

Tiempos simultáneos, tiempos separados

La familia Pericoli estaba formada por los padres, de unos cuarenta años, ambos obreros, y su hija Cristina, de 10 años, muy inteligente y extravertida. Cristina había comenzado hacía dos años a tener graves síntomas obsesivos que, con el tiempo, habían llegado a limitar la vida social de toda la familia. Desde hacía un año sus padres sólo podían salir de casa para ir a trabajar, porque su hija amenazaba con suicidarse. Cristina, además de estar preocupada obsesivamente por el paso del tiempo y por su higiene personal –que incluía una serie de ceremonias rigurosas de ablución y de aseo–, estaba como obsesionada por el problema de no poder dormir. Desde hacía más de un año se venía realizando un complicado ritual nocturno, en el que participaba toda la familia: si no se respetaba el rito hasta en sus mínimos detalles, no había manera alguna de hacer que Cristina pudiese dormir.

A la hora de acostarse, sus padres tenían que acompañar a Cristina al dormitorio matrimonial y después poner sobre la cama una sábana que no tuviese ni la más pequeña arruga. Sus continuas protestas sobre las arrugas hacían que la ceremonia durase más de veinte minutos. En ese momento el padre tenía que ir a dormir a la habitación de Cristina, mientras que la madre tenía que dormir en una cama pequeña situada junto a la del matrimonio. Cristina se metía en la cama con su madre y después de unos minutos, cuando estaba para dormirse, daba un salto a la cama matrimonial, donde permanecía hasta la mañana siguiente.

La narración de los rituales fue importante para que el equipo terapéutico formulase sus hipótesis. También fue importante la observación de la actitud de la familia durante la sesión. Cristina estaba sentada entre sus padres con las piernas abiertas, como en un trono; estaba vestida como una niña, y llevaba en su mano una muñeca pequeñita, pero a menudo su aspecto infantil daba paso bruscamente a unos comportamientos (verbales y no verbales) propios de una persona adulta o incluso anciana: mostraba, por igual, comportamientos de niña, de compañera de los padres, y de abuela. Parecía que sus padres, por su parte, temían mucho su juicio, y trataban disimuladamente de ganársela, mientras que entre ellos había frecuentes desacuerdos, e incluso discusiones.

Si, por una parte, los padres se lamentaban de haber perdido su propia libertad a causa de los problemas de Cristina, por otra, daban la impresión de que cada uno había consagrado su propia vida a conquistar el amor de su hija. Contaron muchos episodios en los que cualquier intento de establecer una relación entre dos miembros de la familia se veía bloqueado por la intervención del tercero, como si la formación de una pareja, de cualquier pareja, fuese para el tercero fuente de angustia y, por tanto, inaceptable. Parecía que cada uno de ellos bloqueaba a los otros dos, sin que ninguno fuera capaz de encontrar (o no se le permitiera encontrar) un tiempo privado para él.

En la segunda sesión el equipo terapéutico ideó un ritual para desbloquear a los tres miembros de la familia, permitiendo que cada uno de ellos desarrollara un tiempo distinto al de los otros y un contexto en el que se pudiesen coordinar sus tiempos en una perspectiva evolutiva. El ritual prescrito consistía en distinguir, en cada uno de los tres primeros días de la semana, una pareja y un individuo. El lunes era «el día de papá y mamá», en el que los dos tenían que prestarse mutua atención e ignorar a su hija, mientras que el martes era «el día de papá y Cristina», y el miércoles «el día de mamá y Cristina»; los demás días de la semana los tres miembros de la familia tenían que comportarse de un modo espontáneo. Es significativo que Cristina, al concluir la descripción del ritual, con un gran suspiro de alivio dijo: «¡Entonces el jueves seré libre!».

En la tercera sesión Cristina parecía mucho más tranquila mientras que sus padres estaban más tensos y quisquillosos. El ritual se había respetado sólo en parte: la madre no había resistido a la tentación de entrometerse, el martes, en la relación entre padre e hija (algún miembro del equipo formuló la hipótesis, no muy plausible, de que la madre podía temer un posible incesto entre padre e hija). Al final de la sesión se dijo a la familia que continuase el ritual. Al mes siguiente los padres se presentaron sin Cristina; la niña había quedado con una amiga de la escuela en el pueblo de su abuela materna, para ver un «importantísimo programa» en televisión. El equipo tuvo la clara impresión de que Cristina había comenzado a recuperar su propio tiempo privado y que, con la excusa de la televisión, había mandado a sus padres a la terapia. Los terapeutas recibieron el mensaje y continuaron otras cuatro sesiones más con la pareja; en ellas se habló del mejoramiento continuo de la hija. Que, dicho sea de paso, desde aquella primera noche que pasó en casa de la abuela, había vuelto a dormir sin necesidad de rituales. Daba la impresión de que sus padres, entretanto, estaban recuperando gradualmente su relación de pareja.

Con este ejemplo hemos descrito otro éxito de la terapia. ¿Se puede decir que en este caso se había inventado un ritual *ad hoc* para esta familia? ¿Habría sido tan eficaz un rito de días pares y días impares? ¿Habría sido suficiente una terapia que no se sirviese de rituales? Una vez más, resulta imposible responder de un modo definitivo a estas preguntas. Es imposible predecir con certeza el efecto de un ritual. Por otra parte, ni siquiera es necesario que se realice el ritual para que sea eficaz: el ritual puede tener efecto ya en la imaginación de los clientes, independientemente de su realización. A nuestro parecer, la eficacia y el efecto mismo del ritual dependen del significado que el destinatario le atribuye dentro del contexto relacional que incluye al terapeuta. Por otra parte, se puede decir que la misma terapia es un ritual. Hablando de las curas chamánicas, Lévi-Strauss (1958) ha sostenido que, para ser eficaces, tienen que aceptarlas con confianza los pacientes, la sociedad y los propios terapeutas. Un criterio simple para decidir el uso de un ritual podría ser el examinar el sentido global que puede tener para el conjunto del sistema terapéutico.

Secuencia de duelo

La familia cuya historia contamos a continuación fue llevada a nuestro centro para una supervisión. Estaba formada por el padre y la madre, de cincuenta años, una hija de treinta y un hijo de veintiséis; dos años antes había muerto otro hijo, el menor, Moreno. El problema estaba en que Giovanna, la hija de treinta años, después de una adolescencia tranquila, había comenzado a tener un comportamiento cada vez más caótico, era adicta a la heroína y se comportaba de un modo cada vez más autodestructivo, mientras que sus familiares se debatían entre la protección y la condena exasperada.

La sesión sacó a la luz una fórmula de interacción familiar que se desarrolló después de la muerte del hijo menor en un accidente de tráfico. Después de un largo periodo de duelo, Giovanna había reanudado su vida social normal, pero su madre la había criticado inmediatamente con violencia por su insensibilidad: ¿Cómo podía salir a divertirse cuando su hermano acababa de morir? Giovanna decía que había que pensar en la vida y no sólo en la muerte. Para su madre esto era la confirmación de que Giovanna era insensible. De esta manera se había formado el clásico círculo vicioso, en el que los demás miembros de la familia apoyaban las manifestaciones de la madre contra ella, que comenzó a tener comportamientos agresivos y autodestructivos. La terapeuta que solicitó la consulta no había conseguido, aproximadamente después de un año de terapia, interferir en esta *escalation* familiar. La paciente se había introducido, según ella, en un camino muy peligroso, con pocas posibilidades de recuperación.

Al consejero le parecía que la familia era incapaz de realizar el duelo por la muerte de Moreno, polarizándose en dos secuencias opuestas –vida y muerte– representadas, por una parte, por Giovanna y, por otra, por el resto de la familia. Era como si, en la vivencia de la familia, no fuese posible poner en secuencia los tiempos dedicados al luto y los tiempos dedicados a la cotidianeidad. Un típico círculo vicioso, ocasionado de la falta de coherencia en la experiencia de la familia, que no podía vivir ni en el presente (en la vida) como quería Giovanna, ni en el pasado (en el duelo) como quería la madre.

El consejero pensaba que era necesario un ritual para romper el círculo vicioso y para introducir una secuencia temporal. Un día a la semana, el martes, sería el día de Moreno. Ese día todos los miembros de la familia tenían que recordar a Moreno, acordarse de algunos episodios de su vida, exponer sus fotografías en casa y, si era posible, ir juntos al cementerio. Los demás días de la semana estaba rigurosamente prohibido hablar de Moreno: es evidente que cada uno podía pensar en él, pero si alguno hablaba de Moreno, los demás tenían que impedírselo para asegurar que la prescripción se respetaba.

La terapeuta comunicó, tres meses después, que la sesión de consulta –y, según ella, sobre todo del ritual– habían producido un cambio increíble. Giovanna dejó de consumir heroína casi de repente y se puso a buscar trabajo; toda la atmósfera familiar había cambiado por completo. Un control posterior, un año después, confirmó dicho cambio.

El efecto del ritual, en este caso, se pudo deber a una serie de factores. En primer lugar, el consejero había subrayado la centralidad del acontecimiento de la muerte de Moreno, y la importancia de un ritual adecuado de realización del duelo que, aceptado por todos los miembros de la familia, había contribuido a la creación de un contexto de consenso. Además, había comunicado de un modo implícito que, tanto Giovanna como los demás miembros de la familia, tenían razón, al prescribir un día dedicado a la muerte y seis días dedicados a la vida.

El rito puso en contraposición la vida real y el tiempo presente, al que se dedicaban seis días a la semana, y el imaginario de la familia, el pasado, al que se dedicaba un día a la semana, animando a todos los miembros de la familia a que actuasen alternativamente en el tiempo de la realidad y en el tiempo del duelo, colocándose *dentro de una secuencia*, donde el pasado tiene un rol menor que el del presente y –podríamos añadir– que el del futuro. La familia, pues, tuvo la posibilidad de vivir la distinción entre pasado y presente de un modo secuencial.

Se puede usar también un ritual de este tipo en las situaciones, cada vez más comunes, de las familias llamadas «reconstruidas». En estas familias se producen a menudo conflictos con las familias «satélites»: un hijo, por ejemplo, si acepta a su padrastro o a su madrastra, puede sentirse, o verse empujado a sentirse, desleal hacia sus padres biológicos, o viceversa. En estas familias se puede dar también una incapacidad para crear secuencias temporales entre pasado y presente, entre la «reconstruida» y las otras familias. El ritual introduciría esta secuencia.

La familia Pintus, formada por el padre, el hijo de diecisiete años y la madrastra, acudió a la consulta porque el hijo, entregado hacía un año al padre por el Tribunal de Menores, había comenzado a tener trastornos de comportamiento. Había cometido un grave crimen sexual a la edad de doce años (poco después de la separación de sus padres). Y había permanecido durante algunos años en un instituto para la rehabilitación de menores. Después de un buen periodo de convivencia en la nueva familia del padre, había vuelto a tener trastornos de comportamiento.

Ya en la primera parte de la terapia apareció una situación común en algunos aspectos a las familias «reconstruidas»: estaba prohibido hablar claramente de los propios sentimientos y emociones respecto tanto de la familia actual como de la pasada. En particular, al muchacho se le había prohibido implícitamente hablar de su madre. Su situación resultaba paradójica: «Si pienso en mi familia actual, soy malo porque olvido a la familia que he dejado. Si pienso en el pasado, soy malo porque olvido a mi familia actual». El problema nacía precisamente de esta ambigüedad: de la simultaneidad entre pasado y presente.

A la familia se le prescribió el siguiente ritual. Un día a la semana, los tres miembros de la familia tenían que juntarse para hablar del pasado del muchacho, de su madre y de la familia de su madre, y de la relación anterior entre el padre y la madre, para que también su madrastra pudiese participar en una historia de la que también ella formaba parte. Se le aconsejó también que mantuviese conversaciones telefónicas con su madre y que hablara con ella. Pero los demás días estaba prohibido hablar del pasado y, si alguno no cumplía lo prescrito, los demás tenían que hacérselo saber. También en este caso, gracias al ritual, mejoraron las relaciones dentro de la familia, porque se les había dado la posibilidad de hablar y pensar, siguiendo una secuencia, tanto de la familia presente como de las familias satélites, sin que esto se considerara un tabú.

9. TRES CASOS CLÍNICOS

En los capítulos precedentes hemos ofrecido un panorama de nuestra visión sobre el tiempo y la terapia. Vamos a presentar a continuación los resultados de dos terapias completas en las que el aspecto temporal se analizará detalladamente a lo largo del proceso terapéutico. Ambas terapias las dirigió Luigi Boscolo, asistido por un equipo de alumnos del tercer curso de terapia sistémica. Presentaremos además una consulta sobre un caso de esquizofrenia, dirigida también por Luigi Boscolo en un hospital psiquiátrico de Suiza.

DAVIDE: ROMPER UN CÍRCULO VICIOSO

Se trataba de una familia de una pequeña ciudad del norte. Los padres tenían unos treinta años. El padre era un obrero y la madre ama de casa. Tenían un único hijo, de ocho años, Davide que, en el momento de comenzar la terapia, cursaba su tercer año en la escuela. El niño padecía el síndrome de Down, pero en cuanto a su inteligencia era claramente superior a la media de los de su condición. Esto hacía que los demás, especialmente los adultos, le prestasen atención, como si de una diversión se tratara: era como si Davide se encontrase continuamente en el centro del escenario.

En la escuela le acompañaba un maestro de apoyo, para enseñarle a comportarse bien más que para que aprendiese. A primera vista el niño era simpático y vivaz. Tanto en la escuela como en casa era hiperactivo, irrefrenable, indisciplinado. Se oponía obstinadamente a cualquier tipo de imposición, nunca dejaba de moverse, y llamaba continuamente la atención, como para obligar a los adultos a que se fijasen en él. En casa su madre tenía que controlarlo continuamente, porque todo lo tocaba y desmontaba todo lo que encontraba: lámparas, teléfono, radio. Rompía dos o tres pares de gafas cada mes y no aceptaba órdenes de nadie. En suma, no obedecía nunca.

Sin embargo, a todos les resultaba simpático. Era divertido, a veces hablaba de sí mismo en tercera persona, se expresaba con un tono nasal, a veces desfiguraba ligeramente las palabras. Había acudido a una terapia individual, que no tuvo éxito. La madre había seguido pidiendo ayuda a la terapeuta que, finalmente, sintiéndose completamente impotente, le había aconsejado una terapia familiar. Era una de las características del chaval: hacía que todos se sintieran impotentes. En la escuela se había vuelto un amable juglar, seguido siempre por el maestro de apoyo, que tenía la tarea de ocuparse exclusivamente de él. En casa había conseguido acaparar toda la atención de su madre, que ya no podía quitarle los ojos de encima. Por la tarde le tocaba al padre, al volver del trabajo, sustituir a su madre en la tarea de vigilarlo.

En la primera sesión los rostros de sus padres mostraban impotencia, descorazonamiento y resignación. Davide, por el contrario, dio a entender enseguida, con carcajadas burlonas y movimientos bruscos, que no tenía intención de seguir ninguna regla; es más, estaba dispuesto a interrumpir la conversación y atraer hacia él la atención siempre que quisiese. Su comportamiento recordó al terapeuta el de los niños con trastornos por falta de atención (Attention Deficit Disorder). Después de algunos minutos en los que Davide, con actitud orgullosa, había permanecido en pie, el terapeuta comenzó a analizar qué posibilidades tenía de crear una relación de colaboración: «Date cuenta de que estás en mi casa. Ahora puedes sentarte». Como respuesta, el niño comenzó a dar vueltas por la habitación dando un golpecito en la cabeza a su padre, que lo aguantó con resignación. Después hizo ademán de salir de la sala de terapia.

En este momento intervino el terapeuta y consiguió impedir que saliera: «Escucha, Davide. Si sales fuera de esta habitación, quiere decir que eres estúpido; si te quedas en esta sala, quiere decir que eres inteligente. Ahora, decide». El niño dudó, apoyado en la jamba de la puerta, durante unos segundos, después entró decididamente en la sala. Pero inmediatamente después se le ocurrió otra forma de impedir la conversación entre el terapeuta y sus padres; comenzó a mover las revistas que había sobre la mesa, tirándolas al suelo y haciendo un montón de ruidos molestos.

El terapeuta, al ver su fracaso, para no comportarse según las reglas de Davide, decidió entrar en *escalation*, aprovechando el hecho de que la acción tenía lugar en su propio terreno: «Aquí, Davide, estás en mi casa y tienes que respetar las reglas. Si no pones las revistas en mi mesa antes de cinco minutos, te echo fuera». Davide no se inmutó, como si ni siquiera escuchase. Pocos segundos antes de que pasaran los cinco minutos el terapeuta, con el reloj en la mano, le pidió que pusiera las revistas en su sitio. La respuesta de Davide fue una sonrisa sarcástica desafiante. Entonces el terapeuta se levantó con calma y, como Davide se negaba a salir de la sala, lo levantó por la solapa de la chaqueta, dejándolo suavemente en medio del pasillo. Después volvió a la sala de terapia, donde los padres estaban sentados inmóviles, con una expresión de estupor. La madre dijo que se corría el peligro de que Davide estropease algo en las habitaciones. El terapeuta respondió que lo más probable era que la secretaria se diese cuenta y, si fuera necesario, se lo impediría. De esta manera el terapeuta expresaba, de un modo analógico, que se oponía a la tendencia que Davide tenía a definir las reglas de la relación, y que estaba dispuesto a correr algún riesgo. Después de un cuarto de hora, el terapeuta comenzó a sentirse inquieto por la idea de lo que aquel niño travieso podría hacer con las instalaciones del centro.

Salió y se sorprendió al encontrarlo inmóvil, sentado en un sillón de la sala de espera, como un animal herido. Aparentemente estaba como bajo el efecto de un *shock*, dolido por la manera violenta con que lo habían puesto en la puerta. Había llegado el momento de cambiar de actitud y de hacer las paces. Con los niños, como ya se sabe, el comportamiento analógico es más eficaz que el verbal. De improviso, el terapeuta mostró un comportamiento complementario de sumisión, anduvo a cuatro patas sobre la moqueta y preguntó a Davide con voz persuasiva: «¿Dónde puedo ir?». Parecía que el niño estaba muy impresionado, volvió a sonreír de nuevo y mandó al terapeuta que fuera hasta el final del pasillo; así lo hizo éste, que cumplió otras dos veces más las órdenes del niño, hasta que comenzaron a dolerle las rodillas; entonces, se levantó y dijo: «¡Ahora te toca a ti!». Y Davide obedeció.

Mediante este juego, el terapeuta había superado el bloqueo de la posición simétrica. Se había puesto en una posición totalmente complementaria y había desbloqueado la interacción, permitiendo al niño aceptar, a su vez, una posición de complementariedad; había obedecido, *después de que* él había dado las órdenes. Se había creado una secuencia en la que, por turno, los dos participantes daban órdenes y las cumplían. Después de que el terapeuta había consentido en ser un niño frente a él, Davide había podido aceptar su rol social, aunque, momentáneamente, sólo en un contexto lúdico.

La sesión pudo seguir con menos dificultades, y puso mejor al descubierto el sistema de interacciones que se había construido en torno a Davide. El niño recibía continuamente órdenes acompañadas de amenazas de castigo; pero, aunque él normalmente no cumplía las órdenes, nunca se le castigaba. La incoherencia de tales respuestas, como era de esperar, contribuía a mantener su falta de disciplina. En otras palabras, los comportamientos de Davide y de las personas que lo rodeaban habían encontrado su propia coherencia. Es evidente que uno de los objetivos del terapeuta era precisamente el de no afianzar tal coherencia, sino introducir novedad, crear las condiciones para que surgieran nuevos comportamientos.

A continuación anticipamos una serie de observaciones que aparecieron en el curso de la terapia y que revelaron que la pareja no tenía problemas de relación apreciables, ni entre ellos ni con respecto a sus familias de origen: parecía que los problemas presentados no derivaban de una específica «psicopatología» de pareja o de familia. Parecía que el problema fundamental se debía a la etiqueta «handicap» o «enfermedad», que condicionaba las respuestas de los adultos a los comportamientos de Davide, haciéndoles manifestar una indulgencia forzada y frustrada. La consecuencia era que el contexto no permitía a Davide desarrollar tranquilamente sus capacidades.

Otra razón importante de la persistencia de la hiperactividad de Davide era que, por la simpatía que despertaba, atraía continuamente hacia sí la atención de todos, y se había habituado a vivir como en una especie de escenario permanente, con un público al que tenía que entretener continuamente. En el curso de la sesión, por ejemplo, los padres, al mirar a Davide, a veces rompían a reír divertidos, para volver enseguida a mostrar su expresión normal de frustración e impotencia.

Volvamos ahora al desarrollo de la sesión. El niño, en la relación con el terapeuta, comenzó a demostrar claramente –aunque fuera con altos y bajos– la disposición a cambiar su propia conducta. Parecía que sus padres estaban impresionados, aunque en sus rostros seguía habiendo una expresión de duda.

En el diálogo del equipo se propusieron dos posibles alternativas: continuar con toda la familia o convocar sólo a los padres. Se optó por la segunda posibilidad, confiando en que los padres podrían recuperar la «competencia» perdida, después de haber saboreado esta posibilidad.

Se decidió comunicar la intervención final sólo a la pareja, dejando que Davide dibujase en una pizarra de una sala contigua.

TERAPEUTA: Queremos encomendaros una tarea muy importante que debéis realizar en casa. Es una tarea dura, difícil de llevar a cabo. Contamos con el hecho de que Davide se rebelará todo lo que pueda, y pretenderá por todos los medios que dejéis de hacerlo. Si esto sucede, acabaréis obedeciendo a Davide y no a nosotros. La tarea no os la proponemos como un deber, al contrario, es extraordinariamente importante que decidáis juntos, cuando estéis en casa, si lo hacéis o no. Si tenéis dudas, no lo hagáis.

Como los padres dieron su asentimiento, el terapeuta comenzó a dar el ritual de los «días pares y días impares» (Selvini Palazzoli, Boscolo y otros, 1977).

TERAPEUTA: En los días pares de la semana (martes, jueves y sábado), tú (dirigiéndose al padre) serás el «padre de turno». Durante esos días, cuando estés trabajando, tu mujer, si Davide pregunta, tendrá que decir: «Ya hablarás con papá cuando llegue a casa», y no podrá añadir nada más. En los días impares (lunes, miércoles y viernes), serás tú (dirigiéndose a la madre) el «padre de turno». El domingo comportaos espontáneamente...

Ante todo, se pensó en dar aquel ritual para llevar a la familia a *hacer* algo concreto y salir de su impotencia. Sin duda, los actos serían más eficaces que las palabras. Normalmente este ritual se prescribe con el fin de actuar en las interferencias recíprocas entre los padres que están en conflicto. En este caso, por el contrario, el objetivo principal era poner a Davide frente a una situación nueva: los padres, en días alternos, dejaban de estar disponibles. Además, los padres compartían por igual la responsabilidad que tenían para con Davide. El equipo tenía la impresión de estar en presencia de una relación «simbiótica» madre-hijo, hasta el punto de que su madre no le quitaba los ojos de encima. El ritual, finalmente, introducía el tiempo en la relación entre padres e hijo, en forma de nuevas secuencias, que hacían participar por turno a los padres con su hijo, rompiendo así el círculo vicioso de la familia.

En la segunda sesión los padres dijeron que la situación, en general, había mejorado, aunque con mucho esfuerzo. Davide, desde el primer día, había tratado sistemáticamente de seguir comportándose como antes. Pero sus padres habían seguido la prescripción escrupulosa y puntualmente, sin ahorrarse ningún esfuerzo. Es interesante el hecho de que Davide gastaba sus propias energías sobre todo con su padre, cuando éste, al estar «fuera de turno», le decía que hablara con su madre. Contaron estupefactos que, después de varios intentos de comprometer a su padre, Davide le había llamado por primera vez «papá», mientras que antes le había llamado siempre exclusivamente por su nombre. Con el paso del tiempo Davide se adaptó a la nueva situación, y comenzó a estar un poco más tranquilo, ya no estaba tan inquieto.

En la tercera sesión con los padres el tema central fue la esclavitud de la madre, que no podía perder de vista a Davide ni un solo momento, para evitar que hiciese de las suyas. Evidentemente, en casa no había llaves y no se podía cerrar ninguna puerta. Así que no era posible que ninguno tuviese su propio tiempo y su espacio privado.

La intervención final de la sesión se refería a este tema.

TERAPEUTA: He discutido con mis compañeros, y quisiera pediros una cosa, si os resulta posible. Pero tenéis que decidir vosotros si queréis hacerlo. Os pedimos que lo discutáis durante un par de días y, sólo si estáis de acuerdo, seguid con nuestro programa.

El terapeuta empleaba intencionadamente, al igual que en la intervención de la primera sesión, un tono que no era impositivo. En una familia en la que la obediencia y el control son un problema, en la que las órdenes nunca se cumplen, sería contraproducente asumir una actitud mínimamente autoritaria. El terapeuta evita la simetría también con los padres, al igual que lo hizo con Davide. Pedirles que dialoguen previamente sobre la realización de la tarea, además de consolidar su relación de pareja, tiene el objetivo de reforzar las decisiones y de evitar la discordia.

TERAPEUTA: Id a casa; si estáis de acuerdo, informad a Davide y decidle: «Mira, Davide, tienes ocho años y ya es hora de que, como todos los niños de tu edad, sepas que cuando el padre o la madre va al baño, no se entra. Nosotros, a partir de hoy, cuando vayamos al baño, cerraremos por dentro con llave. Pero como tú, Davide, no das muestras de ser responsable, cerraremos con llave la cocina y nuestro dormitorio. Estarás en el comedor, donde no hay cosas que se puedan romper. Recuerda que no te abriremos por ninguna razón». ¿Creéis que podéis hacer esto? Si pensáis que podéis hacerlo, hacedlo enseguida. No lo sé, podía comenzar la señora, cuando está sola en casa...

PADRE: ¿Y si estamos los dos en casa?

TERAPEUTA: Entonces no tiene sentido cerrar la cocina y el dormitorio. Cuando estéis los dos en casa, sería oportuno que la señora, de vez en cuando, saliese a tomar el aire, y dejase al marido en casa una hora o dos. *(Dirigiéndose al marido):* Durante este periodo tendrías que ir al baño al menos una vez, y cuando estés allí, controlando el tiempo, permanece al menos diez minutos, si puedes resistir... *(el padre mira a la madre con una cierta aprensión).* Sé que corremos un cierto riesgo, ¿podrás correr este riesgo?

PADRE: Se puede dejar abierto, hay sillas, lo más que puede hacer es poner-
las patas arriba...

TERAPEUTA: Tenéis que acordaros de retirar las medicinas, que son la principal fuente de peligro para los niños. Tenemos que eliminar estos peligros para
eliminar uno todavía mayor: Davide tiene ocho años y todavía no ha tenido la
experiencia de estar sin los adultos ni siquiera un instante. Se encuentra siempre seguro porque se siente *siempre* observado, hace todo esto para atraer la
atención de quienes lo observan. También conmigo ha tratado de que yo estuviera mirando lo que hacía en todo momento. No ha tenido la experiencia, no
consigue tener la experiencia de no sentirse observado. Y necesita urgentemen-
te esta experiencia, nueva para él, que todos los niños deben afrontar en un cierto momento. Si pensáis que tenéis fuerza para hacerlo...

PADRE: Sí, sí, se puede...

MADRE: Se puede, sí, será difícil al principio...

En esta conversación se da un *crescendo,* pues los padres pasan de la
aprensión al asentimiento frente a las propuestas del terapeuta. Una actitud impositiva o pedagógica, provocaría probablemente la respuesta de
«incapacidad». El terapeuta deja a los padres la opción de decidir en un
sentido u otro, ahora o más tarde. De este modo, no impone una decisión
inmediata, sino que introduce la posibilidad de que los padres desarrollen
su propia competencia de acuerdo con sus tiempos: el terapeuta respeta
los ritmos y los tiempos de los clientes, ajustando su propio tiempo al de
ellos.

TERAPEUTA: De todas formas, os dejamos decidir a vosotros. Después, si
estáis de acuerdo, se lo explicáis a Davide. No os repitáis. Si insiste pidiendo explicaciones, le diréis: «Ya te lo hemos dicho». No os pongáis a discutir. Conti-
nuad también la tarea de la vez pasada.

La prescripción es particularmente compleja. Plantea, sobre todo, los
temas del acuerdo entre los padres, de la salida de Davide de la primera infancia y de la introducción de secuencias temporales en una familia privada de capacidad evolutiva, cuyas relaciones se encuentran bloqueadas hasta el punto de que sus miembros son prisioneros de un juego repetitivo. La
secuencia de la prescripción puede dividirse en cuatro partes:

1. El terapeuta, aunque deja libertad de elección, pide a los cónyuges el
acuerdo previo sobre la tarea que han de realizar.

2. La primera acción que han de realizar tiene el valor de un ritual. Es
una comunicación que los cónyuges deben dar a su hijo, juntos, «una vez
por todas», y según una fórmula preestablecida. Se puede considerar como
un «rito de paso», que establece para Davide la transición de una edad en
la que debe sentirse siempre observado, a otra en la que debe haber momentos en los que esté solo. Por eso la fórmula contiene varias veces referencias a «lo que sucede normalmente a una cierta edad».

3. La formulación tiene expresiones temporales, como «por ahora»,
«hasta ahora», «de momento», que tienen la función de introducir capacidad de evolución en un sistema en que el tiempo parece inmóvil.

4. La secuencia de acciones requeridas, finalmente, transforma en *hechos* las declaraciones contenidas en el ritual y establece la salida de Davide de la primera infancia (y de la completa irresponsabilidad).

En la sesión siguiente los padres dieron a conocer una situación que había mejorado más de lo que indicaban las mejores previsiones. Ni siquiera las primeras veces en que la madre se había cerrado en el baño, llena de aprensión, se había comportado Davide de un modo extraño. Había demostrado que no necesitaba su presencia, no mostraba interés por colarse en el baño, hasta el punto que, después de quince días, su madre se había arriesgado a ir a la tienda para hacer la compra dejándolo solo en casa. Al volver, no sin angustia, había descubierto que su hijo se había quedado tranquilo y sereno. Entonces ella descubrió su propia libertad, comenzó a salir de casa cada vez más a menudo y, probablemente también Davide había descubierto la libertad de no tener que entretener continuamente a los adultos, con lo que su hiperactividad disminuyó considerablemente. Mejoró también su disciplina en la escuela. En la sesión siguiente, la quinta, llevaron también a Davide, para poder observar directamente el cambio expuesto por los padres y, de un modo indirecto, por la escuela. Parecía que los padres se sentían liberados de un peso enorme.

El terapeuta notó enseguida la nueva actitud de Davide: quieto e imperturbable, se había sentado al lado del terapeuta con actitud deferente, sin interrumpirlo ni una sola vez. Se comportaba de un modo exactamente opuesto al de la primera sesión, como si hubiese pasado de una actitud rígidamente simétrica a una rígidamente complementaria. El terapeuta, para comprobar este nuevo estilo de relación, le había recomendado que desobedeciera al menos una vez en el curso de la sesión. Después había seguido hablando con los padres. A mitad de la sesión, Davide le pidió con educación: «¿Podría ir a la sala donde está la pizarra a pintar un poco?». El terapeuta se lo permitió.

La sesión y la terapia concluyeron con un comentario del terapeuta, dirigido a los padres, que ponía de relieve el cambio sucedido, que podría seguir avanzando con el tiempo, hasta el punto de hacer innecesaria la continuación de la terapia.

Los padres, aliviados y sonrientes, fueron con el terapeuta a buscar a Davide a la sala contigua, pero descubrieron asustados que, en lugar de pintar en la pizarra, había cogido el borrador lleno de tinta azul y había pintado garabatos (imborrables) en la pared blanca, alrededor del encerado. El padre, muy apurado, miró al terapeuta y pidió disculpas por lo sucedido. Éste recordó de repente que él había sido, indirectamente, la causa del desastre. Pues había mandado a Davide que desobedeciera al menos una vez, y Davide le había complacido, obedeciendo puntualmente.

ANTONELLA: LA MUCHACHA DE LOS JERSEYS

La familia Viola, que habitaba en un pueblo de Lombardía, vino a nuestro centro enviada por un psiquiatra que atendía a la hija, Antonella, desde hacía tres años. El núcleo familiar estaba compuesto por el padre, de cincuenta y cuatro años, artesano, la madre, de cuarenta y ocho, ama de casa, y tres hijos: el mayor, Giovanni, tenía veinticinco años y estudiaba ingeniería; Antonella tenía veintitrés y estudiaba filosofía; el menor, Gustavo, de veinte años, estudiaba economía y comercio.

Antonella había empezado a encontrarse mal hacía tres años. Comenzó lamentándose por molestias en el estómago, como ardor, náuseas, pesadez e inflamación de estómago. Al mismo tiempo, al sentirse demasiado gorda –pesaba unos setenta kilos– había comenzado a rechazar el alimento de una forma típica de un síndrome anoréxico.

Las molestias gástricas se resolvieron con un breve periodo de terapia en un hospital, seguida por un tratamiento médico en un ambulatorio. Pero inmediatamente después, Antonella, además de la fijación en el alimento y el peso, comenzó a tener una serie de fobias, como: miedo a contraer las enfermedades más diversas; miedo a que los alimentos estuviesen en mal estado; miedo a perder el control; y un miedo constante a que sucediese algo grave. Pero el miedo más significativo y atormentador era la posibilidad de que un cambio de la temperatura exterior hiciese que los microbios saprófitos presentes en sus mucosas se volviesen virulentos y pudiesen llegar a invadirla y destruirla. Por este motivo controlaba la temperatura de su cuerpo sirviéndose de camisetas y jerseys: camisetas de algodón en verano y jerseys de lana en invierno; se los ponía directamente uno sobre otro, poniéndoselos o quitándoselos según las mínimas variaciones de temperatura. Con el tiempo, el miedo llegó a ser tan grande que, desde hacía dos años, había dejado la universidad y a sus amigos para encerrarse en casa, donde la temperatura era más constante y previsible y, por tanto, más fácilmente controlable.

La terapia tuvo lugar en 1988, durante seis sesiones, con una duración total de diez meses.

Primera sesión. En el primer encuentro, en febrero, llama inmediatamente la atención el aspecto extraño, grotesco, de Antonella, que cubre su delgadez con grandes jerseys, los cuales hacen que parezca un jugador de fútbol americano. Como si esto no fuese suficiente, en el brazo derecho sostiene más jerseys pesados. Su madre se sienta en el centro de la sala, con sus hijos varones, uno a cada lado; en los extremos están el padre junto al hijo menor, Gustavo, y Antonella junto al hijo mayor, Giovanni.

A la pregunta sobre la razón de la presencia de la familia en el centro, la madre contesta que Antonella está enferma de «anorexia mental y psicosis». Se toma nota de que la afirmación no está acompañada de ninguna participación emotiva en ninguno de los presentes, cosa que sucede a menudo en los casos crónicos.

El comienzo de la sesión se dedica a la descripción de las extravagancias y de los miedos de Antonella. Esta última reconoce que sus miedos son realmente extraños, y subraya: «No puedo hacer nada». A la pregunta de si tiene también «miedo de estar bien», responde afirmativamente: cuando empieza a estar un poco bien, aparece la angustia de tener que expiar en un futuro inmediato ese bienestar inmerecido.

La historia de la familia, contada en la primera sesión, revela un fuerte conflicto con la familia de origen del padre, que había condicionado bastante sus relaciones. Los Viola viven en uno de los tres pisos de un único edificio, que era propiedad de los abuelos paternos de Antonella. Los muchachos describen tanto a la abuela como a la tía paterna como personas muy entrometidas: durante muchos años habían tenido entrada libre en su casa, entraban y salían sin llamar, y trataban de inmiscuirse en sus asuntos. La situación, con el tiempo, provocó desavenencias crecientes entre la madre, con el apoyo de sus hijos varones, y la familia del padre, que intentaba mediar inútilmente. A consecuencia de ello, los padres nunca habían estado de acuerdo, lo cual había hecho sufrir mucho a Antonella, que intentaba por todos los medios, pero en vano, atenuar sus sinsabores.

Una de las acusaciones fundamentales de la madre y de los hijos varones contra el padre era la de «debilidad y falta de iniciativa». El padre había tenido siempre una relación intensa con su propia familia, de la que había heredado el oficio de artesano. Había permitido que su hermana se quedase con la tienda de la familia y, desde hacía varios años, trabajaba como dependiente en una empresa de artesanía. Por tanto, estaba «desclasado» respecto a las expectativas de su juventud, pero su trabajo seguía siendo la única fuente de ingresos de la familia.

En el curso de la sesión aparece con claridad la división de la familia en tres subsistemas: por una parte, la madre y sus hijos varones, que a menudo ridiculizan y se ríen de su padre (mientras que la madre apoya tácitamente esta tarea de demolición de su marido); por otra parte, el padre, taciturno y triste; finalmente, Antonella, completamente aislada. Ésta sólo presta atención cuando se habla de su problema, de lo contrario está aburrida y ausente.

En un cierto momento, el terapeuta observa que parece que el padre ha renunciado a su rol, y pregunta quién ha asumido su puesto. Tanto la mujer como los hijos dicen que el hijo mayor, Giovanni, definido como «el sabio», es el sustituto del padre. Todos se dirigen a Giovanni, que se ocupa de muchas cosas, en particular de su hermana. Anuncia que piensa en ayudarla más adelante, de acuerdo con su novia, que está dispuesta a acogerla en su casa después de su matrimonio. Gustavo es «el hermoso» y el capricho de mamá; Antonella se parece a su padre y es «la fea» de la familia, la desfavorecida en la vida. Dice que no se casará, que no tendrá hijos, y sueña con ir a un hospital y quedarse allí para siempre. Estas palabras no provocan una angustia particular en la familia. Por el contrario, los conflictos con la familia paterna, y las críticas dirigidas al padre suscitan mayor interés. También el padre manifestó en el pasado síntomas depresivos, como consecuencia de los cuales estuvo ingresado en un centro psiquiátrico. Cuando el terapeuta pone al padre ante el desprecio casi unánime de su familia y le pregunta si nunca ha pensado «en acabar con ello», él responde: «Es cierto, pienso a menudo en el suicidio y tal vez lo haré, pero sólo cuando todos mis hijos se hayan licenciado. Sólo cuando haya cumplido mis obligaciones de padre».

En el curso de la sesión, se descubre que Antonella acude a una psicoterapia individual desde hace año y medio, y que a su terapeuta no se le informó del inicio de esta terapia familiar. Como conclusión de la sesión, el terapeuta les da una cita para el mes siguiente, pero con la condición de que soliciten el acuerdo de la terapeuta individual para proseguir los encuentros.

Segunda sesión. Una semana antes de la fecha fijada para la segunda sesión, la madre llama por teléfono al terapeuta anunciando, con tono afligido, que la terapeuta individual de Antonella no acepta que la terapia individual se desarrolle al mismo tiempo que una terapia familiar; añade que el encuentro familiar, para ella, había resultado muy positivo, y espera poder reanudar las sesiones familiares en el futuro. El equipo plantea la hipótesis, a este propósito, de que la terapia familiar la hayan solicitado algunos miembros de la familia, desilusionados por la marcha de la terapia individual.

Sorprendentemente, tres meses después, la madre vuelve a llamar por teléfono para decir que Antonella ha dejado a la terapeuta «por falta de resultados». Se fija la fecha de la segunda sesión para mediados de junio.

El nuevo cambio aparente es que, a causa del calor, Antonella ha cambiado los jerseys de lana por camisetas de algodón. Al comienzo de la sesión, el terapeuta vuelve a indagar sobre el miedo al cambio de temperatura sirviéndose de una metáfora que interpela a los miembros de la familia, e introduce serias dudas sobre el diagnóstico médico de enfermedad.

ANTONELLA: Automáticamente, cuando tengo que salir, debo pensar si tendré calor o frío, si ponerme o quitarme un jersey, si conseguiré mantener constante la temperatura...

TERAPEUTA: ¿Es como una investigación, no es así? Digamos que eres como una investigadora de la universidad, que se ocupa del efecto de la temperatura sobre las células; se trata de una investigación muy sistemática. En casa, esta investigación... ¿la haces sola o en equipo? ¿Pides ayuda o no la pides?

ANTONELLA: Sí, no, normalmente sí. Suelo preguntar: «¿Qué decís, es mejor que este jersey me lo ponga o lo dejo en el coche?»...

TERAPEUTA: ¿Les preguntas cuál es la temperatura, no es así?

MADRE: Sí, sí, pregunta...

TERAPEUTA: Entendido. Pero, ¿quién, dentro de la familia, es el colaborador más fiel en esta investigación?

ANTONELLA: El que está más cerca de mí en estos problemas de temperatura es Gustavo.

TERAPEUTA: Más cerca, ¿en el sentido de que acierta mejor?

ANTONELLA: Sí, tal vez sí. Me aconseja bastante. Además, últimamente me acompaña si doy una vuelta...

TERAPEUTA: ¿Muestra Gustavo interés por la investigación sobre la temperatura?

ANTONELLA: No, dice que es absurda.

MADRE (*se ríe*).

ANTONELLA: Dice que no tiene sentido.

TERAPEUTA: Pero le obedece.

ANTONELLA: No, normalmente no. Generalmente se cansa.

TERAPEUTA: Pero tal vez esta investigación tenga resultados interesantes. Si llegáis a encontrar una constante, digamos... una constante...

ANTONELLA: Una media.

TERAPEUTA: Una temperatura estándar en relación con una determinada constante; digamos que la relación entre el ambiente, los vestidos, el número de jerseys, el grosor... puede descubrir una constante...

MADRE: Bueno, pero es algo interminable, porque cada día es un día nuevo.

TERAPEUTA: Giovanni estudia ingeniería, tal vez él puede llegar a ser el director de la investigación.

MADRE: Cada día es nuevo...

ANTONELLA: Es como si cada día naciese de nuevo, y el día anterior no sirvió para nada...

TERAPEUTA: ¿Está interesado Giovanni por esta investigación?

ANTONELLA: Es el que me da más consejos. Es una investigación para poder salir de casa, porque si pudiese estar siempre en casa, me quedaría allí.

TERAPEUTA: Disculpad, querría preguntar a mis compañeros que están detrás del espejo si hay alguno que tiene experiencia en este tipo de investigaciones *(sale)*.

Del análisis de esta parte de la conversación terapéutica se derivan una serie de consideraciones:

1. El terapeuta se sirve de un lenguaje metafórico como medio para introducir otros mundos posibles: sobre todo, un mundo en el que Antonella se ve liberada de su posición de enferma y su comportamiento no es una conducta desviada. La metáfora de la «investigación» no sólo le restituye el estatus de estudiante universitaria, sino que implica también la colaboración de los otros miembros de la familia. A la pregunta: «En casa, esta investigación... ¿la haces sola o en equipo?», Antonella responde: «Sí, no, normalmente sí». Parece que en este momento la familia comienza a aceptar la metáfora, lo cual anima al terapeuta a proseguir. Empieza a aparecer una posible «realidad» distinta, es decir, una lectura distinta de los acontecimientos.

2. Algunas preguntas dentro del ámbito metafórico están relacionadas con la hipótesis del terapeuta sobre las relaciones familiares. Por eso se propone a Giovanni, el hijo que, según parece, ha asumido el puesto del padre, como «director» de la investigación.

3. El terapeuta, en un cierto momento, sugiere la posibilidad de que de la investigación se pueda deducir «una constante»: una nueva metáfora que refleja la inmovilidad de Antonella en la vida, su deseo de encontrar un estado constante, inmutable. Se puede considerar la búsqueda de una temperatura constante como un intento de detener el tiempo.[1]

4. La madre acoge la metáfora de la temperatura constante con una afirmación original: «Es algo interminable, porque cada día es un día nuevo»; el eco de esta expresión es una bellísima analogía de la hija: «Es como si cada día naciese de nuevo, y el día anterior no sirvió para nada». Una frase que describe con las palabras más simples, pero casi poéticas, el drama de que el tiempo se detiene. Un tiempo circular que gira sobre sí mismo y no consigue participar del tiempo de la vida, de la irreversibilidad, de la flecha del tiempo.

5. También se puede decir que Antonella califica su propia situación como un caso de aprendizaje cero. Decir «es como si cada día naciese de nuevo» equivale a negar cualquier posibilidad de que la experiencia influya en el futuro. En términos de Bateson (1972b), no hay aprendizaje y, por tanto, es imposible construir nuevos contextos. Si cada día se comienza de nuevo, no hay desarrollo, la vida nunca se hace historia.

6. Este intercambio permite poner de manifiesto las diferencias conceptuales entre la perspectiva sistémica original y la actual, inspirada en la reflexión constructivista. Antes veíamos al terapeuta que recurre a hipótesis y metáforas en posición activa, y a los clientes en posición pasiva; ahora, por el contrario, preferimos pensar que las hipótesis y las metáforas surgen de la interacción terapeuta-clientes, clientes-terapeuta. En este sentido, hablamos también de cocreación y coevolución.

7. Hay que notar que el análisis, hasta ahora, es un análisis *a posteriori*, donde los autores, como «observadores», observan al terapeuta «observador» de la familia, es decir, a través de sus propios «prejuicios» actuales teóricos y prácticos analizan las interacciones y las premisas de los actores del diálogo.[2]

8. Todo ello acontece en un ámbito particular, que incluye, además de las personas citadas, también a sus posibles lectores, a sus críticos y al editor que publica este libro. Podemos decir que nos adherimos al paradigma de la complejidad (Bocchi y Ceruti, 1985).

TERAPEUTA *(entra de nuevo en la sala):* Según mis colegas, tu investigación acerca de la temperatura constante es una metáfora, es decir está para indicar otra cosa, otra investigación más profunda que estás haciendo, y en la que todavía no has conseguido ningún resultado. ¿Conoces alguna situación en que la temperatura es constante?

ANTONELLA *(reflexiona):* No sé...

TERAPEUTA: El útero podría ser el lugar en que la temperatura es constante. Te has encerrado en la búsqueda de una seguridad que no encuentras fuera. Tu investigación sobre la temperatura constante podría ser la metáfora de una búsqueda de tu posición respecto de los otros: «¿Cuál es mi posición respecto de mi padre, de mi madre, de mis hermanos?». Mis colegas piensan que tus hermanos no tienen esta duda acerca de la temperatura y no se visten y revisten como tú, porque tienen ya una idea clara de cuál es su posición dentro de la familia, no sólo ahora, sino que la han tenido siempre. Por el contrario, parece que tú has tenido siempre una profunda incertidumbre.

Al entrar de nuevo en la sala de terapia, el terapeuta, empleando también la reflexión de sus colegas, introduce otras dos hipótesis en forma de metáfora: una, el miedo a arriesgarse en la vida; la otra, que se expone a continuación, la rivalidad con sus hermanos. Parece que la familia está bastante impresionada con estas metáforas que sugieren la idea de que Antonella se ha detenido en el tiempo, mientras que sus hermanos han evolucionado, porque están seguros de su propia situación relacional dentro de la familia.[3]

TERAPEUTA: ¿Está esto claro? Eres como quien tiene una margarita en la mano y dice: «Me quiere, no me quiere. Mi madre, ¿me quiere o no me quiere? ¿Me aceptan o no me aceptan?». Como eres filósofa, conoces bien este tipo de dilema, ¿no es así? En cierto modo, las respuestas que recibes a estas preguntas no resuelven tus dudas existenciales, sino que las mantienen. Normalmente, cuando se reciben respuestas a estas preguntas, desaparecen las dudas sobre las variaciones de temperatura. Un compañero me ha dicho que te pregunte si esta visión tiene un sentido para ti.

ANTONELLA *(con expresión de perplejidad):* Tal vez sí, porque no siento... no me siento... nada.

TERAPEUTA *(dirigiéndose a la madre):* Para ti, ¿tiene algún sentido lo que dicen mis colegas?

MADRE *(con tono decidido y seguro):* Para mí, sí, sin duda. Sin duda que tiene un sentido para mí.

PADRE: También yo estoy de acuerdo.

TERAPEUTA: Supongamos que esto tenga un sentido. ¿Cómo explicáis, entonces, que Antonella tenga este dilema y sus hermanos no lo tengan?

GUSTAVO, GIOVANNI *(ríen con nerviosismo).*

En el curso de la sesión el terapeuta ha introducido en primer lugar un tema que pone de manifiesto la *posibilidad* de un cambio; la metáfora de la búsqueda implica un final, y también una posible conclusión: si se encuentra la «constante térmica», Antonella podrá sentirse desbloqueada. Pero inmediatamente después el terapeuta pone de manifiesto que el tiempo se ha parado, cosa que ya Antonella había recordado al principio de la conversación. La metáfora de la margarita implica una oscilación teóricamente interminable entre los dos términos: «me aceptan», «no me aceptan». Si la metáfora de la investigación hace pensar en el tiempo lineal, en la flecha del tiempo, la metáfora de la margarita hace pensar en el tiempo circular, en el ciclo de las oscilaciones sin fin. Por último, el terapeuta relaciona la oscilación con el sistema familiar: pudiera ser que Antonella no concluyera nunca su búsqueda porque en su familia parece que nadie le da una respuesta.

Da la impresión de que la risa nerviosa de Gustavo y Giovanni es un intento de ausentarse del diálogo. Es posible que estén profundamente conmovidos, y que su sonrisa pretenda disimular un sentimiento de culpa por haber conseguido manipular a sus padres, particularmente, por haber seducido a su madre, a costa de su hermana, que está totalmente aislada, confusa. Parece que en este momento la familia se encuentra próxima a un cambio radical. Los padres están de acuerdo en el sentido de la metáfora: Antonella no puede concluir su búsqueda porque en su familia no recibe las respuestas adecuadas. La risa apurada de sus hermanos, en contraste con la seriedad y empatía de los padres, arroja nueva luz sobre las relaciones familiares e indica una posible reorganización del sistema familiar, la cocreación de una nueva historia.

En el fragmento siguiente aparece el sufrimiento de Antonella por su obesidad, y el sufrimiento del pasado por haber participado –o porque se le hizo participar– en el conflicto entre sus padres y la familia de origen de su padre.

ANTONELLA: No conseguía aceptarme tal como era. Me daba asco a mí misma, tanto físicamente como por el hecho de no ir bien en la escuela, de tener que esforzarme tanto...

TERAPEUTA: Esta idea de que te detestas a ti misma, ¿de dónde crees que procede?

ANTONELLA: La idea de ser obesa... pesaba treinta kilos más que ahora, cuando empecé a sentirme mal.

TERAPEUTA: Pero la idea de sentir asco, ¿venía también de otros? ¿Atribuías a otros la idea de darles asco?

ANTONELLA: A veces...

TERAPEUTA: Por ejemplo, ¿crees que me das asco?

ANTONELLA: No, ahora no.

TERAPEUTA: ¿Puede suceder que creas que me das asco?

ANTONELLA: No lo sé...

MADRE: No está obesa. Como no está obesa, ya no puede dar asco.

ANTONELLA: Ahora ya no estoy obesa, ahora ya no puedo dar asco.

TERAPEUTA: ¿Es la madre quien da asco, entonces? *(se ríe).*

ANTONELLA: No, no.

TERAPEUTA: ¿También yo doy asco?

MADRE: No, no. Pero para ella, Antonella, es así. Yo no. Tal vez yo no le dé asco.

Estas preguntas trataban de poner en relación una característica personal (la obesidad) con ideas que han ido apareciendo con el tiempo dentro de la familia y, en el «aquí y ahora», con la obesidad de la madre y del mismo terapeuta. Está implícito el mensaje de que las ideas sobre una determinada característica personal pueden ser distintas y pueden cambiar. Hay que notar, en este breve diálogo, la tendencia de la madre a interpretar las ideas de Antonella y a responder por ella. Más adelante, en la tercera sesión, se comprobará el disgusto de la madre porque Antonella ha engordado de nuevo, en contraste con la actitud de los demás miembros de la familia.

TERAPEUTA: Tu padre decía que, en el pasado, tus hermanos se dedicaban a vivir su vida, mientras que tú siempre estabas presente y atenta a lo que pasaba en casa.

ANTONELLA: Sí, sí.

TERAPEUTA: ¿Has sufrido por ello?

ANTONELLA: Sí.

TERAPEUTA: ¿Qué te hacía sufrir más?

ANTONELLA: Las discusiones.

TERAPEUTA: ¿Entre quiénes?

ANTONELLA: Entre mamá y papá, por la familia de papá. Ha habido temporadas en que las discusiones duraban día y noche... estábamos cansados... todos.

TERAPEUTA: ¿Qué te hacía sufrir más, el sufrimiento de tu padre o el de tu madre?

ANTONELLA: El de mi madre.

TERAPEUTA: El de tu madre. ¿Y el de tu padre?

ANTONELLA: He visto que era conformista... me parecía extraño que reaccionase de esa manera. No era propio de un padre reaccionar de esa forma.

TERAPEUTA: ¿Has participado en todas las discusiones entre tus padres?

ANTONELLA: Sí, sí, en todas. Me acuerdo de ellas como si fuese ahora.

TERAPEUTA: Tus hermanos, por el contrario, se dedicaban a sus cosas, ¿no es así?

ANTONELLA: Mis hermanos estaban menos presentes. Me acuerdo de que salían de casa con más frecuencia. Me acuerdo hasta de algunas noches en las que nos hemos levantado de la cama. En una de ellas, yo trataba de dormir porque tenía un examen de latín al día siguiente... y ellos seguían gritando...

El análisis de este fragmento trae a la memoria la teoría sobre los juegos psicóticos en la familia de Selvini Palazzoli, Cirillo y otros (1988), que concibe la psicosis como salida final de un juego con seis etapas, en el que el hijo o la hija que padecerá la psicosis es el que participa en el «bloqueo de pareja» de sus padres. Si siguiéramos este modelo, tendríamos que buscar la coalición negada entre padre e hija, el «embrollo» del padre, los «juegos sucios», etcétera, hasta llegar a explicar los comportamientos de Antonella como una consecuencia lógica. Pero nosotros consideramos que es reductiva una concepción según la cual una sola tipología familiar es la base del desarrollo de la psicosis.

Más adelante, el terapeuta sigue su análisis de la relación entre la familia nuclear y las familias de origen. Parece que la posición del padre dentro de esta relación es el elemento más significativo. Giovanni, que a menudo asume el papel de portavoz, dice que el padre «ha pasado muchos malos tragos», recibidos de su familia de origen, de su mujer y de sus hijos, añadiendo que esto «se lo merecía, porque se los estaba buscando». La expresión «malos tragos», al igual que las expresiones «investigación» y «constante», usadas previamente, la hemos definido en otro lugar (Boscolo, Bertrando y otros, 1991) como *palabra clave*.[4]

TERAPEUTA *(dirigiéndose al padre):* ¿Quién tendría el azúcar para endulzar todos los malos tragos que estás pasando y has pasado?

PADRE: Mi mujer.

TERAPEUTA: Pero te resignas ante el hecho de que nunca te dará el azúcar; en definitiva, ¿te has habituado al café amargo?

PADRE: Estoy convencido de que en la situación actual... porque hay que decir que estas cosas que se dicen, las dice Antonella... es con ella con quien surge todo esto... porque trata de resistirse, después llega un momento en que uno ya no puede más. Ellos *(dirigiéndose a los hijos varones)* se van, pero nosotros, los padres, no podemos marcharnos. Entonces, seguimos allí y, naturalmente, aparece lo que aparece.

El padre evita responder a la pregunta y desvía la conversación hacia Antonella. Es un comportamiento repetido en el curso de la sesión, que puede indicar, entre las descalificaciones que recibe, el intento de recuperar una posición inmune a las críticas: la de un padre que se ocupa de una hija enferma. La incoherencia de muchas de sus respuestas (como esta última) se podría ver como un caso de *communication deviance* (Wynne y Singer, 1958).

TERAPEUTA *(a la madre):* ¿Quién te da el azúcar en casa?

MADRE *(mirando a los hijos varones):* Sin duda que son los muchachos.

TERAPEUTA: Digamos que dan un sentido a tu vida. Pero parece que tu marido, como decía también Giovanni, se ha encerrado en una situación inmutable: pasar los malos tragos, esperando que vengan, que caigan.

MADRE: Sí, se ha resignado, es un conformista.

TERAPEUTA: Se ha resignado a sufrir. Pero, me parece, hay también una resignación en Antonella, por lo que respecta a su vida, a su futuro. Lo que ha impresionado mucho a mis colegas es que parece que a Antonella, hace mucho, se le metió en la cabeza la idea de que daba asco.

MADRE: Cuando engordó, sin duda.

TERAPEUTA: No se sabe de dónde viene esta idea. Después, al darle vueltas, pueden surgir otras: por ejemplo, que al dar asco, los otros no la pueden aceptar. Se puede preguntar: «¿Quién me puede querer? ¿Habrá un hombre que pueda quererme realmente?».

Hay que subrayar el intento del terapeuta de que aparezca una «ecología de ideas», elemento típico de una visión sistémica.

MADRE: Sí, sí, es un hábito.

TERAPEUTA: Puede pensar: «Aunque me quiera, cuando se dé cuenta de que doy asco, me deja». O bien: «Si tengo un hijo al que doy asco, y yo doy asco, ¡quién sabe cuánto asco daremos!».

MADRE: Sí. Precisamente es lo que dice a veces: si yo no fuera obesa, ella no sería obesa.

Mientras que los hermanos tienden a criticar al padre y a manifestar una benévola atención hacia su hermana, la madre tiende a minar con sutileza la imagen que su hija tiene de sí misma. Ésta es, probablemente, una de las razones principales de la inseguridad existencial y del odio hacia sí misma que siente Antonella. El padre podría sostener a su hija, e incluso establecer con ella una alianza semejante a la de la madre con los hijos varones, pero no lo hace porque está totalmente absorbido por su resignación fatalista.

TERAPEUTA: Entonces, cuando las cosas están así, es mejor cortar por lo sano, decidir que no se es idónea, colgarse un sambenito, atribuirse una etiqueta. Es decir *(dirigiéndose a la madre),* me parece que tu hija se ha colgado un sambenito desde pequeña...

PADRE: Ella no se ha aceptado sensualmente a sí misma. Porque ella, no sé..., en la edad del desarrollo han comenzado a surgir problemas. «Tengo que usar estas cosas, tengo que hacer siempre estas cosas, ¿por qué tengo que hacerlas, son cosas que...?»

TERAPEUTA: Lo cual me recuerda lo que decían mis colegas. Piensan que la temperatura es una metáfora de una búsqueda de algo. Este algo puede ser: «¿Soy una niña o soy un niño? ¿Quiero ser una mujer o quiero ser un varón?». Puede ser que haya pensado seriamente que habría querido ser un varón al observar que, en esta familia, la madre quiere más a los hijos varones. Es posible que ella, nacida después de Giovanni y antes que Gustavo, al notar que hacían feliz a su madre, haya pensado: «Si también yo fuese un varón...». La madre lo acaba de decir: «Ellos me dan el azúcar».

MADRE *(bastante apurada):* No son sólo ellos dos, son los tres.

Esta respuesta-descalificación de la madre, que contradice abiertamente sus afirmaciones precedentes, es frecuente en las familias con problemas serios, y es evidente que contribuye al desarrollo de un dilema relacional: «¿Me quieren o no me quieren? ¿Quieren que sea un varón o una mujer?».

TERAPEUTA *(dirigiéndose a Antonella):* Tal vez haya comenzado a pensar: «Doy asco como mujer; si hubiese sido un varón, todo habría ido bien». Además, ser mujer y obesa, es todavía peor, ¿no es así?
ANTONELLA *(con expresión de asco):* ¡Madre mía!
TERAPEUTA: Como para meterse en la taza del servicio y tirar de la cadena.
PADRE: No, porque ahora, ahora –digámoslo así– tiene que normalizarse la situación hormonal... Tiene que aceptarse como persona...
MADRE: ¡Como mujer!
TERAPEUTA *(dirigiéndose a Antonella):* Imagino que no tienes deseos.
ANTONELLA: No.
TERAPEUTA: ¿No tienes deseos sexuales?
ANTONELLA: No.
TERAPEUTA: ¿Es algo que te inquieta?
ANTONELLA: ¿Cómo?
TERAPEUTA: ¿Te gustaría tenerlos o no? Imagino que no. ¿Te gustaría tener alguna idea o pensamiento erótico? ¿No tienes pensamientos eróticos?
ANTONELLA: No.
TERAPEUTA: ¿Estás contenta así?
ANTONELLA: No lo sé, no lo sé.

En esta parte central de la sesión aparece una serie de hipótesis que enriquecen la visión del pasado y del presente e introducen posibilidades futuras. Podríamos decir, con otro lenguaje, que el terapeuta favorece el hecho de que surjan historias alternativas del pasado y del presente que puedan abrir mundos posibles en el futuro. En efecto, más adelante el terapeuta se desplazará en el horizonte temporal, hacia el futuro.

TERAPEUTA: Quisiera hacerte otra pregunta antes de ir a hablar con mis colegas. La pregunta que quiero hacerte es: Cuando tus hermanos se casen y tengan su familia, ¿con qué familia te gustaría vivir, si decidieses efectivamente vivir con una familia: en casa de Giovanni, en casa de tus padres o en casa de Gustavo? ¿Cuál de ellas elegirías?
ANTONELLA: Tal vez la casa de ellos.
TERAPEUTA: ¿De quiénes?
ANTONELLA: De mis hermanos. Además, no sé...
TERAPEUTA: ¿De qué hermano? ¿Qué casa?
ANTONELLA: Me da igual.
TERAPEUTA: Te da igual. ¿Piensas alguna vez en estas cosas? ¿Piensas alguna vez con agrado en llegar a ser como una de esas tías solteras de antes, que no se casaban...?
ANTONELLA: Sí, es así.
TERAPEUTA: Y cuidaban de los sobrinos..., ¿piensas alguna vez en ello?
ANTONELLA: No. No tengo esa clase de pensamientos. Para mí existe el día de hoy.

Una vez más Antonella afirma la limitación de su horizonte temporal:
1. Parece que está buscando un lugar como niña y rechaza el de adulta (regresión oral, en la perspectiva freudiana).
2. Para ella «existe el día de hoy», pero se trata de un hoy que da vueltas continuamente sobre sí mismo, sin que la historia se desarrolle nunca.

Sus premisas se ven confirmadas, evidentemente, por las retroacciones que recibe, que la llevan continuamente al punto de partida en una serie de círculos sin final. El terapeuta está poniendo en duda ahora abiertamente la premisa de la inmovilidad en el tiempo. Comienza a plantear una serie de preguntas sobre el futuro, proponiendo nuevas hipótesis, no sobre lo que habría podido ser, sino sobre lo que *podrá* suceder. Responder a estas preguntas significa necesariamente abrir el horizonte temporal de Antonella (y de su familia) hacia el futuro.

TERAPEUTA: Entonces piensas: «Tal vez me vaya con ellos». ¿Con quién irías de mejor gana si tuvieses que elegir?
ANTONELLA: No lo sé, no lo sé.
TERAPEUTA: Si tuviesen que elegir ellos, ¿cuál de las tres familias crees que te elegiría?
ANTONELLA *(dirigiéndose a sus hermanos):* Ah, pienso que no serían las de ellos, porque soy insoportable.
TERAPEUTA: Entonces, ¿la de tus padres?
ANTONELLA: Sí, la de mis padres, ellos me elegirían.
TERAPEUTA: ¿Pondrían pegas antes de aceptarte o no?
ANTONELLA: Oh, no, no.
TERAPEUTA: Ah, de modo que no pondrían pegas.
PADRE: Sí, las pondrían.
ANTONELLA: ¡No, decididamente no!
MADRE: No tanto.
ANTONELLA: No. Más que nada sería un peso.
GUSTAVO: Bueno, si estuvieses en la misma situación que ahora, sería...
ANTONELLA: Pues yo no me veo más que como estoy ahora.
MADRE, GIOVANNI *(se ríen).*
ANTONELLA: No me veo en otra situación que no sea la actual.
TERAPEUTA: Podrías emprender otra búsqueda: preguntar a tus hermanos y a tus padres cómo quieren que seas para que te acepten.
ANTONELLA: Tal vez como era antes. Tal vez sólo como era el año pasado.
GIOVANNI: No.
ANTONELLA: Como era hace cuatro años.
TERAPEUTA: Supongamos por un momento que dentro de unos años tus hermanos tengan sus familias, y que tú continúes teniendo la idea de ti misma que tienes ahora... porque puede ser que cambies esta idea, puede ser que, en un momento dado, pienses que eres una muchacha como las demás, una muchacha que puede tener una familia, si la quiere o, si no la quiere, puede no tenerla; puede tener una vida social, una carrera, no sé, en definitiva, hacer una vida como la gente común; pensar que eres una persona común, como las demás, como los que estamos aquí, ¿somos gente común, no?

Las preguntas del terapeuta sobre el futuro introducen futuros posibles para toda la familia. Presentan un escenario futuro donde los hermanos habrán dejado su familia de origen para formar otras, dejando a sus padres con Antonella en una especie de tierra de nadie. En la presentación de este escenario futuro, Antonella no es capaz de entrever la posibilidad de una salida y de una autonomía, sino únicamente una situación estática y dependiente. La afirmación: «Pues yo no me veo más que como estoy ahora», pone de manifiesto la grave restricción de su horizonte temporal. Son posibles dos perspectivas alternativas: la situación existencial de angustia y desesperación de Antonella provoca la limitación del horizonte temporal; o bien, el horizonte temporal recortado provoca la angustia y los síntomas. Pensamos que los condicionamientos del lenguaje nos obligan a esta dicotomía, mientras que sería más sistémico pensar en un anillo autorreflexivo.

La última intervención del terapeuta introduce todas las posibles opciones entre las que Antonella puede elegir: seguir como está, cambiar, casarse, no casarse, hacer una carrera, hacer una vida «común», etcétera. Lo hace para enriquecer las posibilidades de elección de Antonella y para evitar la posibilidad de perder la neutralidad, si trata de imponer una solución normativa.

TERAPEUTA: Pero supongamos que sigues con la misma idea...
ANTONELLA: Que no soy normal...
TERAPEUTA: Que no eres como el común de los mortales, sino que das asco, como para echarte en el cubo de la basura. Supongamos que tus hermanos se casan y que te vas a vivir con uno de ellos. ¿Cómo verías dentro de unos años a tus padres solos...?
ANTONELLA: ¿Cómo estarían los dos?
TERAPEUTA: Sin hijos.
ANTONELLA: ¿Sin hijos? Oh, estarían todo el tiempo discutiendo.
PADRE, MADRE, GIOVANNI *(se ríen)*.
TERAPEUTA: ¿Estarían todo el tiempo discutiendo?
ANTONELLA: Sí.
PADRE: Te gustaría...
TERAPEUTA: Por el contrario, es posible que tu madre comience a dar un poco de azúcar a tu padre, no lo sé...
ANTONELLA: Tal vez...
TERAPEUTA: Los hijos no están cerca, puede ser que suceda esto, ¿no?
ANTONELLA: Tal vez, puede suceder.
TERAPEUTA: Probablemente a tu padre no le hace mucha falta el azúcar. Le basta un gesto.
ANTONELLA: No lo sé.
GUSTAVO: A mi padre le basta con sufrir.

El futuro que propone aquí el terapeuta es que la separación de los hijos de sus padres les lleve a abandonar su relación conflictiva y a encontrar una nueva manera de entenderse. Parece que Antonella acepta esta perspectiva, mientras que para Gustavo es inaceptable. El diálogo ofrece la posibilidad de «descubrir» que los comportamientos de cada uno están ligados al contexto más que a unas características personales inmutables.

Al final de la sesión, el terapeuta sale para pedir consejo al equipo. Al volver, ofrece esta conclusión:

TERAPEUTA: Los colegas y yo hemos dialogado y hemos llegado, de momento, a esta conclusión. No estamos preocupados por el señor Viola, porque ha estado acostumbrado toda la vida a pasar malos tragos. Tampoco estamos muy preocupados por Antonella, porque sabe perfectamente que será ella quien decidirá, más adelante, si continuará con su idea de que no vale nada, de encerrarse en casa, o si, por el contrario, decidirá tener una idea distinta, la de que vale igual que todas las demás. Será una decisión suya y, por tanto, no nos preocupa. En realidad, estamos preocupados por la madre. Por lo que han dicho los colegas, y yo estoy de acuerdo con ellos, la madre, en esta familia, ha estado acostumbrada a que le den azúcar. Al habituarse, uno se hace dependiente. Por eso, en un futuro inmediato, cuando los hijos se casen, tendrán sus propias mujeres, mujeres que querrán el azúcar para ellas, de modo que el azúcar para la madre quizá se reduzca de repente. En cierto modo, pensamos que *(dirigiéndose a la madre)* no has tenido en el pasado las experiencias de tu marido, todavía no estás inmunizada. ¿Está claro lo que estoy diciendo?

MADRE: Sí.

TERAPEUTA: No estás todavía habituada a esto. Por eso pensamos que, en el futuro, te encontrarás en una posición vulnerable. Es posible que, a causa de todo el azúcar que estás tomando –ahora estoy hablando metafóricamente–, puedas llegar a tener una diabetes relacional.

MADRE *(asintiendo):* Es algo peligroso.

TERAPEUTA: Por eso pensamos que *tú* estás en una posición vulnerable, mucho más que tu marido. Sería oportuno que en la familia se reflexionase a este respecto. Vemos que ahora Antonella, de algún modo, está tratando de que te habitúes a pasar algún mal trago. Por mucho que hagas, no consigues convencer a Antonella de que cambie y, en este sentido, tienes que pasar algún mal trago, al menos de momento.[5] Estos malos tragos son positivos para que te afiances, para que te inmunices como tu marido. La inmunidad en la vida procede también de los sufrimientos. Pensamos que sería también oportuno que tus hijos varones te ayudasen a que te habituaras a vivir con menos azúcar.

GIOVANNI *(agitado, con voz excitada):* Me parece que no es así, no, no. A él le veo *(señalando al padre)* cerrado, incapaz de hacer amigos, mientras que ella *(volviéndose hacia su madre)* no tiene problemas...

TERAPEUTA *(dirigiéndose al padre):* Lo que puedo decirte es que Giovanni está dando ahora otro terrón de azúcar a tu mujer.

MADRE *(asiente vigorosamente).*

TERAPEUTA: ¿Has comprendido ahora? ¿Has comprendido tú también?

MADRE: Sí, he comprendido, he comprendido. También Giovanni ha comprendido, pero...

TERAPEUTA: Estos terroncitos de azúcar es lo que nosotros vemos en este momento. Lo que dice tu hijo, no juzgo si es correcto o erróneo, confirma que ha querido darte enseguida un terrón de azúcar y un mal trago al padre. Nuestra idea es que, en este periodo, hasta el próximo encuentro, también tus hijos varones te ayuden, tratando de darte un poco menos de azúcar.

Nos levantamos, el padre y la madre manifiestan su acuerdo con el terapeuta, Giovanni parece un poco menos enfadado, pero está bastante apurado, Gustavo indiferente y Antonella aliviada.

A propósito de esta intervención son posibles varias consideraciones:

1. La familia vino a la terapia con un diagnóstico: Antonella padece

«anorexia y psicosis». El terapeuta da una nueva formulación al problema, atribuyéndolo a una situación existencial (y no clínica).

2. Se desplaza la preocupación de Antonella, que tiene la posibilidad de elegir entre varias opciones positivas en el futuro, a la madre, que corre el riesgo de contraer «una diabetes relacional».

3. La metáfora de la «diabetes relacional» se la ha sugerido al equipo la intervención de Giovanni, que ha afirmado que el padre «ha pasado siempre muchos malos tragos», y ha añadido después sarcásticamente que «se lo merecía». La metáfora ha tenido también la función de hacer pensar a la familia sobre las posibles consecuencias peligrosas de la coalición madre-Giovanni contra el padre.

4. Al mismo tiempo, los comportamientos de Antonella adquieren una connotación positiva, por los efectos positivos que pueden tener en la madre los malos tragos que le hace pasar la hija.

5. Finalmente, después del último intento de Giovanni de erigirse en líder del grupo, por su crítica dura a la intervención, el terapeuta se dirige al padre, desaprobando los esfuerzos del hijo mayor por vincularse con la madre contra él.

Examinando brevemente esta segunda sesión en su conjunto, vemos necesario poner de manifiesto el aspecto temporal. La conversación comenzó con un análisis de la situación de Antonella en el presente, de su posición existencial de bloqueo, todo ello unido a las relaciones intrafamiliares y a la precariedad de las extrafamiliares. El uso frecuente de metáforas en esta sesión, además de que atribuye diversos significados a los acontecimientos, facilita la conexión de los diferentes tiempos individuales y familiares. La metáfora sobre la «investigación» de Antonella, la acepta, después de alguna incertidumbre, toda la familia. Antonella ha podido sentirse *aceptada*, en el «aquí y ahora», en el rol de investigadora.

Después, se ha ido entretejiendo la historia de Antonella en la trama de la historia familiar, relacionada también con las de las familias de origen de sus padres. Las preguntas hipóteticas en el pasado han dado la posibilidad de imaginar mundos posibles, libres de los condicionamientos deterministas ejercidos por el pasado sobre el presente, ampliando así el horizonte temporal. Si desde el principio Antonella parecía sometida a una oscilación sin fin, de un tiempo circular y estático, después se han ido abriendo las puertas del correr del tiempo, como si el río, que se había convertido en un pantano, hubiese recobrado su curso.

Tercera sesión. La tercera sesión tiene lugar en septiembre, después de una larga pausa veraniega. Antonella se muestra alegre y ha engordado excesivamente. Antes no quería comer y ahora no deja de comer. A la primera pregunta del terapeuta, acerca de cómo ha ido el verano, la madre responde: «Para ella (Antonella) no ha ido bien».

Giovanni, por el contrario, comienza señalando la notable mejoría de su hermana: alegría de vivir que antes estaba completamente ausente. Durante el verano, Antonella no sólo ha vuelto a salir de casa, sino que ha ido sola a la playa y ha vuelto a salir con sus amigos. El síntoma de la fobia ante los cambios de temperatura ha desaparecido, y Antonella ya no se pone los jerseys. Ha recuperado el sentido del humor y la alegría que tenía antes. El único rasgo anómalo que queda es su voracidad, cercana a la bulimia. Hay que notar que, mientras que todos los miembros de la familia están de acuerdo en esta mejoría, la madre está perpleja e insiste en el grave problema de la obesidad. ¡Parece que se disgusta cuando mira a su hija!

La intervención final se basa en la hipótesis de que Antonella podrá salir de su situación si puede definir de un modo nuevo la relación con su madre, si puede tener la experiencia de sentirse aceptada por ella. Se toma la decisión de proponer el siguiente ritual.

> TERAPEUTA: Pensamos que hay una relación intensa entre Antonella y su madre y, al mismo tiempo, en estos últimos años, se han decepcionado mutuamente. Os pedimos a ti, Antonella, y a tu madre que dediquéis un día a la semana, el miércoles, a intentar comprenderos. Ese día los demás miembros de la familia tendrán que evitar intervenir, y vosotras tenéis que mantener el secreto de cómo habéis pasado el día.

Está claro que con este ritual se intenta que aparezca la posibilidad de una relación nueva madre-hija. La secuencia temporal que separa a la pareja madre-hija de los demás miembros de la familia, favorecida por la prescripción del secreto, parece adecuada para conseguir este objetivo.

Cuarta-quinta-sexta sesión. Antonella ha mejorado progresivamente. Animada por la vuelta a los estudios, se ha sometido a una dieta rigurosa que le ha hecho perder gran parte del peso acumulado, pero no le ha hecho perder el buen humor y la alegría. La vuelta a la universidad, después de dos años, ha significado una gran conquista, que además ha hecho crecer su autoestima. Es significativo que en los dos últimos encuentros Antonella se haya sentado entre sus hermanos, que ya no la han tratado como a una pobre enferma. Es más, con frecuencia se han preguntado mutuamente, y en más de una ocasión han dicho a sus padres que «ya es hora de dejar de discutir» y de ponerse de acuerdo acerca de cómo vivir juntos en el futuro.

Catamnesis. En enero de 1991 –poco después de dos años del final de la terapia–, el terapeuta ha llamado por teléfono a la familia para obtener informaciones catamnésicas. Ha respondido la madre, diciendo que el cambio ha continuado. Es interesante que Antonella haya decidido el año pasado reanudar los coloquios semanales con su terapeuta para «hablar de problemas personales».[6]

La atmósfera familiar ha mejorado mucho: los hijos se interesan cada vez más por los estudios y por el mundo exterior, y la relación entre los cónyuges es mucho mejor. Al pedirles una opinión sobre la terapia de la familia, la madre ha contestado que todos han reconocido explícitamente la gran utilidad de la misma.

ALDO: «¡EL TIEMPO SE HA PARADO!»

Vamos a exponer ahora los contenidos de una consulta efectuada en 1989, solicitada por un psiquiatra joven que atendía en un ambulatorio a Aldo, un joven de veintiséis años y que hacía cinco años había recibido el diagnóstico de esquizofrénico. Los síntomas aparecieron durante un viaje del paciente al Tíbet: había desarrollado un delirio, según el cual el espíritu del Dalai Lama regulaba su vida y la de las personas con quienes entraba en contacto. Había estado internado durante algún tiempo en un hospital psiquiátrico; le dieron de alta pero, como no había superado la enfermedad, decidieron internarlo de nuevo. Desde hacía unos meses vivía con su familia; había causado tantos problemas que su padre y su hermano habían manifestado el deseo de que se lo llevaran o de que lo internaran de nuevo.

A la consulta se presentaron Aldo, sus padres y el psiquiatra que se encargaba de él; su hermano Giulio, de veinte años, que trabajaba como aprendiz en una empresa textil, no pudo estar presente porque estaba cumpliendo el servicio militar.

De antemano decimos que, en el primer encuentro con una familia que tiene un miembro psicótico, a menudo el consejero dirige la sesión de una forma distinta a la habitual. Se dedica mucho más tiempo para el diálogo entre el consejero y el cliente psicótico que para el diálogo con los demás miembros de la familia. La razón principal de esta actitud es que, normalmente, las familias hablan con el experto *del* psicótico, al que se considera incapaz de razonar «normalmente» y, por tanto, de mantener un diálogo «sensato». Él, por su parte, con su actitud frecuentemente antagónica o negativa, o con sus extravagancias, confirma esta convicción, de modo que el diálogo tiende a limitarse y polarizarse entre los familiares «sanos» y el experto. De este modo, el consejero acepta implícitamente el «diagnóstico» de que el paciente no puede entender ni querer –y, por tanto, no puede razonar– y contribuye a su marginación.

Por el contrario, el consejero, al tratar de entablar un diálogo *con* el psicótico, hace que salga de la posición de «distinto», de «loco», y le comunica a él y a los demás que puede hablar normalmente cuando lo desee. A cada respuesta incomprensible por parte del paciente, el consejero o el terapeuta replica con esta expresión: «Te he hecho una pregunta, pero no he comprendido tu respuesta. Tú tendrás tus motivos para responder de forma que yo no comprenda. Seguiré haciéndote preguntas, pero tú eres quien tienes que decidir si y cuándo piensas hacerte entender».

Éste es el primer paso que puede hacer posible el entendimiento con el cliente psicótico. La condición para que esto suceda es que el consejero o el terapeuta acepte la «realidad» y la lógica del psicótico, así como la «realidad» y la lógica de los sanos, confirmando implícitamente la legitimidad de ambos y manteniendo así una posición de meta. Si el psicótico ve que se aceptan su mundo y su lógica, él, a su vez, podrá comenzar a aceptar el mundo y la lógica del consejero, de modo que este último podrá servir de puente entre el mundo de la «locura» y el mundo de la «normalidad».

A la primera pregunta del consejero: «¿Cuál es la situación actual?», Aldo responde hablando *del pasado*, de su viaje al Tibet hace cinco años, de cómo los espíritus de los lama tibetanos han comenzado a darle luz y a comunicarle «una idea, un sistema de ideas», para conducirlo a la visión correcta del mundo de las relaciones humanas. Es significativo el intento de Aldo de reformar a su familia, y particularmente a su madre, descrita como agresiva y autoritaria. El consejero manifiesta enseguida curiosidad e interés por la historia extraordinaria que Aldo está contando, y acepta sus argumentaciones. Poco a poco Aldo da a entender que reconoce al consejero como un experto importante, y le ofrece la clave para entrar en su mundo: se ha convertido, para él, «en uno que lo comprende», uno que sabe lo que le pasa y comprende sus ideas. Es entonces cuando el consejero puede comenzar a comparar la visión del mundo de Aldo con la suya propia, poniendo especial atención en las más pequeñas señales emotivas que indican los límites que Aldo no le permitiría sobrepasar. Es una experiencia común que la compenetración inicial representa un crédito del que el terapeuta puede servirse en el curso de la sesión. Cuando se corre el peligro de que este crédito se extinga, el consulente tiene que dar marcha atrás.

Cuando la sesión está ya avanzada, cuando se ha llegado a un buen grado de sintonía con Aldo, el consejero decide ponerlo frente a la realidad actual.

TERAPEUTA: ¿Cómo es posible, Aldo, que esta idea de los espíritus de los lama tibetanos, tan poderosos, más poderosos que todas las personas que te rodean, como has dicho tú mismo, te haya llevado a vivir como un loco, a estar internado en un hospital psiquiátrico? El colega que tienes a tu lado, ¿es un psiquiatra, no es así? Tú no has venido para una visita de cortesía, estás sometido a un tratamiento, tomas medicinas. ¿Cómo es posible que esta idea te lleve a vivir como...?
ALDO: ¡Ah!, como un loco...
TERAPEUTA: Sí, exactamente.
ALDO: Ahora *yo* le hago una pregunta: ¿Vivimos en el presente, en el futuro o en el pasado?
TERAPEUTA: ¿Qué piensas tú?
ALDO: Pienso que no hay tiempo. Éste es el problema.
TERAPEUTA: De todas las formas tú tendrás tus motivos...
ALDO: No soy capaz de comprender si me encuentro en el pasado, en el presente o en el futuro. Así que me vuelvo loco. Porque no quiero vivir aquí para siempre. Éste es otro problema.

Aldo, puesto frente a su situación existencial presente, huye y se refugia en el tiempo, en un tiempo que no existe y, al mismo tiempo, pide al consejero una información sobre el tiempo que él está viviendo. Parece que la frase sibilina: «Así que me vuelvo loco porque no quiero vivir aquí para siempre» alude a la huida hacia la locura como una defensa contra la intolerabilidad de su situación personal, vivida trágicamente en un tiempo parado, inmutable, percibido como eternidad. Ésta es una interpretación que pone de manifiesto la prisión temporal en la que, según parece, Aldo vive y en la que, por ser eterna, no existen y no se pueden distinguir ni pasado, ni presente ni futuro. Si Aldo sufriese una crisis y entrase en una fase aguda, viviría, con toda probabilidad, en un caos, en una fragmentación temporal, donde pasado, presente y futuro se entremezclarían de modos grotescos, donde el sentido de la duración y del ritmo sufrirían enormes alteraciones.

El terapeuta continúa analizando la visión del mundo de Aldo, fruto de su crisis psicótica, y las consecuencias de la misma.

> TERAPEUTA: También yo, ahora, quiero hacerte una pregunta: supongamos que esta idea, que te domina, y que te lleva a vivir como ella ordena... supongamos que esta idea se desvanece y que te sientes libre, ¿qué harías, cómo sería tu vida?
> ALDO: Sería sin duda... una vida más feliz.

Mientras que al principio Aldo tenía aspecto de superioridad, de grandeza, y parecía que estaba satisfecho de «poder tener» el espíritu de los lamas tibetanos, ahora, por primera vez, parece que tiene serias dudas y se imagina una vida más feliz. Su tono es sobrio, casi deprimido. Parece que las preguntas lo han sacado de un presente eterno, en el que nada cambia, y lo han trasladado al curso del tiempo, en el que aparece el futuro con sus escenarios sombríos.

> TERAPEUTA: Sería, sin duda alguna, una vida más feliz, como tú dices. ¿Y qué harías, si esto sucediese? Por ejemplo, si encontrases un trabajo, ¿y qué trabajo te gustaría encontrar?
> ALDO: El problema es que no soy estúpido. Yo quisiera ser un estúpido.
> TERAPEUTA: ¿Podrías responder a mi pregunta?
> ALDO: ¿Qué pregunta era?
> TERAPEUTA: Supongamos que esta idea se desvaneciese, del mismo modo que vino...
> ALDO: ¡Sería un estúpido!

Este diálogo recuerda la descripción que Haley, en el artículo clásico «The Family of the Schizophrenic: a Model System» (1959), hace de las formas con las que el esquizofrénico niega los diversos elementos de la comunicación, como el emisor, el receptor, el mensaje, el contexto. Haley diría que Aldo trata de no definir su propia relación con los demás y, al mismo tiempo, intenta impedir que los demás no definan su relación.

Muchas respuestas de Aldo referidas a las decisiones que él puede tomar indican que le parece imposible definirse; ésta es una ambivalencia característica de los estados psicóticos. Es significativo que Aldo haya pronunciado la palabra «estupidez» inmediatamente después de lo que parecía ser una especie de nueva iluminación: «Entonces sería una vida..., sin duda, más feliz». Parece que la «estupidez» está relacionada, no tanto con el hecho de no querer trabajar cuanto con la defensa de la introspección, es decir, el ver su situación existencial real. En cuanto Aldo entrevé la posibilidad de una vida diferente, como lo más probable es que tenga miedo de no ser capaz de hacerle frente, se refugia en la regresión o, como él dice, en la estupidez. En este momento resulta comprensible que el entrar a formar parte del espíritu de los lamas tibetanos es una forma delirante de ocultar el temor a su debilidad o impotencia, o –como podría decirse en términos psicodinámicos– el ocultamiento de una herida narcisista.

Se puede plantear la hipótesis de que en la situación prepsicótica Aldo haya vivido en un estado de desorientación, de inseguridad, de angustia ante el futuro. Su padre y su hermano, que formaban una pareja muy compenetrada, expresaban resentimiento y hostilidad hacia él y reprimían todos los intentos que él hacía para que lo aceptaran. Por otra parte, la relación con su madre se había deteriorado: era sobre todo ella quien sufría las consecuencias de sus delirios, porque le desobedecía y la ofendía continuamente. La situación de Aldo parecía una situación de aislamiento y enajenación.

> TERAPEUTA: Un momento. Parece que, al obedecer a esta idea, en un cierto sentido te comportas de un modo estúpido. Esta idea consigue que hagas todo lo que ella quiere. Tú no eres libre. Parece que vives como un estúpido...
>
> ALDO: No, vivo como un *loco*. Hay que distinguir bien las palabras. Porque estúpido no es lo mismo que loco.
>
> TERAPEUTA: Pero esta idea que tú tienes, no la tiene ni tu hermano ni tu madre. La tienes tú; se podría hacer esta pregunta: ¿cómo es que se te ocurrió a ti esta idea y no a tu hermano, por ejemplo? ¿Te has planteado alguna vez esta pregunta, te la has hecho alguna vez?
>
> ALDO: Porque yo he entrado en el mundo espiritual, y mi hermano no, aunque tenga todos los méritos de esta tierra.

Es evidente que esta afirmación pone de manifiesto la gran oposición que siente hacia su hermano; si su hermano es apreciado «en esta tierra», Aldo es apreciado en el mundo espiritual –y, por tanto, superior– del Dalai Lama. Es probable que, ya antes de la aparición de los síntomas, la madre prefiriera –en secreto– a su hermano y no a Aldo.

En esta última parte del diálogo se puede observar que el consejero vuelve a la carga con una serie de preguntas. Sobre todo, lleva a Aldo al tiempo de los «sanos» planteando una pregunta hipotética: «Si nunca hubieses tenido esa idea (delirante), ¿cómo vivirías ahora?». Aparentemente, Aldo acepta el discurso hipotético, que lo sitúa frente a dos mundos posibles, el de la estupidez y el de la locura, ambos sin tiempo, entre los que parece oscilar de momento, sin que le resulte posible entrar en el mundo de la realidad, es decir, en la posibilidad de evolucionar.

El consejero sigue presionando y provoca de nuevo a Aldo: precisamente por tener esa idea Aldo puede pasar por estúpido. El consejero, por lo demás, insiste más en la estupidez que en la locura, porque la estupidez es menos grave y, al mismo tiempo, más provocativa. De esta forma, continúa entrando y saliendo del mundo (psicótico) de Aldo: dentro y fuera, fuera y dentro, continuamente. Trata de entrar en contacto y de contraponerse a él, aceptando su mundo y su lógica, y ofreciéndole la posibilidad de entrar en el mundo y en la lógica del sentido común. Aldo tiene la posibilidad de sumergirse en un discurso que le hará reconocer la existencia de varias realidades, de varios mundos posibles, y la experiencia del otro como semejante a él.

TERAPEUTA: En este momento quisiera volver a preguntarte: si no tuvieses esta idea, que te puede hacer vivir como un estúpido, o como un loco, como tú dices, en el sentido de que no puedes liberarte de ella, en el sentido de que eres su esclavo... Si te liberases de esta idea, ¿qué piensas que harías en este momento?
ALDO: Estaría trabajando.
TERAPEUTA: ¿En qué tipo de trabajo?
ALDO: ¡Ah! Seguiría trabajando como diseñador industrial.
TERAPEUTA: Trabajarías como diseñador industrial. ¿Tendrías novia... estarías casado?
ALDO: Sí.
TERAPEUTA: ¿Cuándo te habrías casado?
ALDO: Cuando tenía veintidós años.
TERAPEUTA: ¿Cómo es tu matrimonio?
ALDO: Con una mujer muy despierta y con dos niños preciosos.
TERAPEUTA: ¿Más despierta que tu madre?
ALDO: Una mujer tranquila, que no grita.
TERAPEUTA: ¿Se parece esta mujer a tu madre?
ALDO: No.
TERAPEUTA: ¿Sería muy distinta de tu madre?
ALDO: Sí, sí. Completamente distinta.
TERAPEUTA: Bueno... una mujer tranquila. Tu madre, por el contrario, ¿no es tranquila?
ALDO: No.
TERAPEUTA: Tu madre no es tranquila, ¿en el sentido de que quiere imponerte sus ideas, de que quiere que le obedezcas?
ALDO: Sí, exactamente.
TERAPEUTA: ¿Te encuentras a veces frente a este dilema: tengo que obedecer a la idea, es decir a los lamas tibetanos, o tengo que obedecer a mi madre? Porque también tu madre ha dicho que trata de que tú le obedezcas. ¿Te encuentras a veces en un dilema, en el que quizá tu madre quiera ser más fuerte que esta idea? ¿Has comprendido mi pregunta?
ALDO: Mi madre nunca es más fuerte...
TERAPEUTA: Pero, ¿trata de serlo?
ALDO: Mi madre trata de ser más fuerte que mis ideas, que mi idea, pero mi idea es más fuerte que mi madre.

En este momento, en el que parece que Aldo acepta la posibilidad de volver al sentido común, las preguntas hipotéticas tienen la función de crear en el «aquí y ahora» una realidad distinta, que ninguno (in primis Aldo, sus padres, y tal vez el psiquiatra presente) piensa que se pueda verificar, a no ser en un futuro lejano, o nunca. El consejero y Aldo contribuyen ahora a crear un escenario en el que Aldo trabaja, se casa y tiene hijos. Es una persona que puede arreglárselas en la vida. El paso del condicional al indicativo confiere mayor «realidad» a esta posibilidad. En nuestra experiencia, particularmente en los casos de enfermos que todavía no son crónicos, se puede asistir a veces a un extraordinario cambio discontinuo, en el que desaparece la sintomatología psicótica. En los casos en que el cambio es más lento, el paso a la «normalidad» sucede después de una fase depresiva. En algunos momentos de esta sesión se puede percibir también un cierto tono depresivo. Lo más importante, en estos casos, es que el profesional tenga una visión optimista.

Aldo da a entender que entra en el mundo posible de la hipótesis porque responde de un modo apropiado, cambia su tono de voz, que es menos lánguido y afectado, y da la impresión de que está a punto de atravesar el puente. El consejero está –por así decirlo–, a su vez, en el puente que relaciona el mundo del delirio con el de la realidad, esperando encontrarse con él.

El lenguaje del consejero podría, en ciertos momentos, dar al lector la impresión de que se está ejerciendo una cierta violencia con el cliente (por ejemplo, las referencias al hecho de parecer «estúpido» o «loco»). En realidad, los significados de las palabras usadas hay que entenderlos en el contexto de toda la relación: ya se sabe que en una relación «negativa», como por ejemplo la de dos cónyuges que viven enfrentados, la expresión «te amo» tiene un significado muy distinto al que normalmente se asocia al significante verbal; lo mismo se puede decir de la expresión «te odio» entre dos enamorados.[7]

En esta última parte del diálogo –nos encontramos hacia la mitad de la sesión– el consejero establece una comparación entre la mujer virtual de Aldo y su madre. De este modo, es posible analizar más detalladamente las interacciones de la familia, e implicar a los padres en la conversación. El padre y la madre habían escuchado con muchísima atención el diálogo mantenido por el consejero y Aldo, asombrados al ver cómo su hijo y el experto participaban en una larga, y a menudo significativa, conversación. Con frecuencia sucede que esto constituye un descubrimiento para los familiares de los psicóticos. Normalmente, lo que pasa es que las conversaciones de los familiares y de las demás personas con el psicótico, o se bloquean nada más comenzar o se mantienen de un modo repetitivo y estéril porque les resulta imposible ponerse de acuerdo en los significados.

> TERAPEUTA: ¿También tu padre trata de ser más fuerte que tus ideas?
> ALDO: Mi padre no habla nunca.
> TERAPEUTA: Ah, no habla nunca... cuando dices que te casarías con una mujer distinta de tu madre, es decir, una mujer más tranquila, una mujer que no te diga lo que tienes que hacer, que no te dé órdenes...
> ALDO: Digamos que las órdenes se pueden recibir de las personas que merecen dar órdenes.
> TERAPEUTA: He comprendido, entonces tu madre...
> ALDO: Los lamas tibetanos y yo...
> TERAPEUTA: Ya entiendo... pero dejemos de momento a los lamas tibetanos. Tú dices que quieres una mujer completamente distinta de tu madre...
> ALDO: ¿No es extraño?, porque muchos buscan a su madre en su mujer. Es lo que no comprendo.
> TERAPEUTA: Tú, por el contrario, quieres cambiar. Después veremos por qué; parece algo importante. De todos modos, tú dices: «Mi madre quiere siem-

pre mandar, mi hermano y mi padre obedecen». Si no obedecen, tu madre grita y consigue que le obedezcan. Pero contigo, no; no lo consigue, porque tú, Aldo, tienes una fuerza a la que obedecer. No obedeces a tu madre, sino que obedeces a una fuerza, a un sistema, que te manda hacer todo lo que no le gusta a tu madre. Me imagino que tu madre intentará... ¿puedo preguntárselo a tu padre?

ALDO: Sí.

TERAPEUTA: ¿Trata tu mujer de que le obedezcan? ¿Lo consigue?

PADRE: En parte. Tal vez en forma de imposición, bueno, no como imposición, sino como amenaza. Ella dice: «Mira, si no haces esto...»; entonces Aldo obedece, pero lo considera una amenaza.

TERAPEUTA: ¿Y después?

PADRE: Después, todo vuelve a ser como antes, se repite la misma historia. Él hace siempre las cosas a la fuerza.

TERAPEUTA: Entonces, ¿hay a menudo discusiones entre ellos?

PADRE: Sí, a veces sí; y por eso le he aconsejado que esté solo, para evitar todas estas discusiones. Me molesta porque yo no tengo tanto que perder. Le costará, pero si lo consigue, mejor para él... y para nosotros.

TERAPEUTA: ¿Puedo preguntarle una cosa a la señora?... ¿Cuando hay desavenencias entre tú y Aldo, cuando discutís, qué hace tu marido?

MADRE: Él se opone, dice que ya no puede aguantar más si se sigue así, dice que no quiere oír más discusiones...

ALDO: No quiere oír más gritos...

MADRE: Sí, gritos, porque yo estoy tranquila durante un tiempo, trato de no gritar, pero cuando veo que las cosas no van bien, me desanimo... y grito.

TERAPEUTA: ¿Hablas en voz alta?

MADRE: Sí, porque a veces tengo ganas de gritar.

TERAPEUTA: Y él *(señalando a Aldo)*, ¿responde en voz alta?

ALDO: ¡No!

TERAPEUTA *(dirigiéndose al padre):* Cuando su mujer levanta la voz...

PADRE: Él está tranquilo.

TERAPEUTA: Ah, él está tranquilo. Lo ha aprendido en la India.

MADRE: No escucha. Es como si le entrara por un oído y le saliera por el otro.

PADRE: Así que ella, llegado un momento, comienza a excitarse.

TERAPEUTA: ¿Y qué hace tu marido, trata de detenerte?

MADRE: Trata de detenerme, porque dice que todo esto no sirve para nada. Y, en realidad...

TERAPEUTA *(a Aldo):* ¿Consigue tu padre detener a tu madre?

MADRE: Yo lo intento a veces, trato de controlarme, pero gritar es mi punto débil.

TERAPEUTA *(a Aldo):* ¿Haces tú algo alguna vez para echar una mano a tu padre? Por ejemplo, cuando ves que tu padre está mal, sufre, porque tu madre levanta mucho la voz...

ALDO: Sí.

TERAPEUTA: Ah, de modo que a veces echas una mano a tu padre cuando ves que sufre. ¿No podrías, por ejemplo, echarle una mano obedeciendo a tu madre?

ALDO: ¿En qué sentido puedo echarle una mano?

TERAPEUTA: Por ejemplo, si tú obedeces, tu madre se calla; y si tu madre se calla, tu padre está mejor, ¿no es así?

Ahora el consejero, con una serie de preguntas circulares triádicas, que tienen como tema el grado de consenso entre los diversos miembros de la familia, llega a la conclusión de que hay un grado muy alto de desobediencia, de desacuerdo. En otro momento de la sesión el padre ha expresado su temor de que el hijo menor, Giulio, haga realidad su propósito de marcharse de casa. Aparentemente, este último está amenazando desde hace cierto tiempo a sus padres con un ultimátum perentorio: «O Aldo o yo», porque para él la vida en casa se ha vuelto insostenible. Esta expresión se puede interpretar también como: «O obedecéis a Aldo, o me obedecéis a mí». Es interesante, como veremos a continuación, que el padre, de acuerdo con Giulio, desearía liberarse de Aldo pero, como era de esperar, su madre no está de acuerdo. Aldo, a su vez, por una parte desearía estar en casa, por otra no. El psiquiatra, no sabe si hacer caso al padre, a la madre, o a los hijos, no tiene claro su juicio clínico (cosa que pasa a menudo a los que trabajan con este tipo de familias) y espera que la «patata caliente» vaya a parar a manos del consejero. Al final de la sesión se comprobará cómo ha respondido el consejero a tales cuestiones.

TERAPEUTA *(a la madre):* Tu marido ha dicho que sería mejor si Aldo viviese fuera de casa. ¿Estás también de acuerdo con ello o no?

MADRE: Mire, yo no estoy de acuerdo con que esté mejor que Aldo viva fuera de casa. No es cierto eso que dice de que no lo quiero. Siempre preferiré tener a mi hijo en casa. Pero hace mal las cosas, no quiere ir a trabajar, sólo quiere estar sin hacer nada; nunca jamás le he oído decir que le gustaría tal cosa, que desearía hacer esto o lo otro...

TERAPEUTA: ¿Estás de acuerdo con tu marido en que es mejor que Aldo viva fuera de casa?

MADRE *(con ansiedad, preocupada):* No sé, me disgusta... Me gustaría que estuviese en casa... No quiero echarle de casa, pero quiero que me obedezca al menos en aquellas pequeñas cosas que le pido...

TERAPEUTA: Ya lo has intentado. Tu marido te dice: «Lo has intentado tantas veces, y sin embargo...». ¿Por qué no estás de acuerdo con tu marido?

MADRE: No puedo comprender. A veces trato de no decirle nada para que no se enfade, pero...

TERAPEUTA: Pero cuando tu marido te dice: «Lo has intentado tantas veces, ¿por qué te sigues haciendo ilusiones?», ¿por qué no obedeces a tu marido?

MADRE: Entonces tendría que dejarle que hiciese lo que quisiera, sin decirle nada, sé que él desearía estar en casa y hacer lo que quiere.

TERAPEUTA *(a Aldo):* ¿Comprendes la postura de tu padre? Para que tu familia estuviese tranquila sería bueno que te fueras de casa.

ALDO: Ya estoy fuera de casa.

MADRE: ¡Sí, desde hace dos días!

TERAPEUTA: Ah, desde hace dos días. Pero, por lo que respecta al futuro inmediato... ¿estás de acuerdo con la idea de tu padre de vivir fuera de casa, o estás mejor en casa?

MADRE *(parece que está alarmada con la posibilidad de que se llegue a la decisión de que se vaya de casa):* Él no...

TERAPEUTA: ¡Un momento, señora!

ALDO: ¿Y tú cómo lo sabes?

TERAPEUTA: ¿Prefieres estar en casa con ellos o vivir fuera de casa?

ALDO: Digamos que preferiría estar en casa, pero, como ya no soporto más el ambiente familiar, me vendría bien estar fuera de casa.

TERAPEUTA: Entonces, ¿qué consejo le darías a tu padre? ¿Le aconsejarías que continuase insistiendo sobre este punto, le aconsejarías que te mantuvieran todavía en casa?

ALDO: No.

TERAPEUTA: ¿Estás trabajando actualmente?

ALDO: No, he trabajado durante diez meses como jardinero.

TERAPEUTA: ¿Y lo acabas de dejar?

ALDO: Lo dejé hace dos meses.

TERAPEUTA: ¿Por qué lo dejaste?

ALDO: Porque me estoy volviendo serio.

TERAPEUTA: ¿Qué quieres decir?

ALDO: No puedo explicarme, no puedo decirlo...

TERAPEUTA: ¿Es tu sistema de ideas lo que te ha mandado que dejaras tu trabajo?

ALDO: Soy yo quien ha decidido dejarlo. Porque no acepto que el tiempo no se mueva.

Vamos a intentar explicar las oscuras y extrañas respuestas de Aldo en esta última parte de la conversación. A la pregunta de por qué ha dejado el trabajo de jardinero responde: «Porque me estoy volviendo serio», y se niega a dar explicaciones. Se puede suponer que este trabajo no corresponde en modo alguno a sus aspiraciones y, por tanto, «me estoy volviendo serio» puede significar que tiene que buscar algo distinto. La negativa a dar explicaciones puede indicar que se sentiría molesto si revelara sus ambiciones frustradas. Por otra parte, cuando dice que ha decidido dejarlo porque no acepta que el tiempo no se mueva, puede estar empleando una expresión metafórica para indicar el tedio de un trabajo que para él no tiene sentido. Este tedio está en relación con el vacío esquizofrénico, que puede paralizar a una persona en todos los ámbitos de la actividad. Se podría plantear la hipótesis de una ecuación entre vacío *(emptiness)* e intemporalidad *(timelessness)*.

TERAPEUTA: ¿Que el tiempo no se mueva? ¿Te parece que el tiempo no pasa?

ALDO: No, no pasa.

TERAPEUTA: He comprendido. Me parece completamente lógico. No pasa porque el sistema está parado. Los sistemas están parados, están realmente paralizados, inmóviles en tu vida. Tomemos el ejemplo de un niño. Al crecer, el tiempo pasa; cuando es adolescente, entra en la fase en la que normalmente se deja el sistema familiar para pasar a un sistema externo, que puede ser una nueva familia, una profesión, una empresa, el ejército... ¿me comprendes? Entonces, el tiempo pasa. Pero para ti, lo comprendo, el tiempo se ha parado, porque todavía estás dentro de este sistema *(señala a los padres)*. Totalmente. Creo que el sistema de ideas que has traído del Tibet te obliga a permanecer aquí, en este sistema, es decir, en esta familia...

Podemos observar en este fragmento que Aldo tiende a hablar con más frecuencia «de un modo esquizofrénico». El consejero trata de introducir en el discurso una posible historia con lógica propia, utilizando también las sugerencias que le ofrece el cliente. Esta historia, que pretende desplazar a Aldo del Tibet a las llanuras del Po, hace que él se vaya por la tangente y se refugie en su modo de hablar esquizofrénico. Un dato interesante es que aparece claramente la fragmentación del tiempo, que es característica de este tipo de personas. El intento del consejero de entretejer las sugerencias del cliente con las suyas propias en un marco –una historia– que tenga un significado y una coherencia interna, que facilite así la posible recuperación de una secuencialidad temporal, se contrapone a la fragmentación temporal vivida por el cliente.

> ALDO: Desde que volví de la India el tiempo se ha parado.
> TERAPEUTA: Eso es. Se ha parado en cuanto que obedece totalmente a estas ideas que has elaborado, este sistema de ideas que tienes en mente y, en este sentido, obedeces a tus ideas, pero no obedeces a tus padres.
> ALDO: Pero todo mi conflicto con los adversarios...
> TERAPEUTA: Sí, comprendo; en el fondo tendrías las características, digamos, de una persona a quien le gusta estar de acuerdo con su padre y con su madre, le gustaría tener amigos y sufre porque no consigue tener estas cosas. Me imagino que a veces pensarás incluso en morirte, y que estas ideas te dirán: «¿Por qué no te escapas, por qué no te suicidas?». Yo diría que podría ser...
> ALDO: Una solución.

Uno de los autores, el consejero de este caso, al leer esta parte de la transcripción de la sesión se quedó muy sorprendido por el paso de la descripción de las características positivas percibidas, es decir, estar de acuerdo y tener el afecto de los familiares, a la introducción imprevista del suicidio/muerte. La hipótesis explicativa es que en ese momento se pudo dar en el consejero una profunda identificación con la dramática situación existencial de Aldo, considerada como un callejón sin salida. Muchos pueden pensar que esto puede resultar peligroso y puede servir de detonador para las emociones del cliente, que se vería empujado realmente al suicidio. En nuestra experiencia, hablar de suicidio, como ya hemos sugerido en otro momento, nunca ha tenido un efecto «exorcizante», en el sentido de que el cliente (y, en ocasiones, también los miembros de la familia) se siente comprendido y puede salir de la desesperación.

> TERAPEUTA: Exactamente. Una solución porque el tiempo se ha parado, se ha detenido desde que volviste del Tibet. Por naturaleza, tú serías una persona que podrías ser obediente, hacerte querer, etcétera, etcétera, como tu hermano. También tu hermano, me imagino, a veces desearía decir a tu madre: «¡Qué pesada!», pero se detiene... ¿has comprendido? Es más maleable, sabe adaptarse, algo así... En cierto modo, ahora, estás poseído por la idea, por la misión de solucionar sus problemas (señala a los padres). Cuando has dicho antes «los adversarios»: desearías que él (señala al padre) hablara más, porque a tu madre no le parece bien que no hable, que esté en silencio, y te gustaría que tu madre se callara. Tratas de que tu padre hable más y de que tu madre se calle. Por eso, desde hace unos años, tu tiempo se ha parado, has evitado la posibilidad de encontrar un trabajo, de encontrar amigos, una mujer, de tener hijos... en una pa-

labra, tu tiempo se ha detenido. Comprendo: el tiempo está parado porque continúas viviendo en este sistema *(indicando a los padres)*. O bien *(volviéndose hacia el psiquiatra)* en este otro sistema, donde se ocupan de ti, te dan de comer, etcétera, etcétera.

ALDO: No es así.

TERAPEUTA: Aunque digas que no es así, lo cierto es que el tiempo se ha parado. Incluso si ellos se fueran de casa, o si tú te marcharas de ella, no cambiaría nada. Aunque te fueras a más de mil kilómetros de distancia, en este momento no podrías pensar más que en cómo cambiarlos. Es como una misión para ti, de la que estás poseído, que no te permite seguir la misión fisiológica de los jóvenes y de los adolescentes, que es la de dejar el sistema familiar, para dirigirse hacia sistemas externos. La familia es la que es, los padres son los que son, sean como sean. Si se mira fuera y se dirige la atención hacia el exterior, como decía antes, el tiempo volverá a correr, y superarás el bloqueo. Ahora estás en un estado de total estancamiento, totalmente paralizado. No te queda más remedio que sentirte angustiado. ¿Está claro lo que estoy diciendo?

ALDO: Sí.

TERAPEUTA: De todas formas, quiero dialogar con mis colegas un momento. ¿Podéis volver dentro de veinte minutos?

El consejero se sirve de temas y metáforas que han aparecido a lo largo de la conversación, dando preferencia, como hemos sugerido ya, al diálogo con el paciente designado, aceptando, por una parte, su visión de la realidad y, al mismo tiempo, poniéndola en duda. En un contexto no terapéutico esto podía tener efectos patógenos y de confusión, mientras que en el contexto de la conversación terapéutica la confusión puede resultar creativa.

Es interesante observar la estructura retórica del discurso, que es «circular» y vuelve sobre los temas ya tratados, favoreciendo las relaciones (también temporales) que pueden permitir que surja una historia diferente y liberadora. La intervención final retoma los temas que han aparecido en la sesión, principalmente los sugeridos por las preguntas sobre el futuro e hipotéticas. De esta manera, se pone en segundo plano la razón fundamental por la que el psiquiatra y la familia habían solicitado la consulta, relativa a la curación de Aldo (en casa, por su cuenta fuera de casa), o en el hospital, y se centra en la *paralización del tiempo*, que es presentada como paralización de la evolución de Aldo e implícitamente del microsistema que lo rodea.

El terapeuta hace presente el futuro mediante la formulación hipotética de mundos posibles: prevé un mundo determinista y lineal que conserva la situación actual, en paralelo a otros mundos posibles, en los que el tiempo vuelve a correr y la vida evoluciona.

TERAPEUTA: He dialogado con mis colegas, y estamos de acuerdo en que tú, Aldo, hace unos años decidiste dedicarte por completo a cambiar a tu familia, particularmente a tus padres. Por eso el tiempo se ha parado para ti. Posees una nueva «mente», o mejor, estás poseído por una nueva «mente», la del Dalai Lama, para tratar de cambiar a tus padres, para que cambien, para que tu padre –que normalmente habla poco– hable, para que tu madre –que normalmente habla mucho– se calle. En este sentido, el tiempo se ha parado para ti porque, como decíamos antes, en la adolescencia y en la madurez el tiempo corre cuando se sale del sistema familiar y se va hacia otros sistemas, como nuevos intereses, nuevos trabajos, amistades, matrimonios, hijos, etcétera, etcétera. Tú, por el contrario, desde hace cinco años estás paralizado, has decidido pararte en el tiempo para reformar a tu familia, para cambiarla. En este momento, actúas dentro de dos sistemas: el sistema familiar y el sistema psiquiátrico. Yo hablo ahora como el representante del sistema psiquiátrico, es decir, de los psiquiatras, psicólogos, enfermeros, psicoterapeutas, etcétera, que tiene la misión de ocuparse de personas con problemas hasta que recuperen su camino en la vida. He pensado con mis colegas en tus posibles futuros. Es posible que la misión que has asumido de reformar a tu familia pueda durar toda tu vida; o puede suceder que, en un momento dado, te canses de ello o pienses que ya no hay motivo para hacerlo. Si esto sucediera, comenzarás a pensar en ti mismo, en tu vida, no en ellos. Tendrás deseos de encontrar un trabajo, amistades, etcétera, etcétera. Pero esto sólo podrás hacerlo cuando no encuentres ninguna razón para seguir interesándote tanto por ellos. Si me preguntases: «Doctor, ¿qué piensa acerca de ellos?», yo te respondería que pienso que seguirán siendo siempre como han sido y como son. No pueden ser más que lo que son. Tu padre tenderá a ser callado y tu madre locuaz.

ALDO: ¿Por qué no cambian?

TERAPEUTA: Eso es una ilusión. Es una ilusión que ellos puedan cambiar. ¿He respondido a tu pregunta?

ALDO: Más o menos, sí.

En este momento, es como si el terapeuta detuviese, en el lenguaje, el tiempo-familia, planteando a Aldo la posibilidad de elegir entre permanecer paralizado en el tiempo o evolucionar. En este momento relaciona la vida de Aldo con la de su hermano, indicando que su hermano pudo haber tenido las mismas dificultades, pero terminó optando por la evolución.

> TERAPEUTA: Es muy probable que un día también tu hermano haya tenido la misma idea de cambiar a tus padres, y después haya renunciado, aceptándolos como son. En suma, para concluir, vemos que tu vida, desde hace unos años, está bloqueada, que el compromiso de cambiar *esta* familia, este sistema, agota todas tus energías, exige todo tu tiempo. De momento, esperamos que sigas así.

El consejero, por varios motivos, es un reflejo del cliente, en su intento de poner en marcha un cambio. Del mismo modo que el cliente está empeñado en el intento de cambiar a sus padres, también podría parecer que el consejero está empeñado en el intento de cambiar al cliente, al presentar diversos escenarios, que van del *statu quo* a una perspectiva de evolución. Pero hay algunas diferencias fundamentales. En primer lugar, el consejero evita la obstinación simétrica en un plano temporal, al dar a conocer de un modo implícito que su relación no continuará *ad infinitum*, que, llegado un momento dado, dejará el campo. En segundo lugar, su pensamiento no se rige por el principio «o, o», sino por el principio «y, y», por eso presenta más de una opción posible.

TERAPEUTA *(dirigiéndose a la familia y al psiquiatra):* La razón principal por la que habéis venido a la consulta (saber cuál es el lugar más adecuado para que Aldo viva en este momento: en casa, fuera de casa, en el hospital), para mí es secundaria, aunque reconozco que es importante. Aldo sabe perfectamente cómo comportarse si quiere verse aceptado en casa o si prefiere que lo internen en un hospital; conoce bien los comportamientos adecuados para una u otra solución, del mismo modo que conoce bien los comportamientos en caso de que desease vivir fuera él solo. Lo fundamental es lo que he dicho hace un momento. No esperéis que Aldo, de repente, renuncie a la idea de reformar a la familia; supongo que, de momento, continuará intentándolo. En caso de que, en el futuro, renuncie a esta idea, entonces renunciará tanto al sistema familiar como al sistema psiquiátrico, y no tendrá necesidad ni siquiera de su sistema de ideas. Entonces se encontrará en otro sistema.

Dos años después el consejero se encontró con el psiquiatra, que atendía todavía a Aldo y que le informó de cómo había evolucionado la situación en el periodo siguiente a la consulta. Desde hacía un tiempo, Aldo vivía en un centro de acogida, seguía una terapia farmacológica y, aunque continuaba necesitando asistencia psiquiátrica, trabajaba eventualmente y mantenía un cierto grado de autonomía.

10. LOS DOS MESÍAS

Hemos elegido el caso descrito a continuación porque presenta algunas características interesantes relativas a la peculiar evolución clínica, a la estructura narrativa de las historias presentadas y a la presencia de alteraciones significativas del tiempo subjetivo en un miembro de la familia, diagnosticado como esquizofrénico. Después de una breve descripción del caso, los dos autores analizan y comentan la mayor parte de la última sesión.

A la familia Ponzi, residente en Milán, la envió a nuestro centro en junio de 1987 una psicóloga que había insistido en que se trataba de un caso particularmente grave, de un «caso especial». Desde hacía unos cinco años la familia mantenía un contacto continuo o con el equipo psiquiátrico del hospital o con el centro psicosocial donde trabajaba dicha psicóloga. Los padres, naturales de la región de Puglia, eran bastante modestos, bajitos, más bien ancianos. El padre era empleado de una empresa alimenticia, mientras que la madre trabajaba como telefonista en una gran empresa. Los dos iban a jubilarse pronto. La madre cojeaba un poco a consecuencia de una luxación congénita en la cadera. El hijo, de 31 años, antes de la crisis psicótica ocurrida en 1982, había trabajado como geómetra en las oficinas de una importante empresa de manufacturas en Milán.

Los síntomas habían comenzado de un modo imprevisto, cuando descubrió que su superior inmediato ganaba el doble que él trabajando sólo la mitad. Aparentemente su protesta fue tan fuerte o inapropiada en la forma, que se le despidió inmediatamente. Fabrizio reaccionó primero cerrándose en un obstinado mutismo, que duró un par de semanas, durante las cuales sus padres apelaron al buen corazón de los dirigentes de la empresa, para que se le admitiese de nuevo. Finalmente se le ofreció la posibilidad de reanudar el trabajo en la misma empresa, pero en otra ciudad distante unos doscientos kilómetros de su casa.

Fabrizio no aceptó, y comenzó a manifestar una sintomatología paranoide tal que, en un breve plazo de tiempo, se le internó para un tratamiento psiquiátrico. Entonces comenzó su historia de psicótico crónico; fue internado seis veces en el hospital, por la fuerza, a causa de sus violentas reacciones verbales y físicas. Pues con frecuencia abusaba verbal y físicamente de sus padres, les pedía continuamente dinero, tuvieron que com-

260 LOS TIEMPOS DEL TIEMPO

prarle varios automóviles, que después estropeaba o revendía. En los intervalos entre las agudas crisis buscaba y encontraba fácilmente trabajo, pero le duraba sólo unos días, porque siempre acababa discutiendo con todos hasta el punto de que tuvieron que expulsarlo. En casa se comportaba de un modo intolerable, como un dictador. Gritaba a menudo y golpeaba a sus padres y, a veces, los vecinos o sus propios padres, aterrorizados, llamaban a la policía que lo llevaba por la fuerza al hospital.

Los apodos más frecuentes dirigidos a sus padres eran «terrone»* para su padre, que conservaba un acento meridional y «cojitranca» para su madre. No colaboraba con el personal psiquiátrico y rechazaba, después de breves intentos, los diversos programas terapéuticos que se le proponían. Los padres buscaban continuamente la ayuda de los servicios públicos esperando que estuviese en el hospital durante un periodo largo. Pero, a causa de la Ley 180 el tiempo que permanecía internado era breve, de modo que Fabrizio se había vuelto como una pelota de tenis, que pasaba alternativamente de la familia a las instituciones. Su envío a un centro privado como el nuestro representaba –según la psicóloga que lo decidió– el enésimo intento de cambiar una situación crónica gangrenosa.

A la primera sesión se presentaron sólo los padres porque Fabrizio rechazaba la terapia. Enseguida describieron su calvario con su hijo y con los servicios públicos, hacia los que manifestaban una gran desilusión y hostilidad por haberse sentido continuamente abandonados. El padre, en particular, expresó su falta total de confianza en la psicología, en la psicoterapia y en la posibilidad de que el hijo cambiara, mientras que la madre parecía confiada en que las cosas podían cambiar y sostenía que «la esperanza es lo último que se pierde». El padre mostraba hostilidad no sólo hacia las instituciones sino también hacia su hijo. La madre, por el contrario, estaba angustiada por los sufrimientos de su hijo y preocupada por su futuro.

Ya en la primera sesión apareció una interesante historia relativa a la familia de la madre. Ésta se había quedado huérfana a la edad de quince años, con su hermano Aldo, siete años más joven que ella. Su misión fue, desde entonces, ocuparse de su hermano. Se lo llevó como dote y se lo impuso a su marido, haciendo que estudiara hasta conseguir el diploma. Aldo permaneció con ellos hasta después de cumplir el servicio militar, su cuñado lo echó de casa, porque «se había aprovechado demasiado de nuestra hospitalidad». Por entonces Fabrizio tenía seis años y parecía que tenía una buena relación con su tío, que se había comportado «como un hermano» con él. La relación con Aldo, nunca interrumpida por parte de la madre, se reanudó cuando Fabrizio se puso enfermo y sus padres le pidieron ayuda. Parece que la intervención de Aldo no le agradó a Fabrizio y que incluso empeoró la situación. Dos años después, la relación entre la familia Ponzi y la de Aldo se había enfriado de nuevo.

En el acta de la primera sesión se escribió que probablemente antes de la crisis psicótica de Fabrizio la madre estaba enamorada de los «dos hijos», y se había dedicado totalmente a ellos, olvidándose prácticamente del marido. Como consecuencia, Fabrizio habría crecido en medio de la confusión respecto a su propio papel dentro de la familia. Ya en las primeras sesiones se trató inútilmente de que se incorporara a la terapia. Los padres venían de buen grado a las sesiones, a pesar de los notables sacrificios económicos que esto les suponía. Pero después de ocho sesiones el único resultado obtenido parecía consistir en un acercamiento de los dos cónyuges, que de esta manera habían comenzado a relacionarse más como pareja.

De modo que en la octava sesión, después de nueve meses de terapia, nos parecía que, si el hijo no acudía, no se podría conseguir ya más. El terapeuta se lo expuso claramente a los padres y les invitó a ponerse de nuevo en contacto con los servicios públicos «para no gastar su dinero inútilmente».

Un día de septiembre de 1990, más de dos años después del final de los encuentros con la pareja Ponzi, la secretaria del centro entregó al terapeuta una historia clínica diciendo: «El caso Ponzi está en la sala de terapia». El terapeuta, cuando comenzó a discutir sobre la historia clínica con el grupo de *training*, se acordó del caso y tuvo miedo de que hubiese sucedido algo irreparable. De repente corrió hacia la cortina que cubría el espejo unidireccional y –con estupor– vio a tres personas: los padres con su hijo en medio.

El terapeuta entró en la sala con una enorme curiosidad por saber qué había sucedido desde que había visto a la pareja por última vez. Los padres lo acogieron con gran satisfacción y expresaron una gratitud inesperada. Dijeron que les había ayudado mucho dándoles ánimo, y la madre subrayó que en el curso de las sesiones precedentes había comenzado a ver de manera distinta a su marido y a acercarse a él. Riendo, dijo: «Para mí ha pasado de la serie B a la serie A». Añadieron que el hijo, al ver su cambio, se había animado también a venir.

Fabrizio, con una sonrisa flébil, pero una expresión triste en el fondo, confirmó que había ido porque desde que sus padres estaban más unidos, más contentos, se sentía más solo y deseaba también él poder beneficiarse del contacto con el terapeuta. En el curso de la sesión se analizó, sobre todo, la vida pasada, en la que se puso de manifiesto la importancia del tío Aldo, y las dramáticas experiencias de Fabrizio y de sus padres después de la primera crisis psicótica. Es interesante notar que los recuerdos de Fabrizio parecían inconexos entre sí, como si tuviese dificultad en relacionar de un modo coherente los acontecimientos de su propia historia.

Transcribimos y comentamos a continuación la mayor parte de la sesión siguiente.

TERAPEUTA: ¿Qué nos decís hoy?
MADRE: Digamos que hay... hay una mejoría, digamos que de hecho está bastante tranquilo.
FABRIZIO: La situación se ha allanado un poco.
TERAPEUTA: ¿Se ha allanado?
MADRE: Sí, se ha allanado, exacto.
TERAPEUTA: ¿Me puedes explicar qué quiere decir allanado?
FABRIZIO: Pues sin altos ni bajos, una situación estable.
TERAPEUTA: Estás habituado a tener emociones fuertes en tu vida, ¿no es así?
FABRIZIO: Sí.

(Boscolo) Es interesante analizar el comienzo de la sesión prestando especial atención al lenguaje, siguiendo las sugerencias recientes puestas de relieve por la narrativa y la hermenéutica. La madre ha comenzado con una sonrisa, diciendo que ha habido una mejoría. Fabrizio, por otra parte, con una ligera sonrisa de consenso, da otra descripción, la de que la situación se ha allanado. Nos encontramos, pues, ante dos descripciones de la misma experiencia. El terapeuta introduce una tercera descripción: para que la situación mejore sería necesario que apareciesen las fuertes emociones del pasado (cuando estaba gravemente enfermo). Como en el artículo que hemos escrito sobre las palabras-clave, es decir, sobre las palabras «puente» que se refieren a varios significados, aquí se usa una descripción completa que entra en conflicto con otras descripciones. Tal conflicto puede cambiar las perspectivas, puede hacer surgir nuevos significados, nuevas historias alternativas.

(Bertrando) No sólo eso. Recuerdo que en la sesión precedente surgieron muchos fragmentos de su historia inconexos entre sí, no ligados en una secuencia cronológica. Tengo curiosidad por saber si en esta sesión los fragmentos se unirán unos a otros para desembocar en una historia coherente. Al principio parecía que Fabrizio tenía sólo ideas que flotaban en el vacío.

> TERAPEUTA: ¿Ves llano el pasado o el futuro?
> FABRIZIO: El futuro.
> TERAPEUTA: Tu pasado, ¿lo ves también llano o no lo ves llano?
> FABRIZIO: Quizás comienzo a ver llano también el pasado, es más, sí, comienzo a ver llano también el pasado.

(Boscolo) Es interesante destacar que el terapeuta introduce primero el presente y el futuro, después el tercer elemento de la perspectiva temporal, el pasado, para indagar sobre las posibles diferencias. Fabrizio comienza a ver llano también el pasado; se evidencia así la restricción de su horizonte temporal. Parece que en este momento se están estableciendo vínculos determinantes entre pasado, presente y futuro, que confirman que un pasado llano, fracasado, no podrá producir más que un presente y un futuro fracasados. Será interesante ver cómo el terapeuta tratará a continuación de atenuar tales vínculos. Una posibilidad sería la de comenzar a introducir diferencias, por ejemplo, con preguntas hipotéticas sobre pasado, presente o futuro.

(Bertrando) Se podría comenzar a indagar cómo es posible que, precisamente ahora, haya comenzado a ver llano también el pasado, y preguntarle qué sucedería en su vida si las ideas negativas que tiene dentro de sí cambiaran, de modo que pudiera ver de distinta manera su pasado y su presente, etcétera, etcétera.

(Boscolo) Me parece una buena idea. El vínculo entre presente, pasado y futuro, en este caso, me hace recordar el caso de Jim, el australiano, cuya madre se había casado en segundas nupcias después de morir su padre, cuando él tenía cuatro años. Durante la consulta Jim contó una his-

toria pasada con la que su madre no estaba de acuerdo. Decía que se había vuelto esquizofrénico a la edad de cinco años, sin que ninguno se diese cuenta, mientras que su madre sostenía que había sido un muchacho normal hasta hacía sólo un año, cuando había sufrido la crisis. Sólo desde entonces le pareció a su madre que había cambiado, pero antes no. Este joven, aparentemente después de la crisis psicótica, salió de su estado de confusión con una visión lúcida de su pasado, que no era la misma que tenían los demás, incluidos parientes y profesores. Es como si hubiese tenido una intuición, una toma de conciencia psicótica, de la que salió con una nueva visión que había hecho desaparecer su ansiedad, una iluminación como la de san Pablo en el camino de Damasco. Encontró un nuevo sentido en la idea de que en su vida pasada se le había tratado injustamente y proyectaba sobre los otros, sobre su madre en particular, la causa de su sufrimiento. Reconstruyó de este modo su pasado para dar un sentido a su presente. Es muy probable que cuando estaba a punto de dejar su casa (tenía veintidós años) para afrontar los retos de la vida exterior, no se sintió capaz de ello, tuvo mucho miedo y angustia y, como consecuencia, padeció la crisis psicótica y creó una nueva historia que justificase la presencia de la «enfermedad», del hospital, de los psiquiatras y la pérdida de su autonomía. De este modo vinculó su presente con una historia del pasado que justifica su sentimiento de soledad, impotencia y locura. La enfermedad psiquiátrica vivida como enfermedad orgánica y algunos acontecimientos externos como la muerte de su padre y el segundo matrimonio de su madre que, aparentemente, según Jim, han provocado la enfermedad, hacen que no se sienta responsable en modo alguno ni de su presente ni de su futuro.

(*Bertrando*) Recuerdo que Jim esperaba que su futuro fuese desgraciado, en soledad junto a sus cerámicas. En este caso, por el contrario, Fabrizio dice que ve el presente y el futuro allanados y que comienza a ver así también su pasado. En un cierto sentido nos está diciendo que tenemos razón cuando sostenemos que existe un circuito (*loop*) reflexivo que liga el presente con el pasado y el futuro. En el fondo nos está diciendo que ahora, estando su presente tan allanado, fracasado, ha de tener el mismo efecto también sobre su pasado y su futuro. Nos dice que hay un *loop*, un circuito, que liga los tres momentos de la perspectiva temporal.

FABRIZIO: Estoy tratando de reconstruir mi pasado.
TERAPEUTA: Estás haciendo de historiador de ti mismo. ¿Sabes que cualquier historiador trata de describir su propia experiencia? La historia incluye su pasado...
FABRIZIO: El pasado me gusta más que el presente y que el futuro.
TERAPEUTA: Tu pasado, pero cuando dices: «Lo veo llano», ¿en qué sentido lo dices?
FABRIZIO: Los días...
TERAPEUTA: Me parece que cuando hablabas de tus padres, la otra vez, veías también llana su vida, y a ellos mismos como personas llanas. ¿En qué sentido dices ahora que ves tu pasado llano? ¿En el sentido de que tenías deseos y ambiciones que no has conseguido realizar? Explícamelo.

FABRIZIO: No veo un futuro muy... no veo un futuro de color de rosa, es decir... no sé explicarme.

MADRE: ¿Qué quieres decir?

FABRIZIO: Ah, sí, tenía ambiciones que no consigo alcanzar.

TERAPEUTA: ¿Te sientes agitado?

FABRIZIO: Impaciente, más que agitado, impaciente.

TERAPEUTA: Impaciente, ¿por qué?

FABRIZIO: Por todo un poco. Me siento impaciente.

TERAPEUTA: ¿Te parece que tienes dificultades para relacionar los pensamientos? ¿Consigues leer el periódico?

FABRIZIO: Consigo leer las cosas principales.

TERAPEUTA: ¿Pero te cuesta leer un artículo completo?

FABRIZIO: Sí.

TERAPEUTA: Y esto, ¿cuánto hace que te pasa?

FABRIZIO: Casi siempre. La concentración siempre ha sido un defecto mío.

TERAPEUTA: Me pareciste más despierto la otra vez.

FABRIZIO: Tal vez, no lo sé.

MADRE: Puede ser porque ayer le pusieron la inyección de Moditen y está todavía bajo sus efectos. Los primeros dos o tres días se queda un poco aturdido. Le ponen una inyección cada quince días, y por la mañana toma también un Valium...

TERAPEUTA: ¿Estás todavía un poco aturdido?

FABRIZIO: Sí.

TERAPEUTA (al padre): ¿Cómo ves la situación?

PADRE: Yo la veo bastante tranquila. Ha habido un momento, después de venir aquí, en que él decía: «Me siento presionado, yo soy siempre...».

MADRE: El centro de atención.

PADRE: El centro de atención. Sí, porque se sintió un poco presionado la primera vez que hemos venido aquí.

TERAPEUTA: ¿Me puedes decir, Fabrizio, cómo te sentiste en la entrevista que tuvimos hace un mes?

FABRIZIO: Sentía que excavaban dentro de mí.

TERAPEUTA: Pero el que excavaran dentro de ti, ¿te ha hecho bien o mal?

FABRIZIO: Quizás ahora, después de haber meditado un poco, entre la primera y la segunda entrevista, no sé si es bueno excavar tanto, porque se olvidan ciertas cosas.

PADRE: Él echa la culpa a esto: ir a la terapia puede ser también algo malo. Piensa así porque dice: «Excavando demasiado se va a provocar el odio entre nosotros». Él piensa así. Ésta es mi impresión.

MADRE: Se lo ha comunicado también a la doctora Bianchi, su psiquiatra. Le ha dicho que le da miedo recordar todo esto e internarse en el pasado.

TERAPEUTA: Sí, es lo mismo que él esta diciendo ahora.

(Boscolo) En un determinado momento Fabrizio dice: «No sé si es bueno excavar tanto, porque se olvidan ciertas cosas». Parece que está de acuerdo con las recomendaciones de prudencia dirigidas a los terapeutas jóvenes que se ocupan de casos de psicosis en terapia individual de orientación psicodinámica. De acuerdo con tales recomendaciones, habría que evitar incursiones e interpretaciones sobre el material inconsciente, por la debilidad de las defensas, que deberían más bien ser reforzadas, atrayendo continuamente la atención del cliente hacia temas relacionados con el Yo y la «realidad». Es como si Fabrizio dijese: «¡Tengo necesidad de olvidar, y no de recordar!». A propósito de la terapia familiar pienso que tales temores, en lo que respecta al examen profundo de los miembros de la familia, se ven mitigados por el marco de realidad que se crea en el diálogo entre el terapeuta y los diversos miembros de la familia. Además, tal marco de realidad permite al terapeuta «excavar dentro», buscando los nexos perdidos, interfiriendo en los secretos, rastreando experiencias positivas sepultadas por sucesivas experiencias negativas destructoras de aquéllas, permitiendo así la construcción de un nuevo pasado, de una historia alternativa que pueda iluminar el presente y el futuro.

(*Bertrando*) Me impresiona el padre cuando dice que Fabrizio tiene miedo de provocar el odio entre ellos. Probablemente el padre piensa que, excavando, Fabrizio pueda encolerizarse y destrozar todo. Por el contrario, yo considero que Fabrizio tiene miedo de que el excavar dentro de él puede llevarlo a descubrir que no existe, a descubrir la nada, el horror de la nada. Como diría Binswanger, tiene miedo de descubrir que no tiene ningún proyecto de vida y, por tanto, es como si no existiese, como si «no estuviese en el mundo». Es uno de los miedos comunes del psicótico: el terror a la nada.

TERAPEUTA: Al recordar, puede aparecer todo lo que hay de negativo; pero, al recordar, voy en busca de lo que hay, y de lo que ha habido, de positivo en ti. ¿Has comprendido lo que te digo? Te da miedo encontrar lo negativo, pero te digo que soy más optimista que tú, mucho más optimista, en el sentido de encontrar lo positivo, no sólo en lo que respecta a ti mismo, sino también a propósito de tu familia. Me parece, por lo que se dijo la otra vez, que habías tenido, en el pasado, la idea de rechazar a la familia, de repudiar a tus padres por una cierta razón. En este sentido el excavar de la otra vez tenía la finalidad de explorar tus sentimientos del pasado, sentimientos negativos y –esto lo añado yo– positivos, que un hijo ha debido tener necesariamente hacia quienes le han engendrado. Has debido tener necesaria y profundamente hacia estas dos personas que te han engendrado, tus padres, también sentimientos positivos, aunque hayas terminado por vivir negativamente la relación con ellos.

FABRIZIO: Tal vez se trate de puntos de vista diferentes.

TERAPEUTA: Tal vez. La vez pasada recordaste la desilusión que tuviste durante años a causa de tus padres. En este sentido, dices que es mejor no hablar de ello, es mejor no excavar. Por el contrario, yo pienso que excavar puede ofrecerte una posibilidad de descubrir, de entrar en contacto con los sentimientos positivos que debiste tener, tal vez siendo niño, hacia quienes te engendraron.

(*Boscolo*) Ahora pongo en duda, de forma benévola, las premisas de Fabrizio, premisas inmersas en un mar de negatividad. Digo que para mí el objetivo de excavar no es sólo buscar cosas negativas, sino también ideas, experiencias positivas que tuvo que haber en su vida. Aquí la confianza que el terapeuta ha conseguido suscitar respecto de sí mismo es muy valiosa para que el cliente pueda, primero escuchar y, después, aceptar la posibilidad de un nuevo modo de «ver» las experiencias de su vida. Comienzo introduciendo con convicción la idea de que necesariamente tuvo que haber experiencias positivas en su pasado. Me valgo aquí también de mis experiencias personales y de algunas lecturas, sobre todo de los ensayos de Harold Searles sobre la terapia de la esquizofrenia. Recuerdo que en uno de sus ensayos Searles sostenía que el esquizofrénico tiende a provocar en el analista la convicción de que su madre es un monstruo, algo completamente negativo. Si el terapeuta –dice Searles– se lo cree, la terapia queda irremediablemente comprometida. El analista, con firmeza, ha de buscar emociones positivas hacia la madre y momentos positivos de la relación madre-niño, que se olvidaron intencionadamente. Es lo que hago aquí con la familia Ponzi. Poco a poco preparo el escenario para una reconstrucción del pasado que incluya a todo el sistema familiar, donde puedan emerger no sólo conflictos, sino también momentos de afecto y solidaridad. Con frecuencia tales momentos positivos se excluyen de la conciencia, por temor al posible rechazo o al control por parte del otro.

(Bertrando) Al decirle: «Debió haber un sentimiento positivo, en algún momento, hacia quienes te engendraron», le restituye raíces más sólidas, más positivas (es una experiencia común que una persona no puede dejar la familia si no ha recibido una confirmación clara para ello). El haber abusado de sus padres durante algunos años, dándoles golpes o insultándoles con apodos como «desgraciados», o incluso «terrone», «cojitranca», revela un rechazo de sus propias raíces. En un cierto sentido se manifiesta el narcisismo del psicótico que, proyectando toda la negatividad en las figuras de sus padres, «se siega la hierba bajo los pies», porque son quienes le han engendrado. Recordarás que en la sesión precedente, en un determinado momento, le preguntaste inesperadamente: «¿Cómo explicas, Fabrizio, que dos padres tan desgraciados, insignificantes, hayan tenido un hijo tan inteligente?». Parecía que la pregunta le había deslumbrado hasta el punto de que, rompiendo a reír con cierto embarazo, te dijo: «¡Caramba, ésta sí que es una pregunta inteligente!». Hay que añadir que si se construye un pasado más positivo, éste puede influir sobre el presente haciendo posible que su situación existencial sea aceptable como la de una persona cualquiera, liberándolo de la necesidad de construir castillos en el aire.

(Boscolo) Por lo que se está diciendo se puede comprender mejor cómo a menudo la depresión es el puente necesario para pasar de la psicosis a la «normalidad». Recuerdo a una cliente con un diagnóstico de esquizofrenia crónica que me dijo: «Tengo miedo de volver a ser normal porque normalidad para mí significa quietud, aburrimiento».

FABRIZIO: Ya no me acuerdo.
MADRE: En realidad, doctor, ha olvidado todas las cosas positivas. Muchas veces le recuerdo episodios que fueron para él motivo de alegría...
FABRIZIO: Sí, pero me olvido de ellos porque hay siempre otros en medio: en cualquier recuerdo hay siempre por medio una relación con otras personas, que se han entrometido, que después han establecido relaciones, etcétera, y esto me... me vuelve impaciente.

(Boscolo) Aquí Fabrizio alude a la intervención de un tercero en una relación entre dos, que puede desencadenar emociones fuertes de rivalidad, envidia, celos y odio, como nos recuerdan Freud en el análisis del comple-

jo de Edipo, Melanie Klein, Haley en el análisis del triángulo perverso, etcétera. Sólo cuando el complejo de Edipo o el triángulo perverso se deshacen, pueden aparecer sentimientos positivos, de gratitud, de amor y de aceptación del tercero. Una ilustración memorable de la intervención de un tercero la hizo Pasolini en la película *Teorema*. El filme comienza, si no recuerdo mal, con la entrada de un joven transeúnte, bellísimo, de sexualidad incierta, en una villa habitada por una familia burguesa. Poco a poco, todos se enamoran de él, incluida la servidumbre. Cada uno trata de quitárselo al otro. El huésped es muy condescendiente, termina en la cama con todos, manifestando la misma expresión de calma olímpica, mientras que entre los familiares se desencadenan odios mortales hasta el punto de que –si recuerdo bien– alguno prende fuego a la villa. En un clima de destrucción y muerte algunos familiares mueren, otros enloquecen. El transeúnte, lentamente, con la misma calma olímpica, sale de la villa y se pone de nuevo en camino hasta que ve a lo lejos otra villa hacia la que se dirige. En este momento termina la película.

TERAPEUTA: Hablemos un poco de lo que decía antes tu madre, a propósito de que últimamente duermes unas ocho horas.
FABRIZIO: Sí.
TERAPEUTA: ¿Consigues dormir de noche?
FABRIZIO: Sí, bastante, no siempre.
TERAPEUTA: ¿Sueñas por la noche, te despiertas con sueños, pesadillas?
FABRIZIO: Sueños.
TERAPEUTA: ¿Son normalmente sueños buenos o malos?
FABRIZIO: Normalmente son buenos.
TERAPEUTA: Normalmente son buenos.
FABRIZIO: Sí... después me despierto y veo la realidad que, por el contrario, es dura.
TERAPEUTA: ¿Recuerdas algún sueño reciente?
FABRIZIO: No. Depende también de los días, de cómo los paso: si es un día en el que he tenido un encuentro agradable, después, de noche, sueño con todo lo que podía haber sucedido; si, por el contrario, ha habido encuentros negativos...
TERAPEUTA: ¿Me puedes contar un sueño positivo? ¿Cuál puede ser un sueño positivo para ti?
FABRIZIO: Una mujer hermosa.
TERAPEUTA: Una mujer hermosa y, ¿después? ¿Una noche con una mujer hermosa, o una vida con una mujer hermosa?
FABRIZIO: Una vida.
TERAPEUTA: Una vida, ¿es esto positivo?
FABRIZIO: Sí, es positivo, si se pudiese realizar.

(Boscolo) Puesto que la familia había expresado una cierta preocupación respecto al excavar en el pasado, el terapeuta, atento al *timing*, deja el argumento «caliente» y dirige la atención a los sueños. En realidad, en nuestro trabajo, rara vez pedimos a los clientes que nos cuenten un sueño, pero lo hacemos si la situación lo requiere. Los contenidos del sueño, después, se relacionan enseguida con la realidad actual.

MADRE: Hay además alguna otra cosa que tiene que decir...
FABRIZIO: Querría hacer un curso de inglés para perfeccionar el conocimiento de la lengua...

(Bertrando) La madre dice enseguida algo que aleje la atención de la mujer hermosa y propone hablar de otra cosa, probablemente de trabajo. Es posible que la madre se muestre celosa hacia otras mujeres que podrían llevarse a su hijo. Son frecuentes las relaciones simbióticas madre-hijo varón en los casos de psicosis. A este respecto, me parece que con cierta frecuencia la madre propone cosas al hijo y él obedece.

(Boscolo) La madre le dice: «Habla de otra cosa». Éste es también un mensaje para el terapeuta, para que hable de otra cosa, posiblemente de trabajo. El terapeuta de momento obedece, entre otros motivos para evitar una relación simétrica.

FABRIZIO: Querría aprender bien inglés porque se pueden abrir para mí nuevas perspectivas.
TERAPEUTA: ¿Perspectivas de trabajo?
FABRIZIO: Sí.
TERAPEUTA: ¿Ha habido sueños positivos, como decía antes a propósito de la mujer, respecto del trabajo?
FABRIZIO: ¡Ah, sí!, me despierto muchas veces pensando comenzar un trabajo nuevo en un ambiente ideal, es decir, donde no haya gente que me moleste, y sueño que esto se realiza. Pero después no se cumple...
TERAPEUTA: Tal vez un gran sueño podría ser encontrar una mujer bellísima y ser director de una empresa...
FABRIZIO: No, esto no.
TERAPEUTA: ¿Un gran artista?
FABRIZIO: Un gran artista, sí; lo pensaba hace tiempo, cuando, al evitar las amistades, al no tener a nadie y estar completamente solo, me encerraba en casa y pintaba, esperando tener suerte con la pintura. Pero después, me he dado cuenta de que no estaba a la altura.
TERAPEUTA: Cuando hablas de una perspectiva de trabajo, ¿a qué te refieres? ¿Qué puede satisfacerte?
FABRIZIO: Ahora ni siquiera me siento muy... muy... es decir, preferiría un trabajo, no sé, como en un estudio de arquitectura..., como soy geómetra, que tenga que ver con lo que he estudiado, pero me siento más... en este periodo no me siento muy lúcido y, en definitiva, preferiría un trabajo manual, aunque no me realice, pero de algún modo estoy ocupado.
TERAPEUTA: Si no recuerdo mal, has trabajado en bastantes sitios en el pasado, ¿es cierto?
FABRIZIO: Sí, he realizado distintos trabajos.
TERAPEUTA: No te es difícil encontrar un trabajo.
MADRE: No lo ha sido.
FABRIZIO: No lo ha sido nunca.
TERAPEUTA: Pero ha resultado difícil mantener un trabajo.
FABRIZIO: Mantenerlo sí.
TERAPEUTA: ¿Cuáles pueden haber sido las razones principales, desde tu punto de vista, de no haber conseguido mantener un trabajo?
FABRIZIO: Pues que soy demasiado meticuloso, es decir por una parte, me

entrego a todo, respondo de todo; por otra, busco siempre la justicia en su esencia, busco siempre las relaciones perfectas, busco siempre la perfección y esto, en las relaciones con los otros, especialmente hoy, no existe, porque cada uno lleva el agua a su propio molino...

TERAPEUTA: Te cuesta decidir.

FABRIZIO: Sí, me resulta difícil tener relaciones con los otros, porque todos tratan siempre de ser astutos o, peor todavía, mezquinos o hipócritas.

TERAPEUTA: Y entonces, ¿qué sucede?

FABRIZIO: Me desprecio y me pongo aparte; tal vez sea ésta la razón de por qué me encuentro solo, por qué no encuentro una persona a la que poderme abrir.

TERAPEUTA: Es decir, ¿tienes un intenso sentido de la justicia?

FABRIZIO: Un intenso sentido de la justicia, sí.

TERAPEUTA: ¿Has tenido siempre este intenso sentido de la justicia?

FABRIZIO: Desde que hice la mili.

(Boscolo) Esta obsesión de Fabrizio por la justicia y su intolerancia de la ambigüedad, traen a la memoria las teorías que atribuyen el origen de los síntomas psicóticos a situaciones donde las relaciones se basan en la falta de consenso y en las ambigüedades del contexto. En este momento podría citar la teoría del doble vínculo, la de los juegos psicóticos familiares, pero la situación de Fabrizio, que subraya la cuestión de la justicia y de la perfección, me recuerda la teoría de Ciompi. Éste atribuye el origen de la esquizofrenia a una dificultad con base orgánica para discernir, ordenar y catalogar las informaciones y los estímulos internos y externos. Los sujetos predispuestos tendrían una pequeña capacidad de tolerancia a los estímulos ambiguos, que pueden determinar las condiciones para una crisis psicótica. Es interesante notar que esta visión, a diferencia de otras teorías, quitaría –dentro de ciertos límites– a los padres la responsabilidad de ser la causa de la psicosis. La psiquiatría ha ofrecido diversas descripciones de la «enfermedad esquizofrénica»: la psiquiatría tradicional la ve como expresión de alteraciones genéticas, bioquímicas o anatómicas del sistema nervioso central; la psiquiatría dinámica la atribuye en gran parte a conflictos intrapsíquicos; la psiquiatría social a las relaciones; la antipsiquiatría a las instituciones totales.

(Bertrando) Se podría decir que cada hipótesis es parcial, capta un aspecto del problema: no existe una hipótesis que dé cuenta de todas las manifestaciones posibles de la psicosis. Al igual que al principio parecía adecuada la hipótesis del tiempo, ahora parece pertinente la hipótesis de Ciompi sobre el factor ambigüedad, y más adelante podrán aparecer otras hipótesis.

(Boscolo) Es cierto, podría añadir la hipótesis de Searle de la que hablábamos antes, mientras que más adelante podrá ser adecuado algún aspecto de la hipótesis de Selvini Palazzoli sobre los juegos psicóticos. Lo importante es que las ideas, las hipótesis, se utilicen en la sesión de un modo improvisado, evitando la trampa de la hipótesis verdadera. El cliente será quien dé siempre los significados que cuentan. El cliente puede comprobar una cierta sintonía entre el pensamiento del terapeuta y el suyo propio. El terapeuta puede decir cosas que ha tenido siempre presentes, pero que no ha podido organizar en una descripción, en una forma lingüística definida, o puede decir cosas que está ya intuyendo o pensando vagamente, que están ya en el aire. De esta manera es como si el terapeuta, con la colaboración del cliente, hiciese descubrimientos sobre éste, que pasan a ser descubrimientos suyos...

(Bertrando) ¡Un momento! Parece que tu esfuerzo por explicar la circularidad existente en la conversación terapéutica, naufraga aquí. Se tiene la impresión, al oírte decir estas cosas, de que pones al terapeuta en un plano distinto, más elevado que el del cliente, que tiendes a definir la relación atribuyendo al terapeuta el «conocimiento» de lo que le puede venir bien al cliente. En una palabra, tu neutralidad es discutible. Me parece que estoy escuchando los comentarios de los colegas que se inspiran en las teorías de la conversación terapéutica, de la narrativa, de la hermenéutica...

(Boscolo) No me resulta fácil responderte... Puedo decir que la impresión que tienes –o que he dado– es, en parte, fruto de la tiranía lingüística (como se sabe, es difícil salir del carácter lineal del lenguaje) y, en parte, fruto de los prejuicios y de las diversas hipótesis que he adoptado. Considero que el excesivo número de preguntas circulares, o de hipótesis examinadas, hace que el interlocutor no esté en condiciones de decidir qué piensa el terapeuta que es bueno para el cliente, teniendo que tomar al final él mismo la decisión. En este sentido, hay que ver la neutralidad en una perspectiva diacrónica, porque en una perspectiva sincrónica no es posible ser neutrales. Hay que decir también que el contexto de terapia o de consulta supone un conocimiento específico por parte del profesional, en calidad de experto: sus hipótesis, provenientes de las experiencias personales y de las distintas teorías relativas al comportamiento humano –incluida naturalmente la importante teoría del sentido común–, son esenciales en el desarrollo de su trabajo. A pesar de todo tengo que repetir, *ad nauseam*, que las hipótesis tienen que ser simples instrumentos y no convertirse en verdades. Cada cliente obtendrá de ellas, y de todos los demás aspectos de la relación terapéutica, lo que quiera obtener.

TERAPEUTA: ¿Ha sido la mili la que te ha provocado esto?
FABRIZIO: Yo he visto la mili en cierto modo como un castigo.
MADRE: Porque le mandaron a Messina, es decir, lejos de casa.
TERAPEUTA: ¿Muy lejos de casa? ¿Echaste de menos a tu familia cuando fuiste a Messina?
FABRIZIO: No, porque no me faltó de nada.
TERAPEUTA: ¿No echabas de menos a tu familia?
FABRIZIO: No, no, tenía amigos, porque, por casualidad, éramos todos del Norte y, en mi cuarto había gente de Milán, etcétera. Hice amigos y me adapté bastante bien.
MADRE: Además si él no llamaba por teléfono, yo le llamaba hasta cuando estaba en el campamento.
TERAPEUTA: Estás diciendo que vosotros habéis echado mucho de menos a vuestro hijo.

MADRE: Desde luego.

TERAPEUTA: ¿Te han echado mucho de menos?

FABRIZIO *(con expresión de curiosidad):* ¿Me habéis echado mucho de menos?

MADRE: ¡Claro! Nos presentamos allí en cuanto pudimos, ¿te acuerdas?

FABRIZIO: No me daba cuenta. Bueno, al fin y al cabo, tenía entonces dieciocho años...

TERAPEUTA: Me decías que tenías un intenso sentido de la justicia: ¿te complica esto un poco la vida? ¿Puede complicarte la vida?

FABRIZIO: Puede, puede.

TERAPEUTA: Uno puede decidir, para evitar las situaciones de injusticia, encerrarse en casa y evitar este tipo de situaciones; pero es inevitable, lo quiera uno o no, al entrar en contacto con el mundo exterior, hay siempre situaciones de injusticia, incluso si se trata de evitarlas. Me pregunto si antes de hacer la mili, en tu vida pasada, tuviste a veces la sensación de encontrarte en una situación de injusticia.

FABRIZIO: Había otra persona... me parecía que me quitaba los privilegios de ser hijo único: me sentía un poco defraudado por esta persona.

TERAPEUTA: ¿Quién era?

FABRIZIO: El hermano de mi madre; vivía en casa con nosotros, ha vivido hasta hace unos años y yo sentía que él era capaz... era capaz de obtener de mis padres lo que yo no conseguía, me quitaba lo mejor de su juventud.

(Boscolo) Es interesante lo que ha sucedido cuando ha comenzado a hablar de su tío: ha mirado a derecha e izquierda, como para controlar la reacción de sus padres. El padre ha mostrado cierta agitación. Las comunicaciones analógicas indicaban la importancia del tema. Quizá se trataba de un secreto.

(Bertrando) De todas formas, hay una relación lógica; se ha pasado del problema de la justicia al del tío, porque has preguntado: «¿Ha habido algo antes de la mili...?», y él ha respondido: «Había una persona...».

(Boscolo) Exacto, porque él estaba hablando de su servicio militar en Messina.

(Bertrando) En este sentido decía yo que Fabrizio no tiene una historia, como decía Bruner, tiene un tema: es decir, tiene un tema, pero no tiene la *fabula*. En realidad, tiene el tema intemporal «justicia/injusticia» y lo conjuga de un modo intemporal; lo que tiene en mente es que se ha cometido una injusticia contra él.

(Boscolo) Yo diría que de una manera imprecisa.

(Bertrando) Sí, pero de ello no deduce una abstracción diacrónica: «Una vez se cometió una injusticia contra mí y por eso después veo toda la injusticia que hay». Él se refiere al tema intemporal «justicia/injusticia», y cada vez que se encuentra frente a un acontecimiento, lo enmarca en este tema y lo refiere al presente, porque el tema no tiene tiempo. Me acuerdo de lo que afirma Prigogine, a propósito de la dicotomía entre «ley» (natural) y «suceso» (contingente). Si razonamos en términos de ley natural nos situamos fuera del tiempo; si razonamos en términos de sucesos, es necesario introducir imprevisibilidad, arbitrariedad y, sobre todo, evolución irreversible.

(Boscolo) Es decir: Fabrizio descontextualiza. Lo mismo sucede cuando se ve la realidad a través de la perspectiva de un mito o de una fuerte creencia religiosa.

(Bertrando) Exacto. Es como si dijera: «Yo soy una persona justa, se me debe hacer justicia». Por eso en el momento en que ha sufrido una injusticia de su jefe, ha reactivado el tema sin situarlo en su contexto. Es como lo que sucede en la transferencia psicoanalítica.

(Boscolo) Es interesante que ni siquiera relaciona esta injusticia con el hecho de que rechaza a sus padres.

(Bertrando) En realidad, aquí se ha pasado del servicio militar a esta injusticia remota porque has sido tú quien ha hecho la conexión.

(Boscolo) Esto podía ser un ejemplo del «tiempo fragmentado» del esquizofrénico: los episodios están inconexos.

(Bertrando) Si Minkowski decía que el esquizofrénico siente que el tiempo se para, nosotros podríamos decir que las experiencias de Fabrizio están desperdigadas en el tiempo, como separadas unas de otras, sin continuidad: parece que no es capaz de crear su propia diacronía.

(Boscolo) Sin embargo, parece que en el caso de Jim, el australiano, después de su crisis psicótica, se ha recreado una historia, desde la muerte del padre hasta el momento presente, con una rígida continuidad temporal y causal.

(Bertrando) Podemos decir que se trataba de una diacronía al revés, esto es, Jim ha proyectado hacia atrás lo que está viviendo ahora, es decir, su locura. Como si hubiese tomado su locura actual y hubiese colocado su comienzo a la edad de seis años. Es posible que en los esquizofrénicos haya diversos tipos de distorsión del tiempo. El australiano padece una de ellas; Aldo, el suizo, padece otra. El suizo estaba parado, esperando que se resolviese el dilema de sus padres, antes de ponerse de nuevo en movimiento. Es posible que las conexiones temporales se debiliten o se refuercen en diversas fases del proceso psicótico; en la fase aguda se da la máxima disgregación; en los intervalos entre las crisis psicóticas se reconstruyen en parte las conexiones temporales.

(Boscolo) Hace un mes tuve en la consulta un caso de unos padres con un niño de diez años, una larguísima historia de mutismo electivo. Hablaba sólo con su madre, y poquísimo con su padre. En la escuela hablaba sólo con el maestro y basta, con nadie más. En la primera sesión no me miraba, no me hablaba. Contaron una historia según la cual los padres estaban todavía ligados a su familia de origen. Al final de la sesión, les dije que no hablaba porque estaba indicando que sus padres todavía no están casados, porque les costaba casarse; que no hablaba con los abuelos, porque estaba esperando a que sus padres se casaran. En ese momento me di cuenta de que continuaría sin hablar hasta que sus padres decidieran contraer un «verdadero» matrimonio, más allá del legal. Poco después de esta afirmación, empezó a hablar un poco conmigo, provocando la admiración de sus padres. Hoy he visto a su terapeuta en un grupo de supervisión y, muy excitada, me ha dicho que cuando el muchacho salió de la sesión de consulta, comenzó a hablar con todos, con gran sorpresa general. Es significativo

que, en su encuentro con los padres, la terapeuta advirtió que en la conversación, en tres ocasiones, usaron la expresión «desde que nos hemos casado», como si el pensamiento del profesional se hubiese convertido, en cierto modo, en su realidad. Ahora hay realmente una familia: los padres se han casado, su hijo habla.

(*Bertrando*) Este fenómeno se puede considerar un rito de paso. Podemos decir que, en realidad, se han casado efectivamente durante la sesión, o mejor, cuando en el curso de la sesión se han dado cuenta de que todavía no estaban casados. La sesión ha servido de rito. En el momento en que el niño ha percibido que había esta discontinuidad en el tiempo, su tiempo ha vuelto a correr de nuevo y, por tanto, ha comenzado a hablar.

(*Boscolo*) Es interesante porque ellos han entrado efectivamente en una nueva dimensión temporal: han aceptado así mi metáfora (porque eso de que no estaban casados era sólo una metáfora), y esta metáfora se ha transformado en una realidad para ellos y luego, en cierto sentido, su tiempo se ha desplazado: es como si hubiesen regresado hasta el día en que se habían y no se habían casado.

(*Bertrando*) Aquella consulta se puede leer, por lo que respecta al tiempo, desde el punto de vista del ritual y desde el punto de vista de la narración. El ritual ha llevado a una discontinuidad en el tiempo, pero por la manera en que se cuenta ahora, el tiempo ha recuperado su continuidad.

> TERAPEUTA: ¿De quién conseguía más tu tío, quizá de tu madre porque era el hermano de tu madre?
> FABRIZIO: Sí.
> TERAPEUTA: Y, ¿recuerdas haber sufrido un poco esta especie de injusticia?, ¿sufrías a causa de esta injusticia?
> FABRIZIO: Sí, he sufrido un poco.
> TERAPEUTA: Al acordarte de él, ¿recuerdas que él, no sé..., era capaz de atraer la atención de tu madre o era tu madre la que...?
> FABRIZIO: No, me acuerdo de que...
> TERAPEUTA: ¿De que estaba enamorada de él?
> FABRIZIO: Me acuerdo del egoísmo, el egoísmo de esta persona, de este tío, que era capaz, con su egoísmo, de conseguirlo todo; yo era pequeño...

(*Boscolo*) Es interesante esta expresión suya: «Este tío con su egoísmo era capaz de conseguirlo todo»; desde que comenzó su psicosis, ha actuado con tal violencia con sus padres que ha sido capaz de acabar con todos sus ahorros. Probablemente, de un modo psicótico, trata de conseguir lo que no ha tenido él, pero lo ha tenido su tío; hay una especie de reivindicación, que es bastante frecuente, por ejemplo, en los adolescentes que sostienen que no han tenido aquello que deberían haberles dado su familia o la sociedad.

> FABRIZIO: Es decir, comprendía y no comprendía.
> TERAPEUTA: Pero entonces, ¿sufrías?
> FABRIZIO: Sí.
> TERAPEUTA: ¿Has pensado que sufrías porque, en cierto modo, sentías que este tío te quitaba tu puesto?

FABRIZIO: Sí.

TERAPEUTA: Era tío, pero a la vez era hijo.

FABRIZIO: Era también hijo.

TERAPEUTA: ¿Para tu padre y para tu madre? o ¿estaba unido sobre todo a tu madre?

FABRIZIO: A los dos.

TERAPEUTA: ¿Te planteabas este dilema, por ejemplo, no sé: «Mi madre, me quiere más a mí o quiere más a mi tío»? ¿Tenías esta duda?

FABRIZIO: No, nunca me he planteado esta pregunta.

TERAPEUTA: O bien: «¿Quién piensa mi madre que es más hábil, más inteligente, mi tío o yo?».

FABRIZIO *(pausa):* No, me he considerado igual en este sentido.

TERAPEUTA: Entonces, ¿qué te hacía sentir que tu tío había usurpado tu lugar?

FABRIZIO: Sí, era una persona extraña, yo pensaba que no tenía que ver con la familia en la que yo había nacido.

TERAPEUTA: Tal vez pudiste llegar a pensar que no eras sólo tú quien sentía esta presencia extraña, que te había quitado tu puesto como hijo; ¿pudiste llegar también a tener la idea, por ejemplo, de que este tío le hubiese quitado el puesto a tu padre, que también tu padre estuviese en parte en tu situación?

FABRIZIO: Sí.

TERAPEUTA: ¿Recuerdas haber tenido esta idea?

FABRIZIO: Sí... sí, porque era más inteligente, era el más activo, era más... sabía hablar mejor con la gente, estaba en un ambiente más... vivía en un ambiente de gente bastante rica, es decir, no le faltaba casi nada; tenía más posibilidades económicas...

PADRE: Esto lo ha tenido después, cuando se ha marchado de casa, pero mientras estuvo con nosotros, yo tenía que darle quinientas o cien liras. Las posibilidades las ha tenido después.

(Boscolo) Tengo la impresión de que Fabrizio ha tenido siempre la duda: «Mi madre, ¿me quiere más a mí o quiere más a mi tío?», y su madre no le ha dado jamás una respuesta clara. Si hubiese tenido la oportunidad de tener a su padre de su parte, de tener una buena relación con él, habría podido salvarse de la psicosis. Para mí su padre es más oscuro, más ambiguo que su madre; al menos su madre es clara, quería a los dos. El padre estaba tan celoso como el hijo por el tío, que monopolizaba el afecto de su mujer y, aparentemente, estaba celoso también de su hijo por la misma razón. De hecho no he percibido nunca la empatía de este padre hacia su hijo. Por eso Fabrizio pudo haberse encontrado en una situación en la que pensaba que no contaba absolutamente nada.

(Bertrando) Se puede proponer también la hipótesis de que los tres varones competían por la misma mujer, cuyas respuestas podían ser confusas. Parece que Fabrizio se encontró en la peor posición, probablemente porque había ya un triángulo formado antes de que él naciese, porque el hermano de su madre había tenido una importancia extraordinaria para ella ya antes del matrimonio. Metafóricamente, la madre se había «casado» ya con el hermano antes de casarse con su actual marido.

(Boscolo) Y el padre ha tratado siempre de asumir el puesto de su cuñado. Recuerdo, por cierto, que más adelante dirán que la madre continúa

viendo al tío, al que Fabrizio hace años que no ve, mientras que el padre ha vuelto a mantener conversaciones telefónicas con él desde hace unos años. Esto recuerda la teoría de los juegos en la familia psicótica: en este caso se podría proponer la hipótesis de una coalición inicial madre-hijo, con un «embrollo» posterior, en el sentido de que no se comprende ya de parte de quién está la madre con relación al padre y al tío, con la consecuencia de la entrada en la psicosis. En este sentido, entonces, los apodos de «cojitranca» para la madre y «terrone» para el padre, la ruptura de la relación con Aldo, el dinero que conseguía de sus padres por la fuerza, las agresiones físicas hacia ellos, se pueden considerar como una venganza por los daños sufridos. Parece que el rechazo psicótico hacia sus padres, presente desde hace muchos años, es la respuesta a un contexto en el que no ha podido comprender qué significa cada cosa.

MADRE: Y porque era pequeño, porque mi hermano se ha marchado de nuestra casa cuando él tenía seis años; esto es lo que me asombra, cómo ciertas cosas han podido hacer tan excesiva esta sensación suya, porque realmente es exagerada...
TERAPEUTA: Fabrizio, cuando tenías seis años ¿dónde fue tu tío?
MADRE: Se marchó a vivir por su cuenta.
TERAPEUTA: Sí, pero ¿en Milán, donde estabais vosotros?
MADRE: En Milán.
TERAPEUTA: Entonces, ¿habéis seguido viéndolo?
MADRE: Sí, alguna vez.
TERAPEUTA: ¿Cuántos años tenía cuando se marchó de casa?
MADRE: Tenía veinticuatro o...
PADRE: Sí, veinticuatro.
MADRE: Había hecho la mili.
TERAPEUTA: ¿Había hecho ya la mili?
MADRE: Sí.

(Bertrando) La madre cuenta que Aldo marchó de casa cuando Fabrizio tenía seis años; una edad delicada, ya se sabe. También en el caso de Jim pasó lo mismo; todo comenzó cuando tenía seis años. Desde el punto de vista psicoanalítico, se podría decir que cuando tenían aquella edad el problema ya estaba planteado.
(Boscolo) Pero no es así. También acontecimientos semejantes posteriores tienen su importancia. Cuando un miembro de una familia sale de casa definitivamente, para iniciar una carrera o casarse puede, a veces, llegar a ser más importante que antes. Con frecuencia se quiere más a los que se van que a los que se quedan. Muchas novelas y películas giran en torno a esta idea. En todas las películas de Antonioni aparece este tema. Sucede como con los muertos, que comienzan a ser mejores, más dignos de estima que antes. Parece que Aldo, al marchar de casa, ha pasado a estar todavía más presente en el corazón de su hermana y esto puede haber aumentado notablemente la inseguridad de Fabrizio. Si Aldo hubiese roto de veras los puentes y hubiese salido de su vida, finalmente Fabrizio habría podido tener la experiencia de ser el hijo preferido. Por lo que se dirá después sabemos que la historia continúa todavía y este tío es incluso más influyente,

precisamente porque no está en casa. Se trata de una dinámica común en las familias psicóticas.

> TERAPEUTA: Así que se ha marchado. Y, ¿dónde hizo la mili?
> MADRE: Hizo la mili en Como.
> TERAPEUTA: En Como, es decir *(dirigiéndose a Fabrizio)* más cerca que tú; tal vez hayas experimentado un poco de injusticia. ¿Cómo es posible que hayas ido a parar a Messina y tu tío se haya quedado en Como, a cuatro pasos de casa?
> FABRIZIO: Ahora sí, he seguido el razonamiento, pero lo que no sabía es que había hecho la mili en Como.
> PADRE: ¿No te acordabas?
> MADRE: Incluso te llevamos a visitarle.
> PADRE: Fuimos a visitarle.
> MADRE: Mire, mire... tiene vacíos terribles, mientras que yo recuerdo episodios de cuando era niña.

(Boscolo) Es un ejemplo interesante de cómo la memoria es selectiva. No recuerda porque recordar es muy doloroso, el olvido ha vencido al recuerdo de una experiencia dolorosa.

> TERAPEUTA: Me has dicho que estabas preocupado por el «excavar»; lo haré lentamente. Tengo la impresión de que te has sentido oprimido por las cosas negativas de tu pasado hasta el punto de olvidar las positivas. Trataré de excavar un poco con dulzura para tratar de encontrarlas. *(Dirigiéndose a los padres):* ¿Habéis llevado vosotros a Aldo a la escuela?
> MADRE: Sí, he hecho grandes sacrificios por mi hermano, porque nos quedamos huérfanos cuando yo tenía quince años y él ocho años y, puesto que mi familia estaba muy unida, una familia de las de antiguamente, lo poco que he recibido de mis padres, ha sido para mí un tesoro, por lo que...
> TERAPEUTA: ¿Tuviste sólo este hermano?
> MADRE: Sí. He considerado su educación como una misión. De hecho, después me he entregado a ello, tanto física como económicamente...
> TERAPEUTA: En un cierto sentido, también ellos han tenido que sacrificarse un poco, también ellos han tenido que aceptar a la persona hacia la que tenías este deber.
> MADRE: Sí.
> TERAPEUTA: ¿Los ha colocado un poco en un segundo plano?
> MADRE: Es cierto, no, puestos en segundo plano no, en conciencia puedo decir que no, porque mi hijo, especialmente, ha sido siempre el primero.

(Bertrando) Hay que notar que la madre primero dice que sí, después reacciona. Parece que tiene una gran dificultad en admitir que también ella ha cometido errores, igual que su marido.

(Boscolo) Noto que la madre, mientras habla de su misión, se lleva la mano al corazón. Fabrizio, por el contrario, parece en este momento más perplejo, se toca la barbilla, parece un poco abstraído, menos despierto, como si no quisiese escuchar, cuando su madre habla de su hermano y de su «misión».

(Bertrando) Sí, parece que se extraña, no sigue el discurso, y en algún momento hasta se pone las manos en los ojos, como para no ver...

MADRE *(señalando al marido):* A él lo tuve un poco olvidado.
TERAPEUTA: ¿Pasó a un segundo plano?
MADRE: Sí, es cierto.
TERAPEUTA: ¿Pasó a la serie B?
MADRE: Sí, estuvo en cierto modo en la serie B, he vuelto a sentir aprecio por él con el paso de los años, cada vez lo he estimado más. Mi marido tiene un carácter muy impulsivo y yo, por el contrario, soy muy sensible: por este motivo a veces me sentía herida.
TERAPEUTA: Pienso que se puede predecir que también tu hijo, en este momento, puede pasar de la idea de ser un hijo de la serie B, a serlo de la serie A, ¿no es verdad?
MADRE: Sí.
TERAPEUTA: Cuando Aldo marchó de casa, ¿íbais vosotros a visitarlo o venía él a visitaros?
MADRE: Marchó de casa bruscamente, porque mi marido... en un determinado momento... como estudiaba en la universidad... como decía exactamente mi hijo, era una persona egoísta y se aprovechaba un poco de la situación, tengo que reconocerlo, por lo que un buen día mi marido se cansó y me hizo ver: «Tenemos una familia, tenemos un hijo, y Aldo tiene ya veinticuatro años: ya es hora de que se las arregle por su cuenta». Él se marchó de casa, encontró un trabajo y se casó.
FABRIZIO *(como para justificar su desgraciada situación actual):* Eran otros tiempos.
MADRE: Sí, eran otros tiempos.

(Boscolo) Es interesante comprobar la incomodidad de la señora al describir la salida de Aldo; parece que oculta con dificultad un cierto sentimiento de culpa por no haber tomado ella la iniciativa de mandarlo fuera de casa. Es significativo también que, precisamente en este momento, Fabrizio salga de su aislamiento.
(Bertrando) Aquí interviene con gran puntualidad, para justificarse, porque siempre ha tenido la idea de que su tío era mejor que él.

TERAPEUTA *(dirigiéndose a Fabrizio):* Estaba muy ligado a tu madre, quería sus recursos económicos y también emotivos, pero parece que tu padre en aquel momento os ha protegido.
PADRE: Tal vez no se acuerda de este episodio...
FABRIZIO: No, de esto me acuerdo.
MADRE: ¿Te acuerdas?
FABRIZIO: Claro, pero no sé si está relacionado bien o mal con lo que se está diciendo; hay que decir una cosa: mi madre, aunque tuviera la misión de ocuparse de su hermano, después de casarse ha tenido un hijo, me ha tenido a mí. He nacido como un salvador de la patria, como el mesías, me he sentido el centro de atención.
TERAPEUTA: Me pregunto si, por el contrario, tenías dudas sobre la presencia de dos mesías en casa: tú y tu tío.

(Boscolo) Estamos tocando aquí un punto nuclear, crucial, de toda la historia; la psicosis te vuelve estúpido, en el sentido de que no eres capaz de discernir entre dos o más alternativas. Él dice que ha sido el mesías después de que su madre había tenido la misión de ocuparse de su hermano.

Podemos decir que se le hizo creer que él era el mesías, o bien que se hizo la ilusión de serlo. O se le ha confundido, o se ha confundido él solo. El terapeuta, con sus preguntas, comienza a poner en duda que él sea el verdadero mesías, o mejor, que existan mesías.

(Bertrando) En las situaciones poco claras, las situaciones donde nace este tipo de ambigüedad, es donde se ofusca la mente: porque si la familia simplemente lo rechaza y le dice: «Tú no cuentas nada de nada», la cosa estaría clara. «Tú no cuentas nada y tu tío para nosotros es más importante.» En esta situación uno podría volverse antisocial, prender fuego a la casa de sus padres, etcétera. Por el contrario, a él se le dice: «Tú eres el más importante de todos», pero de un modo analógico, y en concreto con todas las atenciones económicas y afectivas dadas por su madre a su tío, el mensaje verbal queda invalidado. Es posible que cuando fue a hacer la mili a Messina, como su tío la había hecho en Como, a cuatro pasos de casa, comenzara a tener problemas por haberse sentido discriminado. Como es sabido, en estos casos, las deducciones se hacen de modo que no se es consciente de lo que está sucediendo.

(Boscolo) Observa cómo todavía, en estos fragmentos de historia, él dice: «Pero yo era el mesías». Ya aquí tendría que decir: «Ahora comprendo que yo no era el mesías», o bien mostrar una emoción correspondiente a la conciencia de esa realidad.

(Bertrando) Ésa es la cuestión: vuelve a aquellos fragmentos de historia como si estuviesen presentes, como si el pasado estuviese colapsado en el presente, le resulta difícil colocar las cosas en el lugar y en el tiempo debidos. Cuando dice, por ejemplo, a propósito de su tío que había encontrado un trabajo: «Eran otros tiempos», siente la necesidad de justificarse siempre por cosas que ya han sucedido, que ya han pasado.

(Boscolo) En este momento podemos decir que estamos hablando, en el presente, de su historia, de la reconstrucción de su historia hasta este momento. Pienso que si él aceptase esta reconstrucción, comenzaría a pensar de un modo distinto, por ejemplo: «Yo creía que era el mesías, ahora me doy cuenta de que probablemente el mesías era mi tío; me he hecho la ilusión y se me ha hecho creer que yo era el mesías», o bien: «No existen o no han existido mesías, es una idea mía la de haber considerado a mi madre como la Virgen y a mi padre como san José», etcétera, según las diversas hipótesis. Esto podría hacerle cambiar sus descripciones, sus explicaciones, en una palabra, su historia. Pero, al parecer, todavía no está preparado. Su madre acaba de revelar que ha tenido la misión de ocuparse de su hermano huérfano, ha hablado de sus sacrificios coronados con éxito para educarlo y llevarlo a la universidad, de modo que Aldo llegó a encontrar un óptimo trabajo. Se podría esperar que Fabrizio, después de haber dicho que no había tenido el placer de ser hijo único (incluso siéndolo), cayese en la cuenta y dijese: «¡Eureka, lo comprendí!». Probablemente hará falta alguna sesión más, pero se comienza a percibir que el pasado que tiene dentro comienza a tambalearse.

(Bertrando) Podría parecer, por el modo en que te expresas, que la *conditio sine qua non* para el cambio sea la intuición, la «toma de conciencia»

de Fabrizio, como diría un psicoanalista. Pero desde un punto de vista sistémico la explicación debería incluir también a los otros miembros de la familia, a los expertos...

(Boscolo) Ciertamente. El análisis que el terapeuta hace con la familia, sobre las relaciones y las emociones significativas del pasado de Fabrizio, y sobre los influjos que aquel pasado puede haber tenido sobre el presente, puede llevar a los miembros del sistema terapéutico –incluido el equipo– a entrar en una nueva historia. Normalmente esto sucede sin una conciencia específica, sobre todo por parte de los clientes, sin el «eureka» al que acabo de aludir. De todos modos, puede haber otros factores que obstaculizan la reconstrucción de un pasado diverso y las posibilidades de ver un nuevo futuro: la intensidad y la duración de las experiencias confusas, las dificultades para volver a afrontar los retos del mundo exterior después de los años perdidos a causa de la «enfermedad psiquiátrica», el muro de goma de la familia que no puede dejar marchar a un miembro suyo, etcétera.

FABRIZIO: Sí *(se ríe)*, es cierto, es así, dos mesías en casa...

TERAPEUTA: Tu madre ha dicho que el primero era su hijo, es más, parece que tu madre ha tenido dos misiones: la de ocuparse de Aldo y la de ocuparse de su hijo...

MADRE: Así es.

TERAPEUTA: Si tú eras la misión más importante, quiere decir que, en un cierto sentido, ha tenido dos hijos...

FABRIZIO: Sí, así es de hecho.

TERAPEUTA: Tu madre ha tenido dos misiones, ¿y tu padre? ¿No lo han puesto y no se ha puesto un poco aparte? Porque con dos misiones tu madre tenía que estar bastante ocupada, como madre, ¿no te parece?

FABRIZIO: No, mire, siguiendo con el tema anterior, mi nacimiento, etcétera, pero después no me han tratado como hombre, como varón, tal como hubiera deseado. Tendría que haber sido capaz, en un cierto momento, de marcharme de casa, hacer mi vida; pero esto no ha sucedido, no he sido capaz de realizarme, de formar una familia por mi cuenta. Él *(el tío)*, bien o mal, ha sido capaz.

TERAPEUTA: Me pregunto si, durante todos estos años, has continuado comparándote con él. ¿Se te ocurría pensar... cómo se llama tu tío?

FABRIZIO: Aldo.

TERAPEUTA: ¿Pensabas alguna vez: «¿Qué estará haciendo Aldo ahora? Con las mujeres, ¿cómo le irá? ¿Bien o mal?»?

FABRIZIO: Sí.

TERAPEUTA: O bien: «¿Cuánto dinero tiene Aldo?».

FABRIZIO: Yo no estaba angustiado por el dinero...

TERAPEUTA: Pero para ti, por ejemplo, ¿cómo ha sido...?

(Bertrando) Me he dado cuenta de que Fabrizio se ha escabullido cuando has hablado de la exclusión de su padre. No sé en qué medida se ha de atribuir a una falta de atención selectiva, o al hecho de que esté obsesionado por la figura de Aldo. Se podría decir que el simple hecho de que no haya escuchado el comentario sobre su padre, confirma sus sentimientos de ser un extraño e inferior. Parece que en las relaciones familiares se ha es-

tablecido una jerarquía, en la que la madre está en el vértice, después vienen Aldo, Fabrizio y, finalmente, el marido. ¿No habría sido oportuno que el terapeuta hubiese llamado la atención hacia la exclusión del padre, para volverlo a situar (si es que estuvo alguna vez) en la posición, en el papel que le corresponde, en lugar de continuar hablando de la relación entre la madre, Aldo y Fabrizio? Existe el peligro de que, al tratar de evitarlo, se consolide la jerarquía familiar.

(Boscolo) Sí, es cierto, parece que el terapeuta está fascinado por su propia metáfora, la metáfora de los dos mesías. La carcajada de Fabrizio parece indicar que se ha sacudido algo y esto ha paralizado, o casi hipnotizado, al terapeuta, si bien inmediatamente después Fabrizio ha recuperado su rigidez y el control anterior.

(Bertrando) Sí, ha superado un escalón, subida y bajada. Parece que tiene una forma muy extravagante de establecer la secuencia de las cosas, por ejemplo dice: «No se me ha tratado como hombre, como varón, y por eso no he sido capaz de marchar de casa». En realidad, la secuencia justa es la contraria: «Se me ha tratado como un niño, he preferido seguir en la cuna y, con el paso del tiempo, no he sido capaz de comportarme como un varón». O bien: «En cierto modo no se me ha dado la oportunidad de marcharme de casa, como un hombre». Pero él lo mezcla todo, tiene graves problemas para establecer la secuencia de las cosas.

(Boscolo) Es interesante que, al soltar la carcajada por la frase de los dos mesías, si no se hubiera tratado de un psicótico crónico, probablemente habría comenzado a resituar todo su pasado, para comprender que había sido un simple o un ingenuo por construir castillos en el aire. Se habría podido manifestar un cambio significativo, que habría llevado a una rápida conclusión de la terapia. En la mayoría de los casos, de hecho, se habría verificado en el curso de cinco a diez sesiones familiares. No ha sucedido en este caso, que es un caso de esquizofrenia crónica, donde la situación es mucho más compleja.

(Bertrando) En este tipo de familias, como han escrito Singer y Wynne, parece que en torno a la familia hay un muro de goma que absorbe todas las perturbaciones. Por ejemplo, cuando el terapeuta habla de los dos mesías, Fabrizio se ríe, parece que experimenta una nueva toma de conciencia, que hace que el terapeuta se ilusione, después vuelve una vez más a la misma expresión perpleja y confusa de antes.

(Boscolo) Tampoco las intervenciones de *reframing*, incluida la prescripción invariable de Selvini Palazzoli y colaboradores, han llevado a resultados conclusivos en nuestro centro. Mi impresión es que se trata de casos complejos que requieren respuestas complejas. La presencia del equipo es muy importante para que el terapeuta no quede absorbido por el muro de goma. En ciertos casos la misma psicoterapia, tanto familiar como individual, no es suficiente y ha de contar con el apoyo del grupo o de la rehabilitación.

TERAPEUTA: Tu tío ha sabido arreglárselas en la vida...

FABRIZIO: Bueno, ahora no tanto, en este momento tiene dificultades...

MADRE: Tiene graves problemas, problemas económicos, problemas con su mujer, problemas con su hijo de quince años, que no le da más que disgustos...

(Boscolo) Para mí tanto el hijo como el hermano se han sentido fascinados por ella. También Aldo podría estar confundido: «¿Es mi madre, es mi hermana, es mi mujer?». Por eso su matrimonio no anduvo nunca bien y ahora se encuentra a punto de separarse. ¡Y sigue manteniendo conversaciones telefónicas con su hermana! Aquí se podría identificar un *pattern* transgeneracional que se repite: ahora el hijo de Aldo puede encontrarse en una situación semejante a aquella en la que se encontró Fabrizio en el pasado, situación en la que sus padres estaban divididos, y había una coalición entre un padre y su hijo.

(Bertrando) Aquí vuelven a encontrarse todos: Fabrizio, Aldo, el padre –como excluido, como varón de la serie B– y la madre, que ha tenido que aguantar durante años a un marido al que no soportaba, a Aldo, que no le ha dado más que problemas y, sobre todo, a Fabrizio, que desde hace años la martiriza y a veces incluso le da golpes. Uno podría preguntarse: ¿Pero cómo pueden continuar repitiendo los mismos comportamientos que producen sufrimiento y frustración? Una explicación podría ser que todos se han vuelto víctimas y protagonistas de un juego imparable, o que cada uno de ellos puede mantener la ilusión de obtener ventajas secundarias.

(Boscolo) De todas formas, el padre me deja perplejo, parece que trabaja oculto, con astucia, que hace un juego sucio, como diría Selvini. La madre no, ella es la santa, tiene una misión y continúa impertérrita, sin cansarse ni bajarse del pedestal. Se podría recurrir también a la visión opuesta y considerar a la madre como desafortunada, como víctima de las circunstancias y las personas que la han puesto en un pedestal incómodo. Pues sus dos muchachos continúan manteniendo la idea de lo hábil y buena que es, de lo santa que es. También el marido, naturalmente, coopera en esta misión.

(Bertrando) Sí, es cierto, pero el marido está menos contento; comienza a estar satisfecho ahora que ve la crisis de Aldo. Con la crisis de los dos mesías se han revalorizado sus acciones.

(Boscolo) Pienso que también antes estaba algo contento, sentía la felicidad secreta de que algún día su mujer reconocería lo paciente y desinteresado que había sido. Comprobamos con frecuencia cómo los miembros de una pareja proyectan en el futuro la reparación de ciertos daños sufridos, como en el caso de dos cónyuges en la terapia, cada uno de los cuales espera ser reconocido en el futuro como el bueno y el justo.

FABRIZIO: Yo estaba irritado, no nos hablamos, habla sólo con mi madre.
TERAPEUTA: ¿Cuánto hace que no os habláis?
FABRIZIO: Desde hace más de tres años.
TERAPEUTA: ¿Ni tú ni tu padre habláis con Aldo?
PADRE: Antes, cuando llamaba por teléfono y escuchaba mi voz, colgaba; ahora, si escucha mi voz, habla también conmigo.
TERAPEUTA *(dirigiéndose al padre)*: ¿No hablaba porque estaba enfadado contigo o porque pensaba que tú estabas enfadado con él?

PADRE: Éramos un poco agresivos porque hubo un momento en el que...

FABRIZIO *(demostrando un interés imprevisto y volviéndose hacia su padre):* No, responde con claridad a la pregunta. ¿Pensabas que él estaba enfadado contigo o tú con él?

PADRE: Yo estaba enfadado con él.

FABRIZIO: Ah, ¿tú estabas enfadado con él?

PADRE: Porque llegó un momento en que me harté y le dije: «Si te entrometes en mis asuntos y me haces más mal que bien, entonces ¡es mejor que te quedes lejos, que nos olvides y que nos dejes en paz!».

TERAPEUTA: ¿En qué tipo de dificultades se encuentra Aldo actualmente?

MADRE: Tanto económicas como con su mujer. Parece que su mujer se encuentra en la menopausia y también le da disgustos; además, tienen un chaval de quince o dieciséis años, muy inteligente, que ha ido muy bien en la escuela hasta el año pasado, que ha comenzado a hacer tonterías y le está destrozando la casa. Mi hermano no sabe cómo reaccionar. El otro día llamó por teléfono y...

FABRIZIO: Por ejemplo, ahora se puede dar la rivalidad también a causa del hijo, porque él ha conseguido tener un hijo y yo no.

PADRE: Él tiene cincuenta años y tú treinta.

(Boscolo) Es extraño. La madre está diciendo que toda la familia de Aldo está fatal. Económicamente les va mal, la mujer hace tonterías, el hijo lo rompe todo en casa... y Fabrizio sigue anclado en sus pensamientos sobre el pasado. Dice: «Ha conseguido tener un hijo y yo no», ignorando todo lo que está diciendo su madre, que parece muy importante. Parece que sufre un trastorno del pensamiento...

(Bertrando) No consigue comprender de modo apropiado el contexto.

(Boscolo) Se podría decir que está siempre pensando en sí mismo, que se ha detenido en el tiempo y que, incluso viendo cómo la vida corre en torno a él, no consigue entrar en ella.

TERAPEUTA: Me parece, Fabrizio, que en tu vida hay unos nudos que, si los desatas, podrás comenzar a comprender quién eres, porque hasta ahora tengo la impresión de que no estás seguro de quién eres o, mejor, no sabes quién eres.

FABRIZIO: ¿Yo?

TERAPEUTA: Sí, no has encontrado tu identidad, estás buscándola, pero todavía no la has encontrado.

FABRIZIO: Todavía no, es cierto.

TERAPEUTA: Es como un personaje en busca de un autor, parafraseando a Pirandello, ¿sabes quién es Pirandello?

FABRIZIO: Sí, un poco.

TERAPEUTA: Ellos, al final, han encontrado su propia identidad, pero tú todavía estás buscando...

FABRIZIO: Mi identidad precisa.

TERAPEUTA: Estamos aquí para tratar de ver si esta identidad se podrá finalmente manifestar, de modo que puedas comprender qué quieres ser, qué quieres hacer, porque pienso que durante estos años has estado muy confundido.

(Boscolo) Aquí el terapeuta dice: «Estás buscando tu identidad, que ni tú ni nosotros conocemos». Al expresarse así es como si se le dijera que te-

nemos que ir a buscar algo que todavía no ha existido. Y esto puede llegar a romper los determinismos temporales que vinculan sus experiencias pasadas a su precario presente.

(Bertrando) En realidad se introduce un futuro, porque se dice: «No has encontrado todavía tu identidad», que no es lo mismo que decir: «No tienes una identidad». Esto es, quiere decir que la está buscando y que existe la posibilidad de encontrarla. Eso es lo importante, creo yo. En un futuro es posible encontrarla, pero hasta ahora todavía no la ha encontrado.

TERAPEUTA: ¿Hace tres años que no hablas con Aldo?

PADRE: No, yo sí, ahora.

TERAPEUTA: ¿Cómo es que ahora hablas con él?

MADRE *(defendiendo al marido):* Ha acudido a nosotros porque estaba desesperado...

PADRE: Ha acudido a nosotros tantas veces, hasta para desahogarse, porque ahora se encuentra en medio de grandes dificultades. Tal vez una vez fue grande, pero la rueda de la fortuna ha dado la vuelta.

TERAPEUTA *(dirigiéndose a Fabrizio):* Y tú, por el contrario, ¿hace tres años que no hablas con él? ¿Por qué no lo haces?

FABRIZIO: Porque él siempre me ha tenido sometido.

TERAPEUTA: Sometido, ¿en qué sentido? ¿Te ves en el espejo cuando lo ves?

MADRE: ¡Y pensar que incluso se parecen...!

TERAPEUTA: ¿Por qué sometido?

FABRIZIO: Sometido porque... porque me acuerdo que siendo niño me trataba mal. Cuando me dejaban a su cargo... me acuerdo de una vez que me he dado un golpe la cabeza, que me ha dejado caer.

(Boscolo) ¡Tiene incluso la desgracia de parecerse a él físicamente! ¿Has oído hablar alguna vez de la teoría del doble? Cada uno tiene un doble. Es interesante, un poco extraña, la frase del terapeuta: «¿Te ves en el espejo cuando lo ves?», como si fuesen gemelos univitelinos.

(Bertrando) Sí, y habría que decir además que ella, cada vez que él tiene una duda, se la refuerza puntualmente, la refuerza con inocencia, con su voz cautivadora. Yo creo que esto le produce una mayor confusión. Por la secuencia de las frases, se puede quedar con la famosa margarita en la mano: «¿Somos hermanos, o somos tío y sobrino, o somos padre e hijo?».

(Boscolo) Él tenía que haberse preguntado, o mejor, no se ha preguntado: «¿De qué familia formo parte, quién es mi padre?», puesto que Aldo ha gozado de mayor consideración que su padre biológico. Recuerdo una consulta que tuve en Alemania hace un par de años. Se trataba de una familia de cuatro personas: los padres, de unos treinta años, tenían dos niños pequeños. El padre, desde hacía unos meses, deliraba afirmando que sus hijos eran hijos de su padre y que su hermana menor era la hija de su hermano mayor. Tuvieron que internarlo en un hospital psiquiátrico a causa de su estado de agitación aguda, del que acababa de salir. Durante la sesión de consulta ignoraba completamente a sus hijos porque, según él, no eran suyos y mostraba una expresión enigmática, perdida. Un estudio profundo de la relación con su familia de origen había revelado la existencia de una estrecha vinculación entre su delirio y la intensa relación tenida con su ma-

dre (que le había hecho estar siempre enfrentado con su padre), y una envidia secreta hacia su hermano mayor, que había tenido siempre más éxito que él. Hacia el final de la sesión el paciente se mostró visiblemente conmovido cuando deduje que, por una profunda fidelidad a su madre, para no traicionarla, trataba de eliminar su afecto hacia su mujer y hacia sus hijos, hasta el punto de desconocerlos. Es interesante que en aquel caso la consulta, limitada a un solo encuentro, fue suficiente para resolver el problema.

(Bertrando) Puede suceder que al notar la madre cierto parecido entre Fabrizio y Aldo, excluyendo al padre, aquél pueda tener la fantasía de que su tío sea su padre: «Si me parezco a mi tío y no me parezco a aquel otro, a mi padre, mi padre no cuenta para nada, es decir, puede ser que yo sea el fruto del incesto entre hermano y hermana». Un psicoanalista podría deleitarse con esta cuestión todo lo que quisiera.

> FABRIZIO: Me acuerdo de estos hechos de mi infancia, recuerdo que de vez en cuando me dejaban a su cargo, y me trataba como si fuese un estorbo para él.
> TERAPEUTA: ¿Tenías la impresión de que él era más astuto, no más inteligente, sino más astuto que tú, para ser capaz, por ejemplo, de convencer a tus padres?
> FABRIZIO: Cuando acudí a una visita neurológica me dijeron que, más que inválido, yo soy inhábil.
> TERAPEUTA: ¿Ingenuo?
> FABRIZIO: Ingenuo, sí, pero ellos me han considerado inhábil, así me han dicho.

(Boscolo) Aquí el terapeuta ha ofrecido enseguida otra palabra clave, ingenuo en vez de inhábil.

> FABRIZIO: No sé manejar las situaciones, no sé...
> TERAPEUTA: Difícilmente se pueden encontrar personas que piensen como tú, que tengan un sentido tan intenso de la justicia; por el contrario, la mayoría de las personas busca su propio puesto «a codazos», busca su propio interés causando perjuicio a los demás.
> FABRIZIO: Que tal vez merecerían más...
> TERAPEUTA: ¿Cómo?
> FABRIZIO: Que tal vez merecerían más.
> TERAPEUTA: Sí, que tal vez merecerían más, ciertamente; en este sentido el mundo funciona muy bien. Pero en este sentido te sentías, respecto de Aldo, ¿te sentías... menos astuto, más ingenuo? ¿Aunque quizás más inteligente?
> FABRIZIO: Sí, más ingenuo. Como tenía un elevado concepto de mí mismo y en determinados momentos brota de nuevo este elevado concepto de mí mismo, me sentía defraudado, porque, aunque me sentía más inteligente que él, no era capaz de expresar esta inteligencia.
> TERAPEUTA: ¿Es ésta una fuente de gran angustia?
> FABRIZIO: Sí.
> TERAPEUTA: Por ejemplo, a tu padre ¿le consideras una persona ingenua o astuta? ¿Le tienes por una persona ingenua o astuta?
> FABRIZIO: Astuta.
> TERAPEUTA: Astuta. ¿Y tu madre?

FABRIZIO: A mi madre no la considero astuta, pero la veo más pagada de sí misma, más realizada.

(Boscolo) Ha confirmado la hipótesis de la astucia de su padre. La frase acerca de la madre es interesante, porque la experiencia que te da una madre considerada así puede infundirte la «confianza básica» *(basic trust)*, si su amor es incondicional. Si sucede lo contrario, es un desastre.

(Bertrando) Es interesante la correlación entre la plenitud de la madre y el vacío de Fabrizio.

TERAPEUTA: Para ti, de acuerdo con tus recuerdos, ¿cómo llevaba tu padre el hecho de que tu madre se ocupara tanto de este hermano y de ti? ¿Se sentía marginado?

FABRIZIO: No, porque no es inhábil, siempre era capaz de encontrar algo para sí mismo, «sabía arreglárselas», no era una víctima.

TERAPEUTA: Sí, pero se las arreglaba porque no tenía otra posibilidad...

FABRIZIO: No, porque es astuto por naturaleza.

(Boscolo) Ha dicho: «Mi padre se las arreglaba porque es astuto por naturaleza». Aquí astuto significaría, siguiendo lo dicho sobre la esquizofrenia y la ambigüedad, uno que acepta la ambigüedad; y, por lo mismo, ser ingenuo quiere decir no tener la capacidad de aceptar la ambigüedad.

(Bertrando) Cierto, es más, el astuto no sólo acepta la ambigüedad, sino que puede crear otra: el astuto juega con la ambigüedad.

TERAPEUTA *(dirigiéndose a Fabrizio):* Recuerdo que, en la segunda entrevista con tus padres, hace más de un año, dije que vuestra familia me parecía la Sagrada Familia, en la que tu madre era la Virgen, tú, Jesús...

FABRIZIO: Cristo.

TERAPEUTA: Sí, Cristo, el mesías, y tu padre como san José.

FABRIZIO: Sí, sí *(se ríe)*, me río porque la metáfora es fortísima, pero se acerca a la realidad.

TERAPEUTA: Tu padre tenía que hacer de san José porque tenía esta misión, porque también el auténtico san José tenía una función ya establecida, porque había órdenes dadas de lo alto. Ya los profetas habían dicho que tenía que nacer Jesús, de una madre virgen, un Jesús muy ligado a ella, mientras que san José estaba en segundo plano y mantenía a la familia haciendo sillas y mesas. Tus padres han dicho: «Ahora, en cierto modo, nos sentimos más unidos»; él ha ascendido de grado, ya no es san José. Tu madre y tu padre han dicho que se sienten más como pareja. También tú, Fabrizio, lo has confirmado. ¿No recuerdas que has dicho: «Veo a mis padres más unidos que antes»?

FABRIZIO: Ah, sí, ahora me acuerdo.

TERAPEUTA: Tu padre ha ascendido de grado.

FABRIZIO: Sí, ha habido un cambio en ellos, pero mi persona sigue estable, es decir, sigo parado, ahora me siento parado...

(Boscolo) Es interesante la idea que Fabrizio expresa de que sus padres han cambiado, han entrado en una perspectiva evolutiva, en la que el tiempo corre, mientras que el tiempo de Fabrizio está parado. Su concepción de un tiempo paralizado, en el que las cosas no se mueven, la había expresado

ya en la idea de allanamiento. Parece que ha decidido venir a la terapia después de haber observado el cambio en la relación de sus padres, su evolución, que le ha hecho consciente aguda y dolorosamente de que su tiempo se ha parado. Me recuerda el caso de Aldo, influido por el espíritu del Dalai Lama, que percibe el tiempo como algo detenido, como una eternidad en la que pasado, presente y futuro son indistinguibles. En el pensamiento religioso la temporalidad, la eternidad, se proyecta en una figura divina, pero si sentimos que caemos en ella, en nuestra vida de comunes mortales se desencadena la angustia. A este respecto, vienen al pensamiento las observaciones de Kierkegaard. La vida es un todo con el pasar y el fluir del tiempo. Creo que Fabrizio recurre a la terapia para que su tiempo vuelva a correr, de modo que pueda equipararse a los tiempos de los demás y del mundo que lo circunda; está pidiendo la vuelta a la vida.

> TERAPEUTA: Pero la situación de vuestra familia me parece más complicada: no había un solo Jesucristo, sino dos, había dos mesías, una Sagrada Familia con dos mesías *(Fabrizio se ríe):* en la auténtica había uno solo. Me parece que tú, Fabrizio, has tenido que relacionarte con otro Jesucristo, me parece que te ha resultado difícil el tratar de comprender quién era el Jesucristo verdadero y quién el falso. «¿Soy yo el verdadero Jesucristo o es el otro?»
> FABRIZIO: Sí, he tenido esta duda.
> TERAPEUTA: Y ha sido una duda muy grande.
> PADRE: Te has inventado cosas que no debías inventarte, cosas inútiles.

(Boscolo) ¡Mira qué bien sabe identificarse este padre con su papel! Me hace enfurecer.

(Bertrando) O finge que es tonto. Me parece que nunca ha defendido ni ha tenido un sentimiento de comprensión hacia su hijo.

(Boscolo) Tanto al padre como a la madre, incluso desde el punto de vista de la analogía, les resulta muy difícil comprender las posibles razones que han llevado a su hijo a la crisis psicótica. Manifiestan el tipo de reacciones y emociones, frecuentemente comprobadas en la familia esquizofrénica, especialmente en los casos crónicos.

(Bertrando) Es cierto, más aún, como suele suceder, el paciente revela más cosas que sus padres.

(Boscolo) Exactamente, parece que él tiene más *insight* que ellos. Los padres se muestran más refractarios a la hora de admitir la relación entre los acontecimientos del pasado de la familia y el presente. Incluso estando en un contexto de terapia familiar, tienden a no «ver» o a negar posibles conexiones entre sus comportamientos y los problemas de su hijo, considerados por ellos como signos de una enfermedad de su sistema nervioso. Esta negación frecuente, por parte de los otros miembros de la familia, de su contribución a la psicosis se puede deber a que les resulte difícil, inaceptable, el hecho de sentirse responsables de una sintomatología tan grave, con la consiguiente propensión a aceptar con más facilidad diagnósticos médicos de enfermedad orgánica que diagnósticos centrados en las relaciones. Los diagnósticos centrados en un origen orgánico, individual, de la psicosis son generalmente muy bien aceptados por la familia, porque dan una

apariencia científica a la enfermedad, pero sobre todo porque liberan a los otros de la grave responsabilidad de ser su causa.

(Bertrando) A este respecto me pregunto, hasta qué punto el hecho de que los padres hayan acudido ya a seis o siete sesiones les haya podido llevar a pensar que su trabajo ya está hecho, o que ya han recibido todo lo que son capaces de asumir.

(Boscolo) Es una hipótesis muy plausible; pues en la primera sesión el tono era: «Ahora hemos traído a nuestro hijo y esperamos que tenga usted tanto éxito con él como lo ha tenido con nosotros».

(Bertrando) Exacto, parece que ellos ya están satisfechos. En este sentido se puede decir que tienen un pasado terapéutico, pero él no lo tiene. Una cosa que me impresiona mucho es cómo ha respondido la familia, en particular Fabrizio, a la metáfora de la Sagrada Familia. Con los padres la habías usado en la segunda de las siete sesiones que habías tenido antes con ellos; pudo contribuir notablemente al cambio en la relación de pareja, con el paso del marido de la serie B a la serie A y la ruptura del triángulo en el que se encontraba Fabrizio, que, viéndose ahora solo, viene al centro para ver si le ayudamos también a él. Me impresionan sobremanera las reacciones de Fabrizio cuando habla de «Sagrada Familia», de mesías, de Jesucristo, etcétera. Cambia su expresión normal de desafecto y se ilumina, indicando que la metáfora «da en el blanco». La metáfora, a veces, puede tener un efecto de ruptura, como cuando se usan ciertas palabras-clave en la terapia (véase Boscolo, Bertrando y otros, 1991). Si se acepta como una representación de su realidad (Fabrizio ha dicho: «Es cierto, es precisamente así»), puede provocar un cambio discontinuo y, como en este caso, llevarlos a una situación insostenible, absurda, como es la de una familia con dos mesías.

(El terapeuta sale y vuelve después de un largo diálogo con el equipo.)
TERAPEUTA: He hablado con mis colegas para recapitular la situación y también ellos piensan que, en vuestra familia, en el pasado, Fabrizio se ha encontrado en una situación de falta de claridad, sin que ninguno tenga la culpa, situación que yo había definido como semejante a la de la «Sagrada Familia», una familia muy unida pero en la que, en un determinado momento, en lugar de haber un Jesucristo había dos, dos mesías, con el problema de tener que elegir entre el verdadero y el no verdadero, etcétera.
FABRIZIO *(asintiendo):* Cuál es mi rol, cuál no es mi rol...
TERAPEUTA: Sí, cuál es el mesías más importante, cuál es el menos importante. También mis colegas han considerado que ésta es una situación muy importante, en el sentido de que explicaría tu dificultad, Fabrizio, para desarrollar una identidad clara en el tiempo. Cada uno de nosotros busca su propia identidad, trata de saber quién es y quién no es, qué quiere y qué no quiere. Tú has tenido siempre esta confusión, por eso estamos aquí, para tratar de ver si esas dudas pueden desaparecer y puedes también tú encontrar tu identidad. Ésta es la razón por la que estamos aquí, ¿está esto claro o no?
FABRIZIO: Sí.
TERAPEUTA: También hemos discutido mucho sobre la relación entre vosotros y un personaje de vuestra familia que es el señor Aldo y hemos visto esta relación en el tiempo, en el pasado remoto y en estos últimos tres años. En este

último periodo tú, Fabrizio, no le has hablado, mientras que tu madre ha mantenido siempre la relación con su hermano. Tu padre *(dirigiéndose al padre)*, por el contrario, ha vuelto a hablarle hace tres años; a propósito, no comprendí cuando, a mi pregunta: «Tu cuñado, cuando escuchaba tu voz, colgaba el teléfono porque pensaba que tú estabas enfadado o porque tu cuñado»... no... cuñado, perdone... me estoy confundiendo...

MADRE: ¡Sí, cuñado!

TERAPEUTA *(riendo un poco confundido)*: ¡Es difícil orientarse en esta familia! Mientras hablaba he tenido esta duda: ¿es cuñado o no es cuñado? Mientras lo decía pensaba que era el hermano... Me parece muy significativo, ¿no es cierto?

MADRE: Sí, claro.

TERAPEUTA: Estoy confundido, ¿me estaré volviendo esquizofrénico? De todas formas, colgabas el teléfono porque estabas enfadado...

(Boscolo) Es significativo que me haya confundido precisamente en ese momento; tal confusión puede reflejar la confusión de Fabrizio en las relaciones con sus familiares. La expresión: «Estoy confundido, ¿me estaré volviendo esquizofrénico?» tiene la intención implícita de «poner la etiqueta».

(Bertrando) Esquizofrénico pasa a ser sinónimo de confuso.

(Boscolo) Confuso, pero no enfermo.

PADRE: Como le había tratado mal, le dije: «Al menos, llámanos por teléfono».

TERAPEUTA: De todos modos, hemos analizado la situación, teniendo en cuenta también las últimas novedades referentes a las graves dificultades de Aldo con su mujer, con su hijo, etcétera. Ha sido siempre una persona muy cercana a vosotros, cuando las cosas iban bien y cuando iban mal, y vosotros habéis sido siempre muy cercanos a él. Llegados aquí, consideramos que es muy importante proponeros una tarea; en primer lugar, naturalmente, tenéis que examinarla vosotros y después, si se acepta, la tenéis que llevar a cabo con rigor. La tarea es la siguiente: estamos convencidos de que en este momento es muy importante que los tres participéis en los contactos con Aldo y con su familia. Os pedimos que elijáis un día a la semana, por ejemplo el martes, para hablar de Aldo, de la familia y de vuestra relación recíproca. Cada martes, hasta la próxima sesión, habréis de tener, después de la comida o de la cena, una reunión de una o dos horas en la que intercambiaréis todas las informaciones, referentes a Aldo y a su familia, que hayáis recibido en el curso de la semana precedente. Tenéis que dialogar sobre estas informaciones en la reunión familiar, donde tomaréis aquellas decisiones o prepararéis las respuestas que consideréis oportunas en cada ocasión.

MADRE: Juntos.

TERAPEUTA: Juntos; uno de vosotros será el encargado de dar la respuesta que decidáis en la reunión. ¿Queda esto claro?

FABRIZIO: ¿Cualquiera puede ser el encargado?

TERAPEUTA: Decidid vosotros quién se encarga; podéis discutir sobre ello en la reunión y decidir por mayoría a quién le toca ser encargado. Es importante lo que se debe hacer, pero tan importante como ello es lo que no se debe hacer. Lo que no se debe hacer se refiere a todos los demás días de la semana: os está prohibido hablar de Aldo y de su familia. Naturalmente uno puede pensar en ello, pero no puede hablar. Si, por casualidad, sucede que uno no cumple, debe recordársele que ha de cumplir el pacto común. Las reflexiones referentes a Aldo y a su familia se deberán comunicar sólo en la reunión del martes. También para vosotros, marido y mujer, en vuestra intimidad, está prohibido hablar de Aldo. ¿Queda claro que hay que hablar de ello sólo el martes en la reunión familiar? La reunión familiar decide qué se ha de hacer: puede decidir que se corte y se diga a Aldo que encuentre por sí mismo la solución, o puede decidir que se le eche una mano; pero ha de ser una decisión colectiva.

PADRE: Unánime.

TERAPEUTA: Unánime, exactamente, plebiscitaria.

FABRIZIO: Si por casualidad llama por teléfono...

TERAPEUTA: Si llama por teléfono, la persona que responde debe referir el contenido de la conversación el martes en la reunión familiar. Si uno pregunta: «¿Qué ha dicho?», se le responde: «Lo diré el martes». ¿Está claro?

FABRIZIO: He comprendido lo que hay que hacer, pero no he entendido bien lo que no hay que hacer.

(Boscolo) Tengo que destacar enseguida que Fabrizio considera la tarea muy interesante. Parece más despierto, pide explicaciones y confirmaciones; probablemente es la primera vez que tiene la posibilidad de intervenir y controlar los contactos entre las dos familias, fuente en el pasado de incertidumbres y angustias. Al dar el ritual es importante ser precisos en los tiempos y en los modos, para evitar posibles descalificaciones. Con ello se persigue, entre otros, el fin de introducir límites claros entre las dos familias. Un ritual como éste puede interferir profundamente en la organización de la vida familiar, poniendo a veces en marcha un cambio repentino y duradero. No me sorprendería que, después de esta sesión, Fabrizio saliese de su situación bloqueada e iniciase un proceso de autonomía.

TERAPEUTA: Lo que no se debe hacer es hablar entre vosotros de Aldo y de su familia en el curso de la semana. En resumen: no debe haber ninguna comunicación referente a Aldo que no se lleve a la reunión familiar; esto es fundamental. Ninguna comunicación, entre vosotros tres, referente a Aldo y a su familia, debe permanecer en secreto; hay que darla a conocer en la reunión. Es necesario que en los intervalos entre las reuniones no se discuta de lo que se ha dicho en las mismas reuniones. De la familia de Aldo se habla sólo el martes, nada más. Si uno tiene muchas ganas de hablar sobre ello, se calla, porque esto va contra lo establecido. ¿Queda esto claro?

MADRE: Puede suceder que no haya ninguna novedad, si mi hermano no ha llamado por teléfono...

TERAPEUTA: Podéis dedicaros las dos horas del martes a comentar los acontecimientos del pasado, del presente, del futuro, que tengan que ver con Aldo y con su familia, podéis hablar de lo que sentís a propósito de aquellos sucesos, o podéis decir cuáles serían vuestras consideraciones, si la historia de vuestras dos familias hubiese sido distinta.

(Boscolo) Decirles que se dediquen esas dos horas del martes a dialogar sobre Aldo y su familia, incluso si no hay noticias frescas, es reconocer y aceptar «lo que el sistema lleva», es decir, que Aldo y su familia tienen un puesto central en su vida. La introducción del ritual cambia las reglas de las relaciones entre las dos familias: la familia de Fabrizio puede hablar de

la familia de Aldo sólo un día a la semana. De esta forma se introduce una clara secuencia temporal que delimita los momentos en que se habla de Aldo y aquellos en que no se habla de Aldo. Si antes Fabrizio no podía tener nunca la certeza de contar para nada en su casa, ahora puede comenzar a contar algo seis días a la semana.

NOTAS

Nota del prólogo

1. A la que estamos dedicando actualmente una investigación (véase Boscolo, Bertrando y otros, 1991).

Notas del capítulo 1

1. Trataremos de nuevo estos conceptos en los capítulos 2 y 4.

2. «Tiempo vivido» es la definición clásica de Minkowski (1933); pero el mismo concepto lo ha formulado también Marsh (1952), que distingue entre «tiempo cronológico» y «tiempo realista».

3. La metafísica de Parménides se presta a la paradoja, precisamente porque niega el devenir y la secuencia. Como afirmaría Bateson muchos siglos después, las paradojas pueden existir en la intemporalidad de la lógica y de la matemática, no en la vida.

4. Frase que supone un significado bastante sutil. Como dice Russell (1948), no cambia en el tiempo sólo el agua del río, sino que tampoco *quien se baña* será el mismo con el paso del tiempo. Para una visión global de los fragmentos de los presocráticos, véanse Diels y Kranz (1966).

5. Véanse a este respecto Curi (1987b) y Sini (1987).

6. Sobre la modernidad de san Agustín, véase Jaques (1982, capítulo I). A este respecto, también Toraldo di Francia (1990, pág. 98) admite que profundizar en la verdadera naturaleza del tiempo es una empresa desesperada, y que, en este sentido, se han conseguido muy pocos avances desde la época de san Agustín.

7. A continuación examinaremos mejor el tiempo de los físicos. Pero la idea newtoniana del tiempo es tan importante que se la puede olvidar en este lugar.

8. De todas formas, hay muchos estudios dedicados al tiempo, cada uno de ellos con su propia perspectiva. A continuación indicamos algunos de ellos. Como obras generales e interdisciplinares, véanse Fraser (1966), Fraser y Lawrence (1975), *The Study of Time* (1978), Whithrow (1972). Sobre la psicología del tiempo, véanse Vicario (1973), Giovannelli y Mucciarelli (1979), Reale (1982), Fraser (1989). Sobre el tiempo en el psicoanálisis, véase Sabbadini (1979).

9. Para el mazdeísmo el tiempo mismo es instrumento de salvación, en cuanto *tiempo litúrgico;* hasta el punto de que todos los meses, los días, e incluso las horas, son personificados y reciben nombres litúrgicos (Corbin, 1957, págs. 124 y sigs.). Una vez más es la liturgia la que libera al tiempo de la profanidad.

10. Se alude a la afirmación de san Pablo de que Cristo murió en la cruz «una vez para siempre» y la salvación de los creyentes es definitiva.

11. Rossi (1979). Véase también esta obra para los párrafos siguientes.

12. Los dos eruditos combatieron a base de extensos tratados sólo para establecer si sería posible ampliar en 1.440 años la edad comúnmente aceptada para el mundo. El tema tenía que resultar apasionante, a juzgar por la insólita rapidez de las réplicas y contrarréplicas. En 1659 Voss publica su *Dissertatio de vera aetate mundi, qua ostenditus natale mundi tempus annis minimum 1440 vulgarem eram anticipare.* Es inmediata la réplica de Horn, ferviente defensor de la cronología tradicional, que demole las hipótesis de Voss publicando, en aquel mismo, año una *Dissertatio de vera aetate mundi qua sententia illorum refellitur qui statuunt natale Mundi tempus annis minimum 1440 vulgarem eram anticipare.* Aquel mismo año, Voss responde con las *Castigationes ad scriptum g. Hornii de aetate mundi;* Horn, a su vez, con la *Defensio dissertationes de vera aetate mundi contra castigationes Vossii* y Voss replica, una vez más, con el *Auctarium castigationum* (véase Rossi, 1979, págs. 174-181).

13. En Roger (1962), pág. LXVI.

14. La discusión que sigue es deudora, en gran medida, de los libros de Hawking (1988) y de Prigogine y Stengers (1984), recomendados para quien tenga interés en un estudio más detallado del tema.

15. Podremos decir también que cuando dos personas se encuentran por primera vez y establecen una relación, el pasado de una de ellas viene a ser futuro para la otra, y viceversa.

16. Adviértase que algo semejante ocurre realmente si uno de los dos gemelos vive en una montaña mientras que el segundo habita en un lugar situado al nivel del mar. Pero en este caso la diferencia en el envejecimiento es tan pequeña que resulta imperceptible.

17. Ésta es sólo una presentación esquemática de una de las muchas teorías propuestas. En Hawking (1988) se puede encontrar una exposición más detallada.

18. Análogo a las bifurcaciones de Prigogine es el concepto de «ambifinalidad» de las intervenciones terapéuticas sistémicas propuesto por Cronen y Pearce: intervenciones cuyos efectos dependen del estado del sistema en el momento de dicha intervención.

19. Esta omnisciencia la propuso Laplace, a principios del siglo XIX, con la famosa imagen del demiurgo: «Una Inteligencia que, en un instante preciso, conociese todas las fuerzas que animan la naturaleza y la situación respectiva de los seres que la componen, si además fuese bastante profunda para someter estos datos al análisis, englobaría en la misma fórmula los movimientos de los cuerpos mayores del universo y del átomo más ligero: nada sería incierto para ella y el futuro, al igual que el pasado, estaría presente a sus ojos» (citado en Capra, 1975).

20. Heisenberg es uno de los primeros científicos que pone de manifiesto la capacidad del observador y de sus instrumentos para modificar inevitablemente la realidad observada. Esto se puede relacionar con lo que afirma, en un plano más general, la cibernética de segundo orden de von Foerster, según la cual las descripciones de cualquier observador pasan por el filtro de los prejuicios, las teorías, las experiencias (los «instrumentos») del observador.

21. Esta descripción se presta de un modo sorprendente para ilustrar el proceso de elaboración de hipótesis por parte del terapeuta o del equipo terapéutico que, explorando una serie de posibles (virtuales) modalidades de organización (y lingüísticas) del sistema observado en relación con las modalidades cognoscitivas del sistema observador, llegan finalmente a formular la hipótesis sistémica que, según el modelo de la cibernética de segundo orden, representa la «realidad» emergente del «supra-sistema» terapéutico.

22. El cálculo se puede realizar sólo midiendo el tiempo por medio de cantidades imaginarias. En matemáticas los números imaginarios son los que multiplicados por sí mismos dan por resultado números negativos.

23. Esta metáfora de Hawking se podría convertir en una hermosa metáfora de nuestro trabajo terapéutico: en el proceso de elaboración de hipótesis tratamos de recrear todas las historias posibles compatibles con los datos que recibimos. En nuestra concepción la historia de cualquier persona en su «espacio-tiempo» resulta de la suma de todas sus posibles historias. Para nosotros, observadores, el espacio-tiempo es realmente «recorrible» en todas las direcciones; el tiempo imaginario del observador carece de límites y de direcciones. En un cierto sentido este tiempo imaginario viene a ser más importante que el «real», creado por nosotros para ayudarnos a describir el universo como creemos que es. La conclusión de Hawking es una medicina saludable para el narcisismo de un terapeuta o de un equipo terapéutico que, condicionados por el lenguaje, tienden a creer en una «realidad» sin comillas.

Notas del capítulo 2

1. El intento de establecer *qué es* el presente inmediato ha suscitado un gran interés. Reale (1982) cataloga numerosos estudios sobre la duración del presente que, a pesar de todo, no han ofrecido resultados conclusivos. Fraisse (1957) establece la duración del presente en cuatro segundos, Michon (1979) de 250 mseg a unos pocos segundos, Stroud (1956) de 60 a 200 mseg, mientras que Miller (1956) ha determinado en 7 ± 2 el número de «elementos» (secuencias de cifras o letras) que una percepción simultánea puede abarcar.

2. La cronobiología ha estudiado con gran exactitud los ritmos humanos internos. Véanse Cohen (1967), Orme (1969), Reinberg (1979).

3. Es también posible dar una explicación más existencial: cuanto más nos acercamos a la meta última, la muerte, más breve nos parece la duración del viaje.

4. Como advierte el mismo Ornstein (y estamos totalmente de acuerdo con él) hablar de «grabación» y de «almacenamiento» es una *metáfora* más, y no pretende ser la descripción de una «realidad» mental o cerebral.

5. El proceso no ha de tener en cuenta sólo al sujeto, sino también «a los otros». No se dice que los pasados y los futuros así creados coincidan (la idea personal que uno tiene de su futuro puede cambiar si se compara con la de los otros; lo mismo, aunque de un modo más difuso, sucede con el pasado, como veremos en los siguientes capítulos).

6. Que es el análogo cinético de las «premisas» del pensamiento.

7. Usaremos como sinónimos los términos «analógico» (Bateson, 1972b) y «no verbal». El término «paralingüístico» se reservará para designar los actos no verbales que intervienen como modificadores de actos verbales, el término «cinético» (Birdwhirstell, 1970) a los actos totalmente no verbales.

8. Esta discusión es deudora, en gran medida, de las aportaciones de Berger y Luckmann (1966) y de Reiss (1981), aunque hemos modificado sus formulaciones para adaptarlas a nuestro modelo.

9. Se entiende que por «cultura» y «cultural» entendemos todo el conjunto de la organización cognoscitiva, afectiva y social de una determinada población.

10. Con esto no pretendemos afirmar que en las diversas culturas la percepción del tiempo sea diferente: puede que sea así, pero para demostrarlo sería necesaria una precisa comprobación experimental; entretanto conviene suspender el juicio, teniendo en cuenta también que la experimentación no ha confirmado las primeras hipótesis de Whorf (1956). Por ejemplo, no se ha podido probar la teoría según la

cual la capacidad de percibir los colores variaría según la cultura. Algunos estudios experimentales (véase Gardner, 1985) han probado que la percepción de los colores es independiente de la cultura; es el *uso social* de la capacidad de percepción el que está sometido a una gran variabilidad.

11. Profundizaremos en todos estos aspectos en el capítulo 8, dedicado a los rituales terapéuticos.

12. También en nuestra sociedad hay casos en que el paso de la infancia a la edad adulta recibe una confirmación social ritual: es lo que sucede en el *bar mitzvah*, al menos en las familias judías observantes.

13. Se comprende que la lectura del tiempo no es más que una de las muchas variables culturales sujetas a este proceso.

14. La idea de las «islas de diferencia» la propuso Ashby (1960). G. y M. C. Bateson (1987) asumieron una concepción análoga: es necesario que en un sistema complejo existan variables, que no estén comunicadas de un extremo a otro del sistema, para preservar la posibilidad de que en el sistema continúen existiendo diferencias significativas.

15. La regularidad requiere repetición. Hay cierta ironía en el hecho de que el tiempo cíclico y «vacío» de los ritos antiguos revive en nuestros hábitos más comunes: la hora del café o del final del trabajo.

16. Se han llevado a cabo investigaciones para tratar de encontrar hipotéticos «ritmos septenarios» biológicamente determinados; naturalmente, no han dado ningún resultado (Reinberg, 1979).

17. Véase *Vita di san Benedetto e la Regola* (1981).

18. Véase toda la primera parte de la obra de Landes (1983). En el caso del Islam las razones son otras: los musulmanes tenían una cierta necesidad de medir el tiempo, pero en sus climas cálidos y secos los relojes de sol, inútiles en la lluviosa Europa central, satisfacían esta necesidad con precisión suficiente.

19. De *I libri della famiglia*, libro 3, «Economicus», citado en Brusa (1974).

20. Sobre este particular, véanse también: Thompson (1967) a propósito del horario de trabajo, Jaques (1982) a propósito de los «periodos de discrecionalidad» en las estructuras burocráticas, Merton (1984) a propósito de las expectativas sociales de duración.

21. Los ritos asociados al sabbat judío, a los «límites» que lo separan del resto de la semana, nos ofrecen uno de los ejemplos más nítidos de separación entre tiempos. Véase Zerubavel (1981), capítulo 4.

22. La palabra «normal» hará que muchos lectores se levanten de la silla. Confesamos que hemos tratado de sustituirla con otras muchas palabras («funcional», «satisfactoria», «gratificante», «aceptable», «vivible», etc.), pero al final hemos optado por aquel término, conscientes de que muchos pensadores han vertido ríos de tinta en las controversias sobre él.

23. Véase el concepto de *restraint* («vínculo») en el artículo «Cybernetic Explanation», en Bateson (1972a).

Notas del capítulo 3

1. La complementariedad entre estabilidad y cambio sugiere otra complementariedad: la existente entre estructura y sistema, que según Wilden son dos caras de la misma moneda y que se refieren, una a la visión sincrónica, y la otra a la visión diacrónica.

2. La idea no es sólo nuestra. Hace tiempo que la expusieron Ruesch y Bateson (1951, pág. 287).

3. Lo que Maturana y Varela (1980) han definido como «emparejamiento estructural». Cada individuo se ve estimulado por el ambiente (en el que ocupan el primer plano los sujetos más significativos para él) y, a su vez, lleva al ambiente a modificarse.

4. Pero Bateson (1978b, pág. 221) declaró: «No hay un solo fragmento que yo lamente tanto en mi obra como aquella "receta" al principio del trabajo original sobre el doble vínculo».

5. Bateson, formado en la lógica de los primeros decenios del siglo xx, ignoraba que algunas lógicas más modernas habían asumido la dimensión del tiempo, tradicionalmente olvidada. Desde 1950 las lógicas temporales constituyen una rama importante de las llamadas «lógicas especiales» (Dalla Chiara Scabia, 1979).

6. «La solución que dio Bertrand Russell a sus propias paradojas fue la de atribuir a cada enunciado una cantidad, el llamado "tipo", que sirviera para distinguirlo de los que formalmente parecen ser el mismo enunciado, según se trate de "cosas", en el sentido más simple, de clases de "cosas", de clases de clases de "cosas", etc. El método con el que resolvemos las paradojas consiste también en referir un parámetro a cada enunciado y este parámetro es el tiempo en que el enunciado se ha expresado. En ambos casos introducimos lo que podemos llamar un parámetro de estandarización, para resolver una ambigüedad que se debe simplemente al hecho de haberlo descuidado» (Wiener, 1948, págs. 170 y sigs.).

7. Cronen, Johnson y Lannamann (1982, pág. 93) abandonan los términos «doble vínculo» y «paradoja», sustituyéndolos por el de «anillo autorreflexivo» (reflexive loop): «Cuando, a propósito de dos o más niveles de un sistema, no está claro cuál pertenece a un orden más elevado, entonces se forma un anillo autorreflexivo». En esta concepción los anillos autorreflexivos son de dos tipos. Los primeros no tienen un efecto patógeno, son las «paradojas», que caracterizan la creatividad y el lenguaje, y se llaman charmed loops; los segundos son patógenos y se llaman strange loops. Es precisamente la posibilidad de experimentar y comentar en el tiempo los diversos aspectos de un anillo autorreflexivo, lo que determina la diferencia entre los dos tipos de anillo: «Hay una dimensión temporal en la experiencia de las relaciones autorreflexivas: (...) las personas controlan las relaciones entre significados de orden inferior y superior en el curso temporal de la conversación. El monitor les permite percibir cambios de contexto y problemas en la adaptación entre el contexto presupuesto de orden superior y los significados de orden inferior» (pág. 97).

8. Carl Whitaker, con una de sus pintorescas metáforas, describe la terapia familiar como un acontecimiento en el que el terapeuta entra en una familia donde el paciente designado es el «caballero negro» y los demás los «caballeros blancos» y su tarea es la de volver a todos grises.

9. De todas formas, no olvidamos que la proximidad emocional y la intimidad de la familia occidental evolucionada no valen para todas las formas de familia. En los siglos pasados (y todavía en algunas sociedades, como la sociedad india tradicional) la familia era ciertamente depositaria de paradigmas y regularidad, pero no siempre ofrecía intimidad entre los cónyuges, o entre padres e hijos.

10. Es notable que, de un modo análogo al de los terapeutas de la familia, Paul Ricoeur (1985) haya descubierto la misma limitación en las teorías filosóficas sobre el tiempo. Al final la «paradoja de la temporalidad» se puede resolver sólo mediante el recurso a la narración, al relato, al pensamiento narrativo.

11. Un modo diferente de expresar conceptualmente el encuentro entre el mito y la historia particular de un sujeto, o de un grupo de sujetos, es decir que la historia «cumplida» en el mito confluye en la historia particular, recuperando sentido y tiempo.

12. La dicotomía sistema/narración es, en algunos aspectos, análoga a la que, en los años setenta, establecía una oposición entre sistema y estructura. Entonces Minuchin y Haley eligieron la visión estructural, y el grupo de Milán la sistémica.

Notas del capítulo 4

1. Bateson define una información como una diferencia que produce una diferencia, una relación. Las percepciones visuales, auditivas, táctiles y propioceptivas representan diferencias espaciales y/o temporales que llegan al sistema nervioso central a través de impulsos binarios. Éstos se elaboran, se integran y se asocian en sensaciones, imágenes, pensamientos que encuentran su colocación en ámbitos espaciales y temporales.

2. Para conocer con mayor profundidad la historia del modelo sistémico de Milán, véanse Hoffman (1981), Tomm (1984,1985), Campbell y Draper (1985), Boscolo, Cecchin y otros (1987).

3. En esta breve descripción del periodo de Palo Alto hemos usado términos como «reformulación paradójica», «comportamientos disfuncionales», «intervenciones eficaces», «hipótesis ad hoc», «doble vínculo», etc., propios de aquel periodo, y que después no hemos vuelto a utilizar.

4. Tomm, al examinar las preguntas que el entrevistador tiene a su disposición, ha tenido también en cuenta las preguntas que, a diferencia de las circulares, se basan en una epistemología lineal, y ha dado el nombre de *preguntas lineales* a las que pretenden recoger información, y *preguntas estratégicas* a las que pretenden, de forma lineal, provocar cambios.

5. Un modo de ver la terapia que tiene cierta semejanza con éste, aunque no haga referencia a la cibernética, lo describieron Anderson, Goolishian y Winderman en el artículo «Problem Determined Systems» (1986).

6. Pero sin llegar nunca a construir gráficos generacionales y sin adentrarse demasiado en el curso de las generaciones. En este sentido el planteamiento era diferente del transgeneracional de Murray Bowen (1978).

7. Se puede decir que, en este contexto, «sincronía» y «diacronía» traen a la memoria el ser de Parménides y el devenir de Heráclito.

8. Éste es el motivo por el que el «neófito» se encuentra con frecuencia desorientado al observar una serie de sesiones dirigidas por terapeutas de Milán: quien no conoce bien el método, no comprende su lógica.

9. Cuando nos situamos en una perspectiva a posteriori y describimos, o escribimos a propósito de un caso clínico, le damos una coherencia narrativa que puede hacer pensar que existe una concatenación determinista de los acontecimientos.

10. Freud, en su teoría sobre la neurosis, ha colocado la «coacción para repetir» en el centro de la aparición y del mantenimiento de los síntomas, con la consiguiente «pérdida de libertad» del sujeto.

11. Al comienzo de la actividad del grupo de Milán se llegó a cambiar a los terapeutas siguiendo un sistema «de rotación». Pero este método se abandonó por sus efectos negativos, debidos probablemente a la dificultad para establecer una continuidad en la relación.

12. Según Goodman, los «mundos» son productos de la actividad mental, que puede crear una infinidad de mundos posibles, cada uno dotado de su propia coherencia. Manteniendo la coherencia con las propias premisas, cada mundo es tan real como cualquier otro (aunque Goodman, lejos del relativismo total, ha dedica-

do después gran parte de su reflexión a establecer cuáles son los criterios que hacen a un mundo más verosímil que otro).

Notas del capítulo 5

1. Con frecuencia atraen nuestra atención casos parecidos, que indican una dificultad de adaptación –en la relación de pareja– a los nuevos modelos ofrecidos por la cultura. Parece que muchos varones no están todavía dispuestos a aceptar el cambio de la relación entre los dos sexos, es decir, la liberación de la mujer.

2. Puede ser que sentimientos como los del señor Amendola provoquen en la familia un proceso virtualmente peligroso, de distanciamiento entre los componentes de la pareja.

3. En el recorrido de una pareja que pasa por una situación de crisis, la última estación puede ser el abogado, al cual se acude cuando se desea llegar a un acuerdo para separarse, o bien el psicoterapeuta, al cual se acude para tratar de volver a viajar juntos, «en el mismo vagón».

4. Hemos recogido dos casos en los que es el marido el que no acepta el cambio de su mujer; naturalmente, conocemos otros casos en los que son las mujeres las que no aceptan a su marido como es, y lo comparan continuamente con el marido que debería ser.

5. De aquí en adelante llamaremos «terapeuta» al profesional que se encuentra en la sala de terapia, aunque en realidad terapeutas son todos los miembros del equipo y no sólo quien interactúa directamente con los pacientes.

6. Véase *Paradoja y contraparadoja* (Selvini Palazzoli, Boscolo y otros, 1975), págs. 21 y sigs.

7. Este hecho se podría comparar con el análisis del transfert y del contra-transfert en el psicoanálisis; de todas formas al psicoanalista, que tiene una función más pasiva, se le facilita esta tarea.

8. No entra dentro de nuestros objetivos actuales tratar la «centrifugalidad» en el espacio. Baste decir que, normalmente, comenzamos con preguntas referidas al sistema restringido (el paciente y la familia nuclear) que tenemos delante, para llegar después al resto de la familia, y a las diversas organizaciones sociales con las que la familia y sus componentes interactúan. Lo mismo se aplica a los pacientes que siguen una terapia individual.

Notas del capítulo 6

1. Es interesante el hecho de que una memoria tan «total» procediese, exactamente como en el Funes creado por Borges, de un modo espacial. Todos los métodos usados por Shereshevsky para recordar eran visuales, y colocaban todas las sucesiones, incluso las de números, en el espacio. Es como si el exceso de memoria se tuviese que expresar, por fuerza, más en el espacio que en el tiempo.

2. Los antiguos pensaban que el destino dependía con frecuencia de una predicción. Recuérdese el caso de Edipo, que Watzlawick (1984) podría incluir perfectamente entre sus *self-fulfilling prophecies*.

3. El paciente expresó esta idea con una hermosa metáfora, aunque fuera inconsciente: «Nuestra casa daba a la calle principal de nuestro pueblo; pero su patio daba a una de las zonas más sórdidas y de peor fama del lugar».

4. El experimento está basado en la teoría de Rumelhart (1975) de la *gramática narrativa*, que crea expectativas: se espera que una historia tenga un cierto desarrollo, ciertas características, etc. Cuando las personas se encuentran frente a una his-

toria que no tiene estas características, la recuerdan de un modo *distinto*, más adecuado a las expectativas.

5. Comprendida en la acepción de «sistema de las premisas».

6. La máquina común «es *determinable analíticamente* porque se puede analizar la máquina (...) es *independiente de la historia*, porque, cualquiera que sea el *input* dado a la máquina, no lo recordará, y la próxima vez se comportará siguiendo las mismas leyes que la vez anterior (...) es finalmente *previsible:* se sabe siempre lo que hará la máquina cuando se le da un *input* concreto» (Foerster, 1985, pág. 128).

7. Los tratamientos individuales y familiares, aplicados generalmente a la esquizofrenia y a las psicosis maniaco-depresivas, en los que los terapeutas instruyen a los pacientes y a sus familiares sobre cómo afrontar las enfermedades, enseñándoles técnicas para solucionar los problemas, consideradas más idóneas y funcionales que las aplicadas de modo espontáneo.

8. En la terapia de pareja sucede a menudo que, al tener lugar una mejoría significativa de la relación –que induce al terapeuta a pensar que el final de la terapia es inminente–, se da o un recrudecimiento de los problemas anteriores o la aparición de un problema nuevo e inesperado que aleja la posibilidad del final de la terapia. Parece que en estos casos el problema es el de perder al terapeuta, a quien se puede mantener si surgen nuevos problemas. Si el terapeuta no se da cuenta de este fenómeno, se pueden dar las condiciones para que la terapia dure mucho tiempo, e incluso sea interminable.

9. Otro modo de entender esta situación de prohibición en el pasado que estamos presentando –y que, probablemente, nosotros mismos hemos adoptado hace algunos años– sería interpretarla como un doble vínculo que, al menos aparentemente, no encaja en la «receta» batesoniana del doble vínculo clásico. Sería un doble vínculo en el que está presente una sola prohibición negativa. Pero la paradoja se crea mediante un cambio radical –más que una negación– del tiempo: una prohibición dirigida al pasado llega a ser un anillo recursivo paradójico.

10. Quizá sólo los rituales llegan a conjugar la memoria y el olvido de los mismos acontecimientos. El rito social del día de los difuntos, por ejemplo, actualiza el recuerdo de los muertos, pero confinándolo dentro del tiempo ritual, haciendo posible de esta manera que se olvide a los muertos en el curso de la vida cotidiana.

11. El uso de preguntas hipotéticas favorece el olvido; pero el olvido (al menos dentro de ciertos límites) es necesario para que se puedan plantear hipótesis. El exceso de memoria obstaculiza las historias alternativas.

Notas del capítulo 7

1. Esta intervención es un intento de solucionar los problemas ocasionados por la violencia, utilizando las palabras en lugar del control social. Es evidente que no se puede subestimar el problema de la violencia ni se la puede tratar como a cualquier otro problema conyugal. Puede exigir medidas drásticas como la ayuda de los centros de acogida para las mujeres maltratadas, la decisión de una separación provisional e incluso la cárcel como remedio extremo. Pero sigue pendiente el problema, puesto de relieve por Lane y Russell, de todas las parejas en las que la mujer, aunque sea víctima de la violencia, se resiste no sólo a separarse, sino incluso a denunciar a su propio compañero.

2. Esta reformulación temporal introduce incertidumbre y posibilidades de evolución. Está claro que hay que comprender esta intervención dentro de una interacción compleja, con un alto grado de imprevisibilidad: nadie (ni los clientes, ni los terapeutas) puede predecir la consecuencia de una afirmación de este tipo, que no pretende infundir seguridad ni mucho menos ser impositiva.

3. Situaciones análogas, pero de menor intensidad emotiva se dan generalmente en las familias con hijos adolescentes, en los casos en que las opiniones de los padres discrepan profundamente acerca de la edad en la que los hijos pasan de la infancia a la madurez.

4. Es frecuente que la desaparición de una sintomatología, ligada a la marcha de casa de un hijo psicótico, no lleve al alivio esperado por parte de sus padres, sino a una crisis de desorientación de la pareja que, normalmente, se resuelve en un periodo de tiempo no demasiado largo.

5. La connotación positiva tiene la función de no dar un juicio negativo sobre el desacuerdo de la pareja; es más, la pareja puede ahora existir ya finalmente como tal. Antes no eran más que los dos enfermeros de su hijo.

6. También el uso, por ejemplo, de preguntas circulares en lugar de afirmaciones, o de metáforas en lugar de discursos literarios, produce un efecto análogo de aumento de la indeterminación.

Notas del capítulo 8

1. Por eso la memoria popular no es histórica, sino arquetípica. En las leyendas populares basadas en figuras históricas, los acontecimientos «reales» y biográficos se cargan de elementos ejemplares y arquetípicos, que terminan por prevalecer: pero, para quien las repite, las historias ejemplares son más verdaderas que las reales.

2. Usaremos siempre «rito» y «ritual» como sinónimos.

3. Los niños son particularmente sensibles a las secuencias rituales. Si se acostumbra a un niño a que su madre lo lleve a la cama y su padre le lea un cuento, reaccionará negativamente ante la más pequeña variación de esta secuencia.

4. Según Lévi-Strauss (1962) el mito tiene siempre forma de metáfora. Por tanto, se puede concebir como la metáfora de determinados constructos cognoscitivos particularmente importantes desde el punto de vista emotivo.

5. Hemos definido «mito» como una historia particular con los caracteres de aparente rigidez e incorregibilidad que, junto a una particular intensidad emotiva, daban forma a las mitologías antiguas. Todas las historias que contamos de nosotros mismos, incluida la Historia, conservan algún elemento mítico. Por eso los términos «historia» y «mito» se complementan, al expresar matices diferentes del mismo concepto básico, el de un sistema de significados expresado a través de los modos, los estilos y el desarrollo diacrónico propio de la narración.

6. Bateson, en *Naven* (1936) ha observado que los rituales como el *naven* tienen más importancia cuando no existe un reconocimiento «legal», como sucedía en el caso de los yatmul, que no tenían leyes en el sentido europeo del término. Por eso los rituales son importantes en los ámbitos sociales en los que las interacciones se definen libremente, como la familia, y menos importantes en los ámbitos regulados rígidamente, como los lugares de trabajo, aunque en estos últimos la situación no es tan simple.

7. Parece que opinan lo contrario Imber-Black, Roberts y Whiting (1988), que dedican muchas páginas a describir los temas de los rituales y el modo de que aparezcan en la interacción con la familia.

Notas del capítulo 9

1. Desde un punto de vista psicoanalítico se podría considerar como una regresión al estado intrauterino.

2. Es evidente que el terapeuta, en el curso de la sesión, toma las decisiones sugeridas por las retroacciones de los clientes y por la circularidad de las relaciones. Mientras se encontraba en la sesión no era consciente de todas estas implicaciones, que aparecen sólo en un segundo tiempo y en un contexto nuevo.

3. El asentimiento del grupo familiar a las hipótesis del terapeuta podría hacerle pensar que está descubriendo la «verdad», es decir, que está a punto de descubrir la tipología característica del problema psíquico presentado. Nuestra experiencia nos enseña que el terapeuta tiene que evitar esta ilusión y tratar simplemente de cocrear una nueva historia, naturalmente condicionada –pero no determinada– por los vínculos del pasado familiar.

4. En el artículo citado se expone también un análisis lingüístico de esta parte de la sesión.

5. Este comportamiento de Antonella se podría interpretar, según el modelo propuesto por Selvini Palazzoli y Viaro (1989), como el de una *anoréxica del «grupo B»*, en el que la hija que se vuelve anoréxica es la preferida de su padre, y ella misma «admira a su padre, lo considera muy superior a su madre, y piensa que son injustificables ciertas actitudes de ésta hacia él» (pág. 8). Al aparecer el síntoma de la anorexia («cuarto estadio»), «se decide seguir la dieta como un desafío para la madre (...) esta decisión se toma después de que la madre ha hecho enfadar al padre o a la hija. Una vez que ésta comienza a comer menos, esta disminución de la alimentación se transforma rápidamente en una protesta muda y una expresión de rechazo hacia su madre» (pág. 9).

6. Como sucede en algunos casos en las familias con un paciente adolescente o joven, después de la terapia familiar se comienza o se reanuda una terapia individual. Se puede plantear la hipótesis de que la terapia familiar, a través de la solución de los problemas familiares, favorece el proceso de separación e individuación de sus miembros. Algunos de ellos reciben un impulso posterior hacia la autonomía gracias a una relación con un terapeuta individual.

7. A mitad de los años 70, el equipo originario de Milán (Selvini Palazzoli, Boscolo, Cecchin y Prata) envió una carta a Gregory Bateson en la que se describían algunas intervenciones de *reframing* –algunas de ellas paradójicas– del mismo equipo, hechas en el curso de sesiones terapéuticas, solicitando el parecer del especialista. Pasado un tiempo, Bateson respondió con una breve carta en la que manifestaba su interés por las brillantes intervenciones, pero se abstenía de valorarlas por el efecto que podían tener sobre los clientes, porque –escribió– «no conozco el *tono* con el que comunicáis vuestros mensajes y, por tanto, no puedo expresar ningún juicio sobre su efecto».

Nota del capítulo 10

*«Terrone» es un apodo con el que los italianos del Norte insultan a menudo a los del Sur; es fruto de antiguos prejuicios e incomprensiones y contiene una alusión peyorativa al carácter fogoso de sus habitantes. [N. de los T.]

BIBLIOGRAFÍA

AA.VV., *The Study of Time*, vol. 3, Berlín, Springer, 1978.
AA.VV., *Du temps biologique au temps psychologique*, París, Presses Universitaires de France, 1979.
AA.VV., «Radical Constructivism, Autopoiesis and Psychotherapy», *Ir. J. Psychol.*, vol. 9, n. I, 110-129 (1988).
Agustín, san, *Confesiones*, Madrid, Alianza, 1990.
Allwood, J., Anderson, L.G. y Dahl, O., *Logic for Linguistics*, Cambridge, UK, Cambridge University Press, 1977 (trad. cast.: *Lógica para lingüistas*, Madrid, Paraninfo, 1981).
Anderson, H. y Goolishian, H., «Human Systems as Linguistic Systems. Preliminary and Evolving Ideas about the Implications for Clinical Theory», *Fam. Proc.*, vol. 27, 371-393 (1988).
– y Winderman, L., «Problem Determined Systems: toward Transformation in Family Therapy», *J. strat. syst. Ther.*, vol. 5, 1-14 (1986).
Anderson, T., «The Reflecting Team: Dialogue and Meta-Dialogue in Clinical Work», *Fam. Proc.*, vol. 24, 259-271 (1987).
Andolfi, M. y Angelo, C., *Tempo e mito nella psicoterapia familiare*, Turín, Boringhieri, 1987.
– y Zwerling, I. (a cargo de) *Dimensions of Family Therapy*, Nueva York, Guilford, 1980 (trad. cast.: *Dimensiones de la terapia familiar*, Barcelona, Paidós, ²1993).
Aristóteles, *Física*, Bari, Laterza, 1968. Madrid, Gredos, 1995.
Ashby, W.H., *Design for a Brain*, 2ª ed. revisada, Nueva York, 1960.
Assmann, A., *Cultural and Individual Construction of Time*, conferencia pronunciada en Heidelberg (1991).
Ausloos, G., «The March of Time: Rigid or Chaotic Transactions: Two Different Ways of Living Time», *Fam. Proc.*, vol. 25, 549-557 (1986).
Bagarozzi, D.A. y Anderson, S.A., *Personal, Marital and Family Myths*, Nueva York, Norton, 1989.
Balbo, L., *Tempi di vita. Studi e proposte per cambiarli*, Milán, Feltrinelli, 1991.
Bandler, R. y Grinder, J., *The Structure of Magic*, Palo Alto, Science and Behavior Books, 1975.
Bateson, G., *Naven*, Stanford, Stanford University Press, 1958 (trad. cast.: *Naven*, Gijón, Júcar, 1990).
– «Bali. The Value System of a Steady State» (1949), en Bateson (1972a).
– «Cybernetic Explanation» (1967), en Bateson (1972a).
– «Steps to an Ecology of Mind», San Francisco, Chandler Publishing Co., 1972a.

- «The Cybernetics of "Self": a Theory of Alcoholism» (1972b), en Bateson (1972a).
- «Bateson's Workshop» (1978a), en Berger (1978).
- «The Birth of a Matrix or Double Bind and Epistemology» (1978b), en Berger (1978).
- Mind and Nature: a Necessary Unit, Nueva York, Dutton, 1979.
- y Bateson, M.C., Angels Fear. Towards an Epistemology of the Sacred (1987).
-, Jackson, D.D., Haley, J. y Weakland, J.H., «Toward a Theory of Schizophrenia», Behav. Sci., vol. I, 251-264 (1956).
Bateson, M.C., With a Daughter's Eye. A Memoir of Margaret Mead and Gregory Bateson, Nueva York, Morrow & Co., 1984 (trad. cast.: Como yo los veía, Barcelona, Gedisa, 1989).
Benedict, R., Patterns of Culture, Boston, Houghton Mifflin, 1934.
Berger, M.M. (a cargo de), Beyond the Double Bind, Nueva York, Brunner/Mazel, 1978.
Berger, P. y Luckmann, T., The Social Construction of Reality, Nueva York, Doubleday, 1966 (trad. cast.: La construcción social de la realidad, Madrid, Martínez de Murguía, 1986).
Bergson, H., Essay sur les données immédiates de la conscience, París, 1889.
- Matière et mémoire, París, 1896.
- Durée et simultanéité, à propos de la théorie d'Einstein, París, 1922.
Bertalanffy, L. von, General Systems Theory. Foundation, Development, Applications, Nueva York, Braziller, 1968 (trad. cast.: Teoría general de los sistemas, Madrid, FCE, [2]1976).
Birdwhirstell, R.L., Kinesics and Context, Filadelfia, University of Pennsylvania Press, 1970.
Bobrow, D.G. y Collins, A.M. (a cargo de), Representation and Understanding, Nueva York, Academic Press, 1975.
Bocchi, G. y Ceruti, M., La sfida della complessità, Milán, Feltrinelli, 1985.
Boorstin, D.J., The Discoverers, Nueva York, Bantam Books, 1985 (trad. cast.: Los descubridores, Barcelona, Crítica, 1989).
Borges, J.L., Historia de la eternidad, «Funes el memorioso» y «Nueva refutación del tiempo», Obra completa (3 vol.), Barcelona, Emece, 1989.
Borwick, B., Circular «Questioning» in Organizations: Discovering the Patterns that Connect, inédito (1990).
Boscolo, L., Bertrando, P., Fiocco, P.M., Palvarini, R.M. y Pereira, J., «Linguaggio e cambiamento. L'uso di parole chiave in terapia», Ter. fam., vol. 37, 41-53 (1991).
-, Cecchin, G., Hoffman, L. y Penn, P., Milan Systemic Family Therapy. Conversations in Theory and Practice, Nueva York, Basic Books, 1987.
Bossard, J.H.S. y Boll, E.S., Ritual in Family Living, Filadelfia, University of Pennsylvania Press, 1950.
Bowen, M., Family Therapy in Clinical Practice, Nueva York, Aronson, 1978 (trad. cast.: La terapia familiar en la práctica clínica, Bilbao, DDB, 1989).
Bowlby, J., Attachment and Loss, vol. I, Attachment, 2ª ed., Londres, Hogarth Press, 1982 (trad. cast.: La separación afectiva, Barcelona, Paidós Ibérica, 1985).
Brown, G.S., Laws of Form, Nueva York, Bantam Books, 1972.
Bruner, J., Actual Minds, Possible Worlds, Cambridge, Mass. Harvard University Press, 1986 (trad. cast.: Realidad mental y mundos posibles, Barcelona, Gedisa, 1988).
Brusa, G., Gli orologi, Milán, Cataloghi del Museo Poldi Pezzoli, n. 1, 1974.
Buckley, W. (a cargo de), Modern Systems Research for the Behavioral Scientist, Chicago, Aldine, 1968.

Campbell, D. y Draper, R. (a cargo de), *Application of Systemic Family Therapy: the Milan Approach*, Londres, Grune & Stratton, 1985.

Campbell, J. (a cargo de), *Man and Time* Princeton, Princeton University Press, 1957.

Cancrini, L. (a cargo de), *Verso una teoria della schizofrenia*, Turín, Boringhieri, 1977.

Cannon, W.B., *The Wisdom of the Body*, Nueva York, Norton, 1932.

Capra, F., *The Tao of Physics* (1975) (trad. cast.: *El tao de la Física*, Madrid, Carcamo, ²1987).

Cecchin, G., «Hypothesizing-Circularity-Neutrality Revisited: an Invitation to Curiosity», *Fam. Pro.*, vol. 26, 405-413 (1987).

Ceruti, M., «La bybris dell'onniscienza e la sfida della complessità», en Bocchi y Ceruti (1985).

Chapple, E.D., *Culture and Biological Man*, Nueva York, Holt, Rinehart & Winston, 1970.

Ciompi, L., «How to Improve the Treatment of Schizophrenics: a Multicausal Illness Concept and Its Therapeutic Consequences», en Stierlin, Wynne y Wirsching (1983).

Cohen, J., *The Time in Health and Disease*, Springfield, Thomas, 1967.

Corbin, H., «Cyclical Time in Masdaism and Ismailism», en Campbell (1957).

Coser, L.A. y Coser, R.L., «Time Perspective and Social Structure», en Gouldner y Gouldner (1963).

Cronen, V.E., Johnson, K.M. y Lannamann, J.W., «Paradoxes, Double Binds and Reflexive Loops: an Alternative Theoretical Perspective», *Fam. Proc.*, vol. 21, 91-112 (1982).

– y Pearce, W.B., «Towards an Explanation of how the «Milan Method» Works: an Invitation to Systemic Epistemology and Evolution of Family Systems», en Campbell y Draper (1985).

Curi, U. (a cargo de), *Dimensioni del tempo*, Milán, Angeli, 1987a.

– «Introduzione» (1987b), en Curi (1987a).

Dalla Chiara Scabia, L., *Logica*, Milán, Mondadori, 1979 (trad. cast.: *Lógica*, Barcelona, Labor, 1976).

Davis, A. y otros, *Deep South*, Chicago, University of Chicago Press, 1941.

Deissler, K.G., *Recursive Creation of Information. Circular Questioning as Information Production*, pt. 1, inédito (1986).

Dell, P., «Some Irreverent Thoughts on Paradox», *Fam. Proc.*, vol. 20, 37-42 (1981).

– «Beyond Homeostasis: toward a Concept of Coherence», *Fam. Proc.*, vol. 21, 21-41 (1982).

Dennes, W.R., *The Problem of Time*, University of California Publications in Philosophy, n. 18 (1935).

De Shazer, S., *Clues. Investigating Solutions in Brief Therapy*, Nueva York, Norton, 1981 (trad. cast.: *Pautas de terapia familiar breve*, Barcelona, Paidós Ibérica, 1991).

Diels, H. y Kranz, W., *Die Fragmente der Vorsokratiker*, Berlín, 1966.

Dossey, L., *Space, Time and Medicine*, Boulder-Londres, Shambala, 1982 (trad. cast.: *Tiempo, espacio y medicina*, Barcelona, Kairós, 1986).

Douglas, M., *Natural Symbols*, Londres, Barrie & Jenkins, 1973 (trad. cast.: *Símbolos naturales*, Madrid, Alianza, ²1988).

Eco, U., *Trattato di semiotica generale*, Milán, Bompiani, 1975 (trad. cast.: *Tratado de semiótica general*, Barcelona, Lumen, ⁵1991).

Edlund, M., *Psychological Time and Mental Illness*, Nueva York, Gardner Press, 1987.

Einstein, A., *Über die Spezielle und Allgemeine Relativitätstheorie (Gemeinverstand-lich)* (1916) (trad. cast.: *Sobre la teoría de la relatividad especial y general*, Madrid, Alianza, ⁵1994).

Eliade, M., *Traité d'histoire des religions*, París, Payot, 1948 (trad. cast.: *Tratado de historia de las religiones*, Barcelona, Círculo de Lectores, 1990).

– *Le mythe de l'éternel retour*, París, Gallimard, 1949 (trad. cast.: *El mito del eterno retorno*, Madrid, Alianza, 1992).

– «Time and Eternity in Indian Thought», en Campbell (1957).

Elias, N., *Über die Zeit. Arbeiten zur Wissensoziologie*, pt. 2, Frankfurt A.M. Suhrkamp, 1984 (trad. cast.: *Sobre el tiempo*, Madrid, FCE, 1989).

Elkaïm, M., «From General Laws to Singularities», *Fam. Proc.*, vol. 24, n. 2, 151-164 (1985).

Elkana, Y., «Relativismo e filosofia della scienza dal baconianesimo vittoriano al giorno d'oggi» (1984), en Piattelli Palmarini (1984a).

Erickson, M., «Pseudo-Orientation in Time as a Hypnotic Procedure», *J. clin. exper. Hypnosis*, vol. 2, 261-283 (1954).

– *Collected Papers*, Nueva York, Irvington, 1980.

Erikson, E.H., *Identity and the Life Cycle*, Nueva York, International Universities Press, 1959.

Ferreira, A.J., «Family Myths and Homeostasis», *Archs gen. Psychiat.*, vol. 9, 457-463 (1963).

Firth, R., «Verbal and Bodily Rituals of Greeting and Parting», en La Fontaine (1972).

Fleuridas, C., Nelson, T.S. y Rosenthal, D.M., «The Evolution of Circular Questions: Training Family Therapists», *J. mar. Fam. Ther.*, vol. 12, n. 2, 113-121 (1986).

Flood, R. y Lockwood, M., *The Nature of Time*, Oxford, Blackwell, 1986.

Foerster, H. von, *Observing Systems*, Seaside, Intersystems Publications, 1981.

– «Cibernetica ed epistemologia: storia e prospettive», en Bocchi y Ceruti (1985).

Foucault, M., *Les mots et les choses*, París, Gallimard, 1966 (trad. cast.: *Las palabras y las cosas*, México, Siglo XXI, 1968).

– *Surveiller et punir. Naissance de la prison*, París, Gallimard, 1975 (trad. cast.: *Vigilar y castigar*, Madrid, Siglo XXI España, ⁸ 1992).

Fraisse, P., *La psychologie du temps*, París, Presses Universitaires de France, 1957.

– *Psychologie du rythme*, París, Presses Universitaires de France, 1974 (trad. cast.: *Psicología del ritmo*, Madrid, Morata, 1976).

Fraser, J.T., *The Voices of Time* (1966), Amherst, University of Massachusetts Press, 1981.

– «Toward and Integrated Understanding of Time. Introduction to the Second Edition», en Fraser (1981).

– *Time and Mind*, Nueva York, International Universities Press, 1989.

– y Lawrence N. (a cargo de), *The Study of Time*, vol. 2, Berlín, Springer, 1975.

Gardner, H., *The Mind's New Science. A History of Cognitive Revolution*, Nueva York, Basic Books, 1985 (trad. cast.: *Nueva ciencia de la mente*, Barcelona, Paidós Ibérica, 1988).

Geertz, C., *The Interpretation of Cultures*, Nueva York, Basic Books, 1973a (trad. cast.: *La interpretación de las culturas*, Barcelona, Gedisa, 1988).

– «Person, Time and Conduct in Bali» (1973b), en Geertz (1973a).

Gergen, K., *The Saturated Self*, Nueva York, Basic Books, 1991 (trad. cast.: *El Yo saturado: dilemas de identidad en el mundo contemporáneo*, Barcelona, Paidós Ibérica, 1992).

Giannantoni, G., *I. presocratici. Testimonianze e frammenti*, Bari, Laterza, 1969.

Giorello, G., «Ma Platone preferiva il Lete», *Corriere della Sera* (11 de noviembre de 1990).

Giovannelli, G. y Mucciarelli, G., *Lo studio psicologico del tempo*, Firenze, Cappelli, 1979.

Glasersfeld, E. von, *The Construction of Knowledge*, Seaside, Intersystems Publications, 1987.

Gluckman, M. (a cargo de), *Essays on the Ritual of Social Relations*, Manchester, Manchester University Press, 1962a.

– «Les rites de passage» (1962b), en Gluckman (1962a).

Goffman, E., *Asylums*, Nueva York, Doubleday, 1961.

Goodman, N., *Ways of Worldmaking*, Hassocks, Harvester Press, 1978 (trad. cast.: *Maneras de hacer mundos*, Madrid, Visor, 1990).

Gould, S.J., *Time's Arrow, Time's Cycle*, Londres, Pelican Books, 1988 (trad. cast.: *La flecha del tiempo*, Madrid, Alianza, 1992).

Gouldner, A.W. y Gouldner, M.P. (a cargo de), *Modern Sociology*, Nueva York, Harcourt, Brace & World, 1963 (trad. cast.: *Sociología actual*, Madrid, Alianza, 1979).

Groupe Mu, *Rhétorique de la poésie*, Bruselas, Complexe, 1977.

Gurvitch, G., *La vocation actuelle de la sociologie*, París, Presses Universitaires de France, 1963.

Halberg, F., «Les rythmes biologiques et leurs mécanismes: base du développement de la chronopsychologie et de la chronoéthologie», en AA.VV. (1979).

Haley, J., «The Family of the Schizophrenic: a Model System», *J. nerv. ment. Dis.*, vol. 129, 357-364 (1959).

– *Strategies of Psychotherapy*, Nueva York, Grune & Stratton, 1963 (tra. cast.: *Estrategias en psicoterapia*, Barcelona, Toray, 1987).

– (a cargo de), *Advanced Techniques of Hypnosis and Therapy: the Selected Writings of Milton H. Erickson, MD*, Nueva York, Grune & Stratton, 1967.

– (a cargo de), *Changing Families. A Family Therapy Reader*, Nueva York, Grune & Stratton, 1971.

Hampshire, S., *Thought and Action*, Londres, Chatto & Windus, 1965.

Hawking S.W., *A Brief History of Time. From the Big Bang to Black Holes*, Nueva York, Bantam Books, 1988 (trad. cast.: *Historia del tiempo: del Big Bang a los agujeros negros*, Barcelona, Círculo de Lectores, [11] 1991).

Heidegger, M., *Sein und Zeit*, Halle, Niemeyer, 1927 (trad. cast.: *El ser y el tiempo*, Madrid, FCE, [8] 1989).

Heinemann, G., «L'ordine del tempo. Nota in margine ad Anassimandro» (1987), en Curi (1987a).

Heinemann, K. y Ludes, P., «Zeitbewusstein und Kontrolle der Zeit», en Mammerick y Klein (1978).

Heisenberg, W., *Physics and Philosophy*, Nueva York, Harper & Row, 1962.

Hoffman, L., «Deviation-Amplifying Processes in Natural Groups», en Haley (1971).

– *Foundations of Family Therapy*, Nueva York, Basic Books, 1981.

– «A Constructivist Position for Family Therapy», en AA.VV. (1988).

Hume, D., *Trattato sulla natura umana*, Padua, Cedam, 1941 (trad. cast.: *Tratado de la naturaleza humana*, Madrid, Tecnos, 1988).

Husserl, E., *Zur Phänomenologie der inneren Zeitbewuntseins* (1893-1917), La Haya, Nijoff, 1966.

Imber-Black, E., Roberts, J. e Whiting, R., *Rituals in Families and Family Therapy*, Nueva York, Norton, 1988 (trad. cast.: *Ritos en la familia y terapia familiar*, Barcelona, Gedisa, 1990).

Jackson, D.D., «The Question of Family Homeostasis», *Psychiat. Q.*, supl. vol. 31, 79-90 (1957).

Jaques, E., *The Form of Time*, Nueva York, Crane, Russak & Co., 1982.

Jauch, J.M., *Are Quanta Real? A Galilean Dialogue*, Bloomington, Indiana University Press, 1973.

Jaynes, J., *The Origins of Consciousness in the Breakdown of the Bicameral Mind* (1976).

Jervis, G., *La psicoanalisi come esercizio critico*, Milán, Garzanti, 1989.

Kamper, D., «Sacrificio del tempo: dal calendario perpetuo alla quotidianità delle scadenze» (1987), en Curi (1987a).

Kant, I., *Critica della ragion pura*, Bari, Laterza, 1963 (trad. cast.: *Crítica de la razón pura*, Madrid, Alfaguara, 1989).

Keeney, B.P., *Aesthetics of Change*, Nueva York, Guilford, 1983 (trad. cast.: *Estética del cambio*, Barcelona, Paidós, 1994).

Kermode, F., *The Sense of an Ending*, Oxford, Oxford University Press, 1967 (trad. cast.: *El sentido del final*, Barcelona, Gedisa, 1983).

Kluckholn, F., «Dominant and Substitute Profiles of Cultural Orientations», *Soc. Forces*, vol. 17, 383 (1949-1950).

– y Spiegel, J.P., «Integration and Conflict in Family Behavior», *Family Committee, Group for Progress in Psychiatry, Rep.* n. 27, Topeka, 1954.

– y Stodtbeck F.L., *Variations in Value Orientations*, Evanston, Row Peterson, 1965.

Koffka, K., *Principles of Gestalt Psychology*, Nueva York, Harcourt, 1935.

Kuhn, T.H., *The Structure of Scientific Revolutions*, Chicago, University of Chicago Press, 1962 (trad. cast.: *La estructura de las revoluciones científicas*, Madrid, FCE, [14]1990).

La Fontaine, J.S. (a cargo de), *The Interpretation of Ritual. Essays in Honour of A.J. Richards*, Londres, Tavistock, 1972.

Lander, H., *L'entreprise polycellulaire*, París, ESF, 1987.

Landes, D.S., *Revolution in Time*, Cambridge, Mass. Harvard University Press, 1983.

Lane, G. y Russell, T., *Eliciting Change in Couples Violence. A Second Order Systemic Approach*, conferencia pronunciada en el 9º Annual Family Therapy Network Symposium, Washington (marzo de 1986).

Leff, J.P. y Vaughn, C.E., *Expressed Emotion in Families*, Nueva York, Guilford, 1985.

Levi, P., *Se questo è un uomo*, Turín, Einaudi, 1947 (trad. cast.: *Si esto es un hombre*, Barcelona, Muchnik, 1987).

Lévi-Strauss, C., *Anthropologie structurale I*, París, Plon, 1958 (trad. cast.: *Antropología estructural*, Barcelona, Paidós Ibérica, [2]1992).

– *Le totémisme aujourd'hui*, París, Presses Universitaires de France, 1962.

– *Anthropologie structurale 2*, París, Plon, 1973.

Lewis, O., *La cultura della povertà e altri saggi di antropologia* (1966), Bolonia, Il Mulino, 1973 (trad. cast.: *La cultura de la pobreza. Pobreza, burguesía y revolución*, Barcelona, Anagrama, 1972).

Loriedo, C. y Vella, G., *Il paradosso e il sistema familiare*, Turín, Bollati Boringhieri, 1989.

Luce, G.G., *Biological Rhythms in Human and Animal Physiology*, Nueva York, Dover, 1971.

Luhmann, N., «Die Knappheit der Zeit und die Vordringlichkeit der Befristeten», *Pol. Planung*, vol. 2, 143-165 (1975).

Lurija, A.R., *The Mind of a Mnemonist* (1968), Cambridge, Mass. Harvard University Press, 1987.

– *The Man with a Shattered World* (1972), Cambridge, Mass. Harvard University Press, 1987.

Mammerick, K. y Klein, M. (a cargo de), *Materialien zur Soziologie der Alltags*, Sonderheft 20/1978 der Kolner Zeitschrift für Soziologie und Sozialpsychologie, Opladen 1978.

Marsh, J., *The Fullness of Time*, Londres, Nishet & Co., 1952.

Maruyama, M., «The Second Cybernetics: Deviation-Amplifying Mutual Causal Processes», in Buckley (1968).

Massignon, L., «Time in Islamic Thought», en Campbell (1957).

Maturana, H. y Varela, F., *Autopoiesis and Cognition*, Boston, Reidel, 1980.

– *The Tree of Knowledge: the Biological Roots of Understanding*, Boston, New Science Library, 1987 (trad. cast.: *El árbol del conocimiento*, Madrid, Debate, 1990).

McTaggart, J.M.E., *The Nature of Existence*, Cambridge, UK, Cambridge University Press, 1927.

Merleau-Ponty, M., *Phénoménologie de la perception*, París, Gallimard, 1945 (trad. cast.: *Fenomenología de la percepción*, Barcelona, Ed. 62, 1980).

Merton, R.J., «Socially expected Duration: a Case Study of Concept Formation in Sociology», en Powell y Robins (1984).

Merton, R.K., *Social Theory and Social Structure*, Nueva York, Free Press, 1957.

Michon, J.A., «Le traitement de l'information temporelle», en AA.VV. (1979).

Miller, G.A., «The Magic Number Seven, plus or minus Two: Some Limits on Our Capacity for Processing Information», *Psychol. Rev.*, vol. 63, 81-97 (1956).

Minkowski, E., *Le temps vécu*, París, 1933.

Minsky, M., *The Society of Mina*, Nueva York, Simon & Schuster, 1985.

Minuchin, S., *Families and Family Therapy*, Cambridge, Mass. Harvard University Press, 1974 (trad. cast.: *Familias y terapia familiar*, Barcelona Gedisa, ²1979).

– y otros, *Families of the Slums*, Nueva York, Basic Books, 1969.

Mitchell, W.J.T. (a cargo de), *On Narrative*, Chicago, University of Chicago Press, 1981.

Morin, E., «Le vie della complessità», in Bocchi y Ceruti (1985).

Newton, I., *I principi matematici della filosofia naturale*, Turín, Utet, 1965 (trad. cast.: *Principios matemáticos de la filosofía natural*, Madrid, Alianza, 1987).

Nilsson, M.P., *Primitive time Reckoning*, Lund 1920.

Orme, J.E., *Time, Experience and Behavior*, Londres, Iliffe Books, 1969.

Ornstein, R.E., *On the Experience of Time*, Harmondsworth, Penguin, 1969.

– *The Psychology of Consciousness*, Harmondsworth, Pelican Books, 1975 (trad. cast.: *La psicología de la conciencia*, Madrid, Edaf, 1993).

Parry, A., «An Universe of Stories», *Fam. Proc.*, vol. 30, 37-54 (1991).

Pearce, W.B., *Communication and the Human Condition*, Carbondale-Edwardsville, Southern Illinois University Press, 1989.

Penn, P., «Circular Questioning», *Fam. Proc.*, vol. 21, 267-280 (1982).

– «Feed-forward. Future Questions, Future Maps», *Fam. Proc.*, vol. 24, 299-310 (1985).

Piaget, J., *La construction du réel chez l'enfant*, Neuchâtel, Delachaux & Niestlé, 1937 (trad. cast.: *La construcción de lo real en el niño*, Barcelona, Crítica, ²1989).

– *Le développement de la notion de temps chez l'enfant*, París, Presses Universitaires de France, 1946.

Piattelli Palmarini, M. (a cargo de), *Livelli di realtà*, Milán, Feltrinelli, 1984a.

– «Mappe della realtà e mappe della ragione» (1984b), en Piattelli Palmarini (1984a).

Piéron H., «Les problèmes psychophysiologiques de la perception du temps», *Ann. psychol.*, vol. 24 (1923).

Platón, *Timeo*, Bari, Laterza, 1967 (trad. cast.: *Diálogos* [7 vol.], Madrid, Gredos, 1992).
Plotino, *Enneadi*, Bari, Laterza, 1947-1949 (trad. cast.: *Enéadas III, IV*, Madrid, Gredos, 1985).
Poincaré, H., *Dernières pensées*, cap. 2 (1913) (trad. cast.: *Últimos pensamientos*, Madrid, Espasa-Calpe).
Popper, K., *Unended Quest*, Londres, Fontana/Collins, 1976 (trad. cast.: *Búsqueda sin término. Una autobiografía intelectual*, Madrid, Tecnos, 1985).
Powell, W.W. y Robins, R. (a cargo de), *Conflict and Consensus: a Festschrift for Lewis A. Coser*, Nueva York, Free Press, 1984.
Prigogine, I., *La nascita del tempo*, Roma, Theoria, 1988 (trad. cast.: *El nacimiento del tiempo*, Barcelona, Tusquets, 1991).
– y Stengers, I., *La nouvelle alliance. Métamorphose de la science*, París, Gallimard, 1979 (trad. cast.: *La nueva alianza*, Madrid, Alianza, 1994).
– *Order out of Chaos*, Nueva York, Bantam Books, 1984.
Puech, H.C., «Gnosis and Time», en Campbell (1957).
Quastler, H. (a cargo de), *Information Theory and Psychology*, Nueva York, Free Press, 1956.
Quispel, G., «Time and History in Patristic Christianity», en Campbell (1957).
Reale, P., *La psicologia del tempo*, Turín, Boringhieri, 1982.
Reinberg, A., «Le temps, une dimension biologicale et médicale», en *L'homme malade a du temps*, París, Pernond & Stock, 1979.
Reiss, D., *The Family Construction of Reality*, Cambridge, Mass., Harvard University Press, 1981.
Ricoeur, P., *Temps et récit*, pt. 3, *Le temps raconté*, París, Seuil, 1985 (trad. cast.: *Tiempo y narración*, Madrid, Cristiandad, 1987).
Roger, J., Introducción a G.L. Buffon, *Les époques de la nature*, París, Mémoires du Muséum National d'Histoire Naturelle, Série C, 1962.
Rorty, A., *The Identities of Persons*, Berkeley, University of California Press, 1976a.
– «A Literary Postscript: Characters, Persons, Selves, Individuals» (1976b), en Rorty (1976a).
Rossi, P., *I segni del tempo: storia della terra e storia delle nazioni da Hooke a Vico*, Milán, Feltrinelli, 1979.
Ruesch, J. y Bateson, G., *Communication. The Social Matrix of Psychiatry*, Nueva York, Norton, 1951 (trad. cast.: *Comunicación*, Barcelona, Paidós, 1984).
Rumelhart, D.E., «Notes a Schema for Stories», en Bobrow y Collins (1975).
Russell, B., *History of Western Philosophy and Its Connection with Political and Social Circumstances from the Earliest Time to the Present Day* (1948) (trad. cast.: *Historia de la filosofía occidental*, Madrid, Espasa-Calpe, 1994).
Sabbadini, A., *Il tempo in psicoanalisi*, Milán, Feltrinelli, 1979.
Sacks, O., Prefacio a Lurija (1972)
Saussure, F. de, *Cours de linguistique générale*, París, Payot, 1922 (trad. cast.: *Curso de lingüística general*, Madrid, Alianza, ³1991).
Schafer, R., *The Analytic Attitude*, Nueva York, Basic Books, 1983.
Schein, E.H., *Process Consultation*, vol. 2, *Lessons for Managers and Consultants*, Reading, Addison-Wesley, 1987.
Selvini Palazzoli, M., «Why a Long Interval between Sessions?», en Andolfi y Zwerling (1980).
– Boscolo, L., Cecchin, G. y Prata, G., «The Treatment of Children trough Brief Therapy of Their Parents», *Fam. Proc.*, vol. 13, 429-442 (1974).
– *Paradosso e contraparadosso*, Milán, Feltrinelli, 1975 (trad. cast.: *Paradoja y contraparadoja*, Barcelona, Paidós Ibérica, ²1991).

- «Una prescrizione ritualizzata nella terapia della famiglia: giorni pari e giorni dispari», *Archo Psicol. Neurol. Psichiat.*, vol. 38, 293-302 (1977).
- «The Problem of the Referring Person», *J. mar. Fam. Ther.*, vol. 6, 3-9 (1980a).
- «Hypothesizing-Circularity-Neutrality», *Fam. Proc.*, vol. 19, 73-85 (1980b).
- Cirillo, S., Selvini, M. e Sorrentino, A.M., *I giochi psicotici nella famiglia*, Milán, Cortina, 1988 (trad. cast.: *Los juegos psicóticos en familia*, Barcelona, Paidós Ibérica, 1990).
- y Viaro, M., «Il processo anoressico nella famiglia: un modello a sei stadi a guida del trattamento individuale», *Ter. Fam.*, vol. 30, 5-20 (1989).
Sini, C., «La fine del tempo pubblico e il problema del tempo-immagine» (1987), en Curi (1987a).
Sluzki, C., «La trasformazione terapeutica delle trame narrative», *Ter. fam.*, vol. 36, 5-19 (1991).
- y Ransom, D. (a cargo de), *Double Bind: the Foundation of the Communicational Approach to the Family*, Nueva York, Grune & Stratton, 1976.
Smith, M.W., «Different Cultural Concept of the Past, Present and Future», *Psychiatry*, vol. 13, 395-400 (1952).
Sonnemann, V.,« Il tempo é una forma di ascolto. Sulla natura e le conseguenze di un disconoscimento kantiano dell'orecchio» (1987), en Curi (1987a).
Sorokin, P.A., *Sociocultural Causality, Space, Time*, Durham, Duke University Press, 1934.
- y Merton, R.K., «Social Time: a Methodological and Functional Analysis», *Am. J. Sociol.*, vol. 42, 615-619 (1937).
Steiner, G., *Heidegger*, Londres, Fontana, 1978.
Stierlin ,H., Weber, G., Schmidt, G. y Simon, F.B., «Features of Families with Major Affective Disorders», *Fam. Proc.*, vol. 25, 267-282 (1986).
- Wynne L.C. y Wirsching M. (a cargo de), *Psychosocial Intervention in Schizophrenia*, Berlín, Springer, 1983.
Stroud, J.M., «The Fine Structure of Psychological Time», en Quastler (1956).
Tabboni, S., *Tempo e società*, Milán, Angeli, 1987.
Tanizaki, J., «L'amore di uno sciocco», en *Opere*, Milán, Bompiani, 1988.
Telfener, U., «Heinz von Foerster: costruttivismo e psicoterapia», (1987), en Foerster (1981).
Thom, R., *Stabilité structurelle et morphogenèse*, París, 1972 (trad. cast.: *Estabilidad estructural y morfogénesis*, Barcelona, Gedisa, 1987).
Thompson, E.P., «Time, Work, Discipline and Industrial Capitalism», *Past and Present*, vol. 38, 56-97 (1967).
Tomm, K., «One Perspective on the Milan Systemic Approach, pt. 2, Description Session Format, Interviewing Style and Interventions», *J. mar. Fam. Ther.*, vol. 10, 253-271 (1984).
- «Circular Interviewing. A Multifaceted Clinical Tool», en Campbell y Draper (1985).
- «Interventive Interviewing, pt. I, Strategizing as a Fourth Guideline for the Therapist», *Fam. Proc.*, vol. 26, 3-13 (1987a).
- «Interventive Interviewing, pt. 2, Reflexive Questioning as a Means to Enable Self-Healing», *Fam. Proc.*, vol. 26, 167-183 (1987b).
- «Interventive Interviewing, pt. 3, Intending to Ask Circular, Strategic or Reflexive Questions?», *Fam. Proc.*, vol. 27, 1-15 (1988).
Toraldo di Francia, G., Presentación de Prigogine y Stengers (1981).
- *Un universo troppo semplice*, Milán, Feltrinelli, 1990.
Van der Hart, O., *Rituals and Psychotherapy. Transition and Continuity*, Nueva York, Irvington, 1983.

Van der Leeuw, J., «Primordial Time and Final Time», en Campbell (1957).
Van Gennep, A., *Les rites de passage*, París, Nourry, 1909 (trad. cast.: *Los ritos de paso*, Madrid, Taurus, 1986).
Vicario, G., *Tempo psicologico ed eventi*, Florencia, Giunti Barbera, 1973.
Vita di san Benedetto e la Regola, Milán, Ed. di Comunità, 1981 (equip. cast.: *Regla de san Benito*, Zamora, Monte Casino, 1983).
Watzlawick, P. (a cargo de), *The Invented Reality*, Nueva York, Norton, 1984 (trad. cast.: *La realidad inventada*, Gedisa, 1990).
 – Beavin, J. y Jackson, D.D., *Pragmatics of Human Communication*, Nueva York, Norton, 1967.
 – Weakland J.H. y Fisch R., *Change. The Principles of Problem Formation and Problem Resolution*, Nueva York, Norton, 1974 (trad. cast.: *El cambio*, Barcelona, Herder, [7] 1992).
White, H., «The Value of Narrativity in the Representation of Reality», en Mitchell (1981).
White, M., «Pseudo-Encopresis: from Avalanche to Victory, from Vicious to Virtuous Cycles», *Fam. Syst. Med.*, vol. 2, 2 (1984).
 – y Epston, D., *Literate Means to Therapeutic Ends*, Adelaide, Dulwich Centre Publications, 1989.
Whitehead, A.N., *The Concept of Nature*, Londres, Cambridge University Press, 1920 (trad. cast.: *El concepto de la naturaleza*, Madrid, Gredos, 1968).
Whithrow, G.I., *The Nature of Time*, Londres, Thasses, 1972.
Whorf, B.L., *Language, Thought and Reality*, Cambridge, Mass. MITT Press, 1956 (trad. cast.: *Lenguaje, pensamiento y realidad*, Barcelona, Seix Barral, 1971).
Wiener, N., *Cybernetics, or Control and Communication in the Animal and the Machine* (1948), Cambridge, Mass. MIT Press, 1965 (trad. cast.: *Cibernética*, Barcelona, Tusquets, 1985).
Williams, D.C., «The Fight for tomorrow» (1951), en *Principles of Empirical Realism*, Springfield, Thomas, 1966.
Wittgenstein, L., *The Blue and Brown Books*, Oxford, Blackwell, 1958-1964 (trad. cast.: *Los cuadernos azul y marrón*, Madrid, Tecnos, 1984).
Wynne, L.C., McDaniel S.H. y Weber T.T., *Systems Consultation. A New Perspective for Family Therapy*, Nueva York, Guilford, 1986.
 – y Singer M.T., «Thought Disorder and Family Relations of Schizophrenics, pt. 1, Research Strategy», *Archs gen. Psychiat.*, vol. 9, 191-198 (1958).
Zerubavel, E., *Hidden Rythms. Schedules and Calendars in Social Life*, Chicago, University of Chicago Press, 1981.
Zohar, D., *Through the Time Barrier*, Londres, Heinemann, 1982.

ÍNDICE DE AUTORES

ÍNDICE ANALÍTICO

Junis 29/99 = $78000